新　潮　文　庫

蛍　の　航　跡

軍医たちの黙示録

帚木蓬生著

新　潮　社　版

10019

蛍の航跡　軍医たちの黙示録　目次

死産

野ばら

巡回慰安所

行軍

アモック

蛍
あとがき
主要参考資料

解　説　村上陽一郎

439　461　505　539　573　669　720

蛍の航跡

軍医たちの黙示録

先の大戦で散華《さんげ》された
あるいは幸いにも生還された
陸海軍の軍医の方々に
本書を捧《ささ》げる

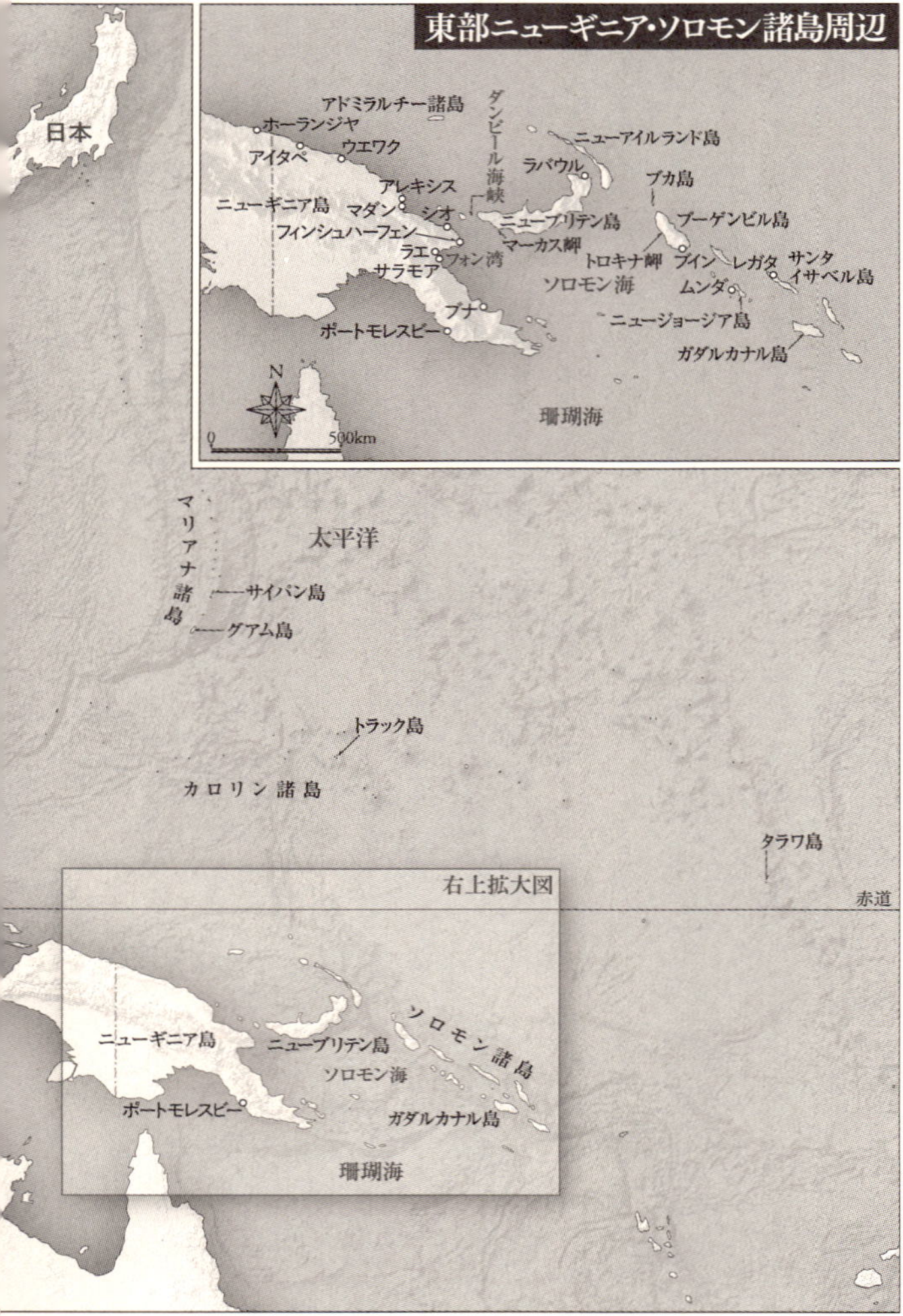
東部ニューギニア・ソロモン諸島周辺
アドミラルチー諸島
ダンピール海峡
ホーランジヤ
ウエワク
アイタペ
ニューアイルランド島
ラバウル
ブカ島
アレキシス
ニューギニア島
マダン
シオ
ニューブリテン島
ブーゲンビル島
フィンシュハーフェン
マーカス岬
ラエ
フォン湾
トロキナ岬
ブイン
レガタ
サンタイサベル島
サラモア
ソロモン海
ムンダ
ブナ
ニュージョージア島
ポートモレスビー
ガダルカナル島
珊瑚海
N
0
500km
日本
マリアナ諸島
太平洋
サイパン島
グアム島
トラック島
カロリン諸島
タラワ島
右上拡大図
赤道
ニューギニア島
ニューブリテン島
ソロモン諸島
ソロモン海
ポートモレスビー
ガダルカナル島
珊瑚海

地図製作：アトリエ・プラン

抗命

マニラ陸軍病院第一分院、通称ケソンの敷地には柵《さく》も鉄条網もなく、私は敷地のはずれと思われる場所に専用の小屋を作ってもらっていた。小屋といっても、四本の柱の上に椰子《やし》の葉を並べただけの粗末なものだ。しかしそれが日除《ひよ》けになり、風も吹きさらしなので、ハンモックでも吊《つ》るしておけば、板造りの兵舎よりはよほど涼しかった。午前と午後の診療の間、簡単な昼飯をすませたあと、ハンモックにのぼり、うたた寝をしたり、本を読んだりした。不意にスコールがやってきて、椰子の葉がけたたましい音をたて始めると、飛び起きて一目散で兵舎の中に駆け込む仕儀になる。しかしそんな不運に見舞われるのは十日に一度くらいだ。

戦況がおもわしくないことは、病院上層部からそれとなく知らされていたが、分院自体はごく平穏で、敵機の機影さえ見なかったし、戦闘の砲撃音も聞こえなかった。南方諸島の前線から後送されて来る将兵の手足がもがれていたり、腹部が銃創でえぐられているのを見て、ここが戦場であると、ようやく思い知らされた。

昭和十九年七月初め、ハンモックで半睡していたとき、「軍医殿、山下大尉《たいい》殿」という声で目が醒《さ》めた。当番兵が敬礼をしていた。

「本院の方にいらっしゃって下さい。軍医部長殿がお呼びです」

当番兵は無線係が書いた紙片を私に見せた。

用件など書いていない。しかし予想はついた。分院を出る前に、分院長の田村軍医大佐に報告する必要があった。

「やっぱり、きみに白羽の矢が立ったか。例によって推挙しておいたんだ」

大佐は口髭《くちひげ》を撫《な》でながら表情を引き締めた。私はもう間違いないと思った。

「先日ちょっと話をした鑑定の件だ。陸軍始まって以来の不祥事だよ。兵団長が抗命罪に問われている」

「抗命罪ですか」四、五日前に分院長から打診されたときは、通常の往診くらいだと思っていたのだ。「どこの兵団でしょうか」

「ビルマだ」

「ビルマ」私はどっと疲れを感じた。まさかビルマの兵団長をマニラに連れてくることはないはずだ。鑑定となれば、私があちらに赴かねばならない。一体どのくらい離れているのか。私は頭のなかで地図を思い浮かべた。二千キロは優に超えるだろう。

「この前は軍用トラックだったが、今回は飛行機でひとっ飛びだ」

田村大佐はようやく笑って私の肩を叩《たた》いた。なるほど、軍医部長に私を推薦した理由はそこにあった。大佐と私は第十四軍に転属される前、ガダルカナルの兵站《へいたん》病院にいた。そのとき、敵に包囲された大隊長の精神鑑定を命じられたのだ。トラックに揺られ、二日かかって戦場に着き、夜陰に紛れて陣地にはいって、気がふれたと噂《うわさ》のたっていた大隊長に会った。大隊長は確かに躁《そう》病に罹患《りかん》していた。何日も眠らずに作戦案を書き散らし、突撃を命じる。命じたかと思うと、作戦を変更して呼び戻す。そして別の中隊に号令をかけて別方向への攻撃を促す。副官の助言など聞き入れない。これでは部下はたまったものではない。

大隊長の過去の行状を調べると、躁状態のほかにうつの病状もあることが分かり、最終診断がついた。大隊長は直ちに更迭《こうてつ》されて、マニラ陸軍病院に送られた。その後は内地に送還後、国府台《こうのだい》陸軍病院に入院になったと、報告が届いた。

その際の手際《てぎわ》の良さと鑑定書の出来を、田村大佐は手放しで誉めてくれ、私は面映《おもはゆ》い思いをした。外科医の大佐からすれば、精神鑑定書が手品のように思えたのかもしれない。しかし本来精神科医の私にしてみれば、外科医の手術記録みたいなもので、取り立てて云々《うんぬん》するほどの手柄でもなかった。

田村分院長は簡単だと言ってはくれたものの、概略を聞くと、簡単な話ではない。

被鑑定人が、前回は大隊長、今度は第三十一師団、通称烈《れつ》兵団の兵団長だった。前回は、大隊長の辻褄《つじつま》の合わない行動を不審に思った部下が、軍司令部に直訴しての鑑定という流れだった。今回は全く経緯が違っていた。軍司令官が自分の部下を、それも親補職《しんぽしょく》の師団長を告訴し、精神鑑定を要すると、方面軍司令官に訴えていた。

私は事の重大さをひしひしと感じながら、翌日マニラの南方総軍司令部に行き、軍医部長梛野《なぎの》軍医中将の前に立った。部長は気さくにソファを勧めてくれたが、私は固辞した。

「閣下、ビルマには、九州大学の医局で一年後輩だった中本軍医がおります」

「それは調べた。中本軍医は確かにビルマ戦線にいるが、今は山奥にいてどこにいるか判然としない。探すのにも何日かかるか分からん。それに烈兵団長の所属部隊だ」

「そうでありますか」

私は中本軍医の物静かな顔を浮かべた。彼は不運といえば不運で、二度も赤紙をもらっていた。最初は昭和十二年の暮で、私より早かった。中支《ちゅうし》戦線で三年を過ごし、復員したのは十六年の四月だった。そこで延び延びになっていた結婚式を挙げ、大学の医局で研究を始めた矢先の七月、再び赤紙が来た。そのいきさつを知らせてくれたのは同門の後輩だ。彼自身も中本軍医の召集のあと、赤紙で呼び出され、南方に赴く途中、このマニラの陸軍病院で会っていた。ニューブリテン島が行き先と言っていた後輩も、今はおそらくその島のジャングルの中だろう。二人の後輩に比すれば、今の私は数段恵まれた環境にいた。

「それでは本官がお引き受け致します」私は直立不動で答えた。

「そうか、行ってくれるか」軍医部長の顔に安堵《あんど》の色が見えた。

「しかし、もしも私の鑑定結果に不満が生じたり、内地で再鑑定が行われるようなことになるのであれば、ご辞退したく思います」

多少遠回しの言い方だと感じながらも、胸に秘めていた決意を口にした。傲慢《ごうまん》や過剰な自信から出た言葉ではなかった。精神科の門をくぐって十三年、この道での自信はあった。しかも専門医として、精神鑑定に従事することは当然の義務だ。ただし、今回の鑑定の相手は、天皇陛下の任命になる親補職の師団長だった。南方総軍の名誉のためにも、また帝国陸軍としても、正確な判定を誤れば、将来に汚名を残すのは間違いない。私は自分で背水の陣をしいたのだ。

「まあ、かけ給《たま》え」

軍医部長から再度ソファを勧められ、私は向かい合わせに腰かけた。

「その件は、一週間待ってくれんか。東京に問い合わせてみる」

軍医部長は言い、煙草《たばこ》をさし出した。私は煙草はやらず、遠慮すると、部長は自分で火をつけ、煙をふっと吐き出した。

「ともかくこれは前代未聞《みもん》の事件だよ」

「烈の兵団長は、現在解任されておられるのですね」

私は当初から気になっていたことを確かめた。現役の師団長を鑑定するのと、親補職を退いた前師団長を鑑定するのとでは、こちらの緊張度が異なる。

「牟田口《むたぐち》軍司令官から師団長解任の命令が出されたのが七月五日だ。佐藤師団長はビルマ方面軍司令部付になった。後任の師団長は決まっていないそうだ」

「それで、鑑定の場所はどこになりましょうか」

「ラングーンだ。きみが先に行っておいて待機してもらうことになると思う」

軍医部長は鋭い視線を私に向け、「しかしこれは大変な事件だよ」と繰り返した。

「ことによっては、皇軍のあり方を根底からひっくり返すことにもなりかねない」

私は頷《うなず》く代わりに、ソファの上で背筋を伸ばした。

総軍司令部を辞したあと、軍医部長から再度の呼び出しがあったのは、一週間後だった。

「東京から電報が来た。この件は南方総軍に一任する。内地は一切関与しない、という内容だ」

　棚野軍医中将は当然といった表情で、電文を机の上に広げてみせた。

「参謀総長からの電報でしょうか」私は直立不動のまま訊《き》いた。

「そう。東条首相、自らのご判断だ」

　これでもう私の任務は決定した。第一分院に戻った私は、腰椎穿刺《ようついせんし》用のルンバール針を磨き、試験管を消毒し、試薬を準備した。

　南方総軍の寺内寿一《てらうちひさいち》総司令官からの出張命令が届いたのは翌日だった。〈ビルマ派遣軍の衛生業務援助のためビルマへ出張を命ず〉という文面を何度も読みながら、内心で苦笑を禁じ得なかった。師団長の精神鑑定が衛生業務の援助とは、言い得て妙でもあり、事実をはぐらかす詭弁《きべん》にも思えた。

　ビルマ派遣軍との交渉係には、総軍軍医部高級部員の宮本軍医中佐が任命された。二人でマニラを出発したのは七月十四日だ。飛行機には総参謀副長の和知《わち》中将も同乗し、途中でボルネオ一泊となった。アピーの軍司令官山脇《やまわき》中将の宿舎で、夕食会が開かれた。

　和知中将や宮本中佐と私の他にも、現地の参謀や副官が同席し、にぎやかな食卓になった。斜め前に坐《すわ》ってよくしゃべり、よく食べる山脇中将の顔を見ながら、初対面にもかかわらず私はどこかで見た顔だと思った。気がついたのは宴もたけなわになった頃で、医学部の前にあった東公園の日蓮《にちれん》そっくりだったのだ。私は毎日下宿からその日蓮の銅像下を歩いて、医学部そして医局に通ったものだ。

「俺は鰐《わに》のペニスを持っているが、お二人に見せようか」

山脇中将は私と宮本中佐に笑顔を向けた。私たちが軍医と知っての半ば冗談、半ば本気だったに違いない。

「はい、後学のために是非」と、私より先に答えたのは宮本中佐だ。

さっそく副官が隣室から、その代物《しろもの》を両手に抱えて持って来た。五十センチはある逸物に、私は圧倒された。

「和知中将、これを半分に切って進呈しようか。奥さんに送ってやると喜ばれること請け合い」

山脇中将からもちかけられた和知中将は、「半分でなく、そのまた半分で結構です」と切り返し、一座大笑いになった。

ボルネオを飛び立った飛行機は、泰緬《たいめん》国境を越える際、雲の上に出たり突っ込んだりして曲芸飛行なみの操縦になった。ラングーンに近づくと、今度は海上の霧の中を飛行する。霧を抜けた瞬間、十数メートル下にデルタ地帯が迫り、思わず腰を浮かした。あとで聞くと、すべては敵機を回避するための挙動だったらしく、改めて背筋が冷えるのを覚えた。

　七月十七日、ラングーン大学内の深い森の中に造られた司令部に出向いた。方面軍司令官河辺正三《まさかず》中将に申告のためだったが、司令官はカイゼル髭のみが立派で、顔色も悪く、声にも張りがなかった。アメーバ赤痢《せきり》に罹患したあとのことで、その口から、ひとしきりビルマの非衛生的な雨期についてのぼやきが漏れた。

　このぼやきに私が心底納得したのは、すべての任務を終えてラングーンを出たときだ。およそひと月の滞在中、雲の間からのぞく太陽を拝めたのは、合計二時間に満たなかった。

　烈兵団長の到着までの五日間、ラングーン北方に布陣する軍の状況を、視察する機会をつくってもらった。河辺中将の言葉どおり、どこもかしこも非衛生的で、内地との余りの違いに驚かされた。山林の中に掘られた塹壕《ざんごう》は水浸しであり、洗濯した物は焚火《たきび》で乾かすしかなく、乾いてもすぐ湿気を帯びる。手入れをした軍靴《ぐんぐつ》も、翌朝にはかびだらけになった。

　私と宮本中佐がラングーンに着いた夜、夕食会に招かれた。同席した若手の参謀たちは、任務を知っていたのか、烈兵団長の抗命事件をそれとなく話題にした。私としては鑑定の原則である〈事実をありのままに〉を自分に言い聞かせ、噂話は聞き流すように努めるしかない。とはいえ、交わされる会話の内容には聞き耳が立つ。森《もり》や林《はやし》、烈《れつ》や弓《ゆみ》、菊《きく》や祭《まつり》といった言葉が、否応《いやおう》なく耳に届いた。いずれも軍の略号で、森はビルマ方面軍、林はそれに属する牟田口軍司令官指揮下の第十五軍をさし、烈、弓、菊、祭はその配下の師団を意味していた。

会話の大筋は、総じて烈兵団長の判断が正しく、林の司令部のほうがおかしいというものだった。

夕食会の翌日、私は兵站病院に行き、マラリアや梅毒検査の依頼をした。

被鑑定人の第三十一師団烈兵団長の佐藤幸徳《こうとく》中将が、戦線からラングーンに到着したのは七月二十二日である。翌二十三日、烈兵団長が河辺方面軍司令官に申告に来ると知らされた私と宮本中佐は、数時間前に司令官室に呼び出された。

「間もなく烈兵団長が着く。君たちはそこの部屋に居《お》ってくれんか」

河辺中将は隣の部屋を指さした。中にはいると、机に椅子《いす》だけの殺風景な小部屋だ。扉を閉める。隣室の話し声は聞こえない。

「いざとなったら、ここから出て行って中将閣下を取り押さえてくれ、ということでしょうか」

私は精神病院でよくとられる処置を思い出して宮本中佐に言った。独房に入れられた興奮患者を診察する際、看護士が二、三人背後に控えるのが通常で、事が起こればいつでも対処できるようになっていた。

「十年ばかり前、世間を騒がせた横浜の事件があったろう」宮本中佐が真顔で頷く。

私もその事件は知っていた。梅毒性の脳炎である進行麻痺《しんこうまひ》にかかった陸軍中佐が、列車内で軍刀を抜いて暴れたのだ。幸い死人は出なかったが、軍としては面目丸潰《まるつぶ》れの事件だった。

私と宮本中佐は椅子を扉の近くに寄せ、隣室の様子をうかがった。佐藤中将の入室は足音で分かり、私たちは立ち上がる。申告の内容は聞こえなかった。しかし最後には笑い声が届き、二人で安堵の顔を見合わせた。

翌二十四日、方面軍の鎌田《かまた》軍医部長に引率されて迎賓館に向かい、軍医部長から烈兵団長佐藤中将に紹介された。

私たちは最敬礼を行った。

「わざわざマニラから来たとは、あんた等も大変だったな。ま、よろしく頼む」

肩こそ叩かれなかったが、中将から気さくに話しかけられ、緊張はいっぺんにゆるんだ。同時に、何か機先を制された気持になった。腹が少し出て肥満気味ではあるもののの、がっしりした体格で、循環気質型と闘士型が混じった第一印象を受けた。たとえは悪いが、全体としてはどこか大店《おおだな》の主人のような雰囲気を与え、軍人らしいいかめしさが少ない。

さっそく急ごしらえで診察室にした隣室で、中将の身体的理学的検査を始めた。

「あんたは精神科医と聞いているが、注射もなかなかうまいじゃないか」

身体的な診察を終えて、採血にはいったとき、中将が私に言った。

「精神科医でも注射はしますし、後日、腰椎穿刺《ようついせんし》もさせていただきます」

「何だね、それは」

中将はさすがに驚いたようで、眉《まゆ》を吊《つ》り上げた。

「腰に太い針を刺して、背骨の中から脳脊髄液《のうせきずいえき》を十cc採取します」

「おいおい、背骨に針かよ」

「正確に申し上げれば、骨と骨の間に針を刺します」

「痛くないか」

「多少は痛いですが、閣下なら大丈夫です」

皮肉をこめた返答に、中将は口をつぐみ、多少なりとも溜飲《りゅういん》が下がった。同時に、この短いやりとりで、これは普通の人、つまり何か精神に異常をきたしている人ではない、という直感をもった。

初日の診察はそれで終わり、二日目に本人に対する直接の問診と、中将に同行した副官への面接を予定して、私と宮本中佐は迎賓館をあとにした。

宿舎で、私は宮本中佐が収集した事件の概要を頭のなかに入れた。資料の中には、烈兵団から林司令部に宛《あ》てた電報の写しも含まれていた。

インパール作戦の目的は二つあった。ひとつは、インド東部に位置する英印軍の前進基地であるインパールを占拠して、そこにインド革命の志士チャンドラ・ボースの革命政府を擁立することだ。革命政府ができれば、イギリスの植民地政策に対する独立運動が、インド全土に広がるに違いないという目論見《もくろみ》が背後にあった。

第二の目的は、インパールからさらに北に位置する、アッサム鉄道の要衝ディマプールの占領だ。これによって、レドから中国の重慶《じゆうけい》政府に至る蔣介石《しようかいせき》援助ルート、いわゆるレド公路の遮断が可能になる。

これらの目的自体は壮大にしてかつ理路整然としている。しかも一石二鳥の妙案である。反面、いかにも机の上で練られた案という印象はぬぐえない。最大の問題は、インパールが山岳地帯にあり、その後方に控える後方補給路の要所コヒマも、同時に制圧する必要がある点だった。

第十五軍林の司令官牟田口廉也《れんや》中将の命令によって、三種の兵団が投入された。弓兵団（第三十三師団、柳田元三中将）、祭兵団（第十五師団、山内正文中将）、烈兵団（第三十一師団、佐藤幸徳中将）であり、弓はインパールの南から、祭はインパールの東から、それぞれビルマとインドの国境を越えた。そして烈は、インパールの北にあるコヒマを目ざして、国境に向かったのだ。

この三兵団のうち、最も困難な進路をとらなければならなかったのが烈兵団である。進路には、ヒマラヤ山脈の南端パトカイ－アラカン山系が立ちはだかっている。標高は二千八百メートル、その両側千五百メートル下には谷が横たわり、大河が流れている。ビルマ側にある川が、イラワジ河に合流してアンダマン海に注ぐチンドウィン河だ。しかもこの河は名にし負う激流だった。あとで聞いた烈兵団長の副官の証言でも、牛はもちろん、米俵や二十キロの軍票つづらも押し流したらしい。

この渡河《とか》作戦が烈によるコヒマ攻略の端緒であり、昭和十九年三月十五日に実施された。

烈兵団長の佐藤中将は師団を三分する攻略作戦を立てていた。北方から進攻する右翼隊、南方から攻める左支隊、そして本部のある中央隊である。このうち進撃が最も速かったのは、宮崎少将の率いる左支隊で、四月五日にコヒマ南方の丘を占領した。

ところが右翼隊と中央隊は、その頃やっとコヒマ北方にたどり着いたばかりだった。全軍で総攻撃をかけるには時期尚早で、左支隊は待機するしかなかった。この間、英印軍はコヒマに野砲、迫撃砲、戦車、火炎放射器を持ち込み、堅固な陣地を築いてしまった。

こうなると装備に劣る烈は、夜襲による肉迫戦を選択するしかない。しかし夜闇《よやみ》に紛れたつもりの攻撃も、照明弾を打ち上げられると、昼間同然の戦いになる。こちらが、やっと運び込んだ山砲を一発撃つと、百発の砲弾が降りそそぐ。悪戦苦闘の肉迫戦は二ヵ月にわたって続く。

戦わねばならないのは敵軍ばかりではない。アラカン山脈は世界有数の多雨の地域で、四月下旬から雨期に入り、五月になると豪雨に見舞われた。マラリアや赤痢、脚気《かつけ》、栄養失調で動けなくなる兵は、日毎《ひごと》に増えていった。

その間にも軍司令部からの進撃命令は次々と届く。第一は、宮崎少将の左支隊を分離して、南のインパール戦線に投入せよという命令だった。そうでなくとも多勢に無勢なのに、味方の軍勢を減じるなど不可能である。烈兵団長は、文字どおり烈火の如《ごと》く怒り、軍司令官命令を拒絶した。それならと、第二、第三の命令、ディマプール進出とアッサム鉄道占拠が届いたが、これも前線からすれば絵に描いた餅《もち》に過ぎない。

烈兵団長は黙殺した。

　この難行軍と死にもの狂いの戦いの間、軍からの食糧と弾薬、衛生材料の補給は、全くなかった。将兵は戦傷のみならず、病気と飢えでバタバタ倒れていく。烈兵団長は、止《や》むなく六月一日、撤退の命令を下した。まずは食糧確保が先決である。南方にある町フミネを目指した。しかしここにもまた軍司令官の命令が届く。直ちにインパール攻撃に向かえというのである。腹が減っては戦《いく》さはできない。作戦は後回しにして真直《まつす》ぐフミネに向かった。これも抗命とみなされた。


　一連の経緯を検討し終えて、宮本中佐と私は溜息《ためいき》をついた。

「これは前線と司令部の認識の差だね」宮本中佐が天井を見上げて言った。「軍からの派遣参謀は兵団視察には来なかったのだろうか」

「問診の際、佐藤中将にうかがってみます」私は当然と思い、答えた。

「いや来なかったのだろう。来ていれば、ここまで事態は悪くならなかったはずだ。もうひとつ、この抗命がなかった場合、烈兵団の兵隊がどうなったかを考えておくのもいいだろうね」

　元来外科医の宮本中佐は、精神鑑定がどのようなものか不案内のようだった。過去の精神状態がどうであったか、また現在精神が病んでいるかどうかを、純粋に判断するのが鑑定の目的だ。宮本中佐は、それをどうやら裁判と勘違いして、私に烈兵団長の情状酌量を示唆《しさ》しているようにも思えた。

二日目の午前中いっぱいを佐藤中将の問診に当てた。メモなどは一切とらず、数時間の問答をすべて頭のなかに入れるつもりで、私は烈兵団長に対峙《たいじ》した。

「いやあ俺は、東条首相に受けが悪くてね。張鼓峰《ちょうこほう》事件のときも連隊長として派遣された。今度もまた一番悪い所にやらされたよ」

烈兵団長は尊大さもみせず、磊落《らいらく》に笑った。このひと言で堅苦しい雰囲気が消え、私は通常の診察態度を取り戻すことができた。

「この作戦にあたって、閣下が最も懸念《けねん》されたのは何でありましたか」

私は問診の口火をこの質問で切った。前以《まえも》って考え抜いた質問で、この回答にこそ、被鑑定人の知性、情動、論理思考が集約されると判断したからだ。

「それは、何といっても糧秣《りょうまつ》の補給に尽きる。その次が弾薬と衛生材料の補給。食糧は、平地であれば行く先々の町や村で徴達はできる。ところが、今度の作戦は山岳地帯だよ。完全武装をしている兵隊が携帯できる食糧は、どう見積もっても三週間分だった。武器と食糧を最大限に携行して、二千五百メートル以上の山を越え、河を渡らなければならない。そこで敵に遭遇してまごまごしていると、糧秣はすぐになくなってしまう」

佐藤中将はひと息で答えた。私が大きく頷《うなず》かなければ、そのまま小演説になりかねない勢いがあった。

「それで、軍司令部の対応はどうだったのでしょうか」

「牛一千頭の同行だった。牛だったら草を食うので世話はいらないという考えが司令部にはあったのだろうね。しかし、兵隊は全員が牛の扱いに馴《な》れているわけではない。しかも大草原を進むわけでもない。山道での牛は、引いても押しても動かない。敵の砲撃音の一発でもあれば、慌《あわ》てふためいて、荷物もろとも谷に落ちる。完全に足手まといになった。だからコヒマに着いたとき、手持ちの糧秣は尽きていた」

答えているうちに心中穏やかになったのか、中将は静かな口調に戻った。

「それで閣下はどうされたのでしょうか」

「補給催促の電報を打たせた。ところが何回打っても、軍司令部からは空返事ばかりだった」

そのやりとりの写しは、私の手元にあった。回を増す毎に、電文も語調が荒くなっていた。

「結局、補給はなかったのですね」

「なかった、二ヵ月間」中将は小さく息をついた。「軍医のあんただから分かるだろうが、戦闘すると怪我人《けがにん》が出る。衛生材料はどんどん消耗する。薬品もなければ繃帯《ほうたい》材料もなくなる。戦傷者や病人が死ぬと繃帯をほどいて、衛生兵たちが煮沸《しやふつ》消毒していた。それでも足りなくなると、敵の落下傘《らつかさん》の布を裂いて代用していた」

「病気は、どのようなものがありましたか」

私は中将がどの程度、兵の状態を把握していたのか確かめるために訊《き》いた。

「あんたに言うのも釈迦《しやか》に説法だが、まずはアメーバ赤痢、ついでマラリアと脚気《かつけ》だ。兵隊が食べていたのは、野草や椰子《やし》の芽、バナナの茎。それを米に混ぜて炊《た》いていたので、体力はつかない。ほぼ全員、栄養失調状態になっていた。これで、雨と、文字どおり雨アラレの敵砲弾と戦わねばならなかった」

「それで、閣下は六月一日、撤退命令を出されたのですが、仮にこの命令を下されなかったら、兵団の将兵はどうなっていたと思われますか」

私の問いに、佐藤中将はよく訊いてくれたというように、少し顎《あご》を引いた。私は中将の目が赤く潤《うる》んだのを見逃さなかった。

「全滅か、それに近いものになっていたろう。あんたは知らんかもしれんが、兵に飢えが拡《ひろ》がると、戦傷も病気も加速度的に増える。軍医からは何度も報告を受けた。雨期で壕《ごう》の中は水浸しになるのでアメーバ赤痢が蔓延《まんえん》した。露天に眠る兵には、熱帯熱や三日熱が混合感染してしまう。一日中、のべつに高熱が出たり引っ込んだりする。

軍医たちは、アメーバ赤痢にかかった兵でも、一日十五回以下の下痢は下痢と認めなかった。マラリアに至っては、病気のうちには入れなかった。ほぼ全員がマラリアなので、病気と認めて後送したら、誰もいなくなってしまう。死んだ兵の人肉食いの報告も受けたが、黙認するしかなかった。患者輸送隊も、担《かつ》ぐ兵が病気でやられているのでどうにもならない。包囲の中の敵には、輸送機で食糧や弾薬、兵器、兵員が次々と補給される。敵は肥え太るばかり。こっちは補給がないから、痩《や》せ細るばかりだ。

野戦病院といっても、草地をならして担架を並べ、その上に木の枝で屋根を作った程度だ。そこを敵に襲われたら、担送者はそのまま残すしかない。護《まも》れるのは徒歩可能な傷兵だけだよ。一時退却して、敵が転進したあと戻ってみると、重症担架傷兵たちは黒焦《くろこ》げになっていた。敵は、動けない兵に油を撒布《さっぷ》して火を放ったんだよ」

私がそのまま耳を傾けていれば、中将は悲惨な状況をこれでもかというように話し続けかねない勢いだった。それでは、肝心なことが訊けなくなる。私は話題を転じた。

「この作戦で、補給ができなかった理由は、閣下自身どうお考えでしょうか」

「理由はいくつかあるだろうが、第一は地理的無知だろうね。アラカン山脈を越える道は、一本しかない。制空権の全くない状況下で、たった一本の道で補給するなど、初めから無理な話だ。それは烈だけでなく、祭や弓も同じで、あっちの補給路はインパール街道一本だ」

「その点、軍司令部も理解していたはずですが、各兵団にはどういう説明がなされていたのでしょうか」

こうした質問を一介の軍医大尉《たいい》が中将にするなど、あってはならないことだ。精神鑑定という枠をいささか越えているとは思いながら、好奇心には抗《あらが》えなかった。

「表向きは、絶対に補給は実行すると言明していた。しかし肚《はら》では、進軍の先々で敵の物資を奪取すればいいと思っていたフシがある」

佐藤中将は怒りを抑えて言ったあと、意を決したように言葉を継いだ。「インパール作戦の兵棋《へいぎ》演習の席上、弓の兵団長柳田中将が、『この作戦は必敗の自信がある』と言い切ったのを思い出すよ」

「そんなことを言われたのですか」私は驚いて問い返した。

「林の軍司令官は、顔色を変えてこう言い放った。『そんな戦意のない師団長でどうする。俺は支那事変《しなじへん》を起こした当人で、戦争を収拾する義務がある。シンガポールを攻略したのも俺だ。俺はついている男だ。皇祖皇宗《こうそこうそう》の天佑神助《てんゆうしんじょ》我にあり。絶対にやる』と、えらい剣幕だった。柳田中将の予言は見事に適中した。軍人たるもの、過去の軍功をひけらかして作戦をたてると、笊《ざる》のような作戦になってしまう。その見本だよ。飢えて幽鬼のようになった兵が、牟田口出て来い、ぶった切ってやると叫んでいたという報告も耳にした。言っておくが、これは俺の言ったことではないよ」

中将はわずかに口元をゆるめた。こうした微妙な表情は、精神活動のまともな表われだと私は心中納得した。

「補給がなされなかった第二の理由は――」

佐藤中将は微笑のまま、続けた。長い発言のあと、冒頭の論旨にたち戻ることのできるのもまた、正常な思考、それも明晰《めいせき》な思考がなされている証拠だった。

「軍司令官の私的な怨念《おんねん》かもしれん」

「怨念ですか」突飛な言葉に私は思わず問い返した。

「怨念というか恨みというか。こんなことを言えば、あんたに狂っていると思われるかもしれんが」

「いいえ思いません。どうぞ」

私は鑑定作業においては中立の立場を守るという原則を忘れて、答えていた。実際、もうこの時点で佐藤中将の人柄に魅《ひ》かれるものを覚えていたのだ。

「軍司令官とは佐官時代からウマが合わなくてね。軍医のあんたには関係ないだろうが、陸軍中枢《ちゆうすう》には派閥があってね。いわゆる皇道派と統制派だよ」

その二つの派については私も仄聞《そくぶん》はしていた。皇道派はいわゆる軍中心の国家改造論者で、窮極の目的は昭和維新を経ての天皇親政であった。統制派は同じように国防国家建設を目ざしていたが、そのためには政治経済全般を強化して欧州なみの総動員体制をつくらなければならないと考えていた。二・二六事件は、皇道派の青年将校たちが、君側《くんそく》の奸《かん》を討とうとして計画実行されたといえる。

「俺なんかそんな派閥はどうでもよかったんだが、これは周囲が色分けするもんでね。知らないうちに、自分の軍服の色分けが決まるようになっている。しかし軍司令官のほうは、自分から皇道派と称していたから、俺とは大違いなんだろう。だから根が深いんだよ」

私はそれまでのやりとりから、佐藤中将が軍司令官の牟田口中将の名を、直接口にしないように回避していることに気がついた。

「全く、こんな私怨《しえん》で、前線の将兵がとばっちりを食うなんて、情けない」

中将が唇を一文字に閉じるのを目《ま》のあたりに見て、これこそが抗命の動機だったのだと確信した。

「話を元に戻します。軍司令部の参謀の巡察はなかったのでしょうか。補給なしで死闘を続けている現状を、軍司令部としては確認しておく必要があったと思われますが」

私は宮本中佐とのやりとりを思い出して訊いた。

「そんなことをする軍司令部であれば、最初からこんな作戦は考えつかんよ。初めから終わりまで机上の作戦だったのだ」

中将は何か言葉を探すように口を一瞬つぐんだ。「実際に作戦によって動くのは人間だ。その将兵の命を思いやれんような司令官は失格だ」

再び口を閉じた中将の目が、すっと赤味を帯びた。

「閣下、ありがとうございました。立ち入ったことまでお訊きして申し訳ありませんでした」

私は坐《すわ》ったまま深々とお辞儀をした。

「いや、楽しかったよ。お役目ご苦労さん。じゃ、これで放免だな」

「明日、例の腰椎穿刺《ようついせんし》をさせていただきます」

「腰にブスリ。しかし蚊から刺される程度のものだね」

笑う中将の前で立ち上がって、私は最敬礼をした。中将もそれに丁重に応じたあときびすを返したが、戸口の前で振り返った。

「俺も、いくら何でも、精神病では内地に帰れんな」

「はっ」私は返事をする代わりに、踵《かかと》を合わせて敬礼をし直した。

戸が閉まるのを見届け、机に坐り、記憶が確かなうちに、問答の大要を簡単に筆記した。これがあれば、正式な鑑定書の中で一字一句再現できる自信があった。

中将の精神状態に関する私の考えはもう固まっていた。

被鑑定人の態度、表情、言語などは全く正常で、安定している。不安や焦燥の感もない。談話中、連想の遅速もなく、理路整然としており、迂遠《うえん》、冗漫もなかった。記銘力と記憶力も優れ、感情の不安動揺など微塵《みじん》もない。興奮と抑うつももちろん見られない。意志の抑制も充分で、投げ遣《なや》りな点も卑屈なところもなく、将軍らしい立派な態度に終始していた。

とはいえ、これは現時点における精神状態であり、戦闘中および撤退作戦時の精神状態も同じだったとは言い切れない。中将と行動を共にした部下から、様子を聞くことで傍証を得るしかなかった。その日の午後、副官の世古《せこ》中尉との面談を組んでいたのはそのためだった。

面談に当たって、私は仮説をたてていた。抗命の背後に精神の異常があったとすれば、躁《そう》状態だった可能性が考えられる。軍司令部の命令を再三拒否できる精神異常は、躁状態に絞られるからである。しかも佐藤中将の身体《からだ》つきは、躁うつ病の多い循環型の体型の側面をもっていた。

午後に面接をした世古中尉は、若いのにもかかわらず痩せて顔色も悪く、眼光だけが鋭かった。軍医大尉の私のほうが上官のせいもあって、見るからに緊張していた。

私は数時間前に佐藤中将が坐った椅子《いす》を世古中尉に勧め、通常の患者家族との面談の要領で話を切り出した。

「軍司令部に、補給の確約は取っていたのですね。取っていたとすれば、その内容はどのようなものでしたか」

「取っておりました」

世古中尉は背筋を伸ばして答えた。「林の参謀長と後方主任参謀からです。作戦発起から一週間後、毎日十トンの補給と、二十五日頃までに二百五十トンを推進補給するという約束でした」

「なるほど。実際はどうでしたか」私は念をおす思いで訊いた。

「全くの空約束でした。コヒマ攻撃に全力をあげている最中も、補給は全くなしであります」

ここで世古中尉は軍衣のポケットから数葉の写真を取り出して、机の上に並べた。

「これがヤギ陣地、こっちがウマ陣地で、これがイヌ陣地です」

写真は汚れていたものの、高台にある敵の砲台陣地は見てとれた。ヤギ、ウマ、イヌというのは、烈兵団が敵陣地につけた仇名《あだな》だろう。

「このイヌ陣地がどうしても陥《お》ちなくて、苦戦したのであります」

言う途中でこみ上げるものがあったのか、副官は声を詰まらせた。私はさり気ない風を装《よそお》って、記録を続ける。世古中尉との面談ではメモをとることにしていた。

「コヒマ三叉路《さんさろ》高地のこれら三陣地を奪わないことには、前進できなかったのです。負傷者は出る、弾薬も消耗していくなかで、四月中旬に至っても何の補給もありませんでした」

「それで佐藤中将閣下はどうされましたか」

「方針を攻撃から防勢に変更されました。やみくもに攻撃するばかりでは、兵の損失ばかりが増えるからです。その一方で、軍司令部に対して補給を求める電報を打たれました」

「電文を命じる際の閣下のご様子は、どのようなものでしたか」

仮に佐藤中将が躁状態にあったとすれば、このとき何らかの粗暴な態度が認められるはずだと私は思っていた。

「至って冷静でした。肚《はら》の中では煮え返る思いがあったはずですが、表面には出されないお方です」

「なるほど」私はいく分安堵《あんど》する思いで頷く。

佐藤中将が軍司令部に送った電文は、〈でたらめな命令〉〈司令部の暴虐《ぼうぎやく》〉〈鬼畜〉〈猛省を促す〉などの荒々しい言葉に満ちていて、一見送り手側が常軌を逸している印象を与えた。しかし、長期間にわたって戦っている第一線の火線の戦場では、これくらいの言葉のやりとりは当然だったに違いない。しかも相手は約束を破っているのだ。

もうひとつ知りたいのは、軍司令部に抗命した中将が、部下に対してはどういう態度をとったかだ。これが支離滅裂、朝令暮改のようなものであれば、これまでの見立てを一度に引っ繰り返さなくてはならない。

「閣下は午前中の診察でも、軍司令部の約束の不履行と作戦の不備を訴えておられましたが、烈の兵団への指揮ぶりはどうだったのでしょうか」

「厳格でいらっしゃいました。むしろ厳し過ぎるくらいでした」

　世古中尉は机の上の写真を丁重にしまいながら、重々しく答えた。しまい終わったあと、思い出したようにつけ加えた。

「作戦以外のことになると、思いやりの深いところがおありでした」

「例えば？」

「チンドウィン河渡河の際、犬に飛びつかれて右手を咬《か》まれた兵がおりました。振り払おうとしても咬みついたまま離れず、犬は宙に浮いたそうです。その犬は他の兵が殺したのですが、軍医殿が心配したのは、狂犬病です」

「なるほど」

「狂犬病は想定していなかったそうで、衛生隊は狂犬病の予防接種薬を携行していませんでした。軍医殿は咬傷《こうしょう》の治療のあと、経過観察するしかないと判断されました」

　狂犬病の潜伏期間にはバラツキがある。短くて二週間、長ければ二ヵ月以上かかる。しかしいったん発病すれば対症療法しかなく、死亡率百パーセントだ。経過を見るといっても、その兵にとっては、安全装置をはずした爆弾をかかえて進軍するようなものだ。

「報告を受けた閣下は、すぐさま後送を命じられました。まだぴんぴんして歩けるので、患者というには不自然でしたが、後方の兵站《へいたん》病院に衛生兵同伴で向かわせました。兵站病院には予防接種薬の備蓄があったからです」

「で、その兵はどうなりました？」

「予防接種をしたあとも、二ヵ月とどめおかれました。狂犬病にはならなかったようで、原隊に追及させようかという電報も来ましたが、閣下は拒否されました。再び単身で渡河して山越えするのも無理なうえ、こっちは食糧弾薬もない負け戦《いくさ》ですから、無駄だと判断されたのでしょう。その兵は、二重の意味で命拾いしたと思います」

副官は最後のほうで語調を強めて、返事を終えた。

私はゆっくりメモをしたあと質問を変えた。

「軍司令部から約束の補給が全くなされなかった理由については、あなた自身どう判断していますか」

ひょっとしたら世古中尉の口からも、皇道派と統制派の派閥争いの話が出るかもしれないと私は予測していた。しかし違った。

「烈は、もともとインパール作戦では捨て駒《ごま》だったのです。敵の目と力をコヒマにひきつけておく間に、祭と弓がインパールを占領するというのが、軍司令部の思惑だったとしか考えられません。どうせ捨て駒ですから、全滅しても一向に構わない。武器弾薬食糧は、補給するだけ無駄になる。いずれ死にゆく病人に、飯を食わせる必要などありません」

言い切るとき、世古中尉の土気色の顔がみるみる蒼《あお》くなったのを、私は見逃さなかった。書き取りながら、まさか軍司令部たるもの、一万五千の一個師団を捨て駒にするなど、ありえるはずはなかろう、という気がした。あまりの約束不履行と冷遇とに、世古中尉のほうが被害念慮気味、平たく言えばひがみっぽくなっているのだと私は判断した。

「それでは、撤退を決定されたあとの閣下のご様子はどのようなものでしたか」

この質問は、当時の精神状態を推測するうえで欠かせないものだった。

「しばらくは何か考えておられるようで、言葉少なでした」

「なるほど」

「わたしたちも心配しておりましたが、ほっとしたのは撤退中ウクルルの町を通過したときです。閣下が軍服の胸に草花を挿しておられました。自分がそれとなく尋ねたところ、住民に対しての宣撫《せんぶ》工作だよ、と答えられました。そうでなくとも軍隊に対して厳しい眼を向けているからね、とも言われました。敗残の兵の集まりですから、余裕を見せつけるための草花だったかと思います」

「そうでしたか」

私は佐藤中将が胸に花をつけた姿を想像して、心温まるものを覚えた。中将の心中には、宣撫的な意味だけでなく、残った配下の将兵の命を、まがりなりにも救えたという安堵感があったのではなかったか。

「ウクルルあたりに住むナガ族は、皇軍によく協力してくれました。撤退する我々に、自ら食い物をもって来てくれる住民もおりました。閣下の宣撫的な態度の成果だったかもしれません」

世古中尉《ちゆうい》はそのときだけ、懐《なつ》かしそうな表情に変わった。

面談を始めて二時間は経過していた。私は最後に訊《き》いておくべき質問を切り出した。

「副官の立場から見て、閣下のご性格はどう思いますか」

「ご性格ですか」のけぞるようにして中尉は唸《うな》った。

「人となりです。思いつくままで構いません」

私は補足する。世古中尉の戸惑いももっともだ。通常、人は他人の性格など、漠然ととらえているもので、いちいち言葉に表わしてまで考えない。

「綿密、周到、論理的、剛毅《ごうき》、誠実――」

副官の口から考え考え出てくる言葉を私は書きつけ、止まったところで、さらに訊いた。

「いわば猪突猛進型《ちょとつもうしん》ですか」

「いえ、反対の熟慮断行型です」中尉が首を振った。

「撤退を閣下が決められたのも、まさにそこに由来するのですね」

「そうです」中尉は顎《あご》を引く。

「参考になる意見、ありがとうございました」

私は軽く頭を下げた。起立した世古中尉に合わせて席を立つ。

「ありがとうございました」

中尉は私に向かい、律義《りちぎ》に敬礼をする。私も応じた。

机に坐り直しながら、これで任務の大半がすんだと思った。急に暑苦しさに顔を包み込まれる。暑さや湿気など、この二日というもの、忘れていたのだ。安堵の裏には、佐藤中将の過去と現在の精神に何の異常も見出《みいだ》せないという感慨があった。佐藤中将が撤退を決定した際、軽躁状態にあった可能性をかすかに考えもした。しかし身近にいた副官の証言からも、それは否定される。

翌三日目は、腰椎穿刺のみの検査を組んでいた。

佐藤中将には上半身裸体、診察台の上で左側臥位《がい》をとってもらった。

「これでいいかね」

「背を曲げられて、両膝《りょうひざ》をかかえる姿勢をとって下さい」

「こうだね」

私の命令に中将は従順だった。両側の腸骨突起を確かめ、注射針を刺す腰椎の位置を確認する。アルコールでその部位を消毒した。

「冷たいね。あまり気持のいいものではない」

中将のぼやきは無視して、針先で表皮を切り、第三腰椎と第四腰椎の間に針を押し進めた。背中をエビのように曲げているので、この部位が一番間隙《かんげき》が広いのだが、注意しなければいけないのは、注射針が水平になっているかどうかだ。
五、六センチ突き進んだところで針先に微妙な抵抗を感じれば、そこが硬膜だった。脳脊髄液《のうせきずいえき》とその中の脊髄神経を守る、いうなれば袋である。そこを突き破る瞬間、プチッという微妙な感触が指先に伝わる。そうすれば、針をあと二、三ミリ進めればいいだけだ。
「閣下、足先にピリピリとしたしびれはないでしょうか」

「ない」

くぐもった声で中将は答えた。もしそうした異常感覚が走れば、針先が脊髄神経の下方の馬尾《ばび》神経に突き刺さっていることを意味する。その場合、一、二ミリ針を引き戻す必要があった。

「万事順調にいっております」

そう言った。処置する数分間というもの沈黙続きなので、患者は不安に陥る。不安を鎮《しず》めるために、私はいつもそう告げるようにしていた。

中将の返事はなかった。注射の内套針《ないとうしん》をゆっくり抜き、下に試験管を当てた。わずかに黄金色味を帯びた透明な液が、一滴二滴と落ち始める。

初日の採血で得ていた血液で、ワッセルマン反応を調べていたが陰性だった。これで梅毒はいちおう否定される。血液の塗抹《とまつ》標本も顕微鏡で覗《のぞ》いており、マラリア原虫の存在も認めていなかった。従って、血液上はマラリアも梅毒も否定されるわけで、今日の髄液検査はさらに梅毒の陰性を確かめるためだった。

髄液の量が十ccに達したところで再び内套針を入れ、刺すときよりは速い速度で内套針もろとも引き抜く。その痕《あと》にガーゼを当てて、しばらく指先で押し続けた。

「はい、これで終了しました。あとは注射部位をガーゼとテープで被覆しておきますので、三十分ばかり、ベッド上で仰臥位をとられて下さい」

私は言い、ガーゼを絆創膏《ばんそうこう》で固定した。

「思ったほどでもないね」

中将は右肩を寝台に落として天井に向き直り、ほっとした表情を見せた。

安静の三十分間、様子を見るために部屋にとどまるつもりでいた。通常ならそれは看護婦の役目だが。

机について窓の外を眺める。つい今しがたまで降っていた雨は止《や》んでいた。しかし空は厚く雲で覆《おお》われ、数十分もすればまた降り出すのは必至だった。

「これで俺が発狂したということにでもなれば、軍法会議はおじゃんになるね」

沈黙を埋めるようにして中将は言った。

「そういう結果にはならないような気がいたします」私は控え目に答える。

しかしその返事には無頓着《むとんちやく》に佐藤中将は続けた。

「軍法会議は、俺の望むところなんだよ。裁判だから、こちらは思ったとおりのことが言える。歯に衣《きぬ》を着せるようなことはしなくていい。正々堂々と、林のやったことと烈がしたことの、どっちが正しかったかを突き合わせられる――」

私は遠目に中将を見やりながら口をはさまずにいた。この発言を注意深く聞くのも、診察の一部なのだ。

「しかし林の司令部はそれだけは回避したいだろうな。いくら強弁したところで、何万という将兵を餓死、病死させた点は明々白々だからな」

私は無言で頷《うなず》いた。この一点だけは、佐藤中将の精神状態がどうであれ、揺るがしがたい事実だった。

「ただし、軍法会議になれば、喧嘩《けんか》両成敗で俺は死刑になる」

死刑という発言に、私は思わず姿勢を正した。

「俺の抗命罪は、どう弁解したところで消えない。陸軍刑法第三章、第四十二条には、敵前で兵を率いて逃げた司令官は死刑と明記されている。しかし軍司令部の不誠実なやり方も、言い訳したところで消えない。餓死、病死した将兵の数がそれを証明しておる」

中将は仰臥位のまま述懐した。「全く、前途有望なこれからという若い者たちが死に、俺ごとき年寄りが生き残っては、世がさかさまだよ。山下大尉、そうは思わんか」

私の名前を佐藤中将が口にするのは初めてだった。それまでは、たいてい〈きみ〉や〈あんた〉という代名詞で呼ばれていた。

「閣下はまだ五十一歳です。年寄りだとは思いません」

私は咄嗟《とっさ》に答えていた。年齢は鑑定作業にはいった直後に計算ずみだった。

「そうかな」

中将は呟《つぶや》き、目を閉じた。そのまま四、五分は過ぎただろうか。三十分経過したのを見届けて、私は声をかけた。

「閣下、もう起きられて構いません」

「そうか」

中将は上体を起こして、胸にかけていたシャツに腕を通し、上衣を着直した。

「いや、お世話になった」

「お手数をとらせました。閣下におかれましては、どうかお元気で」

私は踵《かかと》を合わせて最敬礼する。中将はそれに応じ、ゆっくりした歩調で部屋を出て行った。

採取した髄液は兵站病院に持参して、ノンネ、パンディ反応、細胞数を調べた。ワッセルマン反応は病院の検査室に依頼した。

結果はその日のうちに陰性と出た。これで、マラリアによる脳症や、梅毒による進行麻痺《まひ》は完全に否定することができる。

すべての手順が終わった今、明日にでもマニラに戻りたいところだったが、飛行機の便がなく、出発は延び延びになった。交渉係として同行した宮本中佐は、飛行便待ちの無聊《ぶりよう》を利用して、何度も町まで出かけていた。

当初私はマニラに戻ってから鑑定書を書き上げるつもりでいたが、ラングーンの宿舎でまとめ始めた。鑑定人があちこちウロウロして、遊び回っていると陰口を叩《たた》かれたくはない。

ペンをとりながら、私は自分が書く鑑定書がもたらす結果が気になった。鑑定書と、それが引き起こす事態は全くの別物なので、本来は気にかけるべきではない。しかし今度はそうもいかなかった。

私の鑑定書により佐藤中将の精神状態が正常と認められれば、軍法会議で抗命罪が成立する。間違いなく死刑だ。鑑定のやり直しはしないと軍医部長から言質《げんち》をとっているので、私がこれから作成する鑑定書が、いわば死刑宣告になる。

しかし当の佐藤中将は軍法会議を望んでいた。自分の死とひきかえに軍司令部の罪を指弾する覚悟なのだ。

死刑を避ける唯一《ゆいいつ》の道は、中将の精神状態が異常だったと鑑定書に書くことだ。しかしそうなると軍法会議は開かれず、佐藤中将は軍司令部を弾劾《だんがい》する機会を失ってしまう。

私は迷った。宿舎にこもったものの、筆は進まず、窓の外に降り続く雨脚を眺めるだけだった。

〈事実をありのままに〉、これが最後に行きついた結論だった。嘘《うそ》いつわりを並べるなど、精神科医、それも陸軍軍医の自分がなすべきことではない。

十日後、全百五十余頁《ページ》におよぶ鑑定書を書き上げた。鑑定主文は、次のようにまとめた。

鑑定主文

一、作戦中の精神状態は正常であった。時折精神障害を疑わしめるごとき感情の興奮による電文のやり取りがあったが、これは元来の性格的のもので軽躁《けいそう》性の一時的の反応であって、その原因は全く環境性のもので、一過性反応に過ぎない。従っていわゆる心神喪失はもちろん、心神耗弱《しんしんこうじやく》状態にも相当しない正常範囲の環境性反応である。

二、現在の精神状態は全く正常である。

ようやくマニラに戻れたのは八月中旬で、南方総軍軍医部長梛野《なぎの》中将に鑑定書を提出した。

軍医部長は鑑定書の末尾にある鑑定主文にまず眼を通したあと、前のほうの頁をパラパラとめくった。

「そうか。正常となれば、軍法会議だな」

「鑑定事項にはいっていなかったので鑑定書には書きませんでしたが、現在精神状態は正常とはいえ、心身の疲労は認められます。ですから、法廷に出席するのは時期尚早と思われます。しばらくご静養されるのがよいかと思われます」

「そうだろうな」軍医部長は頷いた。「これは私から、鑑定人の口頭伝達事項として伝えておこう」

「お願いします」

私はいくらか肩の荷をおろした気持になり、軍医部長の部屋を出た。静養のあと軍法会議に立つ佐藤中将の姿が思いやられた。

佐藤中将の消息を聞いたのは、その年の十二月だった。ビルマ方面軍司令部付だった中将は予備役となるもすぐに召集され、今度は蘭印《らんいん》に展開する第十六軍の司令部付になったという話だった。私の鑑定書どおりに精神異常は否定され、かといって軍事裁判にもかけられない、いわば有耶無耶《うやむや》の処置がとられているなという感想を私はもった。佐藤中将からしてみれば、軍事裁判にならないのは不本意かもしれなかった。しかしこのまま推移すれば、陸軍刑法第四十二条による死刑は免れる。私はむしろそのほうを祝福したい気がした。

その後、佐藤中将にどういう措置がとられたのかは、私自身知らない。翌二十年の一月、米軍がルソン島リンガエン湾に上陸、所属する第十四方面軍司令部より、マニラ撤退の命令が下り、ルソン島山中深く分け入ったからだ。

十二月八日

私は長崎医大を昭和十二年三月に卒業、三ヵ月後に徴兵検査を受けた。軍隊には兵が余っていると言われ、補充兵役になったものの、十日もたたない七月、北京《ペキン》郊外の盧溝橋《ろこうきょう》で事変が起こり、大学の先輩たちがどんどん召集されるようになった。

早く将校になったほうが得だと周囲からも勧められ、二年の短期現役を志願した。久留米《くるめ》の第十八師団で軍曹の身分で軍医候補生になり、ひと月の一般兵実務をこなしたあと曹長となった。そして同地の陸軍病院で軍医見習を一ヵ月務め、年末には軍医中尉《ちゅうい》になった。

翌十三年、徴兵検査の医官にさせられ、大牟田《おおむた》や佐賀、日田《ひた》をまわった。これがまさしく大尽旅行で、若造にはもったいないくらいの待遇を受けた。ここまでは思惑どおりに進んだ。

半年後、いよいよ独立工兵連隊付軍医となって出征した。この頃第十八師団は中支那派遣軍の指揮下にはいり、南京《ナンキン》陥落後の各地の警備を担当していた。十月に華南戦線に転じ、ここで独立工兵連隊の出番になった。この隊はいわゆる船舶工兵であり、敵前上陸の第一線を担当する。

十月十二日広東《カントン》作戦に参加して、バイヤス湾の敵前上陸を敢行、たいした被害もなく敵を逃亡させた。広東まで破竹の勢いで進撃して、部隊はそのまま広東に駐留した。しかし広東警備の駐留が長びき、昭和十五年の紀元二千六百年が過ぎても、私に召集解除の命令はない。もともと短期現役の任務は二年であり、本来なら退役となるべきなのだ。

ここは腰を据えて軍医としての責務を果たすしかない。十六年の十一月中旬、広東駐留も丸三年になる頃、連隊の〈将校全員集合〉がかかった。将校全員といっても、連隊長を入れて二十六名しかいない。

連隊長は不機嫌な顔で姿を見せた。

「もっと近う寄れ。どうもここへ行くらしい。もちろん秘密じゃがな。いったいどの辺に当たるのか」

と言って、机上に地図を幾枚も広げた。

今までの討伐作戦では、地図にはいずれも難しい漢字の地名が書いてあったが、今回はアルファベットばかりだ。それもどこかの一部を相当拡大して画《か》かれているようで、どのあたりの地域か見当がつかない。

「どうもこの辺じゃと思うんだがな」

連隊長は、中学校程度の教科書の地図をしばらく対比させていた。

「おお、分かった。ここじゃ。なるほどなあ」

指さしたのは、英領マレー半島の東北の端、タイ国との国境近くだ。

このあと作戦構想の大まかな説明があった。私はこの進撃こそは米英との開戦だと直感した。とはいえ一方では、「またか」という感もあった。というのも、今まで何回となく「今度はいよいよ香港《ホンコン》をやることになった」という噂《うわさ》がたっては、立ち消えになっていたからだ。実際に輸送船が黄埔《こうほ》の沖に集まったのを見たこともあったが、香港攻略が実行されたためしはなかった。

なるほど前年の秋に日独伊三国同盟が締結されており、ほんのひと月前には東条英機内閣も成立し、部隊内の空気も切迫したものにはなっていた。

しかし四ヵ月前の南部仏印《ふついん》進駐の時でさえ、輸送船団が集結地点の海南島三亜《さんあ》港を抜錨《ばつびょう》するまで、〈戦争進駐〉か〈平和進駐〉かで、もめにもめた経緯があった。

このときの作戦名は〈昆明《こんめい》作戦〉だった。重慶《じゅうけい》にある蔣介石《しょうかいせき》政府打倒が終局の目標であり、当然雲南《うんなん》省の昆明にも進撃する。しかし秘匿《ひとく》すべき作戦にわざわざ洩《も》れるような名前をつけるのだから、大ボラであることはすぐ露顕する。

ところが連隊長の説明後、毎日のように将校集合がかかり始めると、米英両国と戦端を開くことがどうも本当のように思えてきた。

「英米と戦争して、はたして勝てるんでしょうか」

会合の席で、勇敢に質問した将校がひとりいた。連隊長はムッとした表情で目をむき、一同を見回した。

「まあ負けるね」

ぽつんと言ってから、少し考え、天を仰いだ。「しかしここだけの話じゃが、第一もう朝鮮人がいうことを聞きよらんわい」

なぜ朝鮮がここで問題になるのか分からず、また〈負けるに決まった戦争をなぜやるのですか〉と訊《き》く勇気もない。陸軍の中枢《ちゆうすう》部でも、この種の意見は無理にねじ伏せられているのに違いなかった。

その後舟艇の整備や資材の充足が、夜を日に継いで実施された。私たち衛生班も、医薬品の受領や、各中隊への繃帯《ほうたい》材料の配布を行った。

やがて広東を出発する十一月二十七日が来た。空はどんより曇って降り出しそうな気配だ。

広東というのは広東省のことであり、普通日本人が広東市と称しているのは、本当は広州市または省城と言う。私たちの駐留地は河向こうの河南の地にあり、盛り場に出た夜など、洋車《ヤンチヨ》に乗って帰った。その海珠橋が次第に遠くなる。大きな手漕《てこ》ぎのサンパンが、〈省城〉と行先を示した赤い旗を立て、時折行き交う。

私は船上で、開戦上陸日は十二月八日になることを聞かされた。その日は月曜日で、米国では日曜日になるから、早朝の奇襲には最適だという。奇襲とはいえ、こうやって将兵の間では噂されているわけで、私はまた半信半疑にならざるを得ない。

黄埔軍官学校跡を右に見て珠江《しゆこう》を下り、降り始めた雨の中を、新造の貨物船淡路山《あわじさん》丸《まる》に移乗した。翌二十八日、淡路山丸は錨《いかり》を揚げて南支那海を渡り、二日後の三十日、海南島の三亜港に入港した。

港には、既に幾隻《いくせき》もの輸送船が碇泊《ていはく》していた。私たちの船と相前後して、軍艦や貨物船も続々と入港してきた。艦船の間を大小の発動艇が白波を立てて走り回る。小型の航空母艦もおり、一万トン級の巡洋艦も雄姿を見せている。

ひときわ船体の大きい第三図南丸《となんまる》と記された船もいる。もともとは捕鯨船団の母船だったのが海軍に徴用され、タンカーの役目をしているらしい。艦船にパイプで給油をしていた。

三亜港で待機するうち、作戦の様相も明確になってきた。X日の払暁《ふつぎよう》を期して、一斉に上陸作戦を敢行する。実施するのは三個師団で、私たちの独立工兵連隊が属する久留米第十八師団、広島の第五師団、そして新たに編成されて既に仏印にはいっている近衛《このえ》師団である。これをひとつの軍として、マレー半島を北から南に縦走して、英領のシンガポールを占領するのだ。

この三師団から成る軍が、AからIまでの九方面に分散して、X日にマレー半島に一度に上陸する。軍司令部は第五師団の主力とともにあって、タイ国シンゴラに上陸して態勢を整えたうえで、タイと英領の国境を突破、半島の西海岸を南下する。これがA方面である。

シンゴラの東南、やはりタイ国領のパタニには、第五師団の一部が上陸し、これをB方面と称する。

さらにその東南方英領内に位置するコタバルに上陸するのが、第十八師団の一部、旅団長の指揮する、歩兵一個連隊を主力とする部隊である。これがC方面で、私たちの船舶工兵隊はここに属する。

その他のDからIの各方面は、いずれもシンゴラ以北のタイ国領への上陸になる。いずれにしても、直接英領への上陸を敢行するのは私たちのC方面だけである。コタバル市の郊外、海岸から四キロの地点に英軍の飛行場があり、ここを強攻奪取しなければ、軍主力の行動が不可能になる。つまりC方面は、そのための捨石のようなものだ。

C方面の旅団長佗美《たくみ》少将もいつの間にか飛行機で到着し、淡路山丸に乗り込んでいた。港内は急にあわただしくなり、種々の部隊が淡路山丸に乗船したり、他船に移って行ったりする。貨物を積み込むためのウインチが一日中唸《うな》り、モッコが上下した。

もともと〈師団〉は歩兵四個連隊から成り、二個連隊ずつを〈旅団〉と称して、旅団長の少将が二人配される。師団の一部が分遣される際には、一方の旅団長がこれを指揮して、少将の姓をとって○○支隊と言うのがならわしである。

〈師団〉以上の単位を〈兵団〉と言い、このときは〈連隊〉を〈部隊〉、〈大隊〉あるいは〈中隊〉を隊長の姓をつけて○○隊と称した。

ところが新編成の師団はいわゆる三三単位と称され、歩兵三個連隊から成る。従って〈旅団長〉は存在せず、〈歩兵団長〉と呼ばれた。

ただし私たちの第十八師団は旧編成のままであり、〈旅団長〉が健在である。この師団以上の単位に通称号ができ、第十八師団は〈菊〉の名がついた。

本来の第十八師団は、いわゆる宇垣《うがき》軍縮で大正末期に廃止され、小倉にあった第十二師団が小倉から久留米に移った。支那事変勃発《ぼっぱつ》とともに、昭和十二年に第十八師団が復活していたのだ。

この〈菊〉の侘美支隊が担当するC方面は、旅団長以下五千名の将兵から成り立っていた。そのうちの千名が揚陸作業隊である。船舶工兵の他に、碇泊場司令部、陸上作業隊、海上輸送隊、通信隊があり、私たちの独立工兵第十四連隊の連隊長S中佐が全体の指揮官になった。もっとも、連隊長とはいえ、本来の部下は一個中隊だけで、他の二個中隊はA方面のシンゴラ、および香港攻略のために分遣していた。

編成以来三年間を共にしたS中佐は、十二月一日付で転勤し、海南島を去った。代わりに着任した新連隊長は、ずんぐりした体格のどことなく爺《じじ》くさい感じのする佐官だった。M中佐といい、何でも徴兵検査を受けて入営し、成績良で下士官適任証をもらって伍長《ごちょう》になったらしい。その後推挙があって士官学校に入学、同期の中でも飛び抜けての年長者だったそうだ。私としては慣れないせいもあって、前任のS中佐と違い、何となく話がしにくい。

コタバル上陸予定日をX日とし、X－1日あるいはX－2日まで、どうしろこうしろという命令は出るものの、肝腎《かんじん》のX日が明示されない。広東を発《た》つときX日が十二月八日だという噂があったのは、そのまま立ち消えになっていた。

やがて十二月四日の朝を迎えた。舟艇をすべて搭載し、抜錨した輸送船は、誘導する海軍艦艇に従って次々と湾口を出ていく。私たちの淡路山丸も、揚錨機を鳴らしつつ、錨綱に海水を吹きかけ、付着した海底の泥を洗っている。輸送船団の前途を祝福するように、飛行機の編隊が銀翼の日の丸も鮮やかに、低空を旋回して去った。

船上でガリ版刷りの命令文書が配られた。

一、X日は十二月八日と決定せらる。
二、諸隊は所定の計画に基づいて行動すべし。
三、敵飛行機の反覆偵察に対しては、これを撃墜すべし。

一読して私は、これはまさしく戦争だと思った。〈撃墜〉と〈撃退〉では、することは同じでもその精神が違う。

まもなく、皇居遥拝《ようはい》式を行うので武装して上甲板に集合せよとの命令が届いた。整列が終わると、各隊はそれぞれの指揮官の号令で旅団長に部隊の敬礼をする。抜刀した旅団長は、船長に対して皇居の方角を指示するよう求めた。

船長は海図を風に翻《ひるがえ》しながら、左舷《さげん》後方椰子《やし》が数本立つ小島の左、岬の中間あたりを指で示した。すると「付け剣」に続き「捧《ささ》げ銃《つつ》」の号令が下り、君が代を奏《かな》でるラッパが鳴り出す。その一瞬、波の音が静かになったように感じられる。大元帥《だいげんすい》陛下へ向けての万歳が三唱された。

「これを以《もっ》て、皇居遥拝式を終わる。各隊は准《じゅん》士官以下の指揮で宿所に帰れ。将校は残れ」

旅団長が命じ、将校だけが上甲板に残った。

ありあわせの台が運び出され、上に敷布が敷かれる。するめと南京豆を盛った皿が並べられ、湯呑《ゆのみ》に冷酒が注がれる。再び旅団長が訓辞に立った。

「諸官も知ってのとおり、帝国は来たる八日の未明を期し、米英両国と開戦することに決まった。外交交渉による打開はもうなくなったと考えてよい。諸官の健闘を祈り、聖寿の万歳を唱え奉《たてまつ》ろう」

乾杯のあと、旅団長は酒を注ぎながら、ひとりひとりの肩を叩《たた》いて激励してまわる。私のところにも来た。

「君はどこの隊か」

旅団長は私が答える前に襟章を見て、「おお独工の軍医か」と驚いた。

「相当の損害が予想されるぞ。御苦労じゃが、しっかり頼む」と言い、私に握手を求めた。

「そんなに激戦になりそうですか」

「飛行機の偵察でも、敵はなかなかの防備をしとるらしい。馬鹿《ばか》にするわけにはいかん」

私が頷《うなず》くと、旅団長はもう隣の将校の肩を叩いていた。

雑談となり、他の将校から、海軍の航空母艦を主力とする艦隊が、既にハワイ沖に近づきつつあり、同日黎明《れいめい》に大空襲をかけることを聞かされる。空襲で軍港内を混乱させ、艦隊同士の洋上決戦を強要するためだという。

陸海軍が東と西で時を同じくし、戦いに臨む大構想に、心強さを感じた。

その日の夕方、船が魚雷攻撃を受けた時を想定して、退避訓練が実施された。合図とともに救命胴衣をつけて、定められた場所に集まる。折しもスコールが来て、雨の中に長い間立たされた。船が沈没しつつある際には、ここから海に飛び込めばいいのだという。

五日と六日は格別にやることもなく、将兵は碁や麻 雀《マージヤン》に興じた。仮将校室は船倉の中で暑い。搭載した大発《だいはつ》（上陸用舟艇）の中のほうが涼しく、ござを敷いて将棋をし、雑談をする。「飛行機が偵察して帰った」とか、「潜水艦の潜望鏡が見えた」などの情報が届くものの、「へえ、そうかね」と誰も麻雀や碁の手を休めない。

七日の朝までは、船団は一団で航進する。そのあと午前十時に、タイ湾の中央で、AからIまでの各方面に分かれて直進する作戦になっていた。

舷側に出てみると、船は止まっている。C方面に向かうのは、私たちの淡路山丸の他に、綾戸山丸《あやとさんまる》、佐倉丸《さくらまる》の三隻であり、ともに快速貨物船である。佐倉丸が機関故障を起こし、他の二隻も停船しているのだという。他方面に向かう船は遠ざかり、ほとんど船影が見えない。水平線上に煙だけが棚引いている。

ほどなく佐倉丸の修理が終わったらしく、三隻は一列に並んだ。右舷遠くに、薄く陸地が見える。先頭を嚮導《きょうどう》駆逐艦が行く。左方に側衛、後方を後衛駆逐艦、左前方には少将旗を揚げた四本煙突の軽巡〈川内《せんだい》〉が走っている。上陸する陸軍の指揮官も少将なら、護衛艦隊司令も海軍少将なのだ。駆逐艦と軽巡洋艦の間を駆潜艇が三隻、波をかぶりながらついて来る。

空は晴れているものの、左の沖から二階建の家屋位に見える高さの波が、盛り上がっては右方に去って行く。その度に、駆潜艇はおろか駆逐艦までが、海水に甲板を洗われ、飛沫《しぶき》が激しく飛び散る。

本船から舟艇に乗り移る際、縄梯子《なわばしご》すなわちジャコップで降りるのには、いつも恐《こ》怖がつきまとう。舷梯《げんてい》つまりタラップに、発動艇がうまく達着してくれるのを乞い願うしかない。この荒波ではジャコップもタラップも危険である。私はそれだけが心配だった。

淡路山丸には、今までの中国大陸での上陸作戦では見たことのない風態の男が二人、乗っていた。かつてマレー半島にいた在留邦人で、作戦に同行するために二ヵ月前に呼び帰されたのだという。

二人は現地住民の事情を大いに語ってくれた。現地人は英国の統治を恨んでいるので、我が軍に協力するだろうし、また同地には自分たちが長年飼い慣らした子分や、親しい友人がおり、多大の便宜を計ってくれるはずだと言う。英国がいくら防備を強化しようが、民心を把握していないため、精鋭日本軍の敵ではないとも強調する。

私にはいささか甘きに過ぎる考えのように聞こえたが、こちらとて現地の事情は全く知らない。そんなものかと思うしかなかった。

七日の陽も西に沈む頃、陸岸はもう指呼《しこ》の間にあるように見えた。もちろん人家や人影は目にはいらない。しかし暗くなると、燈火《とうか》らしい物が点滅し、低い山々の稜線《りようせん》も、月明にはっきりと分かりはじめる。

午後十一時近くなって、燈火らしい火が回転しているのが目視できた。この静寂ぶりからして、おそらく敵は、日本軍の動きを全く察知していない。

カラカラと投錨《とうびょう》する音が耳に響く。いよいよ泊地侵入である。型のごとくに舟艇の泛水《はんすい》が始まった。ウインチに巻き揚げられた発動艇が、波荒い海面に次々と降ろされていく。

突然、「軍医はおらんか」「軍医はどこだ」と鋭い叫び声がした。

駆けつけると、装甲艇が落下していた。心の底に寒いものが走った。これから戦争の火蓋《ひぶた》が切られるというのに、重傷者に付き添わされるのはいかにも気が重い。

装甲艇というのは、上陸海岸に敷設《ふせつ》されたトーチカや陣地を制圧するための舟艇である。五十七ミリ戦車砲二門と旋回機関銃を備え、全速力で疾駆するときは豆軍艦の風格がある。重量も発動艇の倍、十五トンはあるはずだが、貨物船のウインチの鋼索は二十トンの重さに耐え、今まで落下事故が起きたことはない。

しかし今回はちょうど装甲艇を巻き揚げたとき、淡路山丸の左舷に波が当たり、急に揺り上げられたため、負担がかかったワイヤーが切断されたのだ。装甲艇は、下にある大発の上に落下していた。

幸いに負傷者はいない。戦争に慣れている船舶工兵たちは、ワイヤーに火花が散るのを見て、身軽に逃避していた。下敷になった大発が一隻《せき》、使いものにならなくなっただけだった。

負傷者は出なかったものの、私は作戦の前途に一抹の不吉さを感じた。

その間にも舟艇が次々と泛水され、第一次上陸部隊は移乗を開始した。

将兵を乗せ終えた舟艇は、淡路山丸の船尾のロープにつかまり、出発の合図を待っている。本船と同様に、これらの数珠《じゅず》つなぎになった舟艇も、左舷から大波を受け、木の葉のように揺れていた。

やがて態勢が整ったらしく、淡路山丸のマストに高々と、〈出発〉の信号が灯された。舟艇は思い思いにエンジンを吹かせ、闇《やみ》の海面に消えていく。十二月八日、午前一時だった。

遥《はる》か陸岸の方に眼をこらすと、〈上陸成功〉の信号灯が一瞬見えた。しかしその明かりは右左に揺れ動いて、ほどなく消えた。代わりに線香花火のようなものがしばらく飛び交い、これも消える。少し離れた場所で、弧線を描く火の玉が次々と上がり、闇に溶けこむ。

耳を澄ますと、波の音が重なって定かではないが、ざわめきが聞こえてくる。

小一時間経過したように思えたが、帰ってくる舟艇がない。今までの上陸作戦では、上陸部隊の揚陸を終えた舟艇が意気揚々と帰船し、第二次部隊の移乗を促していた。

しかし今、暗い海上に舟影がない。

そのとき、爆音のようなものが上空に聞こえた。さらに再度爆音が響き、ついで機銃掃射の独特の音がした。敵機の急襲だ。

私は甲板上に伏せた。空中の飛行機からの銃撃に、船上での伏せに意味があるのかと思ったが、とにかく伏せるしかない。

上空の爆音が大きくなる毎《ごと》に、ドカンドカンと別な音がする。

爆弾かと思ったが、隣に伏せた兵が高射砲だと教えてくれた。そういえば淡路山丸の錨甲板《いかりかんぱん》と鎖甲板に、一門ずつ高射砲が据えられていた。その二門の高射砲が飛行機を追って、目まぐるしく旋回しているようだ。

爆音の合間をぬって、私は大広間に駆け込む。そこは旅団長以下の高級幕僚や部隊長が、船長たちと豪華な食事を楽しむ場所になっていた。明確な命令はなかったが、私はそこを臨時救護所に設定し、衛生兵たちにも申し渡していた。外は真っ暗なのに対し、この大広間の中だけは、明るいシャンデリアが輝いている。

飛行機にこう狙《ねら》われては、船の中央にあるここそが一番危ないのかもしれない。とはいえ、既に二、三名も負傷者が連れて来られており、逃げるわけにはいかない。

また飛行機の爆音が近づき、爆発音がした。高射砲の音とは少し違う。

「やられたぞ。大発がやられた」

外部の騒がしさに出てみると、いつ帰ったのか、大発が一隻《せき》、左舷に達着している。しかも半分沈んでいる。いや船の中央部が消失し、船首と船尾だけが浮いていた。それも見ている間に沈んで行った。

淡路山丸の舷の手摺《てす》りであるブルワークも消し飛んでいた。わずかに一本残った縄梯子から、救命胴衣をつけた兵が三名登って来る。そのうちのひとりは頬の筋肉がとれてなくなっている。

「天皇陛下のためだ。天皇陛下のためだ」

救命胴衣を上下逆につけた兵がうわ言のように言う。気を確かにもつために言っているようでもあり、本気でそう思っているようでもある。

「そうだ、そうだ。陛下のためだ」

頬のない兵も叫ぼうとするが、口が開くだけで言葉にならない。

私のほうは天皇陛下なんか頭の中にない。早く上陸しなくてはいけないと思うだけだ。安全ではなかろうが、少なくとも船中と違って、逃げ回れる。

臨時救護所で、負傷部位に薬を塗ったり、繃帯《ほうたい》を巻いたりしているものの、気もそぞろだ。繃帯の巻き方もゆるくなり、また巻き直すと、手が血でぬるぬるになる。もともと私たち軍医は、よほどのことがない限り、自分で繃帯を巻かない。衛生兵任せだったのだ。

もたもたしているところへ、連隊長の伝令兵が現れた。

「連隊本部が上陸するのでおいで下さい」

助かったと思いつつ甲板に出てみると、連隊長を囲んで下士官と兵が集まっている。しかし副官の姿が見当たらない。副官は先刻旅団司令部に連絡に行ったので、すぐ戻るだろうということになった。

乗り移るはずの大発は、下の海面に来ているが、波のために離れたり近づいたりしている。上空の爆音は途絶えていた。搭載爆弾を投下し終わって、飛行場に引き返したのに違いない。新たな爆弾を積んでまた到来するはずだ。猶予《ゆうよ》はできない。

衛生兵たちが隊医极《いきゆう》を二つ運んできた。縦横一メートル、高さ三十センチの箱で、中には薬品と繃帯材料、手術器具が要領よく詰められている。しかしこの期《ご》に及んでは、いかにも大きな荷物だ。

「こんな物、持って行っても仕方ない。置いて行こう」

私が言うと、連隊本部の曹長がさえぎった。

「軍医殿、これがなくては仕方なかですばい」

曹長の言うとおりだと、思い直した。

副官はまだ戻って来ない。しかしともかく行こうということになった。大発に乗り移り始める。一番の難物は連隊長で、齢《とし》が齢だけに腰が重い。縄梯子にぶら下がったところでもう息が上がっている。

一同何とか乗り終え、出発する。これで、頭上から爆撃されるだけの状態からは逃れられる。海上に出てみると、波はあるものの思いのほか、静かだ。

そう思う間もなく、また爆音が聞こえ始めた。大怪鳥のような黒い影が大きくなり、頭上を過ぎて輸送船の方角に向かう。三隻の輸送船の上空を通過するや、旋回して戻って来る。発動艇のような小物は眼中にないのだろう。

振り返ろうとしたとき、乗組員の顔半分が赤く照らされた。輸送船に火がついたのだ。

「やられました。淡路山丸です」

下士官の艇長が声を張り上げ、連隊長に報告する。船橋の前あたりが燃えている。淡路山丸は、飛行場の制圧後、直ちに戦闘機を呼び寄せるための航空燃料を積んでいた。そのドラム缶に爆弾が命中したのだ。

右往左往する人影が影絵のように映る。火は風向きで消えたと思うと、また拡《ひろ》がる。私たちの乗る大発は陸岸に近づいたようで、敵の流弾が艇の周囲を掠《かす》める。浜辺に白い波が見えてきた。

艇は尾錨を投げ、砂浜に乗り上げようとした。しかし銃弾が横なぐりの雨のように飛んで来る。砲弾が炸裂《さくれつ》して海面に火柱が立つ。

「これはいかん、達着をやり直せ」

連隊長が叫んだ。「沖へ出る。錨綱を巻け」

艇長が操舵《そうだ》をやり直し、ほうほうの体で岸から離れた。二、三百メートル沖に出ると、ほとんど弾は来ない。時折周囲を掠めるだけだ。

再度、慎重に陸岸に向かってみるが、近づくと銃弾と砲弾が届く。敵は明らかにこちらを狙って撃っているのだが、艇からは敵の居所が分からない。

「これは全滅ということになるかもしれん」

連隊長が星空を仰いで呟《つぶや》く。流れ星がひとつ流れた。

えらいことになったと私は思い、砲弾が周辺で炸裂するたび、身をこごめていた。砲弾は迫撃砲で、敵は飛行場周辺にこれを配置しているのに違いない。事前に正確に弾着を測定し、海岸のトーチカから電話連絡して、方向を定めているのだ。

もう一度沖に退いたとき、小発《しょうはつ》（上陸用舟艇）が一隻近づいてきた。

「どこの部隊か。何部隊か」

連隊付の曹長が問う声も、波に消されがちだ。

「師団衛生隊」

その答えが途切れ途切れに届く。

「一緒に突っ込もう。各個に上陸したら全滅だ。ついて来い」

連隊長が叫んだ。「兵は皆着剣せよ。今度陸に着いたらそのまま突撃だ」

衛生隊のほうも大方諒解《りようかい》したようだ。

私は多少なりとも胸をなでおろしていた。衛生隊は平時にはなく、動員師団に編成される。いわば歩兵連隊と野戦病院の中間のような部隊である。隊長は普通歩兵の大佐か中佐が当たる。五個中隊編成が普通で、歩兵の担架兵が主力を占める。

五個中隊のうち三個中隊が駄馬編成、二個中隊が車輛《しやりよう》編成になるのが通常だ。本部には、軍医中佐か少佐を医長とする軍医十数名が所属し、衛生下士官が一個小隊ほどつく。

戦闘では、歩兵の第一線の後方に繃帯所を開設し、駄馬中隊が前線から負傷兵を運んで来る。さらに車輛中隊が、後方の野戦病院に運搬する仕組みだ。歩兵が大部分だから、戦闘力も一個大隊分くらいの能力をもつ。馬は連れて来ていないので、この衛生隊は車輛編成になっていたのだろう。小発に乗っているのは衛生隊の一部のはずだが、中隊長以上の指揮官がいるようだった。

大発と小発は、雨と降る弾丸をくぐり、陸岸に辿《たど》り着く。身をかがめて付近を見渡して、私は驚いた。尾綱が切れて横向きに打ち上げられた発動艇がある。そのうえ、砂浜に蟻《あり》のように散らばり、伏せているのはすべて人間だ。上陸はしたものの、一歩も前進できずにいる。まさしく激戦になっていた。

今までの上陸戦闘では、私たちの到着時には既に歩兵は前進していて姿はなかった。弾薬や食糧の追送品が山と積まれ、連絡任務の少数人員のみが残っていた。

私も大発から跳び降りて、砂浜に伏せる。あまりかたまっていては狙われるので、兵が比較的疎《まば》らな所に転がる。手で砂を掘る。身体《からだ》が地面に隠れそうになるまで掘る。それでも尻《しり》が出ている気がして、腹の下をまた掘る。まるでモグラで、手掌もシャツの袖《そで》も砂だらけだ。弾丸が頭の上を掠めた。どうも左の方から飛んで来るようだ。

目が暗さに慣れてくると、数メートル先が林であることが分かった。さらによく見ると、椰子《やし》林である。その手前に棒杭《ぼうくい》があり、鉄条網が巻かれている。これでは歩兵が前進できるはずがない。

射撃の標的のような、同心円を幾重にも画《えが》いた白い板も見える。これを目標にして、敵は上陸部隊を撃っているのだ。棒杭と見えたのは、どうやら鉄の柱のようだ。

弾が止《や》んだ瞬間、頭を挙げて上を見た。飛行機が翼灯を点じて左右に旋回している。やがて高度を下げて見えなくなる。その方角が飛行場なのだろう。

また迫撃砲の砲撃が始まる。地面を伝って発射音が腹に響く。そのあと砲弾はヒュルヒュル音を出して頭上を通過し、火柱を立てる。ひとつではなく連続砲射だ。照準は正確で、すべて波打際《なみうちぎわ》から十メートルから二十メートルの所に落ちる。

ヒュルヒュル音は次第に大きくなり、頭の上を越しそうもない至近弾が来る。これはやられたかと思い呼吸が詰まった瞬間、すぐ目の前の土が跳ね上がり、降りかかる。助かった。だが、次はどうか分からない。

潮が満ちて来たようで、波が打ち寄せるたびに、足の爪先《つまさき》から濡《ぬ》れてくる。

周囲がやけにはっきり見えるのは、目が慣れてきただけではないようだ。椰子の色も緑に見え、空も赤味を増してきている。このまま明るくなれば、敵に有利になるのか、味方に有利になるのか全然分からない。

そっと沖合を見やる。輸送船が軍艦とともに沖合から遠ざかって行く。これは予定の行動だ。夜が明ければ敵機がやって来るはずで、いったんパタニ方向に退避する段取りになっていた。そして翌日の夜、再び泊地に進入するのが、当初からの計画だった。

予定された行動とはいえ、船が去って行く影を見ると、急に心細くなる。これで丸一日、後続の援軍は来ない。上陸した者だけで戦わねばならない。

海上に取り残された淡路山丸がいかにも憐《あわ》れな姿をさらしている。先刻まで真赤に燃えているようだったが、今はわずかに煙が立ち昇っていた。

どういうわけか、左の方から飛んできていた砲弾が止んだ。トーチカが沈黙した様子だ。しかし油断はならない。頭を下げ、息をひそめていると、突然叫び出した者がいた。

「どんなもんだ。夜が明けたらもうこっちのもんだ」

大声で笑う兵を見ると、副官ではないか。いつの間にか合流していたらしい。顔色は人間のものとは思えない土気色だ。それはこちらも同じなのだろう。

副官の声を合図に皆起き上がる。しかし起き上がらない者もいる。死んでいるのだ。一緒に伏せているとばかり思っていたものの中に、多数の屍体《したい》が混じっており、私も屍体の間に伏せていたのだ。

トーチカにいたのはインド兵らしく、大挙して押し寄せる日本兵を見て怖《お》じ気《け》づき、射撃をやめて逃亡したらしかった。味方は軽装で上陸したので、重火器は何も有していない。しかし対戦車用の速射砲は三門揚げており、その中の一門がトーチカを攻撃、守備兵をふるえ上がらせたのだ。

　海岸に張られた鉄条網には一ヵ所切れ目があった。敵が通路にしていた場所のようだ。その真正面にトーチカが据えられていた。味方の歩兵が容易に前進できなかったはずだ。

　鉄条網は、海岸だけでなく、飛行場に至るまで水田を横切り、林をまわって幾重にも張られていた。通り路《みち》はどこも射撃しやすいように作られている。

　幸い部下の衛生兵四人は無事で、私たちは椰子林にはいってひと休みした。あとは歩兵が敵を掃蕩《そうとう》しながら前進するはずだ。

　隊医械の蓋《ふた》をとると、箱の赤十字を目標に、周囲から負傷兵が集まってくる。どの負傷兵の手当から始めようかと思った矢先、再び迫撃砲の砲撃が始まった。

　敵はこちらの位置を知っているらしく、十メートル、二十メートル先で土煙が上がる。

　悪いことに敵機がまたも飛来してきた。

「こっちだ。こっちから来たぞ」

　叫び声がすると、椰子の枝葉を揺るがすような低空で、敵機が姿を現わす。搭乗員の飛行眼鏡の顔さえも見える。機体を離れた爆弾が弧を描いて落ちてくる。ビール瓶くらいの大きさで、人間が手で持って投げているのではないかと思うくらい次々と降ってくる。落下した砲撃弾が破裂する。敵機が機銃掃射して通り過ぎる。その繰り返しだ。

敵機の方向が分かると、椰子の樹《き》を楯《たて》にして反対側にとりつく。とりついた兵の後ろにまた別の兵がとりつき、十数人が一列に並ぶ。敵機襲来により十数人が椰子の樹を回る。まるで椰子と相撲をとっているようだ。先頭が回ると、蛇の尻尾《しっぽ》のように後方の兵が遅れて回転する。しかしその時にはもう敵機は遠くへ去っている。

考えてみれば、上空から椰子林の中の人間がひとりひとり見えるはずがない。敵も盲爆と盲掃射に違いないが、盲掃射でも当たれば万事休すなのだ。

私も負傷者の手当どころではなくなる。患者のほうも軽傷者は、繃帯を巻いている最中に逃げ出そうとする。私も敵機を見上げるので、繃帯はずるずる延びて、折角の衛生材料が台無しになってしまう。

敵機が去り、迫撃砲も沈黙したので大丈夫かと思うと、そうでもない。機関銃の音が響き始める。友軍の歩兵が前進を開始したのかもしれない。

ところが足元に、小さい土煙が無数に立つ。敵の逆襲なのだ。何もかも放り出し、兵隊の間に伏せる。こんなことでは本当に全滅してしまうかもしれない。みんなが負傷したり死んだりした場合、ひとり生き残ってもどうなるか。

私は先刻見た光景を思い出す。トーチカから引き出されたひとりのインド兵が後手に縛られ、殴打《おうだ》されていた。

「戦友を殺したのはこいつだ」

ひとりの兵が丸太を振り上げ、インド兵の頭に振りおろす。頭蓋骨《ずがいこつ》が割れているのか、鼻孔といわず口といわず、耳といわず、血が流れ出ている。それでも殴り続けている。もう死んでいるのだろうと思ったが、インド兵は死んでおらず、ヒクヒク呼吸している。そこへまた別の兵が丸太で殴りつける。

生き残ってあんな目にあわされてはたまらない。そのときは自殺だ。幸い拳銃《けんじゅう》はある。拳銃を出してみると、まだ無傷だ。

また機関銃の掃射がくる。慌《あわ》てて周囲を見渡す。近くに誰もいない。味方の兵がいる所へ移動し、伏せた。兵たちは連隊本部の連中だった。

「軍医殿、大丈夫ですか。敵もなかなかやります」

「そうだな。これで前進はできるのか」

「後退はできません」

兵が答える。気を引きしめて腰に手をやると拳銃がない。蓋を閉めずに走ったので落としたらしい。

「弱った。拳銃を落とした」

「それはお困りですな。どのあたりですか。あったら拾っておきます」

兵は言ってくれたが、こんな状況では当てにならない。機銃掃射の合間に元の場所に戻って捜したが、見つからない。

諦《あきら》めたところに兵が駆け寄った。私に拳銃をさし出す。礼を言い、引金を引いてみたが、動かない。弾が途中で詰まっているようだ。これでは万が一のとき、自決の役にも立たない。しかし今さら捨てるわけにもいかず、携行し続けた。

激しかった敵の逆襲は、昼近くになるとまばらになった。敵機も海面上の日本軍舟艇を狙《ねら》い出した。椰子林の中に隠れて見えにくい私たちを標的にするより、海上のほうが狙いやすいと考えたのだろう。

いったん退避した味方の舟艇は、上陸軍に連絡をとろうとして、再び陸地に近づいたようだった。しかし波が高過ぎ、そのうえ、こちらからは合図も送りにくい。仕方なくまた沖合に退いたところを、敵機に攻撃をしかけられたのだ。艦船も輸送船もスコール雲が低く垂れこめた所を捜して、隠れるしかない。陸上の私たちはただ僥倖《ぎようこう》を祈るしかなかった。

昼頃、上陸した将兵はようやく落ち着きを取り戻し、私たち連隊本部所属の者も一ヵ所に集まることができた。さっそく兵たちが、一本の椰子の樹の下に遮蔽壕《しゃへいごう》を掘ってくれる。人ひとりがやっとはいれるくらいの浅い壕である。連隊長、副官、そして私用の三つはすぐできあがった。

私は中に転がり込み、もうここを居場所と決めて出るまいと思った。繃帯材料は使い果たして、ひと握りを残すだけになっている。よほどの場合しか使えない。

ところが次々と負傷兵が運ばれて来る。自力で治療を求めに来る兵もいる。私にはほとんど手立てはない。どうしても何とかしてくれという者だけに、ビタカンフルかモルヒネの注射をする。しかしモルヒネで救命はできない。束《つか》の間《ま》、痛みを消すだけだ。私としてやれることはその程度だ。戦争だから死ぬ者は死ぬ。仕方がないのだ。

腸部貫通銃創で腸が飛び出している兵が運ばれて来ても、汚れた手を洗う場所もない。私は泥のついた手で腸を押し込み、圧迫繃帯を絆創膏《ばんそうこう》で固定して、最後にビタカンフルを打った。

隣の壕の連隊長は腰を据え、寝転ぶでもなくどっしりと構えている。報告に来た将校が敬礼すると、手で制した。

「危ないから姿勢を低くせえ。報告は、伏せたままでいい」

かと思うと同じ陸軍中佐の碇泊《ていはく》場司令官は落ち着かず、将校らしい者をつかまえては質問を繰り返す。

「状況はどうじゃ、状況はどうじゃ」

士官学校出の将校が死んだと聞くと、「惜しいことをした。可哀相《かわいそう》だな」と言い、助かったと聞くと、「良かったな、良かった」と答える。それでいて自分は一切穴から出ようとはしない。

そのうち日が傾いてきた。北方の空の彼方《かなた》を眺めていると、十数機の編隊が目にはいった。友軍機だ。朝から敵機ばかり見ていた眼には、日の丸の翼が眩《まぶ》しく、心躍る。真上まで来たかと思うと、編隊を解いて一機ずつ急降下して、爆撃を加える。なるほど、そこが飛行場の正しい位置だったのかと、改めて思い知る。敵はやたらと高射砲を打ち上げ、煙が上空で拡散する。敵機も迎撃を行い、何機も入り乱れて乱舞する。こちらの椰子林の方には、弾丸が飛んで来なくなった。

友軍機は再び編隊を組んで、遠く消え去る。戦況は有利に展開しているようだ。日が暮れてくる。空にまだ明るみはあるが、もう椰子の葉の色は緑には見えない。ざわざわと椰子の葉が鳴る。葉がこすれ合う音が随分と続き、あたりが漆黒の闇《やみ》になった頃、雨滴が落ち出した。そしてすぐに土砂降りとなった。

壕の中に水が流れ込み、尻から背中にかけて水浸しになる。やがて全身が濡れねずみになった。雨は止《や》みそうもない。熱帯とはいえ、寒い。歯の根も合わず、身体がガタガタと震える。それでも壕を出ることは許されない。まだ時折、敵弾が身の回りを掠《かす》めるからだ。

少し行った所に民家があるというが、床が高いらしい。そんな場所に上がり込めば、よけい危険にさらされる。

敵弾が来ると、兵隊はその方向に撃ち返す。相手が見えるわけでもない。眠気ざましのために撃っているのだ。もう二昼夜近く一睡もしていないので、いくら寒くても睡魔が襲ってくる。

雨がいくらか小降りになった頃、迫撃砲撃が始まった。敵は、夜になればこちらに増援部隊が上陸すると思い、撃ってきているようだ。水際を確実に狙っている。砲撃は北の方から始まり、南の方に行き、また北に戻る。よく弾丸が尽きないものだ。近くの兵が三百まで数えたが、その後は分からないと言う。

しかし敵の正確な照準のおかげで、こちらはいくらか安心していられる。弾丸がやみくもに撃たれ、椰子林にでも落ちれば、いつ吹き飛ばされてもおかしくない。

その椰子林の中が、わあわあと騒がしくなり、銃撃がひとしきり始まり、やがて止む。それが何度か繰り返された。

そのうち連絡将校から戦況がもたらされた。先刻の椰子林の中での撃ち合いは、友軍相撃だったという。旅団司令部が把握していたのは、一部の兵力だけで、他からは何も連絡はなかったらしい。小部隊毎《ごと》に上陸はしたものの、昼間は一歩も前進できず、海岸にへばりつくしかない。このままだと自滅だと判断し、夜になって動き出すと、前方に敵らしいものがいる。突撃をかけると、相手も逃げない。声をかけてみて、やっと味方だと分かったという。

このコタバルに上陸したC方面担当の旅団は、私たちの揚陸作業隊を除くと、一個連隊しかない。三人いた大隊長のうち、二人までが戦死したらしい。ひとりは即死であり、もうひとりは腹部貫通銃創で、担架に乗せられて前進中、出血多量で死んだ。

旅団の野戦病院長であるO軍医少佐は、部下の大部分を佐倉丸に乗せ、自分は旅団長の幕僚として淡路山丸に乗船していた。火災発生とともに最寄《もよ》りの部隊について上陸したものの、佐倉丸の部下とは離れ離れになってしまった。仕方なく近くの大隊本部を捜し出し、その大隊長と共に、飛行場攻撃まで同行した。この大隊長だけは無事であり、病院長も命拾いしていた。

夜半に輸送船がはいる手はずになっているが、まだ船影は見えない。こう波が高くては、揚陸は難しかろうという声もする。なるほど、椰子《やし》林の間から見ると、波は家の屋根くらいは高い。

雨はだいぶ小降りになったものの止まない。海と反対側の空が明るくなっているのに気がつく。何か燃えているようでもある。パチパチと焼ける音が聞こえる気がする。そのうち赤い煙が半天を覆《おお》ってしまった。今まで勇んで撃って来た迫撃砲も、勢いがなくなる。満を持して待機していた味方の歩兵の先頭部隊が、飛行場に突っ込んだのかもしれない。九日の午前三時過ぎだった。

私たちは、蟹《かに》が穴の中から出て来るように、いくらか歩き回れるようになった。

「輸送船がはいって来たぞ――」

後方で元気な声が起こっていた。明るくなった東の空を背景に、艦船が影絵のように海面に浮かんでいる。

雨は止み、朝霧に変わった。熱帯の薄暮《はくぼ》や黎明《れいめい》は短い。またたく間に、艦船に守られた綾戸山丸と佐倉丸の雄姿が明らかになった。焼けただれた淡路山丸がぽつんと離れ、主《あるじ》なきままにまだ浮かんでいる。

一隻《せき》の駆逐艦が黒煙を吐きながら走り出す。煙幕展張《えんまくてんちょう》をして、味方艦船を遮蔽《しゃへい》しているのだ。発砲している火煙が見える。

撃っている方向を確かめると、空に弾幕が二、三個浮かび、その中に飛行機が一機いた。早朝偵察に来たのだろう。敵機は弾幕をかい潜《くぐ》るようにして南に去った。

そのあと敵機は全く姿を見せなくなった。飛行場がそれどころではなくなったのか、時折現れるのは友軍機ばかりだ。

丸一日ぶりに出てみた海岸は、昨日に比べて何という変わり方か。白昼、公然と揚陸輸送作業が始まる。上陸した部隊は隊伍《たいご》を整えると、飛行場の方角に進んで行く。野戦病院も正午近くなって上陸して、天幕を張った。手術器具も並べられ、私たちが持っていた患者を引き取ってくれた。その中には、私が汚れた手で腸を押し込んだ患者もいて、思いの外元気であり、感謝された。

私たちの連隊本部も壕を出て高床の民家にはいり、いちおう事務ができるように設営した。

雨はその後も断続的に降った。海岸に置かれた野戦病院は、翌十日には天幕をたたみ、前線へ進んだ。

舟艇の揚陸作業も終わった。私たちの部隊は入江や河口に船を入れ、休息した。干潮時には底が座礁《ざしょう》して動けなくなるが、もう緊急出動する事態は起こりそうもなかった。

兵たちの口から繰り返し語られるのは、十二月八日の激戦だ。

「君はよく生きていたなあ」

「お前こそよく生きていたものだ」

それが最初に口に出る挨拶《あいさつ》だ。私自身、自分が目視している者の他は、皆死んだような気がした。

通信隊が、ハワイ真珠湾急襲の電報を受け、知らせに来る。戦果が莫大《ばくだい》であることは分かったが、あたかもハワイを上陸占領でもしたかのように誇張されていた。タイのシンゴラに上陸した軍司令部方面では、タイ国軍と多少の戦闘はあったものの、既に国境を突破し、マレー半島を南下中らしい。

午後、真新しい褌《ふんどし》と日本手ぬぐいを一本ずつ支給された。私は雨の降る中をクリークへ向かい、身体《からだ》を洗った。これまで夜中にずぶ濡《ぬ》れ泥まみれになっても、拭《ぬぐ》うタオルさえなく、排便してもふく紙さえなかったのだ。

雨の中、濡れた服を着直し、連隊本部の民家まで戻る途中、着弾の音がし、処々《ところどころ》に張った他の部隊の天幕と天幕の間で土煙が上がった。空襲らしい爆音はない。艦砲射撃なのかもしれない。

これに先立って私たちは、敵巡洋戦艦二隻がクワンタン沖を北上しているという情報を聞かされていた。その戦艦からの艦砲なら一発だけではすまない。私は急いで連隊本部の民家に飛び込む。

そこに蒼《あお》い顔をした副官が戻って来た。

「陸上作業隊がえらいこっちゃ。軍医さん、早う行ってえな」

中尉《ちゅうい》の副官は、既に軍医大尉の位にある私をまだ軍医殿とは呼ばない。腹が立ったがそのまま打ち捨て、海岸に向かった。

そこには碇泊場司令部の軍医が先に来ていた。天幕の中を覗《のぞ》いて、私は腰を抜かさんばかりに驚いた。天幕の入口付近とこちら半分は、全くの血の海で、頭や脚や手、胴が散らばっている。

気を取り直して負傷者を診ると、存外大したことはない。手首を飛ばされたのが最も重傷で、入院を要する程度の打撲傷が十数名で、他は擦過傷だ。負傷者を処置して野戦病院に送った。

しかし死亡者の処理には骨が折れた。この陸上作業隊の部隊は、編成後日が浅いうえに、軍隊経験のない者の寄せ集めだった。戦友といっても共同生活は長くない。吹き飛ばされて残った手や脚を見ても、誰のものなのか何も分からない。私と碇泊場司令部の軍医とで、あれやこれやとつなぎ合わせる。日没までに、やっと死亡診断書の下書きができるところまでこぎつけた。

何が爆発したのかという議論の結果、艦砲射撃などではなく、地雷の炸裂《さくれつ》で決着した。

海岸の鉄条網の前には、地雷が敷設《ふせつ》されていた。鉄条網を切断しようとして近づくと、軍靴が針金にひっかかる仕組みになっていた。さらにその針金を引くと撃針が動き、破裂する仕掛けだ。だから八日未明の上陸時、砲弾による戦死と思われる中に、地雷による死者も多数含まれていた可能性が高い。

地雷はできるだけ掘り起こし、安全な場所に保管するよう指示が出ていた。しかし急造部隊のこの状況下では、地雷の周知が徹底しにくい。掘り起こした直径十センチ円盤型の地雷数個が、天幕の入口近くに積み上げられていたという。死んだ兵は、折からの雨の中、燃えにくい薪《まき》で飯を炊《た》き、炊きあがった飯鍋《めしなべ》を好都合とばかり地雷の上に置いたのだ。

本人は死んでいるので確かめ得ないが、戦死は戦死であり、この複雑な書類書きにはひと苦労させられた。

その夜、兵が見つけて来た椰子油を使い、燈火《とうか》の傍で戦況を話していたとき、「火を消せ」の叫び声が聞こえた。

誰が叫んだのか分からないものの慌《あわ》てて火を消した。そのとたん遠雷のような音が、海の方から届いた。しかしその後、爆発音は沙汰止《さたや》みになった。

十一日の朝起きてみて、私たちは思わず声を上げた。焼け焦《こ》げたまま海上に浮かんでいた淡路山丸が、姿を消していた。昨夜の大音響は、潜水艦の雷撃に違いなかった。敵潜も、夜目では、浮かんでいる船体が輸送船に見えたのだろう。

船はよく燃える。八日以降の淡路山丸は、昼間はかすかな煙が立ち昇っているだけのようだったが、夜は真赤に船体が燃えた。雨のせいもあって昨日ようやく鎮火した気配がし、曳航《えいこう》して帰る方法はないかという意見も出たくらいだった。

それが不可能になっていた。私の将校行李《こうり》は既に灰になっていただろうが、今は海の底だ。一番惜しいのは新調した軍服だ。開襟《かいきん》の新しい型で、短袴《たんこ》も二枚作っていた。シンガポールを陥落させた暁には、それを着て街を歩くつもりだった。こういうことなら、新品を着て上陸すべきだった。母親が縫って送ってくれた褌も十枚以上あった。私物をすべてなくし、着のみ着のままになるのは、妙に心細い。

その日の昼間、改めて海岸に出てみて、屍体《したい》の多さには息を呑《の》んだ。文字どおりの死屍累々《ししるいるい》だった。戦死したときはもう少し散り散りだったのだろう。波に打ち上げられているうちに、折り重なってしまったのだ。トーチカを中心に、南北五百メートルは屍体の山だった。

　頭を撃ち抜かれた者がいる。胸や腹を撃たれた者もいる。濡れた軍服が黒々と見える。海岸の屍体で塩がしみている者はそうでもないが、沼地やクリーク、椰子の下にある屍体には早くも蛆《うじ》がわき出していた。これが数日もすれば、皮膚も顔形が見えないほど這《は》い回る。上等兵の階級章ばかりが真新しく鮮やかな、屍体もある。

　残った私たち揚陸作業隊は、若干の屍体を埋葬したものの、数が多すぎ、他はどうすることもできない。雨が続くので、火葬など思いもよらなかった。

　そのうち歩兵部隊は、海岸沿いにトレンガヌの方へ前進することになった。もう先発隊は出発したという。歩兵部隊のひとりの将校が四、五名の兵を引き連れ、遺骨収集にやって来た。屍体の状況を見て悄然《しょうぜん》としていたが、遂《つい》に意を決して、ひとりひとりの小指を切り落として、目印の紙札をつけ始めた。それを兵たちが胸に吊《つ》るした飯《はん》盒《ごう》の中に入れる。

　たとえ遺骨送還の機会があっても、これは帰さない、自分たちは遺骨と共にシンガポールに入城するのだと、兵たちは言い合っている。

　夜になって、沼地やクリークの方から何とも気味の悪い咆哮《ほうこう》が聞こえてきた。何かを噛《か》み砕く音もする。鰐《わに》が出て来て、戦死者の肉を食っているのだ。

十二日の昼夜通して降り続いた雨は、十三日の朝上がった。私たち揚陸作業隊はこの浜に用がなくなり、ケランタン河の河口にある港町トンパに移動することになった。整列して大発に乗る。雨は止《や》んでいるものの波が荒い。八日未明の上陸のときと同じだ。あの日、よくもこんな波の中を上陸したものだと、今頃になって背筋が冷たくなる。

大発が海に出ると、今度は敵潜水艦を用心しなければならない。小舟なので魚雷は船底を通過するだろうが、浮上して砲撃されればひとたまりもない。

私たちが何とか無事にトンパに着いたあと、夕方入港して来た小型輸送船が、港のすぐ手前で魚雷攻撃されて座礁した。積荷は全部だめになり、船員の中には戦死者も負傷者も出た。

うろついていた敵潜を、日本海軍の艦艇が砲撃撃沈したのは三日後だった。

トンパでは、桟橋の根元にある宿屋が連隊本部になった。私と衛生兵たちはそこから二、三軒離れた家を医務室として接収した。しかしもうほとんど負傷者も病兵も出ず、手もち無沙汰だ。

このトンパに滞在中、トラックの便があると、私は乗せてもらいコタバルの街まで足を延ばした。〈イスラム〉と書いてある店にはいり、布地を買って半ズボンと半袖《はんそで》の服を仕立てた。ヘルメット型の帽子も買って、やっとさっぱりした気分になった。トラックが往復する道には、一メートル以上もある大トカゲが出没し、悠然と道を渡って行く。

コタバルに通ううち、コタは〈城砦《じようさい》〉、バルは〈新しい〉の意味だということを知った。いわば〈新城〉であり、ここケランタン州の州都である。このあたりは各州毎に王がいて、本当の英国領はシンガポール島とペナンだけということも教えられた。他は独立国になっていて、外交と軍事だけを英国が引き受ける保護領なのだ。

時々、敵機の夜間空襲があるものの、日本軍が占拠したコタバルの飛行場を狙《ねら》うのが主目的のようで、防空壕《ぼうくうごう》を造る気もしなかった。夜にスコールでも来れば、煙幕を張った以上の一寸先も見えない暗闇《くらやみ》になり、何よりの防護になった。

昭和十七年の正月は、トンパで迎えた。日本軍は香港を既に陥落させ、フィリピンのマニラも占領したという話だ。マレー半島を南下している友軍の歩兵部隊がどこまで進み、シンガポールをいつ陥《お》とすかが、私たちの毎日の話題になった。

名簿

私は昭和十六年に久留米《くるめ》の九州医学専門学校を卒業し、大学病院で修業中に短期現役軍医を志願した。二ヵ月間、熊本の歩兵第六十四連隊で一般兵として訓練を受けたのち、曹長待遇の見習士官をさらに二ヵ月務め、軍医少尉《しょうい》に任官した。十七年の十月、武昌《ぶしょう》陸軍病院分院付として勤務を命じられた。この陸軍病院は、支那事変当時、久留米で編成された第十四兵站《へいたん》病院が、武昌の武漢《ぶかん》大学を接収して開設されていた。支那派遣軍総司令官である畑俊六《はたしゆんろく》大将の直轄《ちょっかつ》下にあり、南京《ナンキン》の第一陸軍病院、上海《シャンハイ》の第二陸軍病院に次ぐ中支《ちゅうし》でも最大規模の病院である。院長は軍医中将であり、軍医三十名、衛生兵二百名、看護婦と職員が三百名近く配属されていた。

武漢地区は伝染病の宝庫といってもよく、腸チフス、パラチフスA・B、発疹《はっしん》チフス、流行性脳脊髄膜炎《のうせきずいまくえん》、マラリア、回帰熱、アメーバ赤痢《せきり》などの患者がおり、その他にも、昭和十三年六月から開始された九江《きゅうこう》武漢作戦の戦傷患者も収容していた。

赴任早々、私は特殊防疫《ぼうえき》教育のため漢口《かんこう》防疫給水部に行かされ、石井式濾水機《ろすいき》を発明した石井軍医少将の講義も受けた。少将は、横浜保土ヶ谷の土から濾水管を作り、クリークや揚子江《ようすこう》の濁水を飲料水に変えるまでの苦心を、縷々《るる》語った。

濾水機が完成したとき、石井少将は畑総司令官以下の将星が見守るなか、クリークの汚水に培養コレラ菌を入れて、濾水を自ら飲んで見せたという。初期の頃は手押し車のような小規模の濾水機だったが、私たちが受講する頃には、消防車なみに多量の清水が出るように改造されていた。

教育から帰ると、私は病理試験室と伝染病棟の勤務になった。連日、腸チフス菌やパラチフス菌などの病原菌の培養と同定《どうてい》に費やした。一日に三百件くらいの例数を扱うので、じきに馴《な》れ、同定する前にコロニーの性状で菌種が区別できるようになった。培地の処理や滅菌の作業には、現地で採用した中国人苦力《クーリー》を二名使った。いくら教えても、生菌の処理を素手でやるのには閉口した。かといって感染するわけでもなく、内心であきれかえった。

昭和十九年の夏、冬部隊と称する日本軍の大部隊が、完全武装で行軍して武漢地区にはいって来た。長沙《ちょうさ》・重慶《じゅうけい》作戦のためである。

武漢地区の夏は特に暑く、在留インド人さえも避暑のためにインドに帰るくらいだと言われていた。冬部隊の将兵は軍衣も汗を絞るくらいになってバタバタと倒れ、何人も病院に運び込まれた。軍では暍病《えつびょう》と言っていたが、日射と酸素欠乏が原因である。酸素吸入は後にして、ビタカンフル二筒を静注《じょうちゅう》し、ホースで長時間水をかけるのが救急処置だ。組織呼吸と肺呼吸が少しずつ回復し、やがて患者はごそごそと這《は》い動くようになって救命できた。

この頃になると、戦況は日増しに悪くなり、サイパンやグアム島の玉砕も伝わってきた。病院でも、万が一に備えての忍餓《にんが》訓練が行われた。松葉を集めにいき、浸出したビタミンCを補給したり、草を採って味噌汁《みそしる》で食べたりもした。

夏の盛りがようやく過ぎようとした頃、武昌分院に突然、移動命令が発令された。前線でコレラや発疹チフスの発生が多く、作戦に支障をきたすため、患者を収容するのが目的という。行き先は、武昌より南に列車で二十時間ばかりかかる、洞庭湖《どうていこ》近くの冷水舗である。

私たちは、戦車やトラックを乗せた軍用列車に分乗して、南に向かった。機関車は石炭ではなく薪《まき》を焚《た》いて走るため、火の粉が花火のように降りかかり、下手をすれば軍衣に穴があく。トラックの下にもぐり込んで火の粉を避けた。

米軍のＰ51戦闘機の来襲も避けなければならない。昼間はなるべく動かず、夜間も火の粉を発見されないように走らねばならない。目的地に着いたのは三日目だった。

冷水舗一帯は山が多く、病院として接収できる建物もなかった。私たち自身で病舎を造る他ない。岩塩を中国人と交換して立木を伐《き》った。本部、内科、外科、伝染病棟が、一、二キロ毎《ごと》に出来上がった。いずれも病院らしからぬ茅葺《かやぶ》きの小屋だった。

間もなく、コレラや発疹チフスの患者を三百名近く収容するようになった。毎日十数名の死者が出た。患者が死亡するとまた新たな患者が運ばれて来る。戦傷者よりも病気の将兵のほうが圧倒的に多い。まさしく日本軍は、中国兵だけではなく病気とも戦っていた。

発疹チフス病棟の回診をしていると、終える頃には足から膝《ひざ》まで虱《しらみ》が列をなして這い上がってくる。山の中に散在する病棟を回る際には、兵を連れていかねば中国人に襲われる危険もある。衛生部隊とはいいながら、前線部隊同様の受難が少しずつ増していった。

ある日、車で二時間ほど離れた洞庭湖畔にある糧秣《りょうまつ》倉庫に糧秣を受領しに行くよう命じられた。トラック三台に分乗し、倉庫近くまで来たとき、双胴の米軍ロッキードP38二機が頭上に現れた。二機で繰り返し旋回しては機銃掃射してくる。逃げようにも動けない。

五十メートル先に林があるものの、動けば目標になる。私は夢中で腹這いになり、両手で石や砂を掘った。少しでも身体《からだ》を凹《くぼ》みに入れ、遮蔽《しゃへい》したかった。

程なく敵機は去り、爆音が遠くなる。ほっとして顔を上げ、自分が掘った穴を見ると、わずかに顔が入るくらいの深さと小ささで、頭隠して尻《しり》隠さずの見本になっていた。

全員を集めて点呼した。幸い死傷者はいない。逃げて姿を消していた中国人苦力は、穴のあいたトラックを点検しているうちにひょっこり出て来た。トラックの運転には支障がなく、無事に糧秣を受領して病院に帰った。

年が改まって昭和二十年になると、中支戦線の分も悪くなった。洞庭湖周辺でも、米軍のＰ38とＰ51の爆撃と機銃掃射により、施設が破壊されていく。超低空で襲って来るＰ51に、女性パイロットが搭乗しているのも目視できた。日本陸軍の一式戦闘機隼《はやぶさ》が時折迎撃する光景も見られた。敵機が黒く尾を引いて落ちていくと、私たちは躍り上がって喜んだ。

四月上旬、大本営からの命令が病院にもたらされた。沖縄に既に米軍が上陸し、連合軍の内地上陸も予想されるため、和歌山に野戦病院を三ヵ所開所すべしという命令だ。

約七ヵ月の山中の生活を終え、直ちにすべての衛生材料を整理して再び武昌に集結した。

病院上層部は、京漢線《けいかん》の軍用列車で北支《ほくし》、満州、朝鮮を経て釜山《ふざん》に至り、最後は関《かん》釜《ぶ》連絡船で内地に渡るという計画をたてた。

まずは武昌から揚子江対岸の漢口に渡った。通常、兵站病院には、衛生材料と器機薬品を収納する医柩《いきゅう》が五、六十箱一組として用意されている。私たちの病院にはそれが二組あり、中には一箱百キロに及ぶものもあった。

準備がようやく終わり、二十輛《りょう》編成の軍用列車に乗り込み、北京《ペキン》を目指して出発した。看護婦は本院に残され、同行はできない。軍医と衛生兵、一般兵を合わせて、総員は二百名をわずかに超えた。

列車は、時折米軍の爆撃を受けながらゆっくり進んだ。線路は寸断され、鉄橋も破壊されている。そのたびに線路が修理されるのを待ち、橋のない所では荷を積み替え、船で対岸まで渡った。やっとの思いで天津駅《てんしん》に着き、構内引込線にはいったのは二ヵ月後だった。

私は天津港で、二年半ぶりに海を見た。海水を手ですくい、なめてみる。舌がしびれるほどの塩辛さに、内地が近づいたことをようやく実感した。

天津駅での一夜が明けると、関東軍から命令の変更がもたらされた。北鮮《ほくせん》地区にはソ連軍上陸の気配があるうえ、関釜連絡船は米潜水艦に狙われるため渡航不能だという。目的地は北朝鮮元山《げんざん》に変えられた。

天津で二泊したあと、軍用列車は再びのろのろと出発した。満州を経て朝鮮にはいると、もう荷物の積み替え作業は不必要になった。貨車の扉を開けて見る朝鮮の山々は、中国と違って禿山《はげやま》が目立った。京城《けいじょう》を通過して、やがて元山駅に到着した。

私たちの落ち着き先は、駅の近くにある元山トラピスト修道院と決められていた。もちろんそこには尼僧《にそう》の影などなく、すぐに荷物の運び入れを開始した。予想されるソ連軍上陸作戦による患者を収容するための、病院設営に取りかかった。

教会の建物は傷つけないように配慮し、内部に病室や診療室をつくり、外部にはタコ壺《つぼ》をいくつも掘った。

六月下旬が過ぎ、七月にはいると日増しに暑くなる。〈ソビエト参戦〉と〈祖国敗北〉の不安は隠しようもなく、誰もが黙々とタコ壺掘りに励んだ。日曜日のみが休みで、三々五々元山の街中への外出が許された。

街には戦時下の喧騒《けんそう》はなく、内地のたたずまいと大して変わらない。しかしこれさえ、私たちには嵐《あらし》の前の静けさに感じられた。

八月、ようやく病院設営が完成したものの、戦傷患者はまだひとりとして後送されて来ない。米軍が広島と長崎に特殊な爆弾を投下して、相当な被害が出たとの噂《うわさ》が伝わって来ても、私たちはデマだと思い、信じなかった。

八月十五日、全員集合の命令で何も分からないまま本部前に集合した。重大放送があるという。一同の眼と耳は、一台の古いラジオに集中した。

しかし電波異常でもあるのか、ラジオはピーピー鳴るだけで、はっきりした音が出てこない。間もなく途切れ途切れに声が聞こえてきた。

それが陛下の御声《みこえ》であると説明されると、全員が直立不動の姿勢になった。

ラジオは相変わらず雑音で聞きづらかったが、全身を耳にしているうちに、「忍び難きを忍び――」が聞き取れた。大体の意味が理解できると、一同の顔が紅潮し、やがて茫然自失《ぼうぜんじしつ》となった。

放送が終わり、目を赤くした院長の軍医中将が進み出て訓示を垂れた。

「日本は無条件降伏によって敗戦となった。しかし、我々は衛生部隊としてやれるだけのことはやった。これから来たるべき幾多の困難に負けぬよう、栄《はえ》ある帝国軍人として軽挙妄動《けいきよもうどう》を慎み、軍人としての態度で処することを望む」

院長はそう言うと解散を命じ、壇上から降りた。そのとたん、あちこちで泣き声が上がった。私も胸が熱くなり、溢《あふ》れてくる涙をこぶしでぬぐう。

落胆と悲しみの下から、敗戦の実感と、これから捕虜とされることへの不安が頭をもたげてくる。

夕刻近くになると、修道院の下にある朝鮮人集落から、「万歳《マンセー》、万歳《マンセー》」の声が遠雷のように聞こえ出した。それがまた不安をかきたてる。

建国以来初めての敗戦という誰もが経験したことのない事態に、これから突入していく。生きて虜囚の辱《はずかし》めを受けずと叩《たた》き込まれた精神も、武装解除と収容の現実の前では怯《おび》えるばかりだ。

夕食には一品の心尽くしと酒が出た。戦勝祝賀会ではなく、敗戦残念会であり、酒が進むにつれて騒がしくなる。手放しで泣き叫ぶ者もあれば、抱き合って泣く者、だみ声で怒鳴り出す者もいて、収拾がつかなくなった。酒を出せと迫られて、炊事班長もあるだけの酒を放出した。座は狂乱状態に陥った。

十時を過ぎても騒ぎはおさまらず、私は厠《かわや》に立った。そこで懇意にしていたM軍曹と一緒になった。彼も目を泣き腫《は》らしている。沖縄出身で、父親は空手師範だと聞いていた。

「軍医殿、外に出ましょう」

「いいね」

私が答えると、彼は走り出した。二人で競うようにして山を走り下り、小川のある水田の堤に腰をおろした。

田は田植えも終わって水が張られ、満月があたりを照らしている。蛙《かえる》の鳴く声に混じって、朝鮮人集落からはまだ「万歳」の叫びが聞こえた。

「軍医殿、自分は死にます」

突然、M軍曹が立ち上がって言った。異様な気配につられて腰を上げる。

「生きて虜囚の辱めを受けるくらいなら、ここで死にます。死にきれなかった際、軍医殿、どうか介錯《かいしやく》をお願いします」

私が呆然《ぼうぜん》としている間にM軍曹は軍刀を抜き、刃を首筋に当てた。一気に引けば刃は三、四センチは食い込み、片方の頸動脈《けいどうみやく》は切れる。そうなると介錯などいらない。

私は足が震えるのを覚えた。

「待て、待て」

やっとのことで言う。すぐ目の前に、月光に光る軍刀の刃《やいば》があった。

「死ぬのは覚悟で来た軍隊だ。事ここに至っては、先のことを考えたがいい。虜囚の辱めを受けたとしても、その苦難に耐えて祖国に帰り、口惜《くや》しさを次の世代に伝えるべきではないか。俺たちが全部死んでしまったらどうする。俺たち衛生部隊は、兵隊が死ぬのをいっぱい見て来たろう。なかには、俺たちより若い兵隊もいた。ここで死ぬのは残念ですと、俺の手を握ったまま息絶えた兵隊もいた。さぞ口惜しかったろう。彼らの分まで生きて、生き抜いて祖国に帰ろう。帰って国を再建しよう」

私は必死で説得した。しゃべりながらも目からは再び涙が溢れてくる。もう涸《か》れたと思っていた涙だった。

「口惜しいです」

M軍曹も泣き出し、お互い肩を寄せ合って泣いた。泣きながら私は自分たちの年齢を思った。私は二十五歳、M軍曹はひとつ年下の二十四歳だ。捕虜になるとはいえ、辱めを受けるだけで、殺されることはあるまい。国も、敗《ま》けたとはいえ、消えてなくなるわけではなかろう。生きて祖国に帰るのだ、と私は胸に誓った。

M軍曹は思い直したらしく、軍刀を納め、ようやく二人で歩き出した。後ろの方で、蛙がまたかまびすしく鳴き始めていた。

その夜は眠れず、何度も寝返りをしては息を整えた。M軍曹にはいかにも理屈の通ったことを言ったものの、待ち受けている虜囚生活の苛酷《かこく》さが頭を占め続けた。

まんじりともせぬ一夜が明け、朝の点呼が始まる。衛生部隊の九割が九州出身のためか、前日の悲嘆ぶりはもうなく、全員が諦念《ていねん》に満ちた穏やかな表情をしている。割り切れないでいるのは私だけのような気もした。

さすがに防空壕《ごう》造りは中止になり、午前中は無聊《ぶりよう》に過ごした。午後、下士官のひとりが私を呼びに来た。兵に不穏な動きがあるという。食堂に行ってみると、四十名ほどの兵が集まり、異様な眼で前の方を見つめている。

一番前にM軍曹が立ち、その前に椅子《いす》が四脚一列に並べられていた。椅子の背には紙が張られ、右から順にルーズベルト、マッカーサー、チャーチル、東条英機と書かれている。

M軍曹は両手の拳《こぶし》を握り、ポキポキと関節音を響かせた。そして気合いもろとも、次々に椅子の背を突いた。椅子の背は折れて、七、八メートル先に飛ばされた。

M軍曹が振り返るとき、脇《わき》に立っていた私と目が合った。私は〈それで少しは気が晴れたろう〉と言うように顎《あご》を引く。M軍曹はひと言も発せず、怒ったような顔のまま出て行った。

その後の数日間は、なすすべもなく気の抜けたような状態が続いた。ソビエト軍が今日にも進駐して来て皆殺しにされるという噂が流れ、それに応じて、部隊を早く解散して祖国に帰ったほうがいいという意見も出た。

とはいえ、長年の軍隊生活を簡単に解消できるわけはない。衛生部隊としてはそれまでの秩序を保って日々を暮らすしかなかった。

敗戦から十日ほど経《た》った朝、私は院長室に呼ばれた。

「君には今から元山駅に行ってもらう。駅長と交渉して、部隊全員と医療材料すべてを、咸興《かんこう》駅に輸送できるようにしてくれ」

「咸興駅ですか」

直立不動のまま確かめる。咸興は元山から百キロほど北にある都市だ。

「そう、北上する。ソビエト軍の北鮮地区上陸作戦で負傷した患者を収容するためだ」

私は一瞬ためらう。何も病院が移動する必要などなく、患者をこちらに運んでくればいいのだ。しかし院長の厳とした態度に、そんな反論ができるはずはない。命令を受領してそのまま退出した。

さっそく兵二名を連れて元山駅に向かう。駅には上り列車京城行きの貨車が停まっており、日本軍の兵士が屋根まで鈴なりの態で乗っていた。

駅長は既に京城に逃げて不在だった。代わりに助役だという朝鮮人がホームから戻って来た。

「兵隊サン、タメテスヨ。日本軍人ミンナ京城方面へ逃ゲテ行キマス。貨車ハ何トカシマス。咸興デハナク南鮮ニ行キナサイ」

私も助役の言に一理あると思い、駅長室の電話を借りて、院長にその旨《むね》を報告した。返ってきたのは怒鳴り声だった。

「馬鹿《ばか》もん。我々は衛生部隊だぞ。友軍が負傷している時に何だ。そのための病院だろう。どうしても明日中に列車を出してもらえ。責任は本官が持つ」

こうなると再び従う他ない。助役にまた頼み込んだ。

「コンナ時タカラ確約デキマセンガ、何トカシテミマス。後デ連絡シマス」

それが助役の返事で、夕方になって病院の方に電話があった。列車が確保でき、出発は明日だという。

院長は直ちに明日の出発準備を指令した。兵の中には、今から北へ行っては捕虜になりに行くようなものではないかという不満をもらす者もいた。しかしともかく院長命令である。夜半まで出発準備に大童《おおわらわ》となった。

翌日、元山駅から貨車に乗り込んだ。もちろん患者も一緒だ。咸興までの所要時間は、停車しながら行くので八時間と聞かされた。列車が北上するにつれて、南鮮方面に向かう上り列車と何度もすれ違う。上り列車に満載された将兵たちの顔は、いずれも生き生きと輝いている。それを眺めるたび、私は言いようのない腹立たしさを覚えた。上り列車の兵たちは、私たちの北上の理由を聞くと、驚くとともに、労《いたわ》るように手を振ってくれた。

　夕刻、咸興駅に着くとそのまま駅構内と貨車内で夜を過ごし、翌日、市内にある咸興高女《こうじょ》を接収して移動、病院を開設した。

　病院の体裁が整った九月中旬、近くまで進駐して来たソ連軍から武装解除の要領が伝達された。武器は手入れをしたあと、軍刀、銃剣、弾薬、手榴弾《しゆりゆうだん》等に分け、集積すべしという。

　病院だから機関銃などはなく、せいぜい短銃と軍刀くらいだ。将校と下士官は、長年苦楽を共にした軍刀を念入りに手入れする。私の軍刀は私物で、備前長船《びぜんおさふね》の古刀だった。長兄が私の任官と同時に、軍刀に仕立てて贈ってくれたものだ。父親が早死にしたため、旧制中学を出た長兄は郵便局に勤め、一家の大黒柱になっていた。それだけに私物の軍刀はありがたく、私は毎夜、打粉《うちこ》で手入れをしていた。それをソ連軍に持っていかれるのは、長兄と別れるような気がした。

　最後の手入れを終え、私は長船を持って外に出た。夕暮れの校庭に人影はない。桜の枝が目の前に伸びていたので、長船を抜き、袈裟《けさ》切りに振りおろす。大人の腕くらいの太さの枝は見事に切断され、刀身はわずかな曲がりも生じさせずに鞘《さや》に納まった。

一夜明けると、軍刀を手にした将校、下士官が六名集まった。その中にM軍曹がいた。

「刀の値打ちも分からないロスケどもに取られるよりも、自分たちで始末しましょう」

M軍曹の提案で、私たちも地下室に行き、ボイラーの配管がしてある穴にそれぞれ軍刀を入れ、別れを告げた。

正午過ぎ、ソ連軍一個大隊程度の将兵がやって来て、武装解除が行われた。私たちがマンドリンと称していた短機関銃を全部の兵が所持している。こちらは、私たちのような衛生部隊でない戦闘部隊でさえ、三八式歩兵銃を三人にひとりしか支給できていなかった。

ソ連軍の隊長と、こちらからは軍医中将の院長と幹部将校四名が立ち合いに出、私たちが遠くから見ているうちに、引き渡しはいとも簡単に終わった。兵器は軍用トラックに積み込まれ、校門から出て行った。

北朝鮮の秋は短い。寒くなりかけた九月下旬、羅南《らなん》・羅津《らしん》陸軍病院の軍医、下士官、兵、看護婦と、羅南高女挺身隊《ていしんたい》の先生と女学生、合計四十六名がソ連軍に連行されて、私たちの病院に合流した。

私たちはすでに一種の捕虜であり、行動は制限され、常時いたる所にソ連軍衛兵の眼が光っていた。ソ連軍部隊はシベリア地区の刑務所から動員された者が大半だという噂だった。ほとんど全員丸坊主頭《まるぼうず》で、夜になると「ダヴァイ、ダヴァイ（くれ、出せ）」と言って、時計や万年筆などを強奪していく。両腕に十数個の時計をはめており、時計が止まってもネジの巻き方さえ知らない。

十月になって、軍医と下士官、兵を二十名出せという命令が届いた。朝満国境の延《えん》吉《きつ》の病院に連行して、日本兵捕虜患者の収容に当たらせるのだという。院長の指示のもと、志願を含めて人選が行われた。志願者の中にはM軍曹もいた。

翌朝九時、ソ連軍のトラックがやって来た。人選された将兵は三十分後に正門に集合、という命令を受けた。準備や別れを言う暇さえない。ソ連軍の常套《じようとう》手段と思われた。私はトラックの上のM軍曹に「元気でやれよ」と声をかけただけだった。これが彼らと会った最後になった。

十日後、残った本隊にも、ソ満国境に移動して、日本兵捕虜患者の収容に従事させるという話が持ち込まれた。院長と幹部数名はソ連軍司令部に出かけて行き、反対の意向を伝えた。寒い北満地区では患者の死亡は増えるばかりで、ソビエトは後世世界から非難されるだろうと訴えたらしい。訴えが奏功したのか、移動は立ち消えになった。

その代わり、私たちは隣接した興南《こうなん》にある旧日本窒素《ちつそ》病院に移動することになった。

興南は咸興の東南にある重工業地区で、戦時物資の搬入や工場製品の輸送に使用された良港の興南港を擁している。工場群の中でも日窒の工場が最も大きく、小さな市ならすっぽりはいるくらいの敷地面積を誇っていた。

病院内は、X線装置などは壊されているものの、通常の陸軍病院よりは施設は整っていた。病院の周囲は有刺鉄線で囲まれ、五十メートル毎《ごと》にソ連軍衛兵が立つ。一歩でも外に出ると銃殺するという警告を受け、誰も近寄ろうとしない。病院全体の警備には一個中隊が当てられているようだった。

職員の宿舎として、将校と下士官にはそれぞれ病室の六畳一間を割り当てられた。兵たちは従来の内務班をひとつにまとめて、大部屋三つに起居した。

看護婦たちは、ロシア人の暴行を避けるため、奥まった病棟の二階にはいり、入口の部屋に院長が陣取った。

ソ連軍の進駐直後、在留日本人婦女や朝鮮人婦女も、ソ連兵による相当の暴行を受けていた。在留邦人女子は髪を切り、軍服を着用して、顔には土や釜《かま》の灰を塗って難を避けた。

日本人男子のうち、警察官や教員は、終戦後すぐに結成された北鮮軍に連行され、刑務所に入れられたという。その家族は歩いて南鮮に逃れたり、数千円を捻出《ねんしゅつ》してヤミ舟に乗り、南の方への脱出を計った。

病院の体裁が整うと、陸軍将兵が次々と運ばれて来た。もともとは満州や北朝鮮にいた日本兵であり、シベリアに連行され、森林伐採や炭坑、鉄道工事に駆り出されていたのだ。重労働の結果、高度の栄養障碍《しょうがい》、肺結核、発疹《はっしん》チフスなどに罹患《りかん》し、後送入院になっていた。どの疾患であれ、栄養失調が根底にあり、顔面両下肢ともに浮腫《ふしゅ》が見られた。回診に行くと病室の柱や壁にもたれて返事もできない無力状態の患者があちこちにいた。回診の後に便所に這《は》って行き、そのまま死亡したと何度も報告を受けた。

病院には絶えず千名から千五百名の患者がいた。幾分元気になった患者は、廊下や屋根瓦《がわら》の上で、日向《ひなた》ぼっこと居眠り、虱《しらみ》取りが日課になる。

ソ連軍軍医は週二回やって来て、私たち軍医と共に回診をする。自立歩行ができるようになった患者には退院を申し渡し、トラックに乗せ、再び連行して行く。行き先はもちろんシベリアで、患者たちは再びそこに連れ戻されれば命はないものと覚悟していた。

私たちは、回診の前夜、硫酸マグネシウムの下剤を投与して便所に行かせ、ソ連軍軍医にはまだ退院できないと言って、引き延ばし戦術を行った。

ソ連軍から特に医薬品の補給はなく、高度の栄養失調の患者に施せるものはブドウ糖とビタミン剤だけだ。それでは間に合わず、後送の長旅のせいもあり、重症患者は病院につくなり息を引き取った。

栄養状態は、私たち職員も良いとはいえなかった。日本軍の軍糧秣《りようまつ》はすべてソ連軍に接収されており、ソ連軍から支給される食糧でまかなわなければならない。主食はくる日もくる日も、赤飯のような高粱《コーリヤン》だ。副食はすけそうだらの干し魚だが、これが硬くて歯が立たず、コンクリートや木片であらかじめ身を砕かねばならない。

時折、朝鮮特産の白菜が配給された。しかし味噌《みそ》がないため、種子油を水で薄め、食塩で味つけするしかない。肉類や動物性蛋白《たんぱく》の配給はなく、稀《まれ》にソ連軍が使ったあとの牛の頭が数個支給された。角と毛がついたままだったが、それらをはがし、骨もろとも砕いてスープにする。これが最高の御馳走《ごちそう》になった。

私たちは中支から移動する際、在留邦人からもらった餞別《せんべつ》など、私物の金を所持していた。天津、山海関《さんかいかん》、京城と国が代わる毎に、経理部でその国の通貨と交換していた。その金で、こっそり朝鮮人から肉や卵、野菜などを仕入れて、栄養を補給した。それでも、月毎に痩《や》せていくのが分かった。

それに比して、ソ連軍の給食はいかにも栄養に富んでいるように見えた。トレーラーに積んだドラム缶には、種子油と馬鈴薯《ばれいしょ》、肉類がはいっている。それを大鍋《おおなべ》に入れ、どろどろになるまで数時間煮てスープにする。料理そのものは代わり映えしないが、スープはカロリーに富んでいるはずだ。その証拠に、ソ連兵たちは零下十度になっても、下着一枚で平気で作業に出ている。

ソ連軍将兵と接触するうちに、私も簡単なロシア語を覚えた。ズドラーストヴィチェ（今日は）、ダ・スヴィダーニャ（さよなら）、スパコーイナイ・ノーチ（おやすみなさい）、スパシーバ（ありがとう）、スパシーバ・ザ・ラボートゥ（ご苦労さん）、イッチー（行く）、オーチン・ハラショー（大変良い）などだ。

高粱とすけそうだらの干し魚の繰り返しで、栄養失調になりかけていたその年の暮、勤務を終えたところでO曹長から使いが来た。夕食をO曹長が自室でおごると言う。行ってみると、すき焼きの御馳走を五人の将校、下士官が囲んでいる。材料はO曹長が朝鮮人からヤミで仕入れたらしい。

六人で夢中で食べていると、突然入口の戸が開けられた。ソ連軍衛兵が立っている。

私たちは青くなり、口の中のものを呑《の》み込み、箸《はし》をそっと置いた。

衛兵はじっと見ていたが、「ハラショー（良い）」と言い、長靴のまま畳の部屋に上がろうとした。私たち全員が一斉に声を出したので、衛兵は何事かという表情で身を固くした。

しかし誰も「靴を脱いでくれ」というロシア語は知らない。期せずして私たちは立ち上がり、自分たちは靴下であり、靴は上がり口に脱いでいることを仕草で示した。

衛兵は理解したらしく、かといって靴を脱ぐのも嫌なのか、再度「ハラショー」と口にして出て行った。残された私たちは、食べ続けていいものか迷った。ひょっとして仲間の衛兵を呼びに行ったのではないか、と不安が頭をよぎる。ともかく早く食べてしまうに限るという結論に行きついて、がつがつと食べ、そそくさと解散した。衛兵からはその後の咎《とが》めはなかった。

この直後、ソ連軍司令部から院長に往診の依頼があり、院長命令で私が行くことになった。衛兵が運転するジープに乗り、もうひとりの衛兵の横に坐《すわ》って連れて行かれたのがソ連軍将校宿舎だ。将校たちは、本国から家族を呼び寄せて、旧日本窒素社宅で暮らしていた。

案内されて度肝を抜かれた。畳の上に毛布が敷かれており、土足で上がる生活になっている。もちろん私だけが靴を脱ぐわけにはいかない。しかし靴のまま上がる畳の部屋は弾力があり、何とも気味が悪い。そのうえ罪悪感のようなものも湧《わ》いてきて、足を運ぶたびに息が上がった。床の間には、在留邦人から分捕ったと思われる西陣織の帯が、装飾品として掛けてあった。

板張りの部屋に置かれたベッドに将校が赤い顔をして横たわっていた。三十八度の熱があり、喉《のど》も赤い。胸部を聴診したが、肺炎までは至っていない。私は単なる風邪だと診断して、軍医携帯嚢《けいたいのう》から注射器を取り出した。

五十ccの注射器に解熱剤《げねつざい》を入れ、いざ注射しようとすると、患者が飛び起きた。

「ニェ・ハラショー（いけない）」

大の男が赤い顔の前で手を横に振る。私はおもむろに「ハラショー」と言い、ベッドに横になるように命じた。見守っている妻の手前、体裁が悪くなったのか、患者はベッドに戻り、恐る恐る左腕をさし出した。

型通り消毒をし駆血帯《くけつたい》を巻いて、注射針を刺す。注射液は、駆血帯をはずした患者の太い静脈に気持良くはいっていく。ピストンを押す間、私は先だってのすき焼き騒動のときの仇《かたき》を取ったような気分になっていた。注射液に逆流した自分の血液が、私の最後のひと押しで血管内に戻されるのを、患者は怯《おび》えた眼で見つめていた。

この最初の冬以来、ソ連軍司令部から政治部将校《コミッサール》がやって来て、共産主義教育が行われるようになった。職員は将校、下士官、兵と三分され、将校は二階の小講堂に集められた。

痩せて長身の政治部将校は、特殊教育を受けたのに違いなく、標準語は流暢《りゅうちょう》そのものだ。〈来年のことを言うと鬼が笑う〉や、〈市松模様〉まで知っており、九州人よりは日本語がうまいのではなかろうか、と評定し合った。

教えられるのは、マルクス主義からロシア革命、レーニン、ソ連の国内事情、コルホーズ（集団農場）などだ。全員が知りたい祖国の話になると、日本は馬鹿《ばか》な戦争をしたばかりに今は悲惨な状況になっていると、こちらを気落ちさせることばかり言う。帳面はなく、セメント袋を切った紙が配られて、筆記を強要される。確かに書き取ったかどうか、読み上げさせられた。

教育の成果からか、共産主義に同調する元気な患者も出た。菊の紋章を二つに割って血液が流れている絵に、〈天皇制打倒〉と書いた紙が、何ヵ所かに張り出された。日本が悲惨なことになっているとは想像がついたが、私たちの帰っていく先は、そこにしかない。いつ帰れるのか、不自由な半捕虜の生活がいつまで続くのか、不安はつのるばかりだ。

敗戦から二回目の冬を迎える頃には、いつ帰国できるのか見当もつかない不安が、職員にも患者にも鬱積《うっせき》するようになった。糧秣受領から帰った患者のひとりが、何の精神発作からか、高粱と干し魚の包みを庭にばらまき出した。虱取りをしていた患者がそれを見て怒鳴り、とっくみ合いの喧嘩《けんか》になった。

こんな騒動も、院内に何の娯楽もないから起きると判断した院長は、職員たちに何か名案はないか尋ねた。F兵長が手を挙げ、「オーケストラをつくりましょう」と提案した。

「オーケストラか」

驚いたのは院長ばかりではない。なみいる幹部も首をかしげた。院内には楽器の影も形もない。ましてソ連軍が貸与してくれるはずもない。病院の周囲には有刺鉄線が張られ、住民との接触も禁止されていた。

「何もないところからオーケストラをつくるところに、娯楽があるのだと思います。手始めにマンドリンオーケストラをつくりましょう」

F兵長が自信たっぷりに続けるのを聞いて、私もなるほどと納得した。無から有をつくるほどやり甲斐《がい》のあるものはない。マンドリンなら私自身も医専の頃、少しばかり弾いたことがあったのだ。

院長の許可がおり、二十人近い志願者が出、さっそく楽器作りがはじまった。

空室の引戸をはずして、ベニヤ板を十センチの幅で切って曲げる。底板も表板もベニヤ板で作り、指板は木片を利用し、重疾患者用の白米で作った接着剤でくっつける。弦も外からは入手できない。E、A線は廃車になった軍トラックのワイヤーを一本ずつはずして作る。D、G線は、このワイヤーにレントゲン装置のコイルを巻いて仕上げ、八本の弦が出来上がった。各フレット間には、戦時中のマッチのケースに使ったジュラルミンを切って埋め込んだ。この間隔と調律は、満州医大で音楽部にいたK軍医中尉《ちゆうい》が担当した。こうやって苦心の末、十九個の手製フラットマンドリンが完成した。

これらの作業中、私たちはF兵長がもと日響の音楽マネージャーだったことを知った。リヒャルト・シュトラウス作曲の二千六百年記念祝典曲を演奏したときには、祝典曲で一回だけ鳴らす鐘を、全国の寺から集めたという。当時の外国人指揮者が、練習中不協和音が出ると、嘔吐《おうと》した話などを面白く語ってくれた。

マンドリンが完成すると、今度は打楽器である。これもベニヤ板と木片を素材にした。ドラムと小太鼓は、ベニヤ板を筒形にし、ボルトとナットで固定する。皮などないので、セメント袋で代用した。間に繃帯《ほうたい》を挟んで二枚を貼《は》り合わせる。針金の両端を曲げて締めつける。叩《たた》くと太鼓らしい音が出た。

シンバルは煮沸《しやふつ》滅菌器を丸く切って、中央を凸形にした。トライアングルも、石炭搔《か》きの鉄棒を磨いて曲げると、それらしいものができた。

こうして二十五人用の楽器が揃《そろ》い、演奏者として看護婦も栄養士も加わり、楽団の体裁が整った。曲の選択と編曲は、K軍医中尉とF兵長が担当して、セメント袋にガリ刷りされた。曲目は、《酒は涙か溜息《ためいき》か》《影を慕いて》《丘を越えて》《二人は若い》《東京行進曲》に加えて、《ドナウ河のさざなみ》《かっこうワルツ》《キャリオカ》《ハンガリアンダンス第五番》《アルルの女》など、十数曲にのぼった。

練習はもちろん勤務のあとだ。楽団員が毎日集まることは、院長からソ連軍衛兵司令に対して報告され、許可を得ていた。

最初の演奏会は、昭和二十二年の一月下旬の日曜日で、二階の小講堂で開催した。演奏が始まるや、集まった職員も患者も、最初は驚き、ついで感激してはらはらと涙を流す。どの頰にも涙がつたって落ち、曲が終わると割れんばかりの拍手がおこった。

その後も三、四回、日曜ごとに演奏会を開いた。衛兵司令が司令部に報告したのか、司令部で演奏してくれとの要望が来た。もちろん望むところだ。

とはいうものの、頭を悩ましたのは、セメント袋で作ったドラムが、雨天になると紙が湿って音が出なくなることだ。そんなときはヒーターで乾かさねばならない。マンドリンも似たり寄ったりで、天候によって音が狂ってくる。いつも調律が必要で、全員がペンチやプライヤーをポケットに入れていた。

いよいよその日、司令部から迎えのトラックがやって来た。雨天のなか私たちはどことなく緊張しながら、楽器をかかえて分乗する。司令部の会場には、司令官を中心にして、付近の部隊の将兵までが寄り集まっていた。まずはニクロム線のヒーターでドラムを乾かさねばならない。奇妙な作りのドラムと小太鼓を、将兵たちはにやにやしながら眺めていた。

何くそと内心で思いつつ、私たちはそれぞれの位置についた。やがてK軍医中尉の指揮で演奏が始まる。素人《しろうと》の手作り楽器から出る見事な音に、ソ連軍将兵たちが驚くのが分かった。

その頃には演奏曲目も増え、《麦と兵隊》などの軍歌や、《誰か故郷を想《おも》わざる》をはじめとする歌謡曲もはいっていた。

私たちは予定どおり、続けざまに十五曲を演奏した。もちろん曲の間にはペンチを出して弦の張りを整え、ドラムの横ではヒーターをたいた。

最も受けがよかったのは《ドナウ河のさざなみ》と《キャリオカ》で、すべてが終わって万雷の拍手をもらったあと、アンコール曲で再び《ドナウ河のさざなみ》を演奏した。私もマンドリンを弾きながら、曲の良さを感じ、目の前の将兵たちがわずかに肩を揺らしたり、感慨深げに目を閉じたりしているのを眺めた。

終わると司令官が立ち上がり、団員ひとりひとりと握手してくれた。「収容所の中の芸術であり、日本人の器用さに感心した」というような祝辞を受け、私たちは多少なりとも面目を施した気持になった。

その後も、司令部の命令で、付近にある他のラーゲリ（収容所）にも慰問に出かけた。日本兵のラーゲリは五ヵ所も六ヵ所もあり、どこも私たちの病院と比べれば、設備も悪く、痩せた身体《からだ》や粗末な衣服からして待遇も悪いように思われた。アンコール曲は、どのラーゲリでも《誰か故郷を想わざる》だ。将兵の目には、そのたびに涙が溢《あふ》れた。

この間も、ラーゲリとなった私たちの病院には、次々と患者が運ばれて来た。ソ連軍の管理下にあるとはいえ、相変わらず医薬品が支給されるのは稀《まれ》で、すべては戦時中の備蓄品でまかなわねばならない。いきおい治療も充分ではなく、毎日数名の死亡者が出た。多い日は、一日で三十名に達した。

死亡者に遺品はもちろんない。病身ひとつで運ばれて来て、そのまま死んでいくのだ。稀には、持っていた万年筆が遺品になることもあったが、たいていは切った頭髪と爪《つめ》くらいだった。これらを袋に入れ、氏名、死亡年月日、死亡時分、病名、留守担当者氏名を記入し、名簿にも記入して整理した。

死後処置をした遺体は、ソ連軍衛兵の監視のもと病院裏の丘に運び、埋葬した。埋葬する穴の大きさも、ソ連軍司令部によって決められていた。長さ百七十センチ、幅六十センチ、深さ七十センチだ。しかも五体ずつ正方形に、二十五体で一区画にしなければならない。冬の間は土が凍っていて、握るつるはしの先が曲がる。薪《まき》を燃やして土を軟化させたあと、穴を掘った。

苦心して埋葬した墓だが、翌日掘り返されていることが多かった。死者の病衣や軍衣が盗まれ、遺体は丸裸にされていた。ようやく敗戦まで生き延びたもののシベリアに連行されて、強制労働につかされる。病を得て私たちの病院に運ばれたのはいいが、充分な治療薬も食糧もない。死んだあとようやく死地の眠りについても、衣服をはがされてしまう。そんな兵の運命を思い、私はやり場のない怒りを覚えた。

死者の墓をあばくのは浮浪者か、貧困にあえぐ朝鮮人に違いない。調べるすべはなく、ソ連軍の衛兵も相手にしてくれなかった。

昭和二十二年の一月、病院で死亡した患者の数は二千人を超えた。髪や爪、万年筆

や お守り袋などの遺品を入れた箱も、十四、五箱になった。そして一月下旬、ひとりの衛生准尉《じゅんい》が鮮満国境から連行されて来た。延吉付近で患者収容に当たっていたところを逮捕されたらしい。逮捕の理由は明かさなかったが、病院の遺品の箱を見ると首を振って注意してくれた。

「軍医殿、あの連中は名簿も遺品も、見つけ次第、持って行きます。自分たちもそうでした」

「本当か」

「本当であります」衛生准尉は真剣な顔で頷《うなず》く。

「遺品や名簿をどうするのだ」

私はソ連兵が進駐して来たとき、時計や万年筆を漁《あさ》っては持って行った光景を思い出した。まさか遺品を入れた箱に、貴重品が隠匿《いんとく》されているのだと勘違いしているのではなかろう。

「死人を消すためです」

衛生准尉は雪焼けした顔に目を見開いて答えた。

なるほど、それ以外に理由は考えられない。進駐して来たにもかかわらず、患者の治療には一切手を貸さず、見捨てた。抑留した日本兵も病気で倒れた。その責任に頬かむりをするつもりなのだ。葬《ほうむ》った病死の日本兵から衣類をはぐどころの悪業ではない。

夜になって、二千百名分の名簿と、取っておきの白紙五、六十枚を持って、病院の隅にある疥癬《かいせん》病棟に行った。そこが疥癬の患者ばかりを収容している場所だとはソ連軍衛兵たちも知っており、決して足を踏み入れようとはしなかった。

氏名、死亡年月日、病名、留守担当者氏名を入れても、一枚に四十名は書ける。私は比較的元気な三名の患者を選び、硯《すずり》と墨、筆を持たせ、筆写を頼んだ。

五日後に出来上がった名簿を紐《ひも》で縛り、自室の天井裏に置いた。この日以降死亡した患者は、通常の名簿の他に、もう一枚の紙に自分で書き写した。

二月中旬、元気な患者を連れて港に糧秣《りょうまつ》を受け取りに行き、病院に帰ったところをH伍長《ごちょう》が呼びに来た。走って本部に行くと、庶務の出入口に二名のゲー・ペー・ウー（憲兵）が銃を構えており、中にも三名がいた。

小机の上に名簿と遺品の箱がそっくり並べられ、横に管理を任されていたS兵長が立っている。

通訳がたどたどしい日本語で、「コレハ全部司令部ニ持ッテ行ク」と言う。

「病院にとって一番大切な物です。持って行かれては、日本の遺族に申し訳ありません」


私は憲兵隊長に訴えた。

すると隊長はこちらを睨《にら》みつけ、シチュー臭い息を吹きかけ、諭す口調で答えた。名簿と遺品は司令部に持ち帰り、ソ連外務省から日本の外務省に引き渡すのだと言う。

私は疑わしいと思ったが、「それは嘘《うそ》だろう」とは返せない。こちらは囚《とら》われの身だ。それに、各地の収容所で少しずつ帰国の動きが出ている噂《うわさ》も立っていた。隊長の言葉は本当なのかもしれない。私は「よろしく頼みます」と口走っていた。

名簿と遺品の箱がゲー・ペー・ウーのトラックに積まれて持ち去られるのを、私は玄関口で見送った。

ところが翌日、使役兵がやって来て私に報告した。遺品と名簿を焼却炉で焼いたという。前日の夕方、衛兵が箱と名簿を運んで来て、焼却を命じたらしかった。何のことはない。ゲー・ペー・ウーは、遺品箱と名簿を持ち帰ると見せかけ、衛兵にまた運び込ませていたのだ。

その夜は当直日だった。私は自室で天井を見上げ、名簿の原本は失われたが、写しはあそこにあるのだと、少しばかり溜飲《りゅういん》を下げた。
二、三日後、夜の点呼に回ったとき、内科病棟で患者が一名足りないとの報告を受けた。職員を全員召集して院内を探したが見つからない。ソ連軍衛兵も異常に気がついて駆けつけた。理由を言い、衛兵司令の許可を得て、捜索を開始した。職員五名が一組になり、三十分間、病院外を探すことにした。大声を出して患者の名を呼んでも全く返事がない。この凍《い》てつく寒さの中で病衣のままで一晩過ごすのは不可能だ。制限の三十分が来て、私たちは病院に戻った。

門の前に何人も患者が集まっている。近づくと、地面に病衣を着た患者が横たわっていた。固まった雪が血で染まっていた。二階の病棟の窓を患者たちが叩《たた》き、何か叫んでいる。

「ロスケの馬鹿野郎《ばかやろう》」と聞こえた。

「ひとりでふらふらと帰って来たのです。ソ連の衛兵が中に入れようとすると、また急に走り出して――。あいつら何も射殺することはなかろうに」

集まった患者は口々に言った。

この事件の一週間後、ソ連軍から通達が病院に届いた。近いうちに帰国船に乗船することになるが、日記や書いたもの一片でも発見されれば、その場で銃殺する、ついては紙片類は直ちに焼却せよ、というものだった。

すぐに将校会議が開かれた。この通達を徹底させるためである。

私が天井裏に隠している死亡患者の名簿の写しは、二千三百名分に達していた。私は写しの束を持って会議に出た。何人かで手分けすれば、隠しおおせると思ったからだ。

立派に清書された紙の束を見て、院長以下全員が目を見張った。院長から訊《き》かれて経過を話すうち、出席者全員の顔が困惑の色を帯びていく。

私の説明が終わると、院長が二十名近い出席者にそれぞれ意見を述べさせた。何とかして持ち帰ろうと言う者は、誰ひとりとしていない。今頃こんな物を持ち出されて迷惑だと、あからさまに言う先任軍医もいた。この際大切なのは、生きている者の命であり、死んだ者ではないと、冷たく言い放つ将校もいる。

意見を聞いている間、私は机の上に積んだ紙の束に何度も眼をやった。まるで私が汚《けが》らわしい物を持ち込んで迷惑だというような雰囲気になっている。

最後に、院長が全員の意見をとりまとめるように、私に言いかけた。

「君が苦労して名簿の写しを作ったことには感謝する。しかし、発見されたら銃殺するというのがソ連軍の通達だ。先だっての事件のとおり、脅しではなかろう。この際、ひとりでも欠けることなく全員揃《そろ》って帰りたい。これが院長としての願いだ。残念ではあるが、焼却してくれないか」

全員が同調するように頷くのを見て、私は思わず立ち上がっていた。

「我々の内地への土産は、これだけです。焼いてしまっては、二千三百名の患者遺族の方々に申し訳ありません――」

抗弁するうちに、死んでいった患者の痩《や》せさらばえた姿が次々と頭に浮かび、私は途中で絶句していた。彼らは戦闘で命を落としたのではなく、寒さと飢えと苛酷《かこく》な労働の犠牲になったのだ。本来なら、生きて帰国すべき将兵だった。

私ののっぴきならぬ訴えが通じたのか、院長が黙り込むと、場の雰囲気が変わり、何とか持って帰る方法はないかという方へ、話が進み出した。

何枚ずつか手分けして持ち帰る方法は、ひとりが見つかると芋づる式に発覚するという理由で否定された。結局、副院長から出された案、患者の下肢のギプス繃帯《ほうたい》の中に入れる方法が一番安全だという結論に行きついた。

まず片足に名簿の紙をぶ厚く巻きつけ、その上からギプス粉の溶液に浸した繃帯をぐるぐる巻きにすればいい。繃帯はすぐに固まり、通常のギプスと見分けがつかなくなる。まさしく妙案だった。

しかし、翌朝実行しようとすると、ギプス粉は底をついていた。溶液を作ろうにも不可能で、単に繃帯を巻くことを考えたが、衛兵にこれを取れと命じられると万事休すだ。

私は改めて院長室に報告に行った。

「君、もう諦《あきら》めよう。できるだけのことはしたのだ。焼き給《たま》え」

すごすごと部屋を出て、自室に戻ったものの、気持はおさまらない。夜になってもなかなか寝つけない。

私は決めた。どうせ死を覚悟してはいった軍隊ではないか。今までは運がよくて助かったが、今度こそ最期《さいご》と思えばいい。自分で持って帰ろう。見つかればそれまでだ。潔《いさぎよ》く銃殺されよう。私は暗闇《くらやみ》の中で目を開き、名簿を入れた天井を見上げた。

翌日、病院の庭では一日中、火が燃え続けた。病床日誌や個人の持物などが処分された。病院の焼却炉だけでは間に合わず、庭に小山のように積まれた紙類に燈油《とうゆ》がかけられ、点火された。

K軍医中尉とF兵長が苦心して作成した楽譜も、火の中に放り込まれた。黒い煙を出して燃える楽譜の束を眺める二人とも、格別惜しそうでもない。帰国できる喜びのほうが、楽譜焼却の口惜《くや》しさより何倍も上まわっているのに違いない。

病床日誌が燃えるのに手をかざし、暖をとるように手をのばす先輩軍医たちも、同様だった。苦心して書いた病床日誌の消滅など、生きて故国の土を踏める喜びに比すると、何ほどでもない。短歌や俳句が書きつけられていた軍医や下士官の手帳類も、三十冊ほどはあった。中には誰のものか、セメント袋を小さく切った、手のひらにはいるほどの手製の日記帳もある。細かい字でびっしり書きつけてあった。

こんな小さな物くらい、どこかに隠せたのではないかと、私はそれに火がつき燃え出すのを見て思った。しかし所有者は、やはり他のみんなと同じように、見つかった際の銃殺を恐れたのだ。

すべてが焼き尽くされた夕方、病院内はいつになく静かになった。虚脱感が院内に漂っている。私たち軍医も衛生兵たちも、病床日誌を書く必要がなくなっていた。第一、病床日誌自体が処分されているのだ。もちろん患者の治療は続く。しかし病床日誌のない治療など、私はむろん、他の軍医や衛生兵も初めてだった。私は診療そのものが、病床日誌と不可分だったことを改めて感じた。医薬品は少ないもののまがりなりにも病院として存在していたものが、急に単なる人間の集まりに化した観があった。

その夜もまんじりともしなかった。この病院の中に、書かれたものはもう何もないのだ。唯一《ゆいいつ》、天井裏に隠した名簿を除いては——。

私の頭には、小さなセメント袋の日記帳が繰り返し思い浮かんだ。あの小ささと比較すると、天井裏の名簿は重さと体積からいって二、三百倍はあるに違いない。それなのに、日記帳の所有者は焼くほうを選び、私は正反対の処置を選んでいる。

院内は静まり返っているにもかかわらず、頭はますます冴《さ》えきっていく。明け方、ほんの少し眠れただけだった。

翌朝、衛兵司令から命令が届いた。荷物を持って二十分後に広場に集合せよという。動けない患者は担送である。

私は天井裏の名簿を取る間もなく、リュックサックをひとつ背負って広場に向かった。名簿を持って来なかったのを後悔する気持と、これでいいのだと思う気持を交叉《こうさ》させたまま、ソ連軍衛兵の指示で、他の職員や患者と一緒に縦横一メートル間隔で並ばされた。

予想どおり、十数人の衛兵によって荷物の検査が始まる。おざなりの点検ではなく、ひとり二、三分はかけての検査だ。

私はひそかに胸をなでおろしていた。あのまま名簿をリュックサックに入れていれば、逃げも隠れもできなかった。見せしめのため、全員の前で銃殺されただろう。

一方で、前の晩どうしてリュックサックに細工を加えなかったのかという後悔もわいてくる。その余裕は充分にあったはずなのに、すべてが焼かれる光景を眼にして放心状態に陥っていたのだ。

いよいよ全員の荷物の検査が終わり、そのまま港まで行進させられ、乗船かと思ったとき、中止が告げられた。船の都合がつかず、一時延期だという。私たちは何とも複雑な気持で、病院にすごすごと戻った。

私たちが広場に集合して検査を受けている間に、ソ連軍衛兵たちは病院内を捜索していた。棚という棚、医薬品庫、押入れなど、すべて探索された痕跡《こんせき》がある。出港中止は、初めから仕組まれていたのだろう。

私は自室に戻り、夜になってから、天井裏を覗《のぞ》き込んだ。名簿はあった。衛兵たちも、天井裏までは調べなかったのだ。

迷いは消えていた。見つからなかったのは天佑《てんゆう》だろう。持ち帰る運命に私はあるのだ——。

院内の処置室にあるゴム袋を思い出して取りに行く。リュックサックの底に名簿を入れ、ゴム袋を縫いつけた。縫い目が不自然にならないように針を進めるには時間がかかる。そのうえ電燈はつけられないので、窓辺の月明かりが頼りだった。ようやく出来上がったときには朝の四時を過ぎていて、安堵感《あんどかん》もあったのか、すぐに寝入った。

帰国はもうすぐだとソ連軍司令部は言ったくせに、その後は何の音沙汰《おとさた》もない。誰もが内地に帰れる嬉《うれ》しさと、もしかしたらまた別の所に連れていかれるのではないかという恐怖を隠しきれないでいた。興南港に使役に行った患者から、他の収容所にいた日本軍人が乗船するのを見たという情報がもたらされ、怯《おび》えのほうは少しばかり遠のいた。

夜になると、私は名簿を入れたリュックサックが気になった。あれだけ決心していたにもかかわらず、見つかれば即銃殺だろうという思いが頭を占拠する。いっそ焼却炉に持って行き、焼いてしまえば、何の心配もいらなくなる。しかしそれでは、ここまで隠し通し、捜索も免れた僥倖《ぎようこう》が水の泡だ。気がつくと私はリュックサックの底を撫《な》でていた。

三月十七日の午後、突然前回と同じ集合命令が来た。私たちは荷物を持って広場に集まり、縦横一メートル間隔で整列した。私は指揮班長で、最前列の右に立つ。二十名ほどのソ連兵がトラックとジープから降り立った。

先頭を歩いて来る体格のいいソ連軍将校に見覚えがあった。何度か往診に通った将校で、最初は私の注射に怯えてベッドから逃げ出した。解熱《げねつ》して回復したあとは、私を信用したのか、妻が熱を出した際や、腹をこわしたときにも呼ばれていた。司令部付の主計中尉《ちゆうい》だということだった。

目が合った。彼も私に気がつき、軽く手を上げた。

机が二個並べられ、検査官がそれぞれ一人ずつその前に立ち、小銃を持ったソ連兵たちは少し離れた場所から私たちを監視している。

右側の検査官の後方には、監督のためか例の主計中尉が立っている。私はさり気なくそちらの列になるように位置を変えた。

私の番になると、主計中尉は手をさし出し握手してきた。

「ドクター、もう帰るのか、元気でいてくれ」

もちろんロシア語だったが、そんなような内容に違いない。私は「バリショーエ・スパシーバ（どうもありがとう）」と答え、検査官の前でリュックサックを開いた。

中の荷物を全部取り出す。荷物といっても、医薬品、聴診器、注射器、注射針を入れた軍医携帯嚢《けいたいのう》と野戦気管切開器、外科嚢と繃帯、衣類に洗面具だった。重たい気管切開器や外科嚢など持ち帰る必要はなかったが、衣類や洗面具だけだとリュックサックの重みの不自然さが目立つ。初めから重い物を入れていたほうが、ごまかせると思ったからだ。

私はリュックサックを逆さにして振ってみせる。軍医携帯嚢も開こうとすると、検査官がそのリュックサックをもう一度見せろというように手を伸ばした。

持ち上げられれば、その不釣合いな重さに気づかれる。私はまずいと思ったが、拒むと一層怪しまれる。仕方なくリュックサックを机の上に置いた。

案の定、検査官は空のリュックサックの異様な重さに気がついた。さらに点検しようとして、中をのぞき込んだ。

目を閉じてしまいたい気持だった。列からはずされ、見せしめのためその場で銃殺される自分の姿が脳裡《のうり》をはしった。

「いや、自分はこのドクターをよく知っている。それには及ばない」

そんな言い草で後ろから検査官に声をかけたのが例の中尉だった。また私と握手をして、早く行けと言うように頭を傾けた。私は出した品々をそそくさとリュックサックの中に押し込む。検査官から離れたものの、まだ安心はできない。中尉の方を振り返る勇気もなく、前の一団の中に紛れ込んだ。

全員の持物検査が終わると、通訳が声を張り上げ、「書類ハ全部出シナサイ」と命令した。

そんなものがもうあるはずがない。誰もが首を振った。私は遠く例の中尉の姿を見やりながら、ようやく胸を撫でおろしていた。

私たちはトラックに乗せられ、興南港に向かった。

港の岸壁には、六千トンはあると思われる船が横づけになっている。船名は大安丸で、船尾の日章旗が目に眩《まぶ》しい。敗戦後初めて見る日の丸だった。

全員が揃《そろ》ったのちに乗船する。五年前の昭和十七年、宇品《うじな》港から上海に向かったときと同じような船倉が、私たちに割り当てられていた。夕刻エンジンが始動し、船が動き出す。私は甲板に上がった。

船は静かに岸壁を離れている。見送り人もテープを交わす人もおらず、宇品港を出たときとは大違いの出港だ。薄闇《うすやみ》の向こうには、私たちが二年近くを過ごした興南の灯が見えていた。

もうソ連軍衛兵の眼を恐れる必要はない。船倉で、私はリュックサックに寄り添うようにして寝た。ずっしりと重たい底の方に名簿の束があると思うと、安堵感が襲ってきて、快くエンジンの音が耳に響く。いつの間にか眠り込んでいた。

三日目の夜、甲板でひとしきり騒ぐ声が聞こえた。しばらくして職員のひとりH伍《ご》長《ちょう》が、殴られて腫《は》れた顔をして下りて来た。どうやら下級の職員や元気な患者から袋《ふくろ》叩《だた》きにされたらしかった。日頃から威張りちらしていたので、仕返しをくらったのだろう。もうひとり海に投げ込まれそうになった下士官もいたが、誰かの仲裁を受け、すんでのところで沙汰止《さたや》みになったという話だった。

四日目の夜、船内放送があった。

――明朝、佐世保港に入港予定である。米軍の指示により、麻薬類を持った者は入国はできない。所持者は全部海に捨てよ。

私は軍医携帯嚢に入れていたオピアト、モルヒネ、阿片《あへん》錠を海に投げ入れる。惜しくもなかった。

船倉に戻って、不意に胸苦しさを覚えた。ひょっとしたら、米軍もまた所持品を検査するのではないか。仮にそうなったら、再度隠しおおせる自信はなかった。とはいえ万が一見つかっても、まさか銃殺まではされないだろう。そう思い直し、自分を安心させた。

五日目の朝早く、甲板が騒がしくなった。

「見えた、見えた、内地だ」という声が聞こえた。私も甲板に急ぐ。すると、本当に見えた。遠く佐世保の山並みが美しく緑色に見えている。

じっとひとり見入って涙する者、抱き合って泣く者、全員が嬉し涙にくれているのを見て、私も胸が熱くなる。

「軍医殿、ちょっとお願いします」

呆然《ぼうぜん》としている私を、衛生下士官が呼びに来ていた。衛生兵と元気な患者たちが、ひとりの重症患者を抱いて甲板に上がって来ている。

近寄ると、瞳孔が開き、呼吸もない。私は人工呼吸をするため、患者を甲板に横たえた。十分ほど続けたが手ごたえはない。

周囲にいた患者のひとりがたまりかねたように、私と入れ替わった。横たわってい
る患者を抱き上げ、顔を陸《おか》の方に向けさせた。

「おーい。帰ったんだぞ。祖国の山を前に死んじゃいかん。しっかり見ろよ」

身を揺り動かしながら、おいおいと泣く姿を、私は悄然《しょうぜん》と眺めた。

佐世保港に入港した船の中で検疫《けんえき》が行われ、全員で三種混合ワクチンの注射を受けたあと、上陸許可が出た。四年半ぶりに祖国の土を踏んだものの、私はこれから先の米軍の処置が気がかりだった。

引揚援護局宿舎に向かう途中、頭から衣類、リュックサックの中まで、ＤＤＴの粉末を噴霧されて、全員真白になった。

宿舎に落ち着いたが、米軍の眼はなさそうだ。張りつめ通しの気持が一遍にゆるみ、夕食に出された祝いの日本酒の味が臓腑《ぞうふ》に沁《し》みた。

食事のあと、最後に将校会議が開かれた。私はリュックサックから死亡患者名簿を取り出し、院長の前に置いた。何か言おうとしたが、私は胸が詰まり、言葉も出ない。

驚いて名簿を凝視していた院長が、私を見上げた。涙目だった。

「君は命を賭《か》けて、名簿を持って帰ってくれたんだね。ありがとう」

立ち上がって深々と頭を下げる院長に、私も礼をする。

「明朝早速、院長から援護局局長に差し出して下さい」

やっとのことで言った。

「それはいかん。君が命がけで持ち帰った物を、どうして私が持って行けるか」

「閣下は院長であり、責任者であります。それが当然です」

私は答える。院長は、私が命がけで持ち帰ったと言ってくれたが、今となっては私にはその実感がなかった。軍医としての責任感が三割、あとの七割は意地だった。そして、あのソ連軍の主計中尉が検査の場にいなかったら、名簿も私の命も失われていたろう。私の意地に天佑が働いたのだ。

「それでは、明日、二人で一緒に行こう」

院長が言い、居並ぶ上級軍医たちも拍手で賛意を示してくれた。

一夜が明けて、院長と私は佐世保引揚援護局に赴いた。局長室に通されると、院長が名簿を出して説明した。説明を聞くうちに局長の顔色が変わり、畏《おそ》れ多い物を前にしたように背筋を伸ばした。

「ありがとうございます。最近、ソ連軍関係の復員が続いておりますが、二千三百名にもおよぶ完全な名簿を携えて帰国されたのは、閣下の病院だけです。早速に厚生省に報告して、早目に確度甲で御遺族に死亡通知を出させていただきます。本当に御苦労さまでした」

院長と私は面目を施したような気持で局長の許《もと》を辞した。

その日の午後、いよいよ復員手続きを終え、郷里までの旅費を支給された。東北、関東、中部、九州と、出身地別に遠い方面の者から出発が始まった。敗戦後早くも二年がたち、私たち全員は遅れて人生を再出発したようなもので、互いに健闘を祈り合った。

私も早く故郷に帰りたかったが、みんなを見送っているとき、米軍情報部に出頭せよと指令を受けた。おそらく名簿のことが情報部に伝わったのだろう。まさか今さら責任を問われることはないと見てとり、肚《はら》をきめた。出発は翌日に延ばして、郷里に「イマカヘツタアスツク」と電報を打った。

米軍情報部に行くと、整然とした部屋に通された。日本語の流暢《りゅうちょう》な日系二世将校から、興南地区の様子につき詳しく質問された。知る限りのことを正直に答えたものの、相手が既にソ連軍司令官名、兵力装備、港の倉庫数、日本窒素の工場内の機械類がすべて持ち去られていたことなど、私よりも正確に知っていることに驚かされた。つけ加えられる部分は少なく、事情聴取だけで解放された。

翌朝早く引揚援護局宿舎をひとり出て、長崎発の急行に乗った。列車は満員で、乗客が列車の窓から乗り降りしているのには驚かされた。

基山《きやま》駅で降りた。さすがに甘木《あまぎ》線の列車はぎゅうぎゅう詰めではなく、坐《すわ》ることができた。青く美しい背振《せぶり》や耳納《みのう》の山々、田植えが終わったばかりの緑色の田を見ていると、〈国破れて山河あり〉という言葉が胸にしみじみ思い起こされた。筑後《ちくご》小郡《おごおり》、太刀洗《たちあらい》といった懐《なつ》かしい駅名が眼にはいる。終点の甘木近くになると、私は軍装を正した。

果たして駅には、次兄と母親、近所の人たちが出迎えに来てくれていた。出征したときには、この駅を日の丸と音楽隊に見送られていたが、今は正反対だった。よれよれになった軍服を着ているだけに、よけい負け犬の気持にさせられる。途中、知り合いの人たちに、店先や玄関先で「御苦労さんでした」と言われても、私は頭を下げるだけだ。

家に上がって、まず仏間で手を合わせた。顔を上げると、海軍服姿の長兄の写真があり、その横に私の写真までが置かれていた。

飯台に向かうと赤飯と鯛《たい》が二匹並べてある。

母や次兄とともに近所の人も同席しているので、私は短い挨拶《あいさつ》をした。

「兄さんは？」

私が口にすると、母が泣き出し、次兄が顔を歪《ゆが》めた。長兄は海軍に召集され、終戦直前に戦死したという。父親が早死にしていたので、長兄が家長代わりだったのだ。長兄が仕立ててくれた軍刀、病院のボイラーの中にさし込んできた備前長船《びぜんおさふね》を思い出し、言葉を失った。

母は押入れから行李《こうり》を取り出した。出征前私が着ていた洋服、着物、紋付袴《はかま》まで揃っていた。戦時中も、母は空襲警報毎《ごと》に、これらの衣類だけは防空壕《ぼうくうごう》に何回も出し入れしていたという。

私についても、昭和十九年頃から音信がないので、誰もが戦死を信じていたらしい。母だけが「きっと帰って来る」と言い張ったという。戦後の農地解放によって、小作に出していた少しばかりの田畑は取られ、衣類と米の交換で生計の足しにしていたときも、私の衣類には手をつけなかった、と次兄が言い添えた。胸を悪くしていた次兄は兵隊にとられず、今は長兄の跡を継いで郵便局に職を得ていた。

「兄さんの分まで、どうか食べておくれ」

母は背をかがめ涙声で、鯛がのった皿を示した。

私は箸《はし》を手にし、まず長兄のための鯛を口にした。かみしめているうちに、嗚咽《おえつ》がこみあげてきた。

香水

　昭和十三年八月、予備役陸軍衛生部軍医見習士官として応召した私は、その年の十二月、中国安徽《あんき》省の揚子江《ようすこう》南岸にある荻港にいた。この奥地には鉄鉱石を産出する桃冲山があり、搬出するために桃冲鉄道が敷設《ふせつ》されていて、その終着駅が荻港だった。揚子江のこの重要な港を、野戦重砲隊を擁する日本軍の連隊が占拠していた。

　私たちの衛生隊はM軍医少尉が隊長で、下級医官として軍医見習士官の私がおり、衛生兵が二十名、それに行李《こうり》班の兵が加わって、総勢三十名だった。荻港到着と同時に、空家になった民家を接収して患者療養所を開設した。

　開設完了後、私は街に出てみた。港岸近くには、日本でよく見かける細高い煙突が特徴の小型蒸気機関車が、錆《さ》びついたまま放置されていた。おそらく何年も前に内地から輸入したものに違いない。

　全く人気《ひとけ》のない街路を歩いていたとき、下士官の率いる歩兵たちから敬礼された。

「軍医殿、間もなく総攻撃です。そのときはお世話になるかもしれません」

　私の襟章にある緑の線を見て軍医と知ったのに違いなく、下士官は私に近寄って来て言った。

一個小隊四、五十人くらいの集団であり、この人数で港の東側の守備をしているという。訊《き》くと、荻港占領の際、敵の抵抗は激しく、その後もひと月あまりゲリラ狩りに費やされたらしい。

「軍医殿はいいときに到着されました」

私よりは五、六歳年上だろう。その下士官は地方の訛《なま》りのある口調で言い、港岸の石畳の付近に私を案内した。

「ここが、ゲリラたちを斬首《ざんしゅ》した岸壁であります」

下士官が胸を張って石畳を指さす。「逮捕したゲリラは百人近くいたでしょうか。流れ出た血で、岸辺の流れが真赤になりました」

得意気に報告する下士官とは逆に、石畳を踏みつける足から力が抜けていった。

私はよろよろと、岸壁すれすれの所まで歩を進めた。

「そうすると屍体《したい》は、この下に？」

「はい。首は流れの中に蹴落《けお》としました。しかし胴体はここに落とすわけにもいかないので、船であのあたりまで運ばせて投げ入れました」

下士官が指さす方向に、対岸の見えない大河の盛り上がりがあった。投棄された死《し》骸《がい》は流れの勢いで、下流に運ばれたに違いない。

「運搬の船も、血で真赤になり、後始末が大変でした」

それはそうだろう。下士官が几帳面《きちようめん》に言うのを聞きながら、私は吐き気を覚え、彼らから離れて岸壁を後にした。

私が日大の専門部医学科を卒業したのは前年の三月で、外科学教室にはいり、約半年間修練を積んだのち、軍医予備員を志願、千葉の歩兵連隊で一ヵ月の教育を受けて衛生伍長《ごちよう》になった。さらに戸山の軍医学校で三ヵ月軍陣医学を学んで予備役衛生軍曹になったものの、患者の死には全く不慣れだった。

数日たった頃、部隊の将校たちと共に町の背後にある丘陵に登った。総攻撃を仕掛ける前方の地形を確かめるためだ。

丘の一部分は墓地になっていて、日本軍の荻港占領のときに艦砲射撃を受けたのだろう、いたる所に砲弾の痕《あと》があった。埋められていた棺桶《かんおけ》が露出し、破壊されている。白骨や、衣類をまとったままの人骨が点々と野晒《のざら》しになっていた。

連隊の総攻撃が始まる日、私たち衛生隊は、先陣を務める野戦重砲隊に従って行動した。砲撃方向の小山にある監視哨《かんししよう》に登っていくと、三十代半ば、柔道でもやっていそうな体格のよい中隊長が、初陣《ういじん》の私を迎えて説明してくれた。

砲撃目標は、南東方向にある桃沖山付近の高地で、彼我の距離は二千メートルだという。

「敵は陣地を構築中だ。それが完成する前に潰滅《かいめつ》させるのが、今回の総攻撃の目的だ。よく見ておくといい」

中隊長はそう言うと、部下がさし出した受話器を取った。電話は、遥《はる》か後方の荻港の平地に据えられた重砲隊につながっている。

「砲撃開始」

中隊長の号令に数瞬遅れて、ドーンという音が後方で響いた。

二、三秒後、頭上を不気味な音とともに、黒い塊が弓状の弾道を描いて飛んでいき、前方の高地近くに落下炸裂《さくれつ》した。

煙とも土埃《つちぼこり》ともつかない霧状のものが湧《わ》き上がり、それがおさまるかおさまらないうちに、二発目、三発目の砲弾が発射される。耳に届くのは「ゴーッ」とも「ヅーン」ともとれる音だけだ。

着弾のたびに、指揮所からは目指す着弾距離の修正命令が出された。私の眼にも、着弾が次第に正確になってくるのが分かった。

七発か八発発射されたとき、突然高地の上でひとり手を振る者が見えた。手には白い軍手のようなものをはめている。

「砲撃中止」

双眼鏡で着弾状況を見ていた中隊長が、即座に通信兵に命じた。

「中隊長殿。あれは投降の合図ではないようであります。手を振っているだけであります」

「いかん。あの高地を撃つな。通信兵、早く伝えろ」

中隊長が怒号を飛ばすと、通信兵が電話にとりつく。命令が伝えられたのか、砲撃が鳴り止《や》んだ。

中隊長は黙ったまま、脇《わき》にいた私に双眼鏡を手渡した。

覗《のぞ》くと、白い手袋をした男が両手を挙げ、激しく左右に交叉《こうさ》させながら振っている。表情は見分けられないが、位置を右左にずらしているところに、切羽詰まった様子が見てとれた。しかしよく見ると、着ているのは国民政府軍の軍服ではなく、日本軍の軍服だ。しかも丸腰のようだ。

「中隊長殿、あれはおかしいです。日本兵ではないですか」私は言った。

「そうだ」

中隊長は不機嫌に頷《うなず》くと私から双眼鏡を取り、再度目に当てた。

「やはりS軍曹だ。必死で手を振っている。戦死したとばかり思っていたのに、捕虜になっていたのだ。馬鹿《ばか》なやつだ」

中隊長は双眼鏡から目を離して、首を振った。「しかし俺には撃てん」

「中隊長殿、次の砲撃はどうされますか」

電話を耳にしていた通信兵が問いかける。後方の重砲隊から催促があったのだろう。

「中隊長殿、ここは泣いて馬謖《ばしょく》を斬《き》る、です」

そう言ったのは、測量担当の下士官だった。「敵は捕虜を使って、あの高地への砲撃を止めさせる魂胆です。策にはまっては、総攻撃ができません。どうか砲撃命令を出して下さい」

「しかし俺にはできん」

中隊長は吐き捨てるように答える。顔は歪《ゆが》み、目には涙が浮かんでいる。

「中隊長殿、あの高地はわが軍にとって第一目標です。そこを残しては、総攻撃が不可能になります」

測量担当とは別の下士官も言いつのる。「S軍曹は、自分とは同期であります。荻港攻落の際、戦死したものとばかり思っておりました。捕虜になっていたとしても、戦死と同じであります。S軍曹も、それは承知しているはずです。中隊長殿、ご決断下さい」

「中隊長殿」

居合わせていた下士官と兵が、中隊長に呼びかける。私は呆然《ぼうぜん》としたまま、まだ手を振り続けている日本兵を肉眼で眺めた。

「大隊長殿から、どうしたのか、と直々の電話がはいっています」

再度、通信兵が叫んだ。「ご命令をお願いします」

「あれは敵の策略です。術中にはまるわけには参りません」

駆けつけた小隊長も訴える。

一同沈黙のなかで、中隊長は歯をくいしばって高地を睨《にら》みつけた。数秒後、苦し気に顎《あご》をひいた。

「撃て」

聞こえるか聞こえないかの小さな声だった。

通信兵が頷き、電話口で叫ぶ。例のごとく、腹にこたえる音が後方でし、不気味な音を立てて黒い塊が頭上を飛んだ。

弾道の行き着いた先は、私の眼には、ちょうど、日本兵が手を振っている場所に見えた。その付近で土埃と煙が上がり、静まったときには、もうその姿はなかった。

それからあとの中隊長は、夢から醒《さ》めたように大声を出し、砲撃の指示を出し続けた。数十発の砲撃が終わったとき、目標となった高地の地形が変化しているのは、私の肉眼でも認められた。

攻撃目標は、付近の高地に移り、午前中いっぱい砲撃が続けられた。そして午後からは、それぞれ高地の手前で待機していた別動隊が総攻撃を開始した。

午後三時近くになると、前線から患者療養所に負傷者が運ばれて来た。地雷による傷を見たのはそのときが初めてだった。国府軍は、日本軍の進攻を妨げるため、陣地前に多くの地雷を埋めていたのだ。敵陣突破の際、その犠牲者が出るのは当然だった。

負傷患者を裸にして、私は息をのんだ。左大腿部《だいたいぶ》を中心として、陰嚢《いんのう》、肛門《こうもん》、臀部《でんぶ》から下腿に及ぶ、広範囲かつ高度の挫滅《ざめつ》破壊創だった。ぼろ布のようになった皮膚も垂れ下がって一部残っている。

挫滅破砕《はさい》された大腿筋束は、房のようにちぎれて露出し、大腿骨は骨折と脱臼《だっきゅう》を伴って、膝関節《しっかんせつ》で「く」の字に曲がっている。股《こ》静脈は切断され、股動脈も一部挫損されて、出血している。左足背《はい》動脈だけがかすかに拍動しているのを触知できた。

顔は青ざめて血色を失い、脈は言うまでもなく微弱細小、血圧下降している。意識も朦朧《もうろう》として、時々苦痛を訴える。強い急性出血性外傷性ショック状態を呈していた。

余りにも広範囲、かつ高度の挫滅創であり、かつ汚染異物の付着もひどい。とはいえ、一部に血流が確保されて、神経損傷の程度も比較的少ない。ひとまず温存処理をして、破壊組織の再生を期待することもできた。しかし私にはその技術も時間もない。M軍医長も、他の戦傷患者の応急処置に忙殺されており、助力を仰ぐことは不可能だ。私はやむなく、左大腿切断を決断した。切断術なら、外科で修練中、一度だけ経験していた。

汗だくになり、ようやく切断と縫合を終えたとき、作戦本部からの伝令連絡がはいった。

「すまんが、行ってくれんだろうか」

軍医長は、紙片を私に見せた。

〈〇一《マルイチ》高地ニ中隊長負傷シアリ、軍医ハ兵若干名ヲ率ヰテ救出ニ赴クベシ〉

〇一高地は、午前中、最初に砲撃を開始した場所だ。いくら救出が急だとしても、この野戦病院化した療養所も、運ばれて来る負傷兵で溢《あふ》れ返っている。私が赴けば、残る軍医は軍医長ひとりになる。

「司令部の命令だから、無視はできん。行ってくれ」

軍医長の命令も絶対で、拒否はできない。私は鉄帽をかぶり、ブローニング拳銃《けんじゅう》の弾倉を点検した。軍医長は衛生兵三名を選び、そのうちの伍長には特別に拳銃を持たせ、兵には担架を提げさせた。

伝令の指示のとおり、高地をめざして走った。高地の麓《ふもと》ではすさまじい銃撃戦が展開されていた。道沿いにある民家の屋根瓦《がわら》が音をたてて割れ、壁が崩れ落ちる。

攻撃部隊は三重の陣地を敷いていた。手前に迫撃砲を主とする重砲班が陣地を築き、主力部隊は高地中腹まで肉迫していた。その先の岩場の下に、先陣隊がへばりついている。その数、百名くらいだ。負傷の中隊長はその中にいるという。

高地の中腹から岩場の下までの距離は二百メートルくらいだろうか。かろうじて身を隠せる岩は三、四個しかない。私は拳銃の安全装置をはずした。これで最後かもしれない、という思いが頭をかすめる。衛生兵三名の顔も蒼白《そうはく》だ。しかし、硬張《こわば》った三名の部下の顔を眼にしたとたん、足の震えが止まった。

これは手術場と同じだ、という不思議な考えが去来する。患者自体は岩場の下に横たわっているが、そこに辿《たど》りつくまでの二百メートルの距離も、手術の範囲だと思えばいい。神経と血管を傷つけないようにしてメスを進め、最後に患部に到達するのだ。

私は身を隠す岩の順番を、衛生兵三人に示したあと、上からの銃撃が一瞬止んだのを感じとって飛び出した。五十メートルの距離の半ばまで走ったとき、付近の地面に銃弾が食い込んだが、かろうじて第一の岩に辿りついた。岩陰に四人が身を寄せあっている間に、上下からの銃撃戦が激しくなる。できることなら、撃ち合いがおさまるまで、この岩場に避難していたかった。しかしそれでは患者の手当と担送ができない。目の前にある小石の斜面を睨《にら》みつけ、はじける銃弾がまばらになったとき、再び岩を飛び出す。第二の岩陰で息をつき、四人全員が無事なのを見届けるや、第三の岩場を目がけて走る。途中でつまずき転びかけたが転倒はせずに岩陰に辿りつくことができ、息を整えられた。残る距離は三十メートルくらいだ。銃撃戦はなおも続き、岩に当たった弾が、ビーンという音とともに跳ね返る。ひるむ気持をもう一度奮い立たせた。自分が岩場の下まで行き着くことができれば、衛生兵三人も必ずついて来てくれるはずだ。

最後の号令を出して岩から飛び出し、全速力で走った。斜面なのに、平地に感じられたのは、知覚そのものが平衡を失っていたのだろう。

「軍医殿、ここです」

銃声のなかでその声だけは聞こえた。岩がせり出している下に中隊長が横たわっていた。

苦痛に歪《ゆが》む顔を見て私は衝撃を受けた。午前中、この高地を望む台地で後方重砲隊に砲撃命令をしていた中隊長ではないか。

傷は右下腹部だった。貫通銃創で、外出血はないものの、脈が微弱なところからすれば、かなり大量の内出血は間違いない。腸管も損傷されているはずで、開腹手術は必須《ひっす》だ。

「中隊長殿。傷は、大したことありません。担送で下の野病に運びます。任せて下さい」

自分の考えとは裏腹のことを自信たっぷりに叫んでいた。声は中隊長の耳に届いたらしく、歪んだ顔が緩んだ。

衛生兵が担架に中隊長の身体《からだ》を結わえつける。

「軍医殿。援護射撃をします」

下士官が中腹に陣取っている部隊に合図をする。

担送は急を要した。野病、つまり野戦病院と化した患者療養所まで運べば、出血性のショックをリンゲル液の点滴で治療し、直ちに開腹手術に移ることができる。

私は岩に隠れず、一気に駆け下る決心をした。要する時間は二、三分だろう。被弾するかどうかは、もう神仏に任せる他ない。

担架を衛生兵が持ったのを見届け、号令をかけて走り出す。そのとたん銃撃の厚みが増した。弾丸が小石に当たってはじける。身をかがめて四人で担架を提げ、懸命に駆け下る。誰かが被弾しても、残りの三人、あるいは二人で担送はできる。ビュッという音が耳元をかすめた。中腹の部隊に辿りつくまで、息をすることすら忘れていた。

幸い四人とも負傷はしていない。担架の上の中隊長は閉眼したままだ。表情は穏やかだった。銃撃戦が続くなかを、さらに私たちは駆けた。後方部隊に辿りついてからも、油断はできない。高い位置にある敵陣から撃つ銃弾は、容易に下まで到達するのだ。道端の石垣にも銃弾が食い込んだ。

「軍医殿」

銃弾が届かない地点まで到達したとき、担架の後部をかかえていた衛生兵が声を上げた。

「中隊長殿が」

衛生兵が首を横に振る。

私は中隊長の脈を確かめた。脈が触れない。下顎《かがく》動脈にも指を触れたが同じだった。

「いや、まだだ。急げば間に合う」

私は死を認めたくはなかった。四人で再び走り出す。〈何ということだ〉私は胸の内で唱え続けた。

中隊長は、やはりあの軍曹に砲弾を撃ち込んだのを悔いていたのではなかったか。だからこそ、先陣を切って攻撃の指揮をとり、狙撃《そげき》されたのだ。

療養所にした民家に辿りついて、ようやく担架を床の上に置いた。

「中隊長殿、もう大丈夫です」

半ば瞼《まぶた》を閉じ血の気のない顔に、私は言いかけ、おもむろに脈を取り直した。もちろん橈骨《とうこつ》動脈に拍動はなく、下顎動脈も同じだった。衛生兵三人は、そんな私の動作を凝視していた。

「ご苦労だった」

私は首を振りながら三人に言い、ゆっくり時間をかけ、中隊長の両手を胸の上で合掌させた。溢れる涙を部下に見られたくなかった。

この戦闘のあと、師団は揚子江の上流に向けて移動を重ねた。勝ち戦《いく》さに終わった武漢《ぶかん》作戦の後始末ともいうべき作戦で、揚子江沿いの都市を次々と掌握するのが目的だ。

作戦命令が出ると、将兵に対する携帯糧秣《りょうまつ》が七日分配布された。それ以後の食糧はすべて現地徴発に依存せよ、というのが軍からの達示《たつし》だった。

作戦と作戦の間、一日二十キロから四十キロの強行軍が続いた。宿営地につくと、各部隊とも二、三割の兵力を徴発隊に当て、宿営地周辺の集落に向かわせた。もちろん、付近の住民は逃避しているので、文字どおり掠奪《りやくだつ》のし放題だ。米や野菜、鶏や豚、たまには牛も分捕品になった。

この徴発による被害は莫大《ばくだい》なものになるはずで、日本軍の通過する集落の民家の壁には、〈東洋鬼《トンヤンクイ》〉と書かれた貼紙《はりがみ》が目についた。

前線の戦闘が膠着《こうちやく》状態になると、私たち衛生隊は、宿営地で四、五日を過ごした。しかし戦闘部隊の快進撃が続くと、寝ぐらは毎日変わった。

戦闘で負傷した将兵の創傷の手当を施したあと、歩行のできない重傷患者は後方の野戦予備病院に送る。歩ける軽傷患者は、再び前線の原隊に復帰させた。こうした治療と篩《ふるい》分けが終わるやいなや、戦闘部隊のいる第一線に追及した。

急行軍の続く小休止の間、私たちがまずやったのは、靴を脱いでの足の手入れだった。靴傷《くつまめ》ができかけた部位は放置せず、細かく切ったガーゼを当てた。衛生隊の武器は銃ではなく、足だ。長い距離を歩き、走り、担架を運べなければ、もはや衛生隊とは言えなかった。手入れが大切なのは銃ではなく、足だったのだ。

その次にしなければならないのは、虱《しらみ》退治だ。私が身につけていたのは人絹《じんけん》のシャツで、衛生兵の話だと、汗と塵《ちり》にまみれた人絹には、木綿物より早めに虱が湧《わ》くらしかった。少し陽気がよい日は素肌になり、シャツや下着を鍋《なべ》の中で煮た。虱の卵は少々煮たくらいでは死滅せず、グタグタと煮続けなければいけない。

作戦行動は半年続いた。不眠不休の行軍が三日も重なると、人馬ともにくたくたになる。夜行軍では、いつの間にか寝ながら歩いている。はっと気がつくと、荷を積んだ馬の尻《しり》に額が当たって、足が止まる。かと思うと、後ろの衛生兵の鉄兜《てつかぶと》で後頭部を押されて、無意識に足を前に進めていた。

そうやって辿りついた安慶近くの中国軍の一大拠点では、すさまじい攻防戦が繰り広げられた。熾烈《しれつ》を極めた激闘は十日間続き、敵はついにその城壁に囲まれた町を放棄して退却した。

私たち衛生隊は連隊のしんがりについて城内に進入した。城内に通じる沿道には、敵兵の屍体《したい》が累々《るいるい》と重なっている。この頃になると、私も屍体や死臭、血なまぐささには動じなくなっていた。

もともとこの城壁の町は、田畑や森林が広がる平原の要《かなめ》に位置しており、人口は数万だったはずだ。しかし住民はすべて退去し、どの路地も閑散としている。

私たちはこの町のほぼ中心地の民家を接収して、病院を開設した。病院といっても、医官は昇進した軍医長のM中尉と、少尉に任官したばかりの私のみで、あとは三十名の衛生下士官および兵だけだ。幸いなことに、作戦遂行の行軍が始まってからは、軍医長と私にそれぞれ当番兵がついた。身の回りの雑事はほとんど当番兵がやってくれる。病院を開設すると、当番兵二人はさっそく糧秣探しに出かけて行った。平たく言えば、主のいない民家からの掠奪である。

「軍医殿、こんなのがありました」

当番兵がさし出したのは、小さな手帳だった。近くの民家に三人の敵兵の屍体があり、持物を漁《あさ》っていて見つけたのだという。

「軍医殿だったら、お読みになれると思いまして」

当番兵は何か作戦上のことが書いてあると察したようだが、漢字ばかりの書きつけを、私が全部理解できるわけではない。しかし大方の内容は最後の方の記述からつかめた。

「これは手記だよ。書いたのは四川省出身の通信将校だ。屍体はどうした」

「処理班に連絡したので、今頃は収容していると思われます」

私は頷《うなず》き、二十頁《ページ》に及ぶ手帳をもう一度めくった。筆者はどうやらこの城壁の町の防禦《ぼうぎょ》についた日から起筆し、毎日寸暇を盗んでは書き記していたらしい。終わりの

三、四頁は漢詩の体裁をとっていて、〈安州最後の日〉と題されていた。
はるばる四川省を出て、この安徽省の守備についたが、東洋鬼は装備も優れ、戦略にも長《た》け、自軍の士気だけではどうにもならない。城内に撃ち込まれる砲弾で、自軍の死者は増える一方だ。通信機の先から聞こえてくる連絡も、悲痛な声ばかりで、中には途中で切れることもある。戦況まさに我に利あらず、三年戎馬《じゅうば》東国に暗し、人は今罷《ひ》病《へい》し虎《とら》は縦横、異域の賓客《ひんきゃく》の孤城に死す。嗚呼《ああ》、わが妻愛沈、お前はどうしているか。ひとたび顔色を見んことを願えども、今はかなわない。四川省成都での新婚生活は、わずか五ヵ月であったが、自分にはそれが五年いや十年の幸せな日々であったようにも思える。わが身が成都に帰らなくても、自分の魂は、東風に乗ってお前のもとに還《かえ》っていく。わが魂戻る辺《あたり》明らかなれど、わが涙は下りて、地面に川となって流れていく。

おおよその内容を読みとったあと、私はその手帳を何とか残してやりたいと思った。四川省に届けるすべなどない。この城壁の町にとどまるのも十日ほどに違いなく、日本軍が去ったあと、住民たちは再び戻って来るはずだ。

私は病院となった家の中を物色し、すっかり中味がなくなっている箪笥《たんす》の引き出しに、手帳をおさめた。帰って来た主人が気づけば、いつかは中国軍に届けられ、何年かあと、妻の愛沈の手に渡る可能性はあった。

このにわか造りの病院でも、私たちの仕事は戦傷者の応急手当だった。軽傷患者は治療のあと原隊に戻し、独歩できない患者や重傷患者は、後方の野戦予備病院や兵站《へいたん》病院に輸送する。その篩分けが終わると、仕事は一段落となる。当番兵がドラム缶を運んで来て、湯を沸かしてくれた。

軍医長がドラム缶の湯にはいったあと、私もふるちんになって庭に出る。

「風呂《ふろ》が終わったら、月見酒といくか」

身体を拭《ふ》きながら、同じくふるちんの軍医長が言う。「当番兵が老酒《ラオチユウ》を見つけてきた」

酒かと私は思った。進軍と戦闘続きのこの三、四ヵ月、下戸《げこ》の私は酒の類《たぐい》は口にしたことがなかった。

ドラム缶の湯は、まさしく露天風呂で、冴《さ》え切った空には雲ひとつなく、満月に近い月が皓々《こうこう》と輝いている。

「軍医殿、湯加減はどぎゃんですか」

ドラム缶の下で薪《まき》を燃やしている当番兵から訊《き》かれ、もう少し熱くしてくれるように頼んだ。

充分に暖まったところでドラム缶の外に出て、手ぬぐいで身体をこする。その間に当番兵は湯の温度を上げ、井戸から水を汲《く》んできて湯につぎ足す。

「軍医殿、背中ば流させて下さい」

当番兵が申し出てくれて、私は裸のまま露台に腰かけた。他人から背中を流してもらうのは、それこそ医学生以来のことだった。

「さっき、薪の火の明かりで読んでいた手紙は、田舎のおふくろさんからのものだね」

私はドラム缶にはいる前、当番兵が軍服の内ポケットから出した紙切れを、焚口《たきぐち》で読んでいる姿を認めていた。

「いえ、あれは、同じ村の知り合いの者からの手紙です」

少しばかり上ずった声で当番兵が答える。

「女性だね」私はやんわり訊いた。

「はい、自分が万が一、生還が叶《かな》ったときには祝言《しゅうげん》を上げることになっとります」

「そうか、それはいいね。おめでとう」

「いえ、まだおめでとうは、早過ぎるち思います。何年先になるか、わかりません」

当番兵は背中をこする手を休めずに言った。

当番兵は佐賀県の出身で、年齢は私よりひとつ上だった。

風呂が終わると、窓を開け放った部屋で軍医長が待っていた。急いで軍服を着た私には、窓からはいって来る微風が心地よい。上体をかがめると月が拝めた。

「戦争が終わったら、こんな田舎町に住むのもよいな」

老酒をかみしめるように飲みながら軍医長が言う。

私は軽く相槌《あいづち》をうったが、二人ともそれが夢のまた夢だとは充分感じていた。昭和十二年七月の盧溝橋《ろこうきょう》事件とともに始まった支那事変は、泥沼化していた。大陸に来てみて、私はこの国の広さに圧倒されどおしだった。軍医長もそれは同じだったろう。

次の日、病院の下にある屋敷が火事になった。中隊の下士官宿舎になっていた家で、ほとんど全焼、消火活動のおかげで類焼に及ばなかったのが幸いだった。

その翌朝、兵器係の軍曹がピストル自殺をしたといい、検死に呼び出された。髭剃《ひげそ》りもそこそこに、おっとり刀で現場に降りて行くと、軍曹は上体を家の壁にもたせかけるようにしてこと切れていた。頭部貫通銃創で、右手にはピストルが握られたままだ。

同僚の下士官の話では、前夜の火事は、軍曹の火の不始末から生じたもので、責任を感じて自殺したのに違いないということだった。自死の軍曹は、持っていた鍵《かぎ》で兵器庫からピストルを持ち出したらしい。

同僚の下士官は、折りたたんだ写真を広げて私にさし出した。

「こいつ、これをいつも軍服の胸に入れていました。入れておくと、敵の弾丸が当たらないと言っていたのですが」

色の変わった写真には、妻らしい女性が写っていた。

「何も、死ななくてもよかったのに。責任感の強いやつだったので」

下士官は目を赤くして私に言った。

病院に戻って軍医長に報告する。死亡診断書は私が書くことになった。

「橋本さん。自殺と書かれては、仏さんが浮かばれませんよ」

いざ書類を前にしたとき、軍医長が後ろから声をかけた。

軍医長から丁重な口調で、しかもさんづけで呼ばれたのは、そのときが初めてだった。それまでは上下関係に厳しく、常に橋本軍医と呼ばれていたのだ。おそらく前々日の晩、ドラム缶の風呂を浴びたあと、月を見ながら老酒を飲んだのが影響したのかもしれない。

「何と書くのがいいのでしょうか」

私はきょとんとして尋ねた。

「脚気衝心症《かつけしようしんしよう》と書けば、一等症で公務上の疾病《しつぺい》になります」

「脚気衝心症など、診たことがないのですが」

答えると、軍医長は野戦行李《こうり》から書類を取り出して私に見せた。

「ここに雛型《ひながた》があります」

なるほど、それは事故死亡者の死亡診断書控えの綴《つづ》りで、ほとんどが〈脚気衝心症〉だった。私はそれを見本にして死亡診断書を書いた。

城壁の町に七日間とどまって態勢を整えたあと、大隊はさらに湖南省へと進んだ。進軍の際、私たちの衛生隊は先頭の戦闘部隊よりも約一日遅れての行程で移動するのが普通だった。本来衛生隊は、戦傷病者の収療が任務で、非戦闘員とされている。しかし敵にそんな区別がつくはずはなく、非力な隊と見なされ、遠慮会釈《えしやく》なしに襲撃された。

しかし幸いなことに、最後尾に対する中国軍の攻撃は正面きってのものではなく、夜間の奇襲が多かった。野営の間、銃を持った衛生兵が見張りに立ち、私も軍刀を腰につけたままで横になり、拳銃《けんじゅう》もすぐ近くに置いて寝た。衛生隊はもともと軽機関銃はおろか、短機関銃さえ持っていない。将校である軍医長と私が、拳銃を帯びているのみで、あとはT衛生准尉《じゅんい》以下、六名が三八式歩兵銃を所持しているだけだ。銃弾とて最小限にしなければ、衛生隊の本来の武器である野戦行李や繃帯嚢《ほうたいのう》、野戦用処置嚢、軍医携帯嚢が運べない。

所属する連隊は、ほとんど連戦連勝と言ってよかった。しかし、勝ち戦《いく》さでも、死傷者が出ない戦闘は皆無だ。軍医長と私は戦傷者の治療をし、後送するか前線に戻すかの篩《ふるい》分けの作業に追いまくられた。

占拠した町を撤収する前日には、たいてい連隊の将兵全員に大盤振舞いが行われた。軍医長と私も将校の端くれとして、将校の会食に招待された。携行して来た食糧から酒や煙草《たばこ》が放出され、それに現地調達の豚や鶏、野菜などが調理されての大宴会である。一同飲めや唄《うた》えの大騒ぎで、大隊長や中隊長の自慢の民謡が、次々と飛び出す。

軍医長の十八番は白頭山《はくとうさん》節で、指名されると拒まず、朗々たる喉《のど》を披露した。

手拍子をとりながらも、私の気分は一向に弾まない。騒ぎに加わることもできずに、重傷のまま後送された患者や、不運にも治療空《むな》しく命を落とした患者を思い出していた。酒がまわるにつれて気分は沈み、その座にいることも苦痛になった。厠《かわや》を口実に、席を外して宿舎に戻ることが多かった。

当初は連勝を誇っていた大隊も、年毎《ごと》に装備を充実させ士気を高める中国軍に悩まされるようになった。

昭和十六年の十月、揚子江岸奥深く長沙《ちょうさ》近くまで進軍して展開された戦闘は、連隊が経験した最も激烈なものだった。

まず重砲隊が先陣となって敵の陣地を攻撃するのはいつものとおりだったが、砲弾は逆にこちら側にも浴びせられた。前線からは数キロ離れた私たちの衛生隊にも、彼我の砲声が殷々《いんいん》と鳴り響いた。空気は硝煙の臭《にお》いを含んでいた。

一夜明けた朝から、私たちの開設した病院に続々と負傷兵が運び込まれて来た。病院といっても、住民が逃げて空家になった民家を接収して、治療所兼収容所としたものだ。医官は相変わらず軍医長と私の二人しかいない。

担送されて来る者、腕を首から吊《つ》って来る者、にわか作りの杖《つえ》をついて来る者。みな軍服は破れ、血で汚れている。近づくと硝煙に血なまぐささの混じった体臭がした。

軽傷の者は衛生下士官が手当をし、重傷者を軍医長と私で治療したが、とても追いつかない。病院の前庭と中庭は、たちまち負傷兵で埋まってしまった。

聞けば、戦闘は思いもよらぬ負け戦さで、大砲は次々と奪取され、最後には連隊旗まで敵の手中に落ちたという。

この戦闘の最初の二日間で、優に三百人近くの負傷兵と戦死者を扱った。ほとんど不眠不休で、まともに食事もとれず、立ったままだった。衛生兵もふらふらしており、傷口の見当がつかず、マーキュロクローム液をとんでもない箇所に塗布する有様だ。

私はいつ終わるともなく次々と運び込まれる負傷兵の手当に疲労困憊《こんぱい》し、ひと息入れるために治療室の外に出た。

室外には、負傷兵を載せた担架が多数並べられている。独歩可能の負傷兵たちも五、六十名、壁や柱にもたれてうずくまっていた。

中庭には発着部を設けてある。そこで、送られて来た負傷兵の創傷の程度によって、処置の緩急順序を区別していた。

溢《あふ》れる負傷兵を眺めて、私は背伸びと深呼吸をした。この負傷兵を今日のうちに全部診るとなると、軍医長も私も、参ってしまう。しかし、重傷者は待ってはくれない。私は眠気を払うために、思い切り目を閉じ、両手を広げて背中の肩甲骨《けんこうこつ》をできる限り近づけた。

目を開けたとき、発着部を担当しているT衛生准尉の姿が見えた。ひとつの担架の前に突っ立って、何かを読んでいる。

Ｔ衛生准尉は、私たち衛生隊の中でも最年長、最古参で、私が一番頼りにしている部下だった。連隊の最後尾について進軍をしていた際、敵に襲撃されたときにも、この准尉の機転で被害を免れたり、敵を撃退したりした。

私は准尉のもとへ行ってみた。

「何を読んでいるんですか。手紙ですか」

准尉は黙って、手にしていた便箋《びんせん》を私に渡した。その目が赤く潤《うる》んでいるのを、私は見逃さなかった。

便箋は、母から息子に宛《あ》てた手紙だった。書き慣れた流麗なペン文字で、六枚にわたって綴られている。読み出した私は、そのまま内容に釘《くぎ》づけになった。

おたより嬉《うれ》しく拝見しました。

元気でご奉公されている由《よし》、母は安心しました。

でもお前が今どのあたりにいるのか判《わか》らないので、支那の地図を拡《ひろ》げて、満洲《まんしゅう》だろうか、満洲は寒くないのだろうか、それとも北京あたりだろうか、そこでは大きな合戦にはなっていないか、それとも徐州あたりの田んぼの中だろうか、雨の中の行軍はつらかろう、それとも揚子江を遡《さかのぼ》ったあたりだろうか、渡河《とか》作戦で苦労はしていないだろうか、お前は泳ぎが得意ではないので、溺《おぼ》れてはいないだろうか、あるいは広東のあたりだろうか、お前はあまり丈夫な子ではなかったので、炎天下を重い荷物を背負って歩けているだろうかと、地図のあちこちを指でなぞりながら、お前の姿を思い浮かべています。

軍事郵便ゆえ、検閲（検閲済という判が押してありました）があるから、お前が隊の位置を知らせられないのも無理からぬこととは思いますが、支那というだけをたよりにして、ここかあそこかと想像して、ひたすらお前の無事を祈っています。

お前はまだ二等兵ゆえ、何かと苦労が多いでしょう。まして末っ子なので、大様《おおよう》に育てられ、お父様が早死にしたなかそんなふうに育てた母も悪いのですが、上手に振る舞えないので、上等兵から叱《しか》られ、叩《たた》かれることも多いでしょう。

どれもこれも、お国のためなので、苦労も奉公、叱られるのも奉公、叩かれるのも奉公と思って、我慢して下さい。母は、お前の奉公を毎朝毎晩、仏壇に祈っております。

お風呂好きだったお前です。そちらではろくにお風呂にもはいれないでしょう。まして戦さになったら何日も何日も食べるものもなく、体を拭《ふ》くこともできないと聞いています。

それでこん度の慰問袋には香水の瓶を入れておきました。お前も知っていると思いますがわたしが使っていたものです。小さな瓶ですが、一、二滴でよくきいて、とても良く匂《にお》います。

この次から出陣するときは、この香水を体に振りなさい。万が一名誉の戦死をとげた時には――母はこんなことを書くのは本当に恐ろしく、体が震え、恥ずかしくもあります――その時には、汗と垢《あか》でよごれたお前の体の匂いをきっと消してくれますから。

こちらはもう、屋敷の外の田んぼは黄金色《こがねいろ》になっています。どの村からも若い人が出征していくので残っているのは、男衆でも年寄りばかりで、あとは女子供たちで稲刈りをし、脱穀をしなければなりません。これもお国へのご奉公です。

三人の姉さんたちは、嫁ぎ先でそれぞれ元気にしています。みんなが集まったとき、どんな話をしていても、最後にはお前の話になってしまいます。奉公人のみんなも、お前の無事を祈っています。

もっともっと書きたいことは山ほどありますが、お前に笑われそうなことばかりになると思いますので、これでやめます。

ではくれぐれも体を大切にして、お国のためにご奉公下さい。母も銃後でお前の武運長久を祈りながら一生懸命がんばっていますゆえ、心配しないで下さい。

読み終えた私は、T衛生准尉の足元にある担架の脇《わき》にかがみ込んだ。毛布をはぐると、その下から少年兵のような童顔が現れた。既に息はなかった。左鎖骨部の貫通銃創が致命傷だろう。穏やかな死に顔だった。

「軍医殿、これを」

目を赤くした准尉が小さな香水の瓶を私に手渡す。

私は香水の残り全部を兵の身体《からだ》に振りかけてやる。残りといっても、わずか五、六滴に過ぎなく、私の手はむなしく空を切るばかりだった。

軍《ぐん》靴《ぐつ》

「軍医殿、どうしましょうか」

衛生下士官が私の顔をじっと見た。私も見返す。もう選択の余地がなかった。米軍のセスナ機が頭上を飛びかっていないときを見計らい、私たちは渡河《とか》して来たばかりだった。川岸まで重症の患者を担《かつ》いで来、丸木舟に乗せるだけでも大変だった。そのうえ河は増水していた。無事に渡り終え、再び密林にはいったときには、全員が疲労困憊《こんぱい》していた。

ミンダナオ島中央にあるマライバライから、今は東に山深く移動している。目的地はウピアンで、そこまで辿《たど》り着けば、島南部ダバオにある陸軍病院と何とか連絡がとれる。しかし急がなければ、そのダバオも米軍の手に落ちる。落ちてしまえば陸軍病院も消滅し、私たち兵站《へいたん》病院の患者、衛生兵、看護婦、軍医は行き場を失ってしまうのだ。

米軍に追われて病院をたたむ際、背嚢《はいのう》にはいるだけの食糧を詰め込んだ。軍用靴下にも米を入れ、背嚢に吊《つ》り下げた。衛生兵たちは、重い背嚢を背負ったうえに、重病患者を載せた担架を運ばねばならない。

担架運搬を続けるために、背嚢の中味をひとつずつ捨て、軍用靴下の米も、泣く泣く遺棄するしかない。ただ食べて歩くことだけが、一日の仕事だった。山道を歩きながら、食用になりそうな雑草を物色した。小さな山トマトや、ジギタリスに似たアザミのような草の芽を摘んで、明日への食糧として貯《たくわ》えた。残り少ない米は、ひと握りを三日の糧に配分し、粥《かゆ》にしてすする。もう誰もが生命線すれすれのところで生き永らえていたのだ。

「ちょっと待て。病院長の指示を確認する」

私は思い直して衛生下士官に言った。

その足で前方を歩いている兵站病院長に追いつき、尋ねた。病院長である軍医大尉《たいい》自身、体力を消耗して背嚢を背負う力も失っていた。寄り添う当番兵の肩に手を置いて歩いている。

「病院の使命は、さっきの渡河の前で終わっている。何度わしに言わせるのだ」

院長は暗い目で私を睨《にら》んだ。確かに、患者たちを丸木舟に乗せる前、院長はそんなような命令を出していた。しかしまだ誰もが、その気になれないでいたのだ。

「仕方がない。院長殿の命令だ」

衛生下士官のところに戻った私は言った。「もうここは病院ではない」そうつけ加えたとき、自分も院長と同じく歯に衣《きぬ》を着せたような口調になったのを恥じた。しかし、その他にはどういう言い方があるのだろう。

「はい、かしこまりました」

衛生下士官は、それまで担架を置いて待機していた衛生兵たちの方に歩いていく。私も最後の務めだと思い定めて、あとに続く。

「担架運搬は、ここまでだ。全員、自力で目的地ウピアンを目ざすように」

衛生下士官は、衛生兵と患者を見回しながら言う。衛生兵たちにほっとした表情が浮かんだ。担架に横たわった十三名の患者たちはほとんど無表情だった。

私は衛生下士官を連れ、そのひとりひとりの枕元《まくらもと》に、二日分の食糧と薬、そして一個の手榴弾《しゅりゅうだん》を置いた。食糧といっても焼いた籾《もみ》ひと握りであり、薬は止痢剤のクレオソートか胃腸薬の重曹くらいなものだった。焼き籾は手で揉《も》んで殻を吹き、嚙《か》み砕かなければならない。クレオソートも重曹も、衰弱した患者たちには無用の薬品には違いなかった。

「軍医殿、お元気で」

患者の中には、そう言って頭を持ち上げ、敬礼する者もいた。しかし大方の患者は、横たわったまま、哀願と諦《あきら》めの混じった眼で私を見返した。

「すまない。しかしこのままの担架搬送だと、衛生兵自身の身体《からだ》がもたないのだ」

私はそんな言葉を胸中で繰り返しながら、患者の最後の顔を目の底に焼きつけた。

これらの患者名は名簿に残す必要があり、仮に私が斃《たお》れたあとも、誰か生き残った者が陸軍病院に届けなければならない。

病死ではあるが、内地の家族の許《もと》に報がもたらされる際、戦死とされているのは間違いない。

しかしその戦死が、置き去りによる衰弱死か餓死である事実は、家族の誰も知らないままだ。

後ろ髪を引かれる思いでしばらく進んだとき、後方で手榴弾の爆発音を聞き、私の足は釘《くぎ》づけになった。予期した二発目の破裂音はない。患者のひとりが自爆したのかもしれなかった。いやそうとも限るまい。私は首を振った。やっと動ける患者数名が円座になって集まり、頭を寄せあったのだろう。そうすれば、はじけた一個の手榴弾は、一度に数人の上半身を吹き飛ばすことができる。動けずに残された担架の上の患者は、その光景を見、自分で手榴弾の操作をする気力をなくし、衰弱死を待つだけだ。

再び歩き出した私は、兵站病院撤収の最後の日の光景を思い出していた。最後尾組の責任者として、私は衛生下士官と二人で急いで院内を見回った。ベッドには、病死ならぬ自決の患者が何人も横たわっていた。靴下を脱ぎ、右足の第一趾《し》を小銃の引金にかけ、銃口を口にくわえたままの患者は、後頭部が粉砕されている。身体が二つに割れている兵もいた。おそらく、手榴弾の留め金を抜いて、その上に腹這《はらば》いになったのだろう。かと思うと、安らかな顔で息絶えている患者もいた。先輩の軍医がモルヒネを大量に注射して、死に至らしめたのに間違いなかった。私自身、病院長から落伍《らくご》者《しゃ》の出ないよう、適宜処置する命令を受け、二十ccアンプルを二、三十本渡されていた。幸か不幸か、いや私にその勇気がなかったので、自分の患者には使わなかったのだ。

ベッドに横たわるそれらの物言わぬ兵たちに、かけてやる毛布もなかった。私と衛生下士官は敬礼をして部隊のあとを追った。

私が召集を受けたのは昭和十九年の四月末で、行き先は京都の中部第三十七部隊だった。〈医師免許証を有する陸軍衛生二等兵〉として、同じ運命の四十名ばかりが、来る日も来る日も歩兵訓練を受けた。入隊四十日目に、全員が見習士官になり、半分は即日戦地に出発した。残り半分は、中部軍管下の各部隊や病院に転属になった。

六月十八日、大隊付軍医として敦賀《つるが》から臨時軍用列車に乗り、下関に向かった。同じ列車には、仮編成の旅団司令部要員が乗り合わせていた。彼ら将校たちは、連結された二等車におさまったが、私たち見習士官は、兵隊たちと一緒の車輛《しゃりょう》だった。

七月三日、輸送船団は門司《もじ》を出港、翌日五島列島の沖で、敵潜水艦の追尾が判明した。幸い被害を受けたのは、バシー海峡で沈没した一隻《せき》だけで、執拗《しつよう》な潜水艦の攻撃をかわし、マニラに上陸したのが十五日だ。

私は他の軍医たちと一緒に、マニラ郊外第十四軍司令部の軍医部に、無事到着の申告に出かけた。

私たちの申告を聞き終えた軍医部長は、労をねぎらいもせず、壁にかけた大きな地図を振り返った。そんな巨大なフィリピンの地図を見るのは私も初めてだった。

「君たちはフィリピンの地理など、全く頭になかろう」

軍医部長は向き直り、私たち三人を睨みつけた。「ここマニラがあるのがルソン島、その南がミンドロ島。さらに南にパナイ島、ネグロス島と続き、その東にセブ島とレイテ島がある。一番南の大きな島がミンダナオ島だ。君たちには、このミンダナオ島に死ぬまでいてもらう」

軍医部長の部屋を辞した私たちは黙りこくっていた。司令部構内で、島田《しまだ》髷《まげ》に黒紋付の日本女性を見かけた。私はこれが和装の日本人女性を見る最後かと思い、密《ひそ》かに目に焼きつけた。

七月のうちに現地で、独立混成第五十五旅団、通称「菅《すが》」兵団が編成され、私たち三人はミンダナオ島に着くまで、その大隊付軍医となった。私の大隊は第三百六十五大隊で、他の二人はそれぞれ第三百六十三、第三百六十四の大隊に配属された。

この兵団がフィリピン最南端のホロ島に向けて出発したのが九月二日だ。慶安丸という輸送船は木造で、かつては朝鮮航路の貨物船だったらしい。兵員と武器を満載しており、船足も遅い。敵潜水艦を避けるため、島寄りに、文字どおりよたよたとジグザグ航進を続けた。

途中、病兵が出た。九月十日、寄港したセブ島で、私は衛生兵とともに病兵を陸軍病院に護送した。急ぎ帰船すると間もなく、港に空襲警報が発令された。慶安丸は慌《あわ》ただしく錨《いかり》を上げ、ネグロス島北端の島陰に退避した。

十二日朝、船は再びセブ島に向かった。あと一時間で港にはいるというとき、船内が騒がしくなった。セブが再び空襲を受けていたのだ。

船倉にいた私たちは甲板に上がった。遥《はる》かセブの上空に飛行機が群れ、下からはいくつもの黒煙が立ち昇っている。飛行機から投下される爆弾も目視できる。一機、二機と敵機が火を噴いて落ちていく。

「いかん。帰りがけの駄賃に機銃掃射でもされたらたまらん。武装だけはしておこう」

誰かが言い、私たちは慌てて軍刀をつけ、鉄帽をかぶった。その直後だ。「対空戦闘準備」という輸送指揮官の声が響きわたった。

突如夕立の降るような音がした。敵機が群をなして襲いかかってきている。私は無我夢中で船倉に飛び込んだ。

「やられた。衛生兵、衛生兵」

と叫ぶ声がしたが、私は鉄帽をしっかりと押さえたまま動けない。生まれて初めての敵弾の洗礼だった。

すっと引いた敵機襲来の合間に、私は勇気を出し、甲板に駆け上がろうとした。キャビンの入口にひとりが横たわっていた。頭からひどく出血している。頭を起こすと、第三百六十三大隊付となっていた私たち三人のうちのひとりだった。既に絶命している。おそらく私と違って、衛生兵を呼ぶ声で鉄帽もかぶらず反射的に甲板に駆け上がったところを、機銃掃射されたのだろう。

その後もグラマンの編隊は掃射を繰り返し、味方の三八式歩兵銃による対空射撃を嘲笑《あざわら》うように、南方海上に飛び去った。

甲板は死傷者のおびただしい血で染められていた。船首と船尾には、ペンキで黒く塗られた木製のかかし高射砲が、我関せずといったように空を向いている。

降ろされたボートに負傷者を乗せ、私も付添いとして再び下船した。

私たちが去った慶安丸は、その日のうちに、爆弾を積み直して引き返したグラマン機の攻撃を受け、沈没した。

セブ島中部に上陸した私たちは、昼間は山中に潜み、夜負傷者を担《かつ》いで移動し、四日目にようやくセブ郊外に達して、まもなく南方第十四陸軍病院に辿《たど》り着いた。

そこで、十二日のセブ島の空襲で、第三百六十四大隊付になっていたもうひとりの軍医が戦死したことを知らされた。船の都合でセブ市に残った第三百六十四大隊は、宿舎の屋上に上がって対空戦闘に挑んだのだ。敵機の集中爆弾を浴びて、階下に集積してあった爆薬もろとも全員が吹き飛んだという。

これで、門司からマニラに同行したミンダナオ行きの三人の軍医のうち、残ったのは私ひとりになった。

再び別の船に乗ったとき、兵団は歩兵一個大隊分を失っていた。セブを出て、途中ミンダナオ島のカガヤンデオロに立ち寄るまで、雨風の日が続いたのが幸いした。敵機と敵潜水艦の攻撃からは何とか免れることができたからだ。私と当番兵は救命胴衣をつけて、雨しぶきの中、舷側《げんそく》のロープをつたってボートに乗り移った。

船はそのまま停泊もせず、出港した。上陸した私たちは、徒歩で市内の軍宿舎に向かい、翌日車で兵站《へいたん》病院にはいった。

出港した輸送船が無事にホロ島に辿り着いたかどうか気になっていたが、十月四日、兵団は任地に上陸した旨《むね》の知らせがもたらされた。船は打ち続く暴風雨で一時ボルネオ島近くまで流されたという。

兵站病院に落ちつく暇《いとま》もなく、天候が回復すると、敵機はカガヤンデオロにも連日連夜、定期的にやって来ては、爆弾を落とし、機銃弾の雨を降らせた。山中にあった兵站病院の建物には、病院を示すHの文字が屋根に描かれている。それが奏功したのか、その年のうちは、敵機の直接の攻撃はなかった。その代わり、周辺の守備隊から運ばれて来る負傷兵で、急ごしらえの病棟は溢《あふ》れかえった。病院長以下五人の軍医の一員として寝る間もなく働かされた。

年が明けて二十年になると、敵機の攻撃は山中にも及ぶようになった。日本軍が山中に逃げ込み、陣地を築きはじめたからだ。

そうなると、H印のペンキも免罪符にはならなかった。病棟に爆弾が落とされて、患者が五名即死した夜、院長は撤退命令を下した。三月下旬のことだ。

出発にあたって、担送のない手のすいた者は白米と籾《もみ》を手分けして背嚢《はいのう》の中に入れた。籾は鉄帽を臼《うす》にしてつき、玄米に変えることができる。水がない山地では、飯盒《はんごう》に籾のまま入れて強火にかけた。中ではじけた米は大きくふくらむ。手で揉《も》んで焦《こ》げた籾殻を息で吹き飛ばしてから、中味だけを食べなければならない。それが面倒な患者たちは、口でかんだだけで飲み下し、便秘になった。そんな患者には摘便が必至で、指で肛門《こうもん》をほじくると焦げた籾殻がそのまま出てきた。

撤収して山中にはいった日、衛生下士官がマラリア脳症を起こした。私は食塩を飯盒に入れ、煮沸《しゃふつ》滅菌をした。この即席生理塩水を左右の大腿部《だいたいぶ》に皮下注射した。内服用のアクリナミン錠で注射液も作り、腰部《ようぶ》に筋注した。幸いこれが奏功し、脳症はおさまった。

小さな傷口から腱鞘炎《けんしょうえん》を悪化させた衛生兵も出た。腫脹《しゅちょう》した足首が化膿《かのう》し、軍靴《ぐんぐつ》もはけず、汚れた靴下のまま行軍している。私は何度かに分けて切開を加えた。消毒液はあいにく携行していない。衛生ザックに入れて持っていたリバノールの原末を、飯盒の蓋《ふた》に入れて岩壁からしたたり落ちる清水で溶いた。そこにガーゼを浸して、切開のたび、創《きず》を被覆した。十日後、この衛生兵は軍靴をはいて歩けるまでになった。

看護婦が腹痛を訴えたのは、渡河を控えた前々日の晩だった。急性虫垂炎《ちゅうすいえん》であることは間違いなかった。兵站病院であれば外科手術もためらわず行うことができたが、密林の中だと、平地を探すのも難しい。夜の明けるまで待っていれば、穿孔《せんこう》の恐れもあった。腹膜炎を併発した場合、もう手の施しようはない。

河べりの平地に、梱包材《こんぽうざい》にしていた敷布を広げて患者を寝かせた。飯盒にメス、コッヘル、糸針、ガーゼを突っ込んで煮沸消毒をした。ろうそくの火を頼りに、消毒はヨードチンキ、麻酔は局所麻酔、膝《ひざ》立ちで手術を施行した。この看護婦も、渡河の翌日、歩行ができるようになった。

「軍医殿、野豚がいます」

渡河した翌日、ジャングルの先を指さして衛生兵が言った。そこだけ盆地のように密林が開けていて、甘藷《かんしょ》畑になっていた。もちろん畑は収穫されたあとで、赤黒い土の所々に、茎から芽を出した緑が点在している。なるほど茶色の野豚が鼻づらで土を掘り起こしていた。

「撃ちますか」

「いや、ここからは遠すぎる」もうひとりの衛生兵が制した。

「三人で生け捕りにしよう」

言い出したのは私だ。五人も六人も密林から飛び出せば目立つ。どこかにフィリピン人のゲリラが潜んでいる可能性もある。三人は三手に分かれて腰をかがめ、野豚に近づいた。向こうの台地の方に逃げられれば一巻の終わりだが、逆に密林の方に走ってくれれば、小銃で撃つこともできる。

私を真中にして、左右から衛生兵が畦《うね》を跨《また》ぎながら、包囲をせばめた。衛生兵のひとりが銃を構えたとき、野豚は脱兎《だつと》のように走り出して崖下《がけした》の藪《やぶ》の中に姿をくらませた。私たちはそのまま進んで、丘の上にある壊れた家の中を物色した。いたのは鶏一羽で、捕獲し、床下に隠してあった小児頭大の甘藷二、三十個も持ち帰った。

山岳集落民は私たちが到着する前に姿を消していた。しかし民家や小屋の中を探すと、たいてい籾が見つかった。どうしても発見できなかったのは塩で、おそらく塩壺《しおつぼ》だけは抱えて山中に逃げ込んだのだろう。

村落を見つけると、私たちは食糧補給のために一日だけ滞在した。そこを引き上げる際、後方から村民の銃撃を受けた。もちろん本気の応戦ではなく、二度と来るなという脅しに違いなかった。

ある村落を出るとき、私は庭に植えてある木に眼をとめた。大人の頭大のザボンが三個ぶら下がっている。鮮やかな黄色は、私の故郷の村にあったザボンを思い出させた。渇いた喉《のど》に、あの酸《す》っぱい果汁は何物にも替え難い恵みだった。

　樹下にひとり衛生兵を待たせて、私は木に登った。三、四メートルの高さまで登り、腕を伸ばしたとき、銃声が起こった。村民が狙撃《そげき》を始めたのだ。

「軍医殿、危ないです。すぐ降りて下さい」

そう言われても今さら諦《あきら》められない。ザボンを二つ落として、私は幹を滑り降りた。ザボン二個は、ほんのひと口ずつ患者、衛生兵、看護婦たちに配った。その味は、想像したとおりだった。清涼な汁を飲み下しながら、私は何としても、あのザボンの実る古里に帰りつくのだと心に誓った。

　細い山道の曲がり角で、見晴らしの良い場所には、必ずといっていいほど粗末な小屋があった。おそらく山岳地方の村落民にとっては、恰好《かっこう》の見張り所なのだろう。患者も衛生兵たちもそれを見つけると、小屋の外に置いてある台に腰かけて休もうとした。こうした場所で休息をしてはいけないことを知ったのは、しばらくしてからだ。あるとき、向かい側の森から軽機関銃による狙撃を受けた。眼下に広がる山々を眺めながら休んでいた衛生兵のひとりが、左上腕部を撃たれて血だらけになった。幸い傷は一ヵ所で、弾丸も肉に食い込んでいない。止血の処置をするだけですんだ。

山岳地帯では、夜十時頃になると必ず雨が降る。私たちは山の斜面を選んでテントを張り、外周には雨水よけの溝を掘った。荷物を背に、狭いテントの中で、両足をくの字に曲げ、衛生兵たちとお互いくっつきあって寝た。翌朝、荷物は湿気を含んで重くなっていた。

行軍の途中、簡単な昼食を終えると、交代で見張り役をたてて、二時間ほど昼寝をする。その間に、各自荷物を日向《ひなた》に置いて日光曝乾《ばっかん》をした。荷は乾いて軽くなる。

村民が逃げたあとは、小屋のような家をねぐらにした。しかしその前に、小銃と軽機関銃で武装した衛生兵が一軒一軒を探索して、残っている者がいないかどうか確認しなければならない。

五名の武装した衛生兵が、崖下に小さな村落を見つけたのもそんなときだ。二、三人残っていた村民は、銃で追い払ったという。つい半日前まで人が暮らしていた村落を探せば、食糧は発見できた。そんなときは、補給と休息を兼ねて二泊することにしていた。夜間雨が降っても濡《ぬ》れる心配もなく、足は思う存分伸ばせる。

一泊した翌日、衛生兵が私を呼びに来た。ある民家の裏の丘を垂直に削った跡があるので、食糧が隠してあると見込み、掘ったところ、日本兵の屍体《したい》が出てきたという。

軍服を着たままの遺体は全部で六体あった。いずれも半ば白骨化し、階級章だけがまだ色を残していた。その中の一体は、斧のような鈍器で殴られたのだろう、頭蓋骨が割れていた。

「たぶん、これだけの犠牲ではなかろう。他にもあるはずだ」

私は衛生兵に命じて、発見次第報告するようにさせた。案の定、床下や軒下などから、日本兵のものと思われる頭蓋骨その他が八体見つかった。身につけていた軍服や軍靴は、はがされていた。おそらく、本隊から離脱した少人数の兵たちが、ここを通過するたび村民に襲撃されたのに違いない。

要するにこの付近の住民は、戦闘的だということになる。

私は家の中で休みをとっていた病院長に会いに行き、連泊するのはやめ、早急に引き上げたがいい旨を具申した。しかし、テントの中で雨をしのぐ苦痛が頭をよぎったのだろう、いつもは優柔不断の院長が首を横に振り、見張りの人数を倍にして留まる、との決断を下した。

その夜も、雨が降り始めたところで目が覚めた。テントの中でなく茅葺《かやぶ》き小屋の下に横になっている自分を確認して、ほっとした。隣に寝ている衛生兵たちも、心地よさそうに寝息をたてていた。交代で見張りに立たなければならない兵たちには気の毒だが、私は目を閉じながら、院長の決定は正しかったのかもしれないと思った。

それからひと眠りしたとき、爆発音で飛び起きた。小銃や軽機関銃の音ではなく、手榴弾《しゅりゅうだん》の音だ。間もなく、私のいる小屋に負傷者が運ばれて来た。運んでいるのも、負傷しているのも看護婦だった。

「怪我人《けがにん》はひとりか」

「はい」

衛生兵に湯を沸かすように命じ、負傷者に声をかける。

「先生、すみません」

その看護婦は気丈に答えた。日頃から患者を激励している身としては、泣くにも泣けないのだろう。手榴弾の破片が、左臀部《でんぶ》に食い込んでいた。

「すぐに取り出す。少々痛いが我慢しろ」

私は残り少なくなった椰子《やし》油を灯させた。看護婦二人に手伝わせ、衛生兵が煮沸消毒を終えたメスとコッヘルで手術を始めた。

破片は予想以上に深くはいり込んでいた。麻酔薬もないままで肉を切り刻まれるのだから、相当の痛みのはずだ。しかし看護婦は並の兵隊と違って、ひと声も発せず歯をくいしばる。同僚の看護婦たちが、低い声で励まし続けた。二十分して、ようやくエの字の形をした二センチほどの金属片を取り出したときには、全員が汗びっしょりになっていた。消毒をすませたあとの繃帯《ほうたい》は看護婦たちに任せた。

この手榴弾負傷で、院長は早暁《そうぎょう》の出発の命令を下した。当然の判断だ。

私が手術した看護婦は担送もされず、杖《つえ》にすがって自力歩行していた。さすがに背嚢《はいのう》だけは、同僚の看護婦が背負ってやっていた。

周囲が少し明るくなり日が昇り始めた頃、左前方の丘から突然こちらに向けて一斉射撃が開始された。村落民が小銃で追い討ちをかけてきたのだ。衛生兵たちが軽機関銃を構え、小銃で応戦すること三十分、ようやく相手方は沈黙した。この撃ち合いで衛生下士官ひとりが胸部貫通銃創で即死した。ひと晩の安眠の代償としては、あまりに高い代価を払わされ、以後、院長はますます寡黙《かもく》になった。

日がたつにつれ、携行している手持ちの薬は次第に払底《ふってい》していった。少量のビタカンフル、プラスモヒン錠、アクリナミン錠ぐらいであり、比較的量が多いのはヨードチンキと、抗マラリア剤のキニーネ錠、それに性病薬の星秘膏《せいひこう》くらいなものだった。

私は当番兵と衛生兵たちには、毎日二個のキニーネを服用させていた。患者の世話、一行の護衛、そして食糧確保と、空《す》き腹をかかえても動きまわらなければならないのは衛生兵だったからだ。軍医にひとりずつついている当番兵も同様だ。それでも何人かは、疲労が重なると発熱した。日頃キニーネをのませていない看護婦や患者たちは、入れ代わりたち代わり発熱する。私はそうした発熱時のみ、キニーネを使った。

山道から少し下った谷川脇《わき》に二軒の壊れかけた小屋があり、偵察から戻った衛生兵に呼ばれて、私は急坂を用心深く降りた。戸口から覗《のぞ》き込むと、六名の日本兵が枕《まくら》を並べてミイラ化していた。もちろん、軍服と靴は盗まれている。床は竹編になっており、寝ているところを下から槍《やり》で突き殺されたのに違いない。

谷川の傍で一休止したかったのを思いとどまり、その旨を院長に報告させた。さらに山道を突き進んで行くと、そこここに白骨化した日本兵の死骸《しがい》が放置されていた。軍服を着たままの屍体もあるが、どの遺体も、軍靴だけは履いていない。村民に盗《と》られたのか、それとも後から通りかかった日本兵の持物になったのかのどちらかだ。

実をいえば、私の軍靴も先の方が開きかけていた。ひどくなると、持ち合わせの中太の木綿糸と縫針で修理をしていたが、さして長持ちはしない。衛生兵の中には、もう潔《いさぎよ》く軍靴を捨て、自分で作った草履や草鞋《わらじ》をはいている者もいた。

十戸ほどの小村落からは、思いがけずに生きた日本兵が飛び出して来た。医務班らしい部隊と知ったうえでの助力要請だった。私と衛生下士官二人で駆けつけたところ、兵ひとりが右大腿部に刺さった槍で苦しんでいる。柄の部分は、同僚がうまく断ち切っていた。刃のほうは刺さり方がひどく、思案にくれていたらしい。訊《き》くと、負傷は一昨日であり、負傷兵は既に発熱していた。

槍には返し刃がついているので、簡単には引き抜けない。私の命令を待つ間もなく、衛生下士官は手術の準備を始めた。幸いだったのは、負傷兵がまだ若く、気力も体力も残していたことだ。

「麻酔薬はあいにく切らしている。先日も、麻酔薬なしで看護婦の手術をした。今はもう元気に歩いている。手榴弾の破片で、槍よりはましだったかもしれんが」

そう言い含めた。がんばります、と負傷兵は答えた。覚悟ができると手術もやりやすい。メスで刺し傷をひと息に開き、刃を引き抜いた。一分とかからぬ手技《しゅぎ》で、すぐに縫合し終えた。このあと傷がうまく癒《い》えるかどうかは、負傷兵の栄養状態と気力にかかっていた。私はそれを負傷兵と同僚たちに伝えた。

「軍医殿、ありがとうございます。頑張ります」

目尻《めじり》に涙をためながら負傷兵が答えるのを見て、私は顎《あご》を引く。これなら大丈夫だ。

この頃、私は非医学的だとは反省しつつも、創傷治癒《ちゆ》に気力が大きく関与している事実を確信していた。適当な薬品がなくても、俺は治る、是が非でも元気で祖国に帰るのだと、自分に言いきかせることのできる患者は快方に向かった。逆に、俺は駄目だと思った瞬間から、傷は悪化していくのだ。

この小村落を占拠している日本兵は約三十名で、将校はおらず軍曹が指揮をとっていた。

「初め、五十名はおったのですが、毎夜村落民の襲撃を受けて被害が出、徐々に減ってしまったのです。これ以上減れば、もちこたえられるかどうか」

軍曹は暗い顔をして言った。

本隊がどのあたりにいるか、追及しようにも把握しようがないという。山を下るにしても行き先が分からないのだ。軍曹の頭のなかでは、私たちの兵站《へいたん》病院崩れの一団についていくか、このまま残るか、天秤《てんびん》にかけていたのに違いない。しかし私たちに余分な食糧があるようにも見えない。同行すれば、体よく護衛、あるいは担架兵としてこき使われるだけだ。それよりは、占拠したこの村で守備を固めて生き残ったほうがいい。

軍曹はそう決断したようだった。礼としてひと握りの塩をさし出した。兵站病院の軍医が負傷兵の治療をするのは当然で、礼など受け取る筋合いはない。しかし今は、もう病院は消え、単なる逃避行の集団だ。迷った私の目を衛生下士官が見て、静かに頷《うなず》いた。軍医殿、貰《もら》って下さい、塩は命綱です、と言っている顔だった。

この頃、塩が私たちにとっては、マーキュロやリバノールより何倍も貴重だった。

十日でひとり一グラムほどの分配だったろう。夢に出るのは、ほどよい塩気のある味《み》噌汁《そしる》である。舌鼓《したつづみ》を打ちはじめるところで、たいてい夢から醒《さ》めた。

　この村落を通過した翌日、先に行っていたS軍医の当番兵が呼びに来た。行ってみると、道からはずれた樹《き》の下にS軍医が横になっていた。密林にはいった頃と比べて、格段に頰がこけている。目にも光がない。

「もう駄目だ。モヒをくれんか」

　私の目を見据えてS軍医は言った。S軍医中尉《ちゅうい》は、静岡で内科医院を開業したばかりの頃に召集されていた。あと少しで四十歳に手が届く年齢であり、四人の子供がいることも聞いていた。山にはいった頃は、どんな苦労をしても家族のもとに帰ると言っていたのだ。

「残りのモヒ、あるだろう」

　S軍医は催促するように私を急《せ》かせた。

「あります」

　モルヒネをあと二筒、軍医携帯嚢の底に入れているのを私は確認していた。麻酔のためでなく、別の目的のためにとっておいたのだ。これがその別の目的であるのは明らかだった。しかし迷った。

「頼む」

Ｓ軍医は再度言い、目を閉じる。

私は注射筒に液を吸い取り、駆血帯《くけつたい》でようやく浮き出た血管に注射した。

間もなく軍医は薄く目を開け、「水が飲みたい」と呟《つぶや》いた。

後ろを向き、当番兵に目配せする。あいにく、私も当番兵も水筒を持っていない。谷川の水を煮沸《しやふつ》したものは、衛生兵たちが一括して管理していた。

「すぐ持って来ます」

当番兵が細道に飛び出したあと、私とＳ軍医は樹の下に二人取り残された。当番兵がＳ軍医を道のすぐ傍に横たわらせず、樹の下に休ませた配慮を、私はぼんやりと思った。

「待って下さい。間もなく水が来ます」

私はＳ軍医の肩を揺すった。返事はない。こと切れていた。この山中がＳさんの最期《さいご》の地になったのだ。私は大木の梢《こずえ》を見上げ、周囲を見回す。記憶にとどめようにも、何ひとつ手がかりになるものはない。

「軍医殿」

飯盒《はんごう》の蓋《ふた》に水をいれてきた当番兵は、泣きながらＳ軍医の脇にしゃがみ込む。もう何も用を足さなくなった口に、蓋を押し当てる。私は水が虚《むな》しく口元に垂れるのを眺めた。

　遺骸を埋めるにはスコップがなく、こちらにも体力は残っていない。樹に寄りかかった遺体に向かい、当番兵と並んで敬礼をするのが、せめてもの弔いだった。

　この日を境に、それまで独歩していた患者が次々と動けなくなった。衛生兵たちにも、担架を運ぶ力はなくなり、担架は荷を運ぶための道具と化していた。

「軍医殿、お世話になりました」

　道端にへたり込んだ患者は、最期の言葉を私に向けて発した。S軍医のように、モルヒネをねだる患者はいない。私は痩《や》せこけた顔を凝視して、患者の顔を記憶にとどめようとした。私にできるのは、そんなことしか残っていなかった。

　衛生兵のなかには、患者の傍に手榴弾を置く者もいた。早晩息絶えるだろうが、まだ生きているうちに付近の村民に襲われるかもしれない。その前に自害して果てよという思いやりでもあり、手榴弾一個分、荷を軽くする意図もあったろう。

「軍医殿、どうぞこれを使って下さい」

　これが最期と歩みを止めた患者が、私を見上げて自分の軍靴を指さしたのも、その頃だ。

しかし私には、生きている兵隊から靴を脱がせる勇気はない。S軍医がこと切れるとき、はいていた軍靴に思わず眼をやったのは事実だった。まだ損傷のない靴だった。幸い、小柄なS軍医の靴が私に合わないのはすぐ分かった。

躊躇《ちゅうちょ》している私の前で、患者は自分の両足から軍靴をはがした。

「どうぞ、軍医殿。これをはいて無事祖国に帰って下さい」

患者はもっと言いたげだったが、息づかいがそれを許さなかった。

「ありがとう」

靴を受け取り、もう一度患者を見る。もし自分が斃《たお》れれば、この患者のことも、軍靴のことも、記憶とともにすべてが無に帰すのだ。

「さ、軍医殿、行かれて下さい。一行に遅れます」

患者は私を急がせた。私は靴紐《くつひも》を握りしめ、きびすを返す。

もうこれで毎日の縫い物からは解放される。当番兵が気にしていたのも、このくたびれた軍靴だったのだ。

「必ず適当なものを見つけますから」

当番兵はそう言ってくれていたが、日本兵の白骨屍体《したい》は例外なく靴をはいていない。

「もう少しで、いい軍靴が手にはいるところでした」

当番兵が無念そうに報告したこともあった。「谷川沿いに日本兵が倒れていたので、村民の狙撃《そげき》を注意しながら近づいたのです。ところが、その兵隊、生きていました。起き上がって、俺はまだ死んどらんぞと言って、自分を睨《にら》みつけました。まさか死ぬまで待っているわけにもいかず、手ぶらで戻って来ました」

当番兵は大真面目《おおまじめ》で報告し、私は「まだ充分はけるから、無理はしないでいい」と、苦笑しながら労をねぎらった。

患者がくれた軍靴はやはり快適だった。苦労せずに足を前に出せるのが何より嬉《うれ》しかった。

「軍医殿、いい物を見つけて来ました」

当番兵と一緒に糧秣《りょうまつ》探しに出かけていた衛生兵が言った。

一尺角の牛の皮だった。村落のはずれにある一軒家に住民はおらず、家の中を注意深く探したところ、敷物にしていたのを見つけたのだという。なめしていないので、焼けば食べられるはずだ。

その夜、炊事の際に、一センチほどの幅に切って焼くと、果たしてスルメのように丸く縮まった。辛抱強く嚙《か》むと動物性蛋白《たんぱく》の味がした。

「これは携帯口糧として、三日置きくらいに食べましょう」

衛生兵は私と当番兵に目配せして言った。

三日後の夕暮時、山裾《やますそ》の谷あいに甘藷《かんしょ》畑が見えていた。畑は葉が青々と繁《しげ》り、土の中の甘藷ばかりか、葉だけでも汁にすれば食べられそうだった。しかし私には畑が一切荒されていないことのほうが不思議だった。少人数の日本兵が次々と畑の脇《わき》を通り過ぎていたはずなのに、畑には手がつけられていない。

改めて畑を見回すと、四方は樹木で囲まれ、どこにいても周囲からは丸見えだった。

「軍医殿、行っていいでしょうか」

当番兵に尋ねられたとき、衛生兵二人が既に畑の中に飛び出していた。

「待て、急ぐことはない」私は当番兵を制した。

衛生兵二人が、周囲に気を配りながら甘藷畑の中ほどまで進む。四、五発続けざまの銃声がした。中腰で立っていた衛生兵二人は畑の中に倒れ込んだ。命中したのは確かだが、密林の中にいる私たちの中から助けに出る者はいない。
四、五分ほどの沈黙が続いたろうか。倒れた二人が動く気配はなかった。
院長がそのまま行軍の命令を出したのか、前の方にいた一行が動き出す。しんがりをつとめていた私と当番兵は、何度も後ろを振り返った。樹木の中に潜んだ村民は、それ以上追っては来なかった。

山中を南下して、ふた月がたっていた。当初患者を含めて二百名近くいた集団は半数になっていた。門司を出たとき六十キロ強あった私の体重も、おそらく四十キロは割っている。死にゆく患者から恵んでもらった軍靴はありがたかった。しかし一歩一歩踏み出す足は、鉄鎖を帯びたように重い。靴を脱ぎたいという衝動に幾度もかられた。それに抗《あらが》えたのは、ひとつには、裸足《はだし》になって足を傷つけた将兵の悲惨さを目《ま》の当たりにしていたからだ。熱帯特有の潰瘍《かいよう》ができると、疼痛《とうつう》は激しく、歩くのにも難渋する。そんな創傷には、リバノール液を擦り込むしかなかった。リバノールも手持ちがなくなっていた。

私が軍靴を脱がなかった第二の理由は、せめて自分の命が消えるまではは いておこうと決めていたからだ。それまで毎日のように針と木綿糸でつくろっていた苦労を思えば、何もしないで役に立ってくれる軍靴はありがたかった。いわば、死んだ患者の分身が軍靴だった。私がその靴を脱げば、患者を二度殺したことになる。

山中での私たちの行動は、南を目ざしての行軍とともに、村落民に狙《ねら》われながらの食糧探しに尽きた。体力のない患者や看護婦、傷ついた衛生兵は無闇《むやみ》に動けない。動けば体力を消耗するし、ゲリラ化した村民の標的になった。

徴達に出た当番兵や衛生兵は、動くものは何でも持ち帰った。沢蟹《さわがに》、蛇や蛙《かえる》、オタマジャクシ、鼠《ねずみ》にモグラ、トカゲ、鳥は何よりのごちそうだ。樹木にとりついた毛虫ですら、集めて毛を焼いて食べる。

じっとしていると、木の上から落ちて来た蛭《ひる》が皮膚にとりついた。こちらが知らぬ間に血を吸い、丸々と大きくなる。気味悪がってこれだけは食べないようにしていたが、あるとき衛生兵が茹《ゆ》でて食べてみた。いけるといい、私も試食した。鉄分臭い代《しろ》物《もの》だったが、医学的にみても滋養分があるのは確かだ。以来、蛭も食糧にはいった。

衣服にびっしり張りついた虱《しらみ》だけは、衛生兵が粥《かゆ》に入れ雑炊のように仕立ててみたが、食べられたものではなかった。

密林の切れ目には、南方特有の果実であるマンゴー、パパイア、ドリアン、椰子《やし》そしてザボンが時折みられたが、実《み》はすべて取り尽くされていた。

道端には、ほおずきに似た赤い実をつけた植物もあった。いかにも食に適していそうな外見をしていて、私も何度か口に入れたくなった。しかしこの実が毒を持ち、食べると猛烈な下痢に襲われることは、兵站《へいたん》病院で患者を診た経験上、知っていた。衛生兵や看護婦たちにも伝えていた。ところが、あまりの口渇《こうかつ》と飢えから、この南洋ほおずきを口に入れた看護婦が出た。予期していたとおり、下痢はひどく、衰弱していた身体《からだ》は二日間でいやがうえにも痩せ衰えた。血便を防ぐにはアヘンチンキでもあればよかったが、とっくの昔に切らしていた。飲料水とて充分にはなく、看護婦は同僚から見守られつつ三日目にこと切れた。

看護婦の中には、栄養失調で下肢が象の足のように膨れ上がっている者もいた。痛いので何とかして下さいと泣きつかれた。ひとりだけ栄養分を増やすわけにはいかない。私は仕方なくメスを煮沸消毒し、皮膚にヨードチンキを塗り、両下肢に十センチほどの減張切開を加えた。切り口からリンパ液が流水のように流れ出したのには、私も驚いた。幸い翌日には足の大きさも普通になり、傷口が化膿《かのう》することもなく、三センチほどの傷痕《きずあと》を残して五日後には治癒をみた。

「少しおかしい日本兵がいる。気をつけるように」

密林の開けた先に谷川が見えたとき、前の方から順送りに伝言が来た。休憩などせず、ここは穏便に行き過ぎるに限るという院長の命令も添えられていた。

行軍の最後尾にいる私と当番兵、衛生下士官は周囲を警戒しながら進んだ。日本兵が日本兵を襲うという噂《うわさ》は、誰からともなく口にされ、私たちの耳にもはいっていた。

その日本兵は細流の傍にしゃがんで、川べりで何かを細工していた。周囲を見渡しても同僚兵の姿は見えない。

「釣針でも仕掛けているのでしょうか」

小声で衛生下士官が言った。一週間ほど前、寝る前に衛生兵が釣針を作り、蛙の頭をつけて川に流していたところ、翌朝、五十センチくらいの大トカゲがかかっていたことがあった。すぐにトカゲの肉は一行のすまし汁にされ、ひと片《きれ》ずつ胃袋におさまった。

私たちの気配を感じたのか、その日本兵は脇《わき》にあったものを摑《つか》んで立ち上がった。小銃でもぶっ放されてはかなわないと、私たちは身をかがめた。

兵が手にしているのは、紛れもない人間の片腕だった。暗い目をした兵はまた向き私たちは口をつぐんだまま、急ぎその場を離れた。

その日も斜面を選んでテントを張った。暗くなると定期便のような雨がテントを鳴らし、目がさめる。そうでなくても、いつも空腹をかかえている身体は、眠りを受け入れない。空腹を持ちこたえるには、生体を眠らせてエネルギー消費を低く抑えるのが理屈にはかなっている。そういかないのは、脳が、夜のうちにでも食糧を探せと指令しているからかもしれなかった。とはいえ、衰弱した手足は、脳の指令にも従いにくくなっていた。

うとうとしていた明け方、私は銃声を耳にした。小銃の音ではなく、拳銃《けんじゆう》の音のような気がして、嫌な予感がした。拳銃を持っているのは将校のみ、つまり軍医だけだった。

同じテントの当番兵と衛生兵は、まだ寝入っている。私は空耳だったかもしれないと思い直した。昼間目撃した腕を持った兵隊の姿が、まだ目の底にこびりついていた。別のテントの衛生兵が私を呼びに来たのは、数分後だった。

「K軍医殿が自決されました。検死をお願いします」

衛生兵が言うのを聞き、私は軍靴をはいた。何ということをしたのかという思いと、やはりという推測の適中のようなものが頭のなかで交叉《こうさ》した。

私同様に痩せ切ったK軍医中尉《ちゅうい》の遺体は、テントから二十メートルほど離れた樹木の脇に横たわっていた。右手には拳銃が握られ、裸足だった。軍靴の音で、同じテントの衛生兵に目を覚まされるのを恐れたのだろう。弾は右こめかみからはいり、左耳の上の側頭部を大きく吹き飛ばして抜けていた。

「軍医殿が起きられたのに気づいていればよかったのですが」

衛生兵は横たわった遺体を見つめながら言った。私は、かっと見開いているK軍医の両瞼《りょうけん》に手をやり、閉じさせた。握っていた短銃を取り上げ衛生兵に預ける。遺品のつもりだった。残された軍靴は、衛生兵が他の誰かに工面してやるはずだ。

私は院長のテントに行き、報告した。「そうか」と院長は無表情で答えた。兵站病院はもう解散した、いちいち俺に報告しなくてもいい、というような迷惑げな口調でもあった。

私がカガヤンデオロの兵站病院に赴任した当初、一番賑《にぎ》やかで陽気だったのはK軍医だった。整形外科医として公立病院に勤務していたときに軍医予備員となって召集されていた。三十代半ば、もちろん妻子もいて、外科医としても脂《あぶら》の乗り盛りだった。負傷した脚の切断と縫合など、助手としてついた私はその手際《てぎわ》のよさに目を見張った。

K軍医が口数少なくなったのは、兵站病院にも爆弾が落とされるようになってからだ。運び込まれてくる負傷者の治療にも、看護婦や衛生兵に促されて、やっと重い腰を上げるのだと聞かされた。いきおい、私のほうに治療がまわってきた。

逃避行になってから、私はK軍医とほとんど口をきいた覚えがない。兵站病院時代とは違って、痩せ細った後ろ姿を、前を行く列の中に見かけるくらいだった。

何かに落胆したK軍医をさらに失望の淵《ふち》に追い込んだのは、半月ほど前の当番兵の失踪《しっそう》だったに違いない。呆《ほう》けたようになって、自分では何ひとつしないK軍医の世話は、当番兵にとっても大きな負担だったろう。食糧確保も、三度三度、二人分確保しなくてはならない。食べようとしないK軍医に、食べて下さいと懇願する当番兵の姿を見た者もいた。

当番兵がいなくなってからは、衛生兵が交代でK軍医の面倒を見ていた。慣れない任務なので、行き届かないところもあったかもしれない。担当の衛生兵としては、患者をひとり抱え込んだも同然だった。

私はK軍医の持物を点検させた。驚いたことに、軍医携帯嚢《けいたいのう》さえも所持しておらず、医薬品ひとつ残されていなかった。K軍医は医師としての職務を、兵站病院解散の時点で放棄していたのかもしれない。

これで五名いた軍医は、院長を含め三人に減っていた。もうひとりのI軍医中尉は四十がらみの内科医で、これから先は二人で何とか持ちこたえていかねばならなかった。

十日ばかり山中彷徨《ほうこう》をしたあと、目ざすウピアン近くに到達した。今日が八月五日だと、細かく日付を点検していた衛生兵から聞かされた。もう四ヵ月以上、山中を行軍していた計算になる。山を出てウピアンに行くか、それとも戦況の様子を見るために、しばらく山中にとどまるのか、その間、何人かの偵察隊を出すべきなのか、衛生下士官たちが院長のもとにおうかがいをたてに行った。院長はどの提案にも賛意を示さなかったという。困り果てた衛生下士官は私のところにも、命令を聞きに来た。将校は軍医大尉の院長、中尉のI軍医、そして軍医少尉の私の三人しかいないのだ。

「I軍医は病院長と同じく、決断を下されません」衛生下士官は言った。

そうだろうなと思った。内科開業していたところをやはり軍医予備員として召集されたI軍医は、温厚な人で、内地では住民にも慕われていたに違いない。怒った顔を私は見たことがなかった。

所詮《しょせん》、密林の中の逃避行など、私たち医師の判断領域ではないのだ。しかし、兵站病院は解散したとはいえ、日本軍としては存在している。将校が断を下さなければ集団の態をなさなくなる。

「私ら三人で偵察に出てみよう」

直接の部下である衛生兵に言った。私の当番兵には休ませてやりたかった。病院長には彼にその旨《むね》告げさせ、一日この場を動かないように頼んだ。

翌朝、暗いうちから私たちは山を下った。問題は平地にある村落を抜けるときだった。衛生兵二人は小銃を持ち、私も拳銃を腰に帯びてはいたが、大勢の村民を相手にしたのでは勝ち目はない。あくまでも見つからないように行動するしかないのだ。

明け方、平地の村落が前方に見えたところで、私たちは南の方へ大きく迂回《うかい》した。刈り取られた稲田の中を腰をかがめて進んだとき、爆音を耳にした。十数機の敵機の編隊だった。六、七キロ先の小高い丘が攻撃目標になっている。おそらくそこは日本軍の守備隊の陣地になっているのだろう。急降下で爆弾を投下した編隊はこちら側に旋回して、南の方に戻っていく。

次の編隊が来た。私たちは陸稲《おかぼ》の切り株の間に身を伏せた。

「さっきのはコンソリの編隊でしたが、次の編隊はノースアメリカンです。いえグラマンも混じっています」

ここは安全と見定めたのか、古参の衛生兵は上体をもたげて私に報告する。丘に陣取った守備隊とて、何百人もいるはずがない。病気と飢えで、まともに戦える兵は数十人だろう。高射砲はもちろん、邀撃《ようげき》の音さえ聞こえてこない。

編隊は五陣くらい続いた。念の入った爆撃だ。

「あれはロッキードで、双胴の戦闘機です。いやすごいもんです」

古参の衛生兵はしきりに感嘆した。もうひとりの衛生兵もぽかんと口を開け、こちらに旋回してくる機体を眺めている。

ウピアン地区でこれだけの攻撃が可能だとすれば、ダバオはもっと激しい爆撃を受けているはずだ。ダバオ郊外にある飛行場が占拠されている可能性もあった。

編隊の攻撃が終わったあと、小高い丘からは白い煙が二筋、三筋細々と上がった。

私にはその勢いのない煙こそが、日本兵たちの最期《さいご》の呼吸に思えてならなかった。

これで充分という気がした。ウピアンを目ざしたところで、住民に襲われるか、爆撃にあうのが関の山だろう。住民の中には、敵に通じて爆撃機の攻撃目標を報告している者もいるに違いない。

昼過ぎ、私たち三人は密林に引き返した。院長のテントに行き、一部始終を伝えた。院長は私の話を聞いたあと、I軍医を呼びつけ、同じ報告を私に繰り返させた。

「先生、それでどうすればよいのですか」

I軍医は聞き終わってから私に訊《き》いた。同感という顔で院長は頷《うなず》く。

「ダバオまで、このまま山中行軍するしかありません。ダバオも攻撃を受けていると思われますが、日本人の数が多いので、現地の住民もそう簡単には反乱できないと思います。陸軍病院自体も近郊に避難しているはずです。そこに合流しましょう」

「ダバオまであと、どのくらいかかりますか」

I軍医がうんざりといった顔で訊いた。

「ひと月、長くてもふた月でしょうか」

故意に縮めた期間を口にした。下手すれば三ヵ月はかかるかもしれなかった。

院長もI軍医も、「そうしましょう」とは言わず、渋い顔をしたままだった。

衛生兵たちに対して、私の考えが院長との合議の結果であるように装《よそお》い、伝えた。夕刻、私はまだ元気な六、七人の衛生兵とともに、陸稲が刈り取られたあとの平地に向かった。朝通った際、穂が落ちているのを見ていたからだ。

〈落ち穂拾い〉は、泰西名画の複製で眺めたことがあった。しかしあの長閑《のどか》な風景と、私たちのこそ泥のような落ち穂拾いとは雲泥《うんでい》の差だった。武装した村民がどこかに潜んでいるやもしれず、地面にはいつくばり、周囲に気を配りながら、短い落ち穂を拾った。

二時間もすると、全員で集めた穂は袋一杯になった。籾《もみ》にして一升くらいはあるはずだった。野草粥にしても三、四日は、一行全員が腹におさめることができる。この頃、私たちがようやく見つけられた山菜は、椰子の竹の子、つまり若芽だけだった。

私の忠実な部下だった衛生兵の死を、当番兵から告げられたのは、それから一週間後だった。元気な者四人で連れだって食糧徴発に行き、崖《がけ》から落ちたのだという。助けに行こうにも急峻《きゅうしゅん》な崖は下れず、声を掛けたものの動かないので、死んだものと見なして戻って来たらしかった。私とて現場に赴く体力も気力もなく、報告に唇をかみしめるだけだった。

行軍はその後も続いた。ある日、看護婦が急に倒れたといい、同僚の看護婦が私を呼びに来た。道端に横になっているのは、かつて手榴弾《しゆりゆうだん》の破片を摘出した看護婦だった。まだ呼吸をしているのに、顔や手に何匹もハエがたかろうとしている。

「先生、お世話になりました」

私の励ましの言葉にそう答えたのが、最期の息になり、顔と手はまたたく間に、ハエで真黒になった。

ここでも埋葬する力は誰にもなく、誰もそれを言い出さなかった。手を合わせて、先を急ぐしかない。

十日ほどたった八月下旬、徴発に出かけた衛生兵が一枚のビラを拾って帰った。白い紙に謄写版《とうしやばん》刷りの文面だ。

——大東亜戦争は終わりました。八月十五日日本の夫皇は無条件降伏しました。日本軍は負けたのです。これ以上、病気と飢えに苦しむことはありません。早く山から出て来て下さい。将兵の命は保障されます。

私は読み終わった瞬間、〈助かった〉と思った。少なくともこれ以上飢えなくてすむ。天にも昇る気持がした。

ビラを持って病院長のところに行った。再びI軍医が呼ばれた。

「困っていると、よくこういう工作がなされるものだ」

院長は珍しく首を横に振った。「ここまで来て、だまし討ちに合っては、これまでの苦労が水の泡だ」

私は院長を怒鳴りつけてやりたい気持を、やっとのことで抑えた。

「自分もそう思います。恐れ多くも、天皇陛下の天の字を、夫と書いているだけでも、明らかにデマです」

脇《わき》にいたI軍医までが確信あり気に言いつのった。

私はこれ以上議論しても無駄だと心の内で思い定めた。気力、体力ともに極限近くなると、判断力まで衰弱してしまうものなのだ。もう二日三日待って、院長とI軍医の意見が変わらなければ、希望者だけで下山するしかない。おそらく大半は下山に賛成するだろう。そうなれば院長とI軍医もしぶしぶ従うに違いない。

二日後、衛生兵が一尺角の箱を運んで来た。ジャングルに飛来した敵機が落として行ったものだという。落とした箱は二十数個あったが、ようやく一個を探し出したらしかった。

中には十数個の缶詰、ぶ厚い瓶詰の白い粉末があった。缶詰のラベルに描かれた絵から、中味が肉や魚、野菜だということは分かる。

「軍医殿、この白いのは？」

衛生兵はさらさらした白い粉のはいった小瓶を私に示した。ラベルには英語で〈ソルト〉と書いてある。私はさっそく蓋《ふた》をねじって開けた。

「軍医殿、お気をつけ下さい。毒かもしれません」

衛生兵が注意してくれたものの、私には疑う気持などなかった。白い粉は、私たちが慣れている通常の塩と違って、粒子の細かい岩塩のようだった。

「塩に間違いない」

「塩ですか」

周囲にいた衛生兵三人と当番兵は、それぞれ指を瓶の中に突っ込み、指先をなめる。

「確かに塩です」

誰もが呆けたような顔になる。これだけの塩があれば、野草汁も粥《かゆ》もぐっとおいしくなる。何たる神の恵みか。

衛生兵が首を捻《ひね》ったもうひとつの小瓶にも白い粉がはいっていた。

「砂糖かもしれません」

衛生兵のひとりが言ったが、ラベルにはやはり英語で〈スルファグアニジン〉と書かれていた。止痢剤《しりざい》だ。私は涙がこみ上げてくるのを抑えきれなかった。

「軍医殿、どうされました」

当番兵が私の顔を覗《のぞ》き込む。

「薬だよ、これは」

食糧を木箱に詰めたのはただの兵士だったろうが、そこに薬品も入れるように指示したのは、私と同じような軍医に違いなかった。密林の中に、軍医が生きのびていることを、そして兵に与える薬もなく、絶望の淵に立たされていることを知っていたのだ。

私は衛生兵を連れて、院長のところに行き、山を出るべきだと進言した。

「あのビラといい、この食糧といい、やはり日本は負けたのに違いありません」

語気を強めて言い、例のスルファグアニジンの小瓶を見せた。「このような薬品を入れているのが、確実な証拠です。単に、おびき出してだまし討ちするだけなら、こういうことは絶対しません」

しかし院長は硬い表情をくずさず、眉間《みけん》の皺《しわ》を深くするばかりだった。私はI軍医に視線を移した。

「まだその食糧が安全かどうかが、分からないし」

I軍医も渋い顔のままだ。

「それじゃ、今夜、肉の缶を開けて、全員にひとかけらだけでもいきわたらせます。たとえ毒がはいっていたとしても、各自少量の摂取であれば大事には至らないはずです」

私は院長のテントを辞して、衛生兵たちに伝えた。開けたビーフの缶は三個だったらしいが、野草粥の中には、ひと筋ふた筋の肉が認められた。しかし何よりも心が躍ったのは、粥が発する紛れもない牛肉の匂《にお》いだった。私はひと口、ふた口、かみしめるように味わった。

「自分は、この次に魚の缶詰が食べられれば、もうだまし討ちにあっても悔いはないです」

当番兵が呟《つぶや》くように言った。

下痢を訴えていた患者や衛生兵、看護婦に対して、私はスルファグアニジンをひとつまみずつ与えた。効果はてきめんで、食後、何度もテントから出ていく者はいなかった。

その夜も雨が降ったが、私は目覚めなかった。明け方、拳銃《けんじゅう》の音を聞いたような気がした。夢だったかもしれず、私は横で熟睡していた衛生兵二人を起こした。当番兵も上体を起こし、やはり銃声を耳にしたという。

衛生兵が靴をはき、外に出た。戻って来るまでが長かった。待っている間に、私の頭から完全に眠気が去っていた。

「病院長殿が自殺されました。今、I軍医殿が検死をされています」

戻って来た衛生兵が気をつけの姿勢で告げた。

「馬鹿《ばか》。何ということを」

言いかけた言葉をのみこむ。本来なら、すぐにでも院長のところに駆けつけなければならない。しかし、足が動かない。反発と軽蔑《けいべつ》の混じった気持がそうさせるのだ。I軍医が検死をしているのなら、私が行くまでもなかった。

「軍医殿、どうされますか」

もうひとりの衛生下士官が鋭い目を向けた。当番兵が私の返事を待って、口元を見つめている。

「今日、朝飯を終え次第、山を降りる。缶詰は半分を使いきっていい。山を降りたら、決して住民の畑や小屋にはいらないように。我々はあくまで兵站《へいたん》病院の将兵だ。患者と従軍看護婦を守り、ダバオの陸軍病院を目ざす」

私は言い切った。陸軍病院とて、もう米軍の手で解体され、存在しないかもしれない。そのときは、私たちの行く先は捕虜収容所だ。白旗を掲げた乞食《こじき》のような集団を見て、村民たちが武器を持って襲ってくるのか、それとも慈悲をかけてくれるのかは、天に委《ゆだ》ねるしかない。

「I軍医殿にも、その旨、伝えてよろしいでしょうか」

衛生下士官が言った。

「頼む、そうしてくれ」

ありがたかった。こうなれば、I軍医自身がついて来るか否《いな》かを決めるしかないだろう。

私は、残っている人数を正確に数えて報告するように言った。

朝飯ができるのを待つ間、私は軍靴の手入れをした。患者から譲り受けた靴は、左右両方とも口を開けはじめていた。当番兵が、自分がやりましょうと言ってくれるのを断った。そうでなくとも、当番兵にはおんぶにだっこで世話をかけている。靴のつくろいくらいは、私の務めだった。

野草粥にはいった魚はあまりに小さく、何の魚かは全く分からない。しかしそれでも、魚肉の蛋白質《たんぱくしつ》は舌に快かった。これが山中での最後の食事だと思うと、ひと嚙《か》みひと嚙みが貴重だった。

「軍医殿」

食べ終えかけたとき、衛生兵が人員を報告に来た。患者二十三名、衛生兵十九名、看護婦十五名、それに当番兵三名、軍医二名だった。

院長が兵站病院の解散を宣言したときと比べて、患者は三分の一、衛生兵と看護婦は半分になっていた。

総数六十二名、私は頭のなかで数え、これから先、ひとりでも減らしてはならないと心に誓った。

下痢

東部ニューギニアでは、日本で言えば仙台から下関に至るくらいの範囲に、第十八軍の三個師団を主力とする十五万の日本軍がばらまかれ、守備についていた。

大本営と、第十八軍を指揮する第八方面軍が重視する東部ニューギニアのラエは、フォン湾の奥に位置し、海軍の飛行場の他、艦艇基地もあった。

しかし昭和十八年二月ガダルカナル撤退によって、連合軍は堰《せき》を切った怒濤《どとう》の如《ごと》く攻勢に転じた。日本軍はソロモン群島各地で次々と玉砕し、南方攻略の橋頭堡《きょうとうほ》というべきラバウルは全く孤立してしまった。

東部ニューギニアでも、陸軍南海支隊がラエの南方にあるポートモレスビーの攻略に失敗し、ラエ東方のブナにおいては陸海軍部隊が玉砕した。昭和十七年末にラバウルに投入されていた第五十一師団は、逼迫《ひっぱく》したニューギニア戦線を補強すべく八隻《せき》の輸送船でラバウルを出港した。しかしダンピール海峡を通過中に連合軍機の波状攻撃を受けて、輸送船は次々と沈没する。装備を大半失った師団は、ラエとサラモアに布陣したものの、米豪軍がまず六月にナッソウ湾に上陸、ついで九月にはついにラエに上陸した。兵器、兵力ともに劣る第五十一師団は転進を余儀なくされた。転進先はラエの北方にあるシオしかなく、行くには標高四千メートルのサラワケット山系を越えなければならない。この退却行で斃《たお》れる将兵が続出する。

他方、華北からニューギニアに投じられた第二十師団の主力は、ラエの北西五百キロ、ニューギニアの北海岸にあるウエワクに上陸した。そこで飛行場建設とフィニステール山系の海岸道の伐開作業に従事したあと、四月にはラエとウエワクの中間にあるマダンに移動、ここでも道路建設にあたった。第十八軍の司令部もマダンに置かれた。

師団の一部は、主力とは遠く離れたラエの北東約百キロ、ダンピール海峡に臨むフィンシュハーフェンで守備についていた。ところが九月になって米豪軍が上陸し、戦闘になった。師団主力は道なき道を進んで増援に赴いたものの、米豪軍を撃退できず、十八年末までに、フィンシュハーフェンの西五十キロの海岸にあるシオに退く。

同じく華北からニューギニアに転用された第四十一師団は、十八年五月ウエワクに上陸した。ウエワクの東にあるラエ、サラモア、フィンシュハーフェンで苦戦している他の二師団と異なり、無傷といえるのは第四十一師団のみだった。しかし十九年以降、この師団も米豪軍の猛攻撃と飢餓、病気で苦汁を飲まされる事態になる。

私が隊付軍医として所属する海軍第八十二警備隊のもとは、舞鶴《まいづる》鎮守府第二特別陸戦隊である。ラエの警備隊として転進していたが、十八年九月、連合軍のラエ上陸による猛攻を受け、陸軍の第五十一師団と同じく、サラワケット山系を越えてシオに集結した。患者は既に後送し、若干名が補充されたものの、十五、六歳の少年兵が多い。下士官も応召兵が大半で、総員二百名とはいっても、精鋭部隊には程遠かった。

天幕は、陽光も通らない湿ったジャングルの中に張られている。誰もが土気色の顔をしており、暗がりの中で動かない。食糧が限られているので、体力を温存しておくのが最善の策なのだ。

ジャングル上空からの銃爆撃は日毎《ひごと》に激しくなり、十二月中旬、ダンピール海峡を隔てた対岸のニューブリテン島、マーカス岬に連合軍の上陸が確認された。この直後、再び転進命令が届いた。十二月中にシオの西方にあるガリまで転進し、そこで潜水艦補給基地を整備するのが任務である。基地ができれば、潜水艦による食糧等の補給が期待できる。

K、H二人の衛生兵長が、キャンバスで頑丈なリュックサックを作り、ゴム布の尻《しり》当《あ》ても用意してくれた。

十二月二十二日の午後、軍艦旗を先頭にして転進を開始する。医務隊は軍医大尉《たいい》の私を隊長として、M軍医少尉、衛生兵長のK、H、それに従兵のW一等水兵、総員五名である。

背後にサラワケット山系がそびえているので、転進するには海岸に沿って進むしかない。いきおい哨戒《しょうかい》中の敵機からは、激しい銃撃にさらされる。そのうえ、山系から流れ落ちる河がしばしば行く手をはばむ。連日の霖雨《りんう》で水勢は強く、河幅も数十メートルある。腰まで水に浸《つか》り、手をつないで渡るうちにひとりの少年兵がつまずいた。重い装具のために起き上がれず、急流にもまれて流れて行った。どうすることもできない。もたもたしていれば、敵機から発見される。米軍機はひとりでも日本兵を見つければ、執拗《しつよう》に銃撃するのだ。

ようやく渡河《とか》したあとも、河原で用便中に敵機から撃たれて死亡する兵士が出た。河床一キロに及ぶチンベル河やワルワ河を渡るうち、栄養失調とマラリアのため体力を使い果し、兵士が次々と落伍《らくご》する。自力で動けない兵士に手を貸す余裕は医務隊になく、他の兵士も同様だ。見捨てるしかない。脱落した兵士も、観念したように虚《うつ》ろな眼で私たちを見送った。

一週間後にようやくガリに到着したときには、一割を失い、百八十名になっていた。ガリに食糧はなく、空腹をかかえたまま、隊員は宿舎造りにとりかかった。医務隊も小川に沿ってジャングルの奥深く入り、診療所の開設作業を開始した。まず樹《き》を切って整地をし、柱にする樹とそれを結ぶ蔦《つた》を集める。バナナの葉は屋根用にする。時折敵機の銃爆撃があり、体力の衰えも加わって仕事はなかなかはかどらない。

十二月三十日、やはりシオからガリに撤退していた第五十一師団の部隊に、医薬品を受け取りに行った。この部隊も、渡河や餓死、病死で多大の消耗を蒙《こうむ》っていた。軍医長によると、将兵は我が身ひとつさえもて余しつつ、ガリでの充分な潜水艦補給を夢見て、目前の一メートルを目標に行軍を強行したという。しかし補給は一切なく、それだけに落胆も私たち海軍以上だったらしい。そういう苛酷《かこく》な状況下で運ばれた貴重な医薬品を、私は分配されたわけで、深く頭《こうべ》を垂れるしかなかった。

十八年の大晦日《おおみそか》も、医務隊員全員で宿舎造りに専念した。夕食は年越しそばどころか、食糧の補給が全くないため、ミルク一杯だけになった。

そして十九年の元旦《がんたん》を迎えた。早朝まだ明けやらぬうちから、敵機が何回も去来する。そんななか七時に、丘の上にある司令室に准士官《じゅん》以上が集合した。北方を遥拝《ようはい》して、心ばかりの酒で乾杯をする。ガリ到着後、誰もがパパイアの青い実《み》や根くらいしか食べていないので、おしなべて生気がなく、意気も上がらない。そのうえ上空には、敵機が日本軍の新年を嘲《あざけ》るように頻繁に飛来する。私ならずとも集まった一同、何か不吉な予感が心中を圧迫していた。意気盛んなのは司令だけだ。

「今年こそは反攻の年だ。飛行機生産は驚異的上昇の一途である」

その元気な口調も私には虚ろに響き、来《きた》るべきものがじりじり迫っている気がする。

M軍医少尉と医務隊に戻り、昨日渡されていた陣中餅《もち》を二人の衛生兵長と従兵に配分する。このひとり一個あての餅が、唯一《ゆいいつ》の正月気分だった。

元日くらい休息したいものの、医務隊の宿舎は未完成である。各自蛮刀を手にして、ビンロウ樹を切り倒しに出かける。重い材木を宿舎予定地まで運ぶのは大仕事で、空《す》き腹にはこたえる。やむなく作業は午前中で終了とした。午後は二人の衛生兵長が現地物資収集に出かけ、残った三人で薪《まき》拾いである。拾った薪は、煙が出ないように小さく割らねばならない。これもひと仕事である。

夕方、私は自分のリュックにとっていた米二合を出した。せめてもの正月気分を味わうためだった。兵長二人が取って来た、何の木か分からないものの芽や根を塩ゆでにする。それを副食にして五人で白飯を分け合う。少しは空腹がおさまり、天幕の中に早々と横になった。しばらくぶりで飯を食べた嬉《うれ》しさからか、しばし内地の食べ物の話に花が咲く。それが終わっても、腹が興奮したのか、一同なかなか寝つけなかった。

二日の朝も、青い拳大《こぶし》のパパイアとタロ芋の朝食だった。それがすむかすまない頃、敵機が数機現れて、銃爆撃のしたい放題になった。五人とも大樹の下の塹壕《ざんごう》に身をひそめる。そこへ警備隊の当直小隊長の兵曹長が、丘から駆け下って来た。

「軍医長。いよいよ来ました」

硬張《こわば》った顔でじっと私の顔を見つめる。「グンビ岬に敵が上陸しました。輸送船三十、巡洋艦十、駆逐艦も多数見えます」

早速に地図を出して調べる。敵が上陸したというグンビ岬はガリの西にあり、ここから約一日の行程である。とすれば、私のいる海軍第八十二警備隊も、陸軍の第二十師団、第五十一師団、そして海軍第八十五警備隊も、東のフィンシュハーフェンから追撃して来る敵とで、挟撃《きようげき》される事態になる。食糧補給の望みも完全に絶たれた日本軍の最期《さいご》は、もう目前に迫っていた。

「軍医長も持たれたほうがよいでしょう」

当直小隊長の彼は私に手榴弾《しゆりゆうだん》を一個渡す。「ともかく、どの小隊も二十歳《はたち》前の若い兵隊が大部分なので、敵を目前にして意気消沈しています」

兵曹長が去ったあとも、敵戦闘機や爆撃機の銃砲撃が烈《はげ》しく、私たちは塹壕にしばしば身を隠さねばならない。Ｂ25が落とした爆弾が近くで破裂して、泥まみれになった。

補給のないジャングル戦では、医務隊の機能は限定される。しかしいつでも出動可能なように、銃砲撃の合い間をぬって各自の医薬品を整備し、拳銃《けんじゅう》と小銃の手入れを始める。この日はとうとう現地物資収集に行けず、ひと握りの米を炊《た》いてすすった。

三日、敵が上陸した今、宿舎を造る気力も体力も失《う》せていたが、完成までの工程はあと半分なので作業を続行した。その間にも、医務隊に往診の依頼がかかる。食糧欠乏のためにマラリア発作を起こす者、訳の分からない物を食べて下痢をする者が続出している。しかしこちらも薬品不足である。治療は思うようにはいかない。ほとんどの隊員が飢餓直前状態であり、眼ばかりが大きい。私の顔も同じに違いなかった。

昼近く、シオにある第七根拠地隊から電報が来て、全員に通達された。

——八十二警ハ、全力ヲ以テ敵ヲ攻撃スベシ。七根主力モ追ツテ進出ス。

この命令で、八十二警の一個小隊六十名が出動した。所持する火器はわずか重機関銃がひとつだ。ガリ所在の陸軍部隊は、第五十一師団のうちの一大隊四百五十名のみである。そのうち半数以上の二百五十名が患者で、戦力のほどが推しはかられた。その中から将校斥候《せっこう》一組が出発したという。

翌日、電信室に行ってみると、ラバウルの第八艦隊に対し、潜水艦による糧食急送の至急電報を打っているところだった。着信も既にあって、それによると、ガリの遥《はる》か西方の海岸にあるウエワクより陸軍重爆撃機の呑龍《どんりゅう》二機を飛ばして、夜間二トンの糧食を投下するという。

　多少希望は湧《わ》いたものの、空腹感は何としてもひしひしと身に迫る。バナナの青い実は、そのままでは渋くて食えない。煮ると渋味がぬける。それに塩をつけて食べる。パパイアは採り尽くされて、小さな実しかない。大根に似たその根しか食べられない。もちろん味などない。

　毎日、夕闇《ゆうやみ》が迫る頃、副官の命令で「烹炊《ほうすい》始め」の号令が、小隊から小隊へと逓伝《ていでん》される。このときばかりは、各小隊とも大きな声が出る。宿営地を敵機に発見されぬよう、夜以外に火を焚《た》くことは禁止されていた。この禁を破った者幾人かが、銃爆撃で既にやられていた。

　六日、丘の上の見張りから状況が刻々と通知された。目前のフンガイア湾に、敵の輸送船が頻繁に出入りし、魚雷艇も悠然と構えているらしい。こちらの飛行場も設定は完了していたが、味方の飛行機は一機も現れていない。敵は全くの無血上陸である。

　陸上砲の砲撃音から、敵の来襲が迫っていることが分かる。午後になって陸軍の将校斥候に出た組の一名が、負傷しながら帰還した。その他の八名は敵陣近くのピアノ線の罠《わな》にかかって戦死したという。

夜半から豪雨になった。全身びしょ濡《ぬ》れになる。この雨で相当数の兵隊がマラリアで斃《たお》れることが予想された。

雨中の十一時過ぎ、司令従兵がカンテラを振って迎えに来た。

「軍医長、司令がお呼びです」

この真夜中に何事かと思いつつ、坂道を滑りながらやっと二百メートル上にある司令室に辿《たど》り着く。

既に主計長も来ており、ランプの下で司令と副官が地図を拡《ひろ》げていた。「今、電報がはいった」と、司令は電文を示した。

――発九艦隊司令部（ウエワク）。第七根拠地隊ハ潜水艦作業員ヲ残シテ敵中強行突破、マダンニ集結セヨ。

死中に活を求める転進命令である。しかしこちらに糧食は全くない。しかも海岸沿いの移動は敵の餌食《えじき》になるので、未踏の二千から三千メートルのフィニステール山系を越えなければならない。ガリに来る前、ラエからシオに出るときには四千メートルのサラワケット山系を越えたが、今回は行程が長いだけに、それ以上の困難が予想される。

「この親展電報は、ここにいる四人と電信室以外は知らない。口外無用だ」

司令が念をおす。司令の意見は、八十二警だけでは兵力不足だから、八十五警と一緒になって海軍部隊を編成し、できれば陸軍の第五十一師団と共に転進したいというものだった。既に八十五警も第五十一師団の主力も、フィンシュハーフェンやシオ方面からガリに集結を急ぎつつあった。

転進態勢が整うまで、どうにかして食糧を得なければならない。味方の飛行機からの物料投下も、潜水艦輸送も、あまり期待はできない。明日から作業員を出し、一日がかりで原住民農園で芋を掘ることに決まった。

この頃から、隊の兵士たちは日毎《ひごと》に弱っていった。いったん病気になると、回復は容易でない。日を追うごとに病死が増加する。悪性マラリアと下痢がほとんどであり、この二つが合併すれば予後は全く不良である。

わずかしかない薬剤では、助けようにも助けられない。後送が絶対に必要だが、包囲下ではそれもできない。軍医として、施す薬石もないまま息を引き取る患者を診る辛《つら》さが身に沁《し》みる。

内地を日の丸の旗に送られて勇躍征途についたときは、決意に満ちた顔であったろう。それが今は見るかげもなく痩《や》せ衰えた顔になっている。患者の両親、同胞のことを思いつつ、私は最後のカンフル注射をする。今、兵士を救う唯一《ゆいいつ》の道は、カンフル注射などではなく、味方の飛行機と船のみだった。

敵機に用心しながら川で身体《からだ》を洗っていると、洗濯に来た兵隊が話しかけてきた。

「軍医長、戦況はどうでしょうか」

兵科の士官には訊《き》きにくいことも、軍医には訊きやすいのだろう。「転進するのではないですか」

他の兵隊も集まってきたが、小銃をやっと担《かつ》いでいる彼らに戦う気力はもう残っていなかった。

「転進かどうかは分からん。とにかく身体には気をつけるようにしろ。マラリアの予防薬を忘れずに飲み、夜は蚊帳《かや》の中に入って、早く横になることだ」

私は兵隊たちをできるだけ励ますしかない。

そのうち、「コンソリの大編隊」という叫び声がして、私は半裸のままみんなと大木の陰に隠れる。遥《はる》か頭上でB24が八機ずつ見事な編隊を組んでいる。マダンへの爆撃行なのか、大編隊は一路西を目指していた。

マダンに転進して、はたして活路が開けるのか、私はますます不安になってきた。

十四日、夜にウエワクからの飛行機による物料投下の予定があるという。兵隊が各自、袋を手にして山を下って行く。草原で火を燃やして合図をし、待つ作戦だ。別の一隊は、潜水艦が食糧を積んでラバウルより来るとの報で、海岸に出て行く。いよいよ米が食えるわけで、兵隊たちの足取りも軽い。

医務隊には、佐世保鎮守府第五特別陸戦隊の看護長も来ていて、一同しゃべりながら吉報を待った。食糧が来るというだけで、こんな状況下でも、将兵たちに生気が戻るのだ。

夜半過ぎ、兵隊たちが重い足取りで帰って来た。飛行機も潜水艦も現れないという。私たちは落胆しながら、眠りについた。あとでもたらされたのは、ラバウルを出た潜水艦は途中、敵の魚雷艇の爆雷攻撃によって撃沈したという報だった。

十五日、早朝よりの敵機来襲が激しく、陸上での砲撃音も近くなってきた。午後三時頃になると、猛烈な艦砲射撃が始まった。砲弾は唸《うな》りを上げて頭上を飛ぶ。時々ジャングルの大木に当たって爆発する。穴の中に平たく伏せていても弾片が飛んで来る。三十分くらいして砲撃は止《や》んだ。輸送船と護衛した駆逐艦による、帰り際《ぎわ》の気ままな砲撃だと分かった。

近くの原住民農園もほぼ食い尽くし、食糧は遠方まで取りに行かねばならない。米飯を口に入れなくなってもう二週間が経《た》つ。夕食に、各自の飯盒《はんごう》に米をひと匙《さじ》ずつ入れる。タロ芋、タピオカの周囲に、ひと粒かふた粒、飯粒が付着している。そのひと粒ひと粒をかみしめて食べる。こうしたタロ芋やタピオカ、バナナ、パパイアの雑炊飯盒一杯が三食分である。加減して食べないと、翌日の分がなくなる。これだけではとうてい腹はおさまらないので、暗くなれば眠るに限る。夜は敵機も来ない。砲撃音もしない。ジャングルは原始からの静寂に戻る。虫がよく鳴く。時折、名も知らぬ鳥の不気味な鳴き声が響いた。

十六日、昨夜と今日、激しい雨である。マラリア患者は日に日に弱っていく。佐五特の看護長が、第五十一師団の防疫《ぼうえき》給水班に抗マラリア剤を分けてもらいに行ってくれた。防疫給水班は八キロ奥の山に退避していて、そこまで行くだけで相当な難行ではある。私の依頼を快く承知してくれた看護長に感謝するしかない。

私の体力も弱り、起きるとめまいがした。頭痛もする。今マラリアに罹患《りかん》すれば終わりである。努めて横になる。このまま死ぬのではないかという不安に襲われる。

夕刻、看護長がキニーネを持って帰着した。司令も大喜びである。これで幾人かが救われる。

看護長によると、防疫給水班までいく道には、陸兵の屍《しかばね》が累々《るいるい》と横たわっているそうだ。前日の艦砲射撃は、陸軍患者部隊が不用意に炊煙を上げたためで、砲撃で全滅したという。いかに艦砲射撃が正確であるかの証拠でもあった。補給のない地域の患者は、みじめそのものである。動けなければ誰も食糧は運んでくれない。死を待つだけとなる。

十七日、部隊の戦病死は既に十二名に達し、これに艦砲射撃による戦死二名が加わった。これで部隊の約一割を失ったことになる。そして残りの半分も、病牀《びょうしょう》に呻吟《しんぎん》している。

K衛生兵長を連れて、海岸警備についている小隊に診察に行く。粘血便を出す患者が多い。全員が、見るかげもなく痩せていた。診療が終わったあと、今度は十キロ先の農園に行く。芋を掘っても、出てくるのは小指大のものだけだ。それでも持ち帰る。

午後、司令室に意見具申をしに行った。

「このままでは、将兵ともども餓死が待っています。転進進路にある原住民集落まで移動して、食糧を充分摂取する必要があります。それなくして、マダンへの脱出は体力の面で不可能です」

「もう少し待とう。間もなく八十五警が到着するはずだ」

司令は自分の部隊だけ先発するのは心細いのか、首を縦に振らない。

この日の夜も、潜水艦は浮上しなかった。

十八日の午前三時、猛烈な艦砲射撃ではね起こされた。急いで雨衣を着て、待避壕《たいひごう》にはいった。砲弾は美しい火の弾となって頭上で炸裂《さくれつ》する。

「花火のようできれいですね」

若いH衛生兵長が空を見上げながら言う。確かに見ものには違いない。ここに落ちて来ない限りにおいてはだ。砲撃は断続的に二時間以上続き、明け方に止んだ。

あたりが明るくなって、副官が下の方から上がって来た。潜水艦作業に出かけており、帰りに艦砲射撃にあい、命からがらだったと言う。陸軍の参謀が戦死し、その他の将兵にも多数の死傷者が出ているらしい。

K衛生兵長にリュックの修繕をしてもらう。各自、転進の準備をしておくように言い渡す。

夕方五時半頃、呂《ろ》百四潜水艦が初めて浮上した。糧食が届き、ようやくひとり米ひと握りの配給があった。この小型潜水艦がラバウルを出たのは五日前の十三日だったらしい。哨戒機《しょうかいき》や魚雷艇を回避し続け、浮上の機をうかがっていたのだ。

十九日の早朝、連合軍は兵力を増強しているのか、フンガイア湾に輸送船五隻《せき》と駆逐艦五隻が入港する。砲声はどんどん近くなり、こちらに少しずつ近づいて来るのが読みとれる。

昼近く、七根と八十五警が、第八十五通信隊と共にやっと到着した。シオを出発したのが一月三日であり、二週間以上かかった計算になる。途中で河が豪雨のために増水し、上流まで迂回《うかい》して渡河しなければならなかったのが遅れた原因だ。これで海軍部隊はほぼ全部揃《そろ》ったことになる。ただし七根の司令官以下の幕僚は、潜水艦でシオを脱出し、ひと足先にマダンに向かっていた。

八十二警の前線に出ていた一個小隊も引き揚げて来た。河ひとつ隔てて敵と相対していたらしい。マラリアで五名失ったと言うが、原住民の農園が近くにあったためか、残りの隊員は比較的元気だった。

二十日、到着が遅れていた七根司令部付のＩ軍医中尉《ちゆうい》らもガリに着く。途中の草原で敵機の機銃掃射を浴び、戦死者が十数名出たために、本隊より一日遅れの到着になっていた。

二十一日、いよいよ本格的な転進準備である。Ｉ軍医中尉が転進不可能の戦傷者の処置について相談に来た。明日潜水艦が浮上する予定だが、海軍の割り当ては三、四名に過ぎない。すべて重傷患者優先なのだが、陸軍では健康な者まで便乗するという情報もはいっていた。明日、海軍の戦傷患者全員を潜水艦まで運び、艦長に直接頼み込むことで結論をみた。

司令室で転進地図を書き写す。マダンまでひと月ないしひと月半かかるらしい。陸軍の第二十師団はフィニステール山系の敵に近い山々を越え、第五十一師団と海軍部隊はさらに奥の山脈を突破する予定になっている。

翌二十二日の早朝、司令より話があった。伊《い》百七十一潜水艦長より電報がはいったと言う。艦《ふね》はガリ付近の海中にあって、今晩いかなることがあっても浮上し、転進部隊のために糧食を補給するとのことだ。

そしてこの朝、どうやら歩ける病兵が、一日早く先行出発することになった。十五、六名揃った彼らを見送りに行って、私は絶句した。ひとこと激励の言葉をかけようと思っていたのだが、あまりの悲惨な光景に思わず眼をそむけ、声が出ない。潜水艦に乗せるのは戦傷者のみで、病兵は除外されていた。

全員がくぼんだ眼窩《がんか》と全く血色のない顔をし、痩せてしまったためダブダブになった軍衣をまとっている。

医師と患者のこのような別れ方があっていいのだろうか。私は涙をこらえながら、ひとりひとりの手に数粒の抗マラリア剤を渡す。

「出発します」

先任下士官が弱々しい声で言う。病兵たちは各自司令に敬礼をしたあと、一列になり、銃を杖《つえ》にしてとぼとぼとジャングルの中に消えて行った。これが生きている死者との別れになった。

夜八時、伊号潜水艦が無事浮上し、糧食の補給が間一髪で間に合う。海軍の戦傷患者も全員を乗艦させることができた。

深夜に、ひとり宛《あて》米一升の配給があった。これを転進中のひと月あまりもたさねばならないのだ。

二十三日、いよいよマダンに向けて転進開始である。陸海軍は三つの梯団《ていだん》に分かれていた。第五十一師団の主力約五千名から成る第一梯団は、既に昨日出発していた。第五十一師団の残り約千五百名で構成される第三梯団は明日の出発とされた。

そして今日出発する第二梯団の海軍部隊は約四百名から成る。U海軍大佐率いる第八十二警備隊、T海軍大佐の指揮下にある第八十五警備隊が主力で、その他にI軍医中尉が引率する第七根拠地隊司令部、T海軍大尉の指揮下にある第八十五通信隊、さらに佐世保鎮守府第五特別陸戦隊の一部がいた。

この時点での第八十二警備隊は約百五十名から成り、そのうち二十四名が私たち付属隊である。士官は軍医大尉の私、A主計中尉、M軍医少尉、F主計少尉の四名のみ、これに医務隊下士官兵三名、主計隊下士官兵十四名、通信隊下士官兵三名が従っていた。

私のリュックの中味は、食糧としては米約二升、圧搾口糧《あつさくこうりよう》二食分の二個、ビスケット二袋、タロ芋一日分、塩・乾燥醤油《しょうゆ》少々である。その他に、医療器具、薬品、地下足袋《じかたび》、わらじ、携帯天幕、ゴム布、夏シャツ二枚、聴診器、懐中電燈、マッチ、ロウソク、雨衣、そして『内科診療ノ実際』と『戦傷学』がはいっている。これに手榴弾《しゆりゆうだん》二個、拳銃《けんじゆう》、軍刀をつけると、衰えた身体には相当こたえる。

一ヵ月余の山岳踏破に、これだけの携行食糧では不足するのは明白だった。しかし今の体力ではこれ以上背負うことは到底できない。行く先々の原住民の農園で、食糧を調達するしかない。

この朝、私は副官と病兵が残る宿舎に行った。全く動けない病兵が八名横たわっていた。

ところがそのうちのひとり、昨日はまだ息をしていた兵士の眼球がない。のぞき込むと、丸々と肥《ふと》った蛆《うじ》が眼窩の底でうごめいている。人食いバエの蛆だった。鼻はもう半分、ハエに食われていた。

副官はまだ息をしている患者に毛布をかけてやり、私は飯盒の蓋《ふた》に水を入れた。やっと頷《うなず》く兵士の目から涙がひとしずく流れる。

〈軍医長、私たちにかまわず脱出して下さい〉

その眼は言っていた。しかしそれが本心であるはずがない。とはいえ仮に、〈助けて下さい〉と哀願されたところで、私は無力だ。軍医の私は、今まさに患者を棄《す》てようとしていた。昨日はようやく歩ける病兵を死の門出に送り出し、今日は動けない病兵を遺棄するのだ。

溢《あふ》れ出る涙を払って、私は副官と共に病舎を出る。後ろで何発かの銃声がした。諦《あきら》めて自決する兵士によるものだ。

十一時にいよいよガリ宿営地をあとにする。私たちの行動を察知しているのか、敵の銃声が間近に聞こえる。

足元は、ひどい泥濘《ぬかるみ》が続く。

しばらくして、マラリアによる貧血で苦しんでいたO一等主計兵が倒れた。土色の顔からさらに血の気が引いている。抱き起こした戦友の腕の中で何か言おうとしたが、代わりに口から赤いものが流れる。舌をかみ切っていた。自分の運命を知り、他の者に迷惑をかけまいとして自決したのだ。

十九歳のOは、新宿の寿司屋《すしや》で働いていたそうで、「軍医長、内地に帰ったらぜひ来て下さい」と、私に何度も言っていたのを思い出す。

悪路に悩みながら海岸から二キロほどはいった地点で、宿営することになった。前日、第一梯団が露営した所でもあるので、至る所が糞便《ふんべん》で汚されている。天幕を張る場所を探すのにもひと苦労だ。草を敷き、石を枕《まくら》にした。幸い、疲れているのでぐっすり眠る。

翌二十四日は早朝出発となった。深いジャングルの山道は急坂であり、前を行く兵士の尻《しり》を目の前にして黙々と登る。あたりに戦病兵の屍体《したい》が散乱しており、強烈な屍臭がする。中にはまだ息をしている兵もいるのに、耳、鼻、口に蛆がうごめいている。患者たちにとっては、この付近の山は地獄の針の山同然だったのだ。骨と皮ばかりになった彼らはやっと麓《ふもと》まで辿《たど》り着き、そして最後の力をふりしぼりながらこの坂道を登る途中で力尽きていた。

ようやく坂を登り切った台地で、小休止となる。右脚を負傷した陸軍の一兵士が、泥にまみれた米粒をひとつひとつ拾っている。誰かがこぼした米だろう。訊《き》くと、部隊と離れていたため、潜水艦が運んだ糧食を貰《もら》えなかったと言う。脚の傷口は化膿《かのう》し、汚い繃帯《ほうたい》の上に蛆が這《は》っている。

私は自分の圧搾口糧をひとつ手渡した。驚いた兵士のくぼんだ目が一瞬輝き、涙に潤《うる》んだ。

「軍医長、いちいち同情していたら、ご自身がやられます」

Ｋ衛生兵長が寄って来て私の耳元でささやいた。

確かにそうだ。その後私の心は少しずつ麻痺《まひ》していき、同様な場面に遭遇しても日常のことになっていった。

また歩き出す。どこまでも続く急坂である。ジャングルの隙間《すきま》から下を見ると、海岸が遠望できた。海岸線を超低空で飛ぶＢ25が銃爆撃を繰り返している。第三梯団ももう出発しているはずで、あのあたりには誰もいないはずだ。後片づけをするような銃爆撃ではある。

山の中腹が宿営地と決まったものの、水はない。雨水を天幕でとるしかない。その水で、濡《ぬ》れた米を少量入れて炊《た》く。出来上がったのはタロ芋粥《がゆ》というより、芋に飯粒がまとわりついただけの代物《しろもの》だった。ふた口か三口で食い終わるところを、念を入れて食ったあと、雨に濡れながら、身を丸めて寝る。魚雷艇の砲撃音が下方で聞こえた。

翌日も登り、そして下る。山脈をひとつ越えたらしく、海はもう見えない。いかにもニューギニアの奥地に来た感じがする。何よりもありがたいのは、日中、飛行機の銃爆撃がないことだ。原住民が逃げて無人となった集落で宿営となった。ここにはタロ芋が豊富で、飯盒で二杯を食べて初めて満腹感を味わった。次の日に備えて二食分の芋を焼いた。

　翌日はなだらかな登り坂だったが、原住民の大きな集落を通過していたとき、上空を敵機が数編隊通過した。見つかれば万事休すだったが幸い発見されなかった。弓矢を手にした原住民が数人、遠くから我々の行軍を見守っていた。

　宿営地となった集落にもタロ芋と甘藷《かんしょ》があった。小屋には囲炉裏《いろり》があり、囲んでひたすら食べることに専念する。

　次の日頃から、身体《からだ》が標高に馴《な》れてきたのか、さほど疲れを感じなくなった。肩に食い込むリュックも、小休止のときはそのままにして、ゴムの尻当ての上にひっくり返る。起き上がる際にかなり力を必要とするが、起きてからリュックをになうよりはいい。立ち上がったあとは、ひたすら機械的に歩き続ける。

　マラリアさえ出なければ、何とか部隊について行けそうな気がする。しかし八十二警の落伍者《らくごしゃ》はすでに三分の一に達していた。この日も原住民の集落で宿営することになった。砂糖きびが豊富であり、糖分を多量に補給した。いささか元気が出てくる。

　二十八日は午前から登高続きで、午後に下り道になった。フィニステール山系の二つ目の山脈を越えたようだ。昼過ぎから大雨になって悪路と泥濘に苦しむ。急坂の下りで幾度も転倒した。起き上がるたびに体力を消耗し、ぬかるみでまた疲労がたまっていく。

まがりなりにもまとまっていた部隊は、ここでついにバラバラになってしまった。私の傍にいるのは、忠実な従兵のW一等水兵のみだ。KとHの二人の衛生兵長とM軍医少尉も見失ってしまった。

脚に力がはいらず、転倒したまま動けなくなる。激しい雨が顔を叩《たた》く。今まで苦しかったのが急に消え、楽になった。眠い。雨が上空から金銀のように、キラキラして降りかかってくる。これが死だとすれば、楽なものだ。

遠くで誰かが呼んでいる。

「軍医長、こんな雨の中で眠っては駄目です。死んでしまいます。さあ起き上がって下さい」

W一水だった。そうだ、こんな所でくたばってはならない。軍刀を杖にして起き上がる。水を含んだリュックが倍の重さに感じられる。

何も考えない。ただ足跡を目当てに歩く。

薄暗くなる。夜になったらもう駄目なような気がする。

「軍医長、集落が見えます」

W一水が叫ぶ。嬉《うれ》しさがこみ上げてくる。しかし何という雄大な農園だろう。このような山奥にこんな素晴らしい原住民集落があろうとは。私は頬をつねってみたい気になる。

定められた小屋にはいると、衛生兵長二人も既に着いており、火を燃やして待っていた。ほどなくM軍医少尉も懐中電燈をつけて辿り着く。これで医務隊総員が安着となった。

しかし冷える。赤道近くのニューギニアでこの寒さだから相当の標高だろう。暖をとりながら衣類を乾かす。この集落は敵機が空中撮影したはずであり、明朝は暗いうちに出発と伝えられた。

二十九日。この日もまた急な登りである。昨日の大雨下の強行軍で落伍者が多数出て、八十二警は五十数名になっていた。ついに三分の二を失ったことになる。

前を登る者の尻に顔をつけんばかりにして、よじ登る。前の兵隊の尻は血便で汚れ、顔色も土色で全く血の気はない。

午後に尾根に出た。南側の深い谷ひとつ隔てた向こう側に、未踏に違いない山脈がどこまでも連なっている。雄大な山々であり、荘厳《そうごん》な大自然である。ここが戦場であるとはとても思えない。

宿営地は尾根となって、当然ながら水場はない。付近一帯、見事な樹氷であり、枯枝も湿気をもっている。集めた枝もなかなか燃えない。やっと芋を焼き、砂糖きびをかんで水の代用とした。寒気が激しくてこの夜はほとんど眠れなかった。眠ってそのまま凍死した兵隊も出た。

三十日は、登り下りの激しい難路の行軍である。原住民の道は、山腹を横切らずに必ず尾根を通っている。砂糖きびをかじりながら、無心に足を運ぶ。きびの滓《かす》で口内はすっかり荒れてしまった。

途中で、いくつもの小集落を通過する。ここで一日休んでいきたいものだと思う。しかし部隊から脱落すれば、原住民に襲われるのは必至だろう。何といっても我々は彼らにとって強盗同然の侵入者なのだ。

宿営地の集落に着いたとき、私は意を決して司令に意見具申した。

「強行軍が続いて、全員が疲弊しています。落伍者収容のためにも、ここで一日休養したら如何《いかが》でしょうか」

「いやそうはいかない。予定よりも急いだのには理由がある。どうやら敵は我が軍の転進を知って、転進路に先回りしているらしい。ぐずぐずしていると遮断される恐れがある。落伍した者は、第三梯団について来ればよかろう」

そういうわけで、翌朝も夜が明けやらぬうちの出発となった。入山して一週間が経《た》ち、疲れが出たのか、難路ではないのに落伍者が多い。

次の日は比較的楽な行軍になり、午後二時頃宿営地に着き、ゆっくりと芋掘りをする。薪《まき》も豊富に集めて、錆《さ》びた軍刀で細く割る。医務隊の五人はまだ健在である。原住民の小屋で、火を焚《た》きながら眠った。

しかし二月二日から難行軍になった。急坂を午前中いっぱい下って、やっと平坦《へいたん》な道に出る。ここが敵上陸点の西にあたるらしい。海が見えている。ジャングルの中で宿営し、翌日は絶壁登りになった。そそり立つ断崖《だんがい》を蔦《つた》かずらを頼りにひとりずつ登る。一歩一歩足場を確かめ、岩のわずかな凹《へこ》みに指をかけて登る。気を抜くと指先からも力が抜ける。数名の墜落者が出た。

午後は、一転して断崖の下りになる。幸い、第一梯団の工兵隊がつけてくれた一本の針金があった。工兵隊とはいえ、この登り下りの道を切り拓《ひら》いた苦労は並大抵のものではなかったろう。やっと下り終えて、ユプナ河の河床に宿営となった。岩ばかりで薪を探すのにも骨が折れる。天幕も張れないので、岩の上に雨衣を敷いて眠るしかない。夜は寒いくらいだ。これで雨にでも降られてしまえば、増水の危険もあるうえに凍死する。雨はひと晩中降らず、星が眺められた。しかしこの夜、マラリア再発のため、翌日の転進を諦《あきら》める者も出た。

四日は草原の一本道で、上ったり下ったりして進む。遥《はる》か山の上に見える集落が宿営地だと言う。しかしなかなか距離が縮まらない。やっと着くと、眼下に敵の飛行場が見えた。集落に泊まるのは危険と判断されて、芋畑の中に天幕を張った。

次の日の行軍中、突然前方で砲弾が炸裂《さくれつ》した。通過予定にしていた集落を敵が攻撃している。各自、草で偽装して、ひとりずつ砲弾の間をぬって集落を突破した。草原は続き、敵がどこから射《う》ってくるのかも分からず、運を天に任せるしかない。昨日、第一梯団の兵隊が不用意に煙を上げて敵の監視哨《かんししょう》に発見され、砲撃されて戦死傷者が出たらしい。

六日は午後から雨になった。大休止のとき、H衛生兵長とW一等水兵が物資収集に出かけたが帰ってこない。ついに落伍したのか。残る三人で捜しに行くことはできない。この日は非常な難行軍で、道すがら新しい屍体が多数、雨に打たれながら横たわっていた。私もずぶ濡れになって、夢遊病のようにひたすら歩く。頑張れ、頑張れと一歩ずつ頭の中で思い続けるが、それすらも途切れがちになる。

夕方、突然のようにして士気盛んな日本陸軍兵士たちが現れた。マダンに布陣している第二十師団から、救護のために派遣された支隊だった。やっと連絡がついたのだ。司令も大喜びである。

配給された一個の梅干しの何というまさか。味がなくなるまでしゃぶりつくした。米も支給され、冷雨の下で張った天幕内で炊いて食べる。落伍した医務隊の二名は追及して来ず、この夜は電信兵と背中を合わせて眠った。砲弾が時折落下する。火を焚いたのが見つかったのだろう。

七日は一日中下りの行軍になる。砲声はしきりに後方で聞こえ、追いかけられるような気分で歩き続け、ジャングルの中で宿営となった。昨日の雨に打たれたのがいけなかったのか、電信兵が熱発《ねつぱつ》した。

「軍医長、どうしても歩けません」

落伍したが、応援の陸軍支隊もいることだから大丈夫だろう。

八日も夜半過ぎから雨が降り、天幕で寝ていた場所が水の流れ道になった。水は膝《ひざ》まできて、リュックも中の物すべてが水浸しになる。川の中で腰までつかって夜を明かすようなもので、全く眠れない。早く夜が明けてくれと祈る気持で耐える。あたりがようやく白む頃、腹痛を覚え、ついに下痢が始まった。いよいよこの私も落伍するのか。嫌な予感にかられる。

九日、とうとう海が見えた。迂回《うかい》しての敵中突破に成功したのだ。もはや山の登りも下りもない。これから先はマダンまで海岸道路の一本道である。しかも敵の砲撃圏外にあるので恐怖に怯《おび》えなくてもいい。シンゴールからミンデリまで強行軍の予定だったが、途中の河が増水して渡れず、ジャングルの中での宿営になった。

翌十日、河水が少しひき、早朝に渡河する。裸になって装具を頭の上にのせ、腹まで水に浸《つか》りながら用心深く歩く。ひとつの河を渡ってもまた次の河が待っている。水位が膝ぐらいまでしかない河でも、急流のときは三、四人が肩を組み、流されないようにして渡る。それでも二人三人と、転がりながら河口の方に流されて行った。起き上がろうとするのだが、リュックを背負ったままでは立ち上がれないのだ。河口には鰐《わに》がいる。助けようにも、こちらにはもはや余力がない。ミンデリに着いて宿営となり、若干の糧食配給があった。

夜中、日中の渡河で身体を冷やしたためか、腹痛と嘔吐《おうと》に苦しむ。幸い下痢はひどくない。

十一日は紀元節であり、一同で遥か北方を拝したあと海岸道を進んだ。所々に陸軍が陣地を構えているので心強い。クミサンガで一泊となり、翌日も平坦な海岸道を三十キロ強行する。靴はもうどこかに行ってしまっていた。地下足袋も役に立たず、わらじをはいたものの、砂が足指の間に食い込んで破れ、歩くのに難渋する。

渡河の際に、河面《かわも》に映る自分の顔を見てギョッとした。目はくぼみ、頬骨がつき出て、骨と皮である。しかも服は破れ、どこもかしこも泥まみれだ。他の将兵も全く同様で、小休止のとき、お互いの姿を見てまるで乞食《こじき》だと笑い合う。笑えるのも、余裕が出てきた証拠だった。

十三日は、これまでとうって変わって、一日中大きな椰子《やし》林の中を歩いた。爆弾が至る所に落とされ、椰子が倒れ、穴があいている。椰子の実を割って中の水を飲み、コプラをかじってしまうと、どこか体内に力が湧《わ》いてくる。落ちた椰子の実が発芽したヤシリンゴがあちこちにある。割ると中に丸いさくさくした実ができていて、これも食べられる。ボングという所で一泊となり、もうマダンも近いという安心感からか熟睡することができた。

十四日も、どこまでも続く椰子林の中を歩いた。舟着場のあるマレーでの宿営であり、夕刻、二、三日前に落伍していた通信隊の電信長が追及して来た。夜、マダン海軍水上警備隊の舟艇が着き、まず七根司令部と八十五警がマダンに向けて出発した。私たち八十二警は明晩まわしである。

十五日の午前中いっぱい、椰子の実採りをした。行軍がないので気がせいたのか、夕食の火を、暗くなる前に燃やしてしまった。司令に呼ばれて注意された。全く私の失態で、敵機に炊煙を発見されれば、爆弾のひとつ二つ食らうところだった。

夜の六時、宿営地を出発して海岸に向かった。これが最後の行軍だと、自分に言いきかせながら歩く。浜辺では、陸軍が重機と機関砲を据えて警戒していた。このあたりは敵の魚雷艇が横行しており、間隙《かんげき》をぬって航行してくる味方の大発《だいはつ》も命がけなのだ。そのうち小雨が降ってきて、砂浜にうずくまり天幕をかぶって待った。

十一時過ぎ、海軍の大発が音を響かせて砂浜に近づいて来た。闇《やみ》の奥に武装した二隻《せき》が見える。

「海軍はどこにおるか」

艇長らしい者が怒鳴っている。

「ここだ。面舵《おもかじ》をとれ」

司令が叫び返し、脇《わき》にいた兵が白布を振った。

「前扉開け、道板を出せ」

命令の声が聞こえ、大発が砂浜すれすれに停止する。八十二警の第一班が司令を先頭にして歩き出す。大発の艇員が前扉に立って手を貸しているが、どの兵も足が定まらず、中には艇に入る前に倒れる者や、上がり切れずに波に打たれてしまう者もいる。乗船には慣れているはずの海軍兵がここまで衰弱してしまっているのだ。

「しっかりしろ。もう安心だ。元気を出せ」

艇員が勇気づけ、手をさしのべる。

私は第二班にまわったが、いざ砂浜を歩き出すと、気ばかりが焦《あせ》り、砂に足をとられて何度もよろめいた。やっと道板を渡り切ったあと、艇内にへたり込んだ。すし詰めであり、足がどこかにはさまって引き出せない。

艇員が乾パンの箱を開いて配布しようとすると、一同騒然となり手を伸ばす。夢中で箱の中に手を入れ、缶の切り口で手を傷つける者もいた。諦めた艇員は箱ごとを私たちに渡した。身分の上下もなく、手に手に乾パンを取り、むさぼり合う。たしなみを第一義として訓育されたはずの海軍兵士が、ここまで餓鬼道に墜《お》ちてしまっていた。私もしびれた足を引き出せないまま、乾パンをかじった。艇員たちは異様なものを見るような眼で、私たちを眺めていた。

十六日、中天に月がかかった早朝、マダンに到着した。マダンも爆撃を受けているとは聞いていたが、なるほど満足にすっくと伸びて立っている椰子の木はほとんど見当たらない。あちこちに爆弾の穴があいている。

七根付の大尉が大きな声で到着部隊の誘導をしてくれる。彼の案内で宿営地に向かった。ジャングルの中に小屋が点々と建てられている。ここはまだ敵機に見つかっておらず、銃爆撃の被害はないと言う。

司令の命令で人員点呼がなされた。ガリを出るとき百五十名はいた隊員は、今三十六名に減じていた。医務隊でもH衛生兵長と従兵のW一等水兵を失い、残るのは私とM軍医少尉、K衛生兵長だ。転進日数は、予定より十日早い二十五日間となった。張りつめた気持がゆるみ、小屋の中で横になっているうちに深い眠りにおちた。

十七日、転進部隊はマダンよりずっと西にあるホーランジャに行き、休養後に再建することが決められた。ホーランジャには糧食もふんだんにあり、電燈《でんとう》もつき、喫茶店もあるという本当か嘘《うそ》か分からない噂《うわさ》がひろまる。

私たち転進部隊には、もう戦闘能力はなかった。小銃を持っている者は半数だ。こんな小銃と大砲の撃ち合いでは勝負にならず、戦車に対しては全くの無力である。誰も口には出さないが、一キロでも敵から離れ、腹一杯食べられることを願い、ホーランジャ行きを喜んだ。

しかし私は、このホーランジャ行きを諦めなければならなかった。マダンには八十二警の増強部隊が来ていたからだ。増強部隊といっても、大半は訓練不充分の補充兵から成り立っていた。私はその隊付軍医科士官として残留し、転進中に落伍した兵士を収容する任務を与えられた。転進組の中では、その他にも副官と主計長が残留を命じられた。

自らホーランジャ行きを断った者がひとりいた。七根司令部付の軍医I中尉だった。

「今までこれだけ苦労したのだから、ついでにもっと苦労したい」

これがI軍医中尉の言い分で、七根の軍医長である中佐に願い出て、許可が出ていた。

十八日、ホーランジャ行きが駄目になり、心身ともに落胆したのか、起き上がれない。腰も痛い。そんな身体で、八十二警の司令以下が出発するのを見送る。

「軍医長、お世話になりました。お元気で」

苦労を共にしてきた医務隊のM軍医少尉とK衛生兵長が笑顔を向け、私に帽子を振った。

この翌日から、敵機の爆撃が開始された。敵機の攻撃目標は、私たちの宿営地の北東に位置するアレキシス飛行場だ。健在の味方高射砲は一門だけで、時々撃ち返すが、気休めにしかならない。午前中は銃爆撃が激しく、その度に待避壕《たいひごう》に駆け込んだ。

銃爆撃が止《や》んだ午後、だるい身体と痛い腰をかかえながら、診療にあたった。医務隊の新しい部下に、一等衛生兵曹と二等衛生兵曹がついてくれた。患者はほとんどマラリアと脚気《かつけ》だった。

私のほうは不思議とマラリア発作はないものの、相変わらず下痢便に悩まされていた。あるときは粘血便、あるときは水様便で、夜もろくろく眠れないほど便所通いをしなければならない。絶食したり、次硝酸蒼鉛《じしようさんそうえん》やタンナルビンを大量に飲んでも効果がない。次第次第に痩《や》せていく。時々水浴のため、十分くらい離れた小川まで行き、やつれ果てたわが身を川面で確認する。この身体で今後の困苦に耐えていけるか心細くなる。

自発的にマダン残留を選んだI軍医中尉が、熱帯熱マラリアを発症した。何も食べられず、日々痩せ細っていく。困窮のなかでも冗談を忘れなかった彼が、時々譫言《うわごと》を口にするほどの弱り方である。連日ぶどう糖を注射し、アテブリン療法を施行した。

マダンに滞留した十日の間に、八十二警の遅留兵も数名追及して来た。マダンとホーランジャの中間にあるウエワクに行く者に、マダン残留組が内地への手紙を託した。しかしこの戦況下では、内地に届くかどうか甚だ心もとない。

二十九日、マダンの北東三百キロにあるアドミラルチー諸島に連合軍が上陸したとの情報がはいる。一帯の守備を担《にな》うのは、海軍の八十八警その他の千名、陸軍の二千名しかおらず、結末はもう知れている。

マダン前線も急を告げており、陸軍の支隊も支えきれずに退きつつあった。退却して来た陸兵が言った。

「軍医殿、敵は我々が歩いて来たミンデリ、マレーを過ぎ、マダン奪取に進撃中です。味方は糧食が欠乏し、馬もトカゲも食い尽くし、ついには戦死者までも食い尽くしました。この世の生き地獄です」

台湾高砂族《たかさごぞく》義勇兵から成っていた海軍の第一義勇中隊が、前線に出動した。重兵器はないので、挺身斬《ていしんき》り込みによるゲリラ戦しか戦術がない。先が思いやられる。しかしこれも、明日は我が身である。

三月上旬になっても、私の下痢は続く。絶食につぐ絶食をしても治らない。アメーバ赤痢《せきり》かもしれぬ。足馴《あしな》らしも必要かと思い、海軍の七根司令部のある猛頭山にひとり向かった。そこには第十八軍の司令部もあり、戦況を聞きに行く目的もあった。四キロほどのゆるやかな登りなのに、腹に力がはいらず、難行になった。幸いにこのあたりはまだ敵に見つかっておらず、爆撃も銃撃もない。

山頂近く、右手に小屋が見えた。その前で陸軍将校がにこやかな顔で手招きをしている。

「海軍の軍医さん、休んでいきませんか。自分は第十八軍司令部付のS軍医少佐です」

厚意に甘えて私は小屋にはいった。どっかりと坐《すわ》ったS軍医少佐は、痩せこけた私とは異なり、いかにも頼もしさを感じさせる。何としてもこのニューギニア戦では陸軍が主力であり、ひと握りの海軍陸戦隊の兵力など問題にならなかった。

出されたのは一個の陣中餅《もち》だった。貴重品には違いなく、力のはいらない私の腹にも最大のご馳走《ちそう》である。

話をするうちに、少佐が横浜一中の五年先輩ということが分かった。こんなニューギニアのジャングルの中で母校の名を耳にするとは、何という奇遇だろう。

「この次お会いするのは靖国《やすくに》神社ですね」

S少佐と言い合って、私は小屋を出た。

七根司令部では、診療したあと参謀から西瓜《すいか》と紅茶を出された。珍しさに、これも下痢を忘れていただく。

「敵はまたどこかに上陸しそうだ。司令部ではマダンとウエワクの中間点、ハンサと予想している。今度こそは、二十師、四十一師、五十一師の三個師団で撃滅するよ」

私の気持とは裏腹に、参謀の話はいつ聞いても威勢がよかった。

十二日、陸軍はマダンをあとにして、西へ西へと退いて行く。マダン防衛に当たるのは海軍のみらしい。

午後、飛行場の近くにあるアレキシス療養所に、入院のために患者二名を連れて行った。マラリア脳症で様子がおかしくなった患者と、栄養失調で骨に皮が張りついただけの患者が大半を占めている。到底治る見込みのない患者ばかりのようで、心が重い。帰途、新編成となった八十二警の軍医長として、ウエワクより赴任したK軍医大尉と会った。私はこれで八十二警を離れ、七根司令部付となる。

下痢は依然として続き、体力が弱ってきているのが分かる。このマダンに着いて一ヵ月が過ぎた十五日、ようやく小康状態を取り戻したI軍医中尉が、ハンサに向けて出発した。これで私は唯一《ゆいいつ》の話し相手を失ったことになる。

落胆がたたったのか、I中尉を見送った午後から悪寒《おかん》とともに発熱した。三十九度二分の高熱からして、ついにマラリアに罹患《りかん》したのだ。アテブリン〇・二、塩規〇・四を服用し、ビタミンC四ccとビタミンB_1一ccを衛生兵から静注《じょうちゅう》(静脈注射)してもらった。

翌日は夜半過ぎて発汗とともに解熱《げねつ》したものの、夕方再び悪寒発熱に襲われた。頭が割れるような頭痛に脱力感が加わって、生きた心地がしない。転進の途中で落伍《らくご》していった病兵たちの姿が頭に浮かぶ。

十七日、やっと解熱したところに、急ぎ七根司令部に出頭せよという命令が届いた。ふらふらした足取りで山を登った。参謀から、海軍はマダンを放棄してハンサ方面に集結せよと伝えられる。私は明日、先遣隊として台湾高砂義勇隊五十名、車輛《しやりよう》八台を伴って出発となった。指揮をとるのは兵科のI大尉である。山を下り、急いで出発準備をした。この下痢と発熱で、はたしてハンサまで行き着けるだろうか。

マダンをあとにしたのは、十八日の午後だった。幸いマラリア発作はおさまっている。八台の車輛といっても手押しの大八車八台であり、至る所に爆弾の穴があいたマダン街道を進むのには骨が折れる。夜半にやっとアレキシス警備隊に着いて、一泊させてもらった。

十九日の午前中いっぱい銃爆撃が激しく、行軍は不可能であり、休養となった。貨《か》物廠《もつしよう》で薬品を一梱《ひとこり》受け取って、大八車に積んだ。午後二時に出発となり、まずはI大尉が伝令を連れて先行する。残りの部隊は軍医の私に任された。

大八車の間隔は五十メートルおきにし、まっすぐな道では百メートルにした。敵機の襲撃を受けても、これなら損害を少なくすることができる。高砂義勇隊員は黙々と従い、何ひとつ不平を言わない。一時間も二時間も、休まずに車輛を引っ張る。蛮刀を腰にさし、顔貌《がんぼう》はいかにも猛々《たけだけ》しいが、心は柔和であり、主人思いであるのが伝わってくる。

進めども進めども、先行したI大尉に追いつけない。あたりが暗くなって車輛の間隔を狭くし、ひたすら歩き続け、夜中の二時頃やっと待っていてくれたI大尉と伝令に会った。ゲートルと靴のまま、路傍の草の中に横になり、星を眺めつつ眠りにおちた。

二十日、目覚めるともう陽は大分上がっている。こんなところを敵機に発見されれば銃爆撃必至である。慌《あわ》てて大八車を引いて、ジャングルに身を隠した。午後二時に出発となり、頭上の敵機にびくびくしながら行軍する。兵隊も義勇隊も懸命に大八車を引く。爆音が聞こえると、急ぎ車をジャングルに引き入れて退避しなければならない。夕方暗くなってから北ブスという原住民集落に到着した。

二十一日は、暗闇の中で装具を身に着けて午前三時半の出発である。椰子《やし》林の中を進む。休憩の度に、高砂義勇隊の隊員が椰子に登って実を落としてくれる。新鮮な果汁を飲むと元気百倍になる。夕方、椰子林の中にあるサラングという集落にはいり、宿営した。魚雷艇の砲撃があるやも知れず、五、六名ずつ分散して横になった。夜間、予想どおりに魚雷艇の砲弾音が頻繁に聞こえたものの、至近弾は皆無だった。

翌二十二日も午前三時半の出発であり、あたりが明るくなった七時まで強行軍をした。深いジャングルを見つけて退避をし、海岸の木陰に蚊帳《かや》を吊《つ》っての昼寝となった。目覚めると、I大尉が原住民からもらったココアをつくって飲ませてくれた。下痢の続く私を心配してのことだ。義勇隊員も椰子の実を持って来てくれたり、調達した現地の食い物をさし出してくれる。

全員で腹ごしらえしたあと、まずはI大尉が伝令を連れて出発する。これからの行程は海岸沿いであり、敵機から発見されやすい。私は下士官を集めて、爆音に留意するように指示を出し、午後二時出発した。

大八車の間隔は百メートルにした。重い車は砂にめり込み、押すのに難渋する。難行軍の途中、戦闘機の銃撃を受け、腰まで没する沼を渡って木陰に隠れた。機銃弾が頭をかすめ、水中にザーザーと降りそそぐ。十五分間の銃撃が一時間にも感じられた。この銃撃で人員に被害はなく、大八車も無事だった。

その後も敵機の去来がしばしばあり、行軍に時間をとられ、ギラギル河に達したのは夜の八時になっていた。夕食はまだだが、この渡河はぜひとも終わっておかなければならない。大八車が通過できる個所を探すため、私ひとり河にはいる。一番深い所でも水位は腰までであり、河床も硬い。先に対岸に渡って懐中電燈を振った。無事に渡り切ってから、夕食烹炊《ほうすい》を命じた。

しばらく休憩をして出発の用意をする。海岸線の行軍だから、絶対に火や明かりは見せてはいけない。煙草《たばこ》は背を海の方に向けて吸うように注意をした。夜の行軍は涼しく、眼が馴れると却《かえ》って気が楽である。しかし小休止で横になると、猛烈な睡魔に襲われる。坐って五分、十分と目を閉じ、また目を開いて立ち上がって進む。夜半の一時過ぎアラスに着き、布陣している陸軍の支隊に泊めてもらった。

その後二日かけて、アラスで設営作業をする。三日遅れてマダンを出発した本隊のために、休憩場所を造り終え、二十五日の早暁《そうぎょう》三時半に出発した。悪路と河に悩まされつつ、椰子林の中にある小集落に泊まった。明日から踏破しなければならない行路の方向で、夜空を焦《こ》がして火が上がっている。爆弾が落とされ、何かが燃えているのだ。

二十六日は、暗いうちに危険な草原を突破するため、午前一時半に出発した。昨夜、遥《はる》かに望見できた火焔《かえん》は、草原の炎だった。まだ立木がぶすぶすと火を噴いている。次第に明るくなるのに大八車は進まない。ここで敵機に遭遇すればもう隠れる場所もない。七時を回ったところでやっと草原地帯を突破し、ジャングルの中に隠れることができた。そこでひと息ついていると、今通過してきた方向で猛烈な銃爆撃が始まった。もたもたしていれば、大惨事になっていたに違いない。天運に感謝して、午後の出発まで蚊帳を吊って寝た。

出発は午後一時半で、この日もI大尉と伝令が先行した。また私が部隊の指揮をとらねばならない。悪路のうえに睡眠不足が加わって、隊員に疲労の色が濃い。幸いなのは誰もマラリアを出さないことだ。夜行軍になって、三十分毎《ごと》に十分間の休憩をとるようにした。高砂義勇隊は、疲れたとも腹が減ったとも、不平は一切言わない。小休止の際、彼らに尋ねると口数少ない返事があった。

「軍医長のように、時々休ませてもらったほうがいいです」

特別に夜食として乾パンを一袋ずつ渡した。真夜中近く、陸軍の警備隊で、先に着いていたI大尉に迎えられた。ここで一泊となったが、私だけは下痢のために一睡もできなかった。

翌日がいよいよ、マダンとハンサの間にある補給地ウリンガン通過の日である。ウリンガンは連日爆撃を受け、大きな被害を出しているらしい。午後二時半の出発になった。夜の間に降った豪雨で道はぬかるみ、大八車の車輪が泥土《でいど》に食い込む。そのたびに数人がとりついて引っ張り上げる。またたく間に全員が泥まみれになった。

ウリンガンには夕刻着いた。夜になると昼間の爆撃に代わって、魚雷艇の砲撃にさらされる。休憩もそこそこにウリンガンを通過した。マダンを先に出発していたアレキシス飛行場の整備員たちの大半が、今日の昼間の大爆撃で戦死したと聞く。一時は一緒になり、激励しあったこともある隊員たちだった。追い立てられるように夜行軍を重ねて、十二キロ先のモロ集落に着いて一泊となった。

二十八日は四キロ先の河を渡るために、夜も明けやらない二時半の出発である。橋のたもとに着いたのは五時だったが、敵機飛来の情報があって、昼の三時まで近くのジャングルの中で待機した。ついでに携行食糧の食事となった。しかし私は下痢がひどく食べられない。気力だけは保とうとするが、身体《からだ》がついて来ない。力のはいらない足をたぐりながら橋を渡り、夕刻マララ集落に到着した。ドラム缶に湯を沸かしてもらい、何ヵ月か振りに全身の垢《あか》を落とした。

二十九日、朝六時出発する。原住民の小集落をいくつも通り抜けた。どの村にも花園があり、花盛りである。それとは対照的に農園は目茶苦茶に乱されていた。小さなパパイアの実ひとつも残っていない。脇《わき》の花園には、名も知らない色とりどりの草花が咲き乱れているのに。

三時過ぎにポールド岬に着いた。直ちに設営作業にはいる。後続の本隊のために、アラスに続く第二の休養地を造る。近くに清流があり、小魚が群を成して泳いでいた。隊員が小銃を撃ち込むと、一発で十四ほどが浮かび上がり食糧になった。

三十日も相変わらず下痢が続く。絶食しながら汗を流す飢渇《きかつ》療法をするつもりで、少しばかり遠出をすることにした。一昨日宿営したマララ集落から二キロ奥にある原住民の大集落に行き、物々交換を申し込むのが目的だ。万が一も考えて、武装した高砂義勇隊員五名を同行した。こちらが用意したのは米と牛缶、乾パンである。

集落には長老が不在で、副酋長《しゆうちよう》と面会することができた。何とか話が通じて、パパイアと甘藷《かんしよ》と交換に、持参した物の一部を渡した。相手は色のついた生地を切望するので、明日また来ることを約束して帰った。

翌朝また集落に行くと、酋長である長老が待っていてくれた。老人だが貫禄《かんろく》充分である。私たちが来るのが伝わっていたのか、七、八十名の男女が集まっていた。それぞれにバナナやパパイア、西瓜《すいか》、パイナップルを手にしている。

男は赤い腰巻き、女は腰蓑《こしみの》ひとつである。赤ん坊を抱いた女性が「ビスケット、ビスケット」と言って、乾パンを欲しがる。赤ん坊にやるのだろう。持って来た物を全部渡し、交換物資を持って帰途についた。副酋長が村はずれまで送ってくれた。宿営地では、I大尉が前日入手した甘藷で芋ようかんを作って待っていてくれていた。私のほうは粘液便が依然として続いている。

四月一日、本隊の到着を待つために休息日となり、私は終日療養につとめ、腹部温罨《おんあん》療法をした。N少佐率いる本隊が着いたのは夜半過ぎだった。

翌二日の朝、八十二警軍医長のK軍医大尉が、煮たぎる味噌汁《みそしる》をこぼして下肢に熱傷を起こした。歩行は不能であり、患者十数人と共に残ることになった。昼過ぎI大尉の先遣隊が出発する。

三日、虫垂炎から腹膜炎の疑いもある隊員が出て、私が緊急開腹をした。腸閉塞《ちょうへいそく》であり、端々吻合《たんたんふんごう》をして閉じた。患者は軍医長のもとに残し、私たち本隊は午後一時半に出発した。河は無事に渡り、夕闇《ゆうやみ》を利して六キロの大草原を突破した。そのまま夜行軍を続け、八時に原住民集落に着いて宿営になった。

睡眠をわずか三時間とっただけで、翌日は午前一時半の出発となった。これも、夜が明けないうちに草原を突破するためだ。ところが草原は広大で、三分の二を踏破したところで夜が明けてしまった。恐れていたとおり、鋭い爆音とともに戦闘機が一機飛来して銃撃を始めた。大八車から離れて、爆弾でできた穴に身を伏せる。あたりには日本兵の屍体《したい》が無数に横たわり、強い屍臭が鼻をつく。

戦闘機は草原で鬼ごっこでもするように、執拗《しつよう》に頭上を旋回して銃撃を繰り返し、三十分後に姿を消した。

十数名の死傷者が出たが、死者と歩けない重傷者はそのまま残して、逃げるように行軍を続ける。処置に手間取れば、二機目がやって来ないとも限らない。夕刻やっと草原を脱して椰子林の中で宿営となった。

五日も早朝三時の出発である。明け方ボギア付近に到着した。天候がよくて敵機の襲来が懸念《けねん》されるので、椰子林の深い所に退避した。直後、はたして海岸線はものすごい銃爆撃になった。攻撃が止《や》んだ午後に出発して、夕刻、海軍警備隊のいるオランバに着いた。

するとここに編成変更の電報がはいっていた。満身創痍《まんしんそうい》の第七根拠地隊は解消、その麾下《きか》にある八十二警と八十五警も解体され、ウエワクにある第二特別根拠地隊と合流し、新たに第二十七特別根拠地隊を編成することになった。これに伴って、ずっと先遣隊の隊長を務めていたI大尉は横須賀《よこすか》鎮守府付、熱傷を負ったK軍医長はホーランジャにある第九艦隊司令部付、旧七根の司令は新設の第九十一警備隊司令に任命された。その体制が整うまでの数日、オランバに滞留することが決められた。この間に、何としても下痢を治さなければならない。さもなければ先には死が待っている。

六日の早朝、司令がハンサに向けて大発で出発した。私のほうは昼過ぎから、激しい胃痛発作に悩まされ始めた。水様便も朝から十数回あり、治るどころか、ひどくなるばかりだ。夜、オランバ海軍警備隊の軍医長T大尉の往診を受けた。とにかく静養第一を勧められた。

翌日は終日横になり、時折起きて荷物の整理をする。翌々日になっても下痢は止まらず、身体が弱る一方なのを自覚する。

九日、この日も転進準備である。最終目的地はウエワクの沖にあるカイリル島で、約四週間の行程だという。途中で、東部ニューギニア最大の湿地帯にあるラム、セピックの二つの大河を渡らねばならない。敵機が撒布《さっぷ》した伝単《でんたん》には、〈日本軍、さらに転進するなら、ラム河とセピック河は血の流れになるだろう〉と書いてあった。

しかしこう身体が衰弱しては、湿地帯に辿《たど》り着く前に斃《たお》れるのではないか。腕は骨と皮であり、腕時計がずり落ちる。巻脚絆《まききゃはん》を巻いた脚はまるで一本の棒である。

十日、早朝から敵機の銃爆撃が激しく、敵の駆逐艦らしいものが東進しているのも目撃された。どうやら再び上陸を企図しているらしい。参謀の話では、上陸地はハンサではなくウエワク以西になるようだ。既にハンサに集結していた陸軍の五十一師は、その西にあるアイタペ方面、二十師はさらに西のホーランジャに向けて転進中とのことである。敵は機動部隊によって随所に上陸可能であり、こちらは海岸を避けて蟻《あり》のように道なき道を行軍していかねばならない。

この日、しばらくぶりに診療に出た。歩くのにも骨が折れる。患者は依然マラリアと下痢、それに脚気《かっけ》が多い。骨と皮になった患者を、こちらも骨と皮になった軍医が診察するのだ。

夜、K軍医大尉が大発でウエワク方面に出発した。

十一日、少し食欲が出て、診療に出る。患者をどうにかしてウエワクまで連れて行かなければならない。しかし黒水熱《こくすいねつ》の患者だけは、赤血球が破壊されるために、もう救いようがない。〈マラリアで真黒な小便が出たら駄目〉は兵士たちの常識になっている。小便をするときは、みんな真剣な目をしている。

十二日は再び具合が悪く、横になる。所在なさにまかせて、リュックの底に入れていた富田東助軍医大佐著の『戦傷学』を読む。十三日、十四日も病牀《びょうしょう》につく。出発はまだである。出発までにこの下痢を治しておかねばと、気ばかりが焦《あせ》る。十五日、いつも気遣ってくれる警備隊のT軍医大尉が、転進用の薬品を充分用意してくれた。十六日、十七日も病牀である。私たちの出発は十九日だと知らされる。しかし下痢は強く、マラリアの発熱も加わる。体力に全く自信がなくなった。いよいよこの南洋の果てで命尽きる時がきたのか。T軍医大尉がアテブリンを臀筋《でんきん》注射してくれた。ありがたいこと、このうえない。十八日、何とかこの下痢を止めなければならない。アドソルビンと次硝酸蒼鉛《じしょうさんそうえん》を多量に服用した。

十九日、午後三時過ぎにウエワク方面に向けて転進を開始した。夜、行軍に耐えられそうにもないので、途中で陸軍のトラックに便乗させてもらった。空母を含む敵の輸送船団が北上中であり、海岸の警備隊からトラックはヘッドライトを消すように注意を受けた。雨の中、宿営地の椰子林に着いた。ラム河口方面で、魚雷艇の砲撃がまるで花火のように望見された。

敵船団の攻撃目標はやはりウエワクなのか。日本軍が難行軍している間に、敵は海路をいち早く先回りして袋叩《ふくろだた》きにするのだ。これでは我々の前途はいつになっても明るくならない。私の体力も、もはや風前のともし火である。

二十日、心なしか下痢の回数が少なくなった気がする。大事をとって、なおも絶食する。午後五時に椰子林を出発し、夜行軍となる。真夜中、装具をつけたまま草原で死んだように眠った。

翌日は朝の五時出発だった。敵機の飛来が頻繁で、深いジャングルを探して避難した。敵はどこかに上陸したのかもしれない。午後の出発になり、夜になってラム河口の海軍警備隊に宿営した。

二十二日、早朝から敵の大型爆撃機が大編隊で次から次へと現れ、西に向かう。その度に防空壕《ぼうくうごう》に飛び込むものの、こちらへの爆撃の気配は全くない。敵の攻撃目標はウエワク、あるいはそれより西にあるアイタペ、ホーランジャにあるのだろう。

午後四時半出発し、ラム河の渡河点に向かった。夕闇を待って中折舟に乗り込む。

ラム河は濁った急流で、舟は斜めに河を横切って無事に対岸に着いた。これも陸軍の工兵隊のおかげだ。星明りを頼りにして、今度は海岸の砂浜の行軍になった。

　突然ひとりの兵士が隊列から離れて、よろよろと倒れた。以前私の従兵を務めてくれていたK一等水兵だった。その名前を耳元で呼んだが返事がない。既にこと切れていた。

　夜十時を過ぎて、三叉路《さんさろ》の近くで宿営となった。空には降るような星が瞬《またた》き、静かな波音を聞きながら眠った。

　二十三日は四時半の起床で、すぐに出発する。腹具合はよく、久しぶりに下痢が止まっていた。三叉路から二キロほどジャングルの中にはいった所に退避した。

　付近は湿地帯か沼沢地《しょうたくち》であり、とても人間が近づける場所とは思えない。しかしここにも工兵隊によって道が造られていた。問題は飲料水で、多量の有機物を含んでいるためか悪臭がある。携帯用の濾過器《ろかき》があれば何とかなるだろうが、その備えはない。蔦《つた》のつるを切ると透明な液体が湧《わ》いてくるので、それで喉《のど》を潤《うるお》した。

　湿地帯にはあちこちに病死体や行き倒れの屍体が見える。大抵は裸であり、湿地の悪臭に屍臭が混じる。

　セピック河の渡河は夜しか決行できず、渡船場で待っている間に、下士官三名を落《らく》伍者《ごしゃ》収容のために出発させた。十数名いたはずの落伍者は遂《つい》に発見できずに終わった。

　午後八時半に渡河が開始された。しかし途中で大発が故障し、移動部隊のうち医務隊と主計隊から成る四十八名の付属隊は、明晩の出発となった。暗闇なので私はその場での露営を決めた。蚊やあぶが多く、蚊帳《かや》を吊《つ》っていても入り込んで来る。マラリア予防として、アテブリン二錠と塩規〇・六を各自服用させた。

　二十四日、夜が明けるとともにジャングル内に退避し、夕刻、付属隊を指揮して再び渡船場に戻った。ここで、敵がウエワクを素通りして、アイタペとホーランジャの二ヵ所に上陸した旨《むね》の知らせを受けた。一昨日、頭上を西に向かった敵の大編隊は、上陸前にその二地点で多量の爆弾を落としたのだ。予想はしていたが、これでまた私たちの前途は遮断されたことになる。そして私たち以上に驚いているのが、ひと足先にホーランジャに向かった、元の八十二警や八十五警、七根司令部などから構成される転進組本隊に違いなかった。ようやく安全な地域に辿り着いたと思ってひと息ついたところに、空から雨あられの銃爆撃を受け、さらに上陸軍とも戦わねばならないのだ。

　いずれ私たちの運命も、似たようなものになるのは確実だった。考えれば考えるほど気が滅入《めい》ってくる。隊員たちにも疲労と落胆の色が濃かった。

舟艇を待つ間に、私の従兵であるM一等水兵とO二等衛生兵曹に歌を唄《うた》わせた。二人とも歌が得意で、その十八番《おはこ》の曲も私は知っていた。沈む一方の気持を慰めるのに、私たちにはもう故国の歌ぐらいしか残っていなかった。

まずMが《宵待草》を唄う。

待てど暮らせど来ぬ人を
宵待草のやるせなさ
今宵は月も出ぬそうな

終わると万雷の拍手が起こる。そこへ暗闇の奥から声がかかった。

「うまいぞ。歌ったのは誰か」

「海軍だ。陸軍もやれ」

こちらで誰かが叫び返す。すると向こうからも、歌声が上がった。

花摘む野辺に陽は落ちて
皆で肩を組みながら

歌を唄った帰り道
幼な馴染《なじ》みのあの友この友
ああ誰《たれ》か故郷を想《おも》わざる

歌詞の一語一語が、胸に突き刺さってくる。返礼として今度はOが《勘太郎月夜唄》を唄い、陸軍の方からは《九段の母》が返って来た。そのあとも《荒城《こうじょう》の月》《花嫁人形》《からたちの花》《ラバウル小唄》と、まるでテニスの打ち合いのように海軍と陸軍で歌が交わされる。

しかしどれも哀愁のこもった歌ばかりである。こんな悲しく淋《さび》しい歌など、軍隊では禁忌なのだが、私はあえて続けさせた。そして最後に総員で、《太平洋行進曲》を唄わせることにした。これは海軍なら誰でも知っていて、私でも音頭《おんど》がとれる。

海の民なら男なら
みんな一度は憧《あこが》れた
太平洋の黒潮を
ともに勇んで行ける日が

来たぞ歓喜の血が燃える

今ぞ雄々しく大陸に
明るい平和きずく時
太平洋を乗りこえて
希望はてない海の子の
意気を世界に示すのだ

仰ぐほまれの軍艦旗
舳《みよし》に菊をいただいて
太平洋をわが海と
風もかがやくこの朝だ
伸ばせ皇国《みくに》の生命線

遠いわれ等の親たちが
いのちを的にうち樹《た》てた

太平洋の富源をば
さらにたずねて日本の
明日の栄えを担《にな》うのだ

潮《しお》と湧きたつ感激に
しぶきを上げて海の子が
太平洋に船脚を
揃《そろ》えて進む響きこそ
興《おこ》るアジアの雄叫《おたけ》びだ

唄うにつれて、隊員たちの頬に涙が光る。それを見て私も目頭が熱くなる。涙は感傷の涙などではなかった。明日も分からないこのときにも、思いやられるのは祖国であり、そこにいる肉親のためにも頑張ろうという気持が湧いてきたのだ。

気をふるい立たせた頃にようやく船装が整い、三隻《せき》の大発に四十八名が分乗した。真暗なセピック河を船は遡行《そこう》し、ちょうど真夜中にシンガリに着いた。しかしここで宿営できるという期待は見事に裏切られた。湿地帯というより、あたり一帯沼である。

すぐに部隊をまとめて出発するしかない。

沼は、立っているだけで吸い込まれそうな気がしてくる。深い所は臍《へそ》まである。休むにも休まれず、しかも真暗闇《まつくらやみ》で、こんな所で眠ればもう死ぬしかない。一歩一歩、足場をつけ、馬の背のような個所を恐る恐る進む。そこからはずれて泥濘《ぬかるみ》の中に倒れる者も出る。手を貸そうにも、こちらの動きもままならない。四、五人がかりで何とか引き上げる。刻々体力が消耗していくのが分かる。

二キロほどの沼地を突破するのに四時間かかった。体力を使い果たして湿地帯に上がったときは、もう空が明るくなっていた。この湿った土の上で眠ることにする。

起きると、従兵のMが飯を炊《た》いて待っていた。泥水で炊いたために口の中はジャリジャリしていたものの、空腹にはご馳走《ちそう》だった。この二、三日、腹具合はよく、食欲も出てきたのが何よりも嬉《うれ》しい。

昼間は湿地帯に留まって休養し、薄暮《はくぼ》に再びセピック河畔で待機した。夜にはいり、今度は小発に乗って深夜ビエンに到着する。そこの警備隊に案内されて、原住民の小屋に泊まった。

前の晩に着いた本隊のK大尉の手紙がことづけられていた。部隊から医務隊と主計隊が抜けて困っている。急いで追及するようにという内容だった。

原住民の小屋で眠るのは久しぶりであり、下痢もなく熟睡もできた。翌朝二十六日、陸軍が糧秣《りょうまつ》を支給してくれる。昼頃にK大尉率いる本隊に合流することができた。

午後からは大草原の中の行軍になった。何のためか珍しくトロッコの線路が敷いてある。雨が降り出し、強い雨脚に打たれながら一列になって進む。幸いにこの豪雨のためか、敵機の爆音はない。夕刻、マリエンベルグ製材所の建物に着いた。トロッコは材木の運搬用だったのだ。

ここがセピック河本流だった。悠々たる濁流であり、沖を小さな浮き島が流れている。夜、大発で対岸に渡った。これでラム、セピックの両大河を渡ったことになるが、明日からはまた一週間の大湿地帯踏破が待っている。

二十七日早朝、早くも敵の偵察機が頭上を飛ぶので、急いで出発する。一日中、膝《ひざ》まで没する湿地を歩み、靴もズボンも泥水でびしょ濡《ぬ》れになった。最初はなるべく浅い所を探して歩いていた。そのうちどうでもよくなり、どこでも構わずに進む。大きな倒木が行先に横たわり、それも越えなければならない。しかも頭上では敵機の爆音が絶えない。こんな奥地まで飛べる飛行距離の長い飛行機が大量にあるのだから、敵の空軍力は想像を超えている。

ガビエン泊となり、隊員が湿地の上に樹《き》を切り倒して床を作ってくれた。下痢は依然として再発せず、体調は悪くない。それだけが救いだ。夜間、あちこちで大きな音がする。湿地のため、巨木が自然に倒れていく音だった。

二十八日、朝の五時半に出発する。昨日以上の大湿原で、沼地は大腿部《だいたいぶ》まで没する。難行軍につぐ難行軍で、椰子《やし》林の中で方角を失ってしまった。一時間あまり迷っているうちに部隊の先頭が最後尾に着いて、初めて堂々巡りが分かった。

ふと眼をやると、向こうに蚊帳が吊ってある。こんな湿地帯で誰が眠っているのかと覗《のぞ》くと、白骨屍体《したい》が横たわっていた。病兵が静養中に絶えたのだ。

わずか十二キロの行程に丸一日かかってしまい、小さな流れの脇《わき》で露営となる。深夜、蚊帳を通して頭上の枝の上で動くものが見えた。丸太ほどの太さの蛇で、ほうほうの体で逃げ出した。

翌二十九日は天長節《てんちょうせつ》であり、出発に先立って遥拝《ようはい》する。故国の安否は、私たちには一切不明である。この日は珍しく雨も降らず、湿地も歩き良かった。

翌日も午前五時の出発だ。湿地はあるものの、これまでに比べるとはるかに歩きやすい。清流の近くで宿営し、久しぶりに歯を磨き、流れにはいって身体《からだ》を洗った。

五月一日、早朝に出発して歩き続け、昼前ついに海が見えた。これでとうとう大湿地帯を突破したのだ。海岸道を登り下りしている間に、魚雷艇に襲撃された味方の大発があちこちに見られた。海岸には、膨れ上がった日本兵の屍体が多数漂着している。沖合に浮かんでいる屍体もある。湿地帯を避けて舟艇でハンサからウエワクに向かったのは五十一、四十一、二十の各師団の幹部たちであり、将官や佐官に多数の犠牲者が出たものと思われる。

小休止の際、従兵が装具を原住民に盗《と》られてしまった。預けていた私の着替えや軍刀、地下足袋、聴診器も失われた。このあたりは原住民の集落が多く、様子をうかがいながら、日本兵の持ち物を狙《ねら》っているのだ。

夕方、露営開始の直後に豪雨に見舞われてずぶ濡れになった。雨が上がってもはや着替えもないため、裸になって乾かすしかない。

二日、雨に濡れた足元は滑り、急坂の登高は相当に厳しい。強行軍で三十キロを踏破し、夕刻、やっとの思いで原住民集落に着いた。海岸であり、魚雷艇の銃砲撃に備えて壕《ごう》を掘る。真夜中、はたして魚雷艇の銃砲撃で目覚め、急いで壕の中に飛び込んだ。しかし銃砲撃は隣の集落であり、曳痕弾《えいこんだん》が美しく見えた。

翌日は三時に起床し、暁をついて海岸の草原地帯を急いだ。付近には多数の白骨屍体が散乱している。眼鏡をかけた頭蓋骨《ずがいこつ》もある。乾燥しているためか、ミイラ状になった屍体もあった。

爆撃が激しく、急いでジャングルの中に身を隠した。数分後、敵の大編隊が飛来し、海岸線に爆弾を落としていく。危ないところだった。敵機が去った午後二時に再び出発した。従兵のMの粘血便が止まらず体力の衰えを見せ始めた。明日は強行軍なので、この日のうちに先に進ませるため、先行させた。

四日、ウエワク地区にはいったためだろう、早朝から爆撃が激しく、ジャングルに退避する。昼間の行軍は全く不可能である。午後五時、月夜の出発となった。暗いジャングルの中にはいっても、無数の蛍《ほたる》が一斉に光る。夜の夜中、ジャングル全体が呼吸しているような錯覚に陥る。

再び海岸近くに出て、陸軍の道路隊が造った自動車道の立派さに驚かされた。しかしその先のウエワク飛行場は爆撃されて惨憺《さんたん》たる有様だった。港には多数、沈没船の残骸《ざんがい》も見える。月下を三十キロ夜行軍して、ウォーム岬の原住民小屋に泊まった。

翌日は昼間、敵機の偵察を避けてジャングルに入って休養し、夕刻の出発だった。月光を浴びながらの強行軍で、月が没するまで半分眠りながら歩く。三十キロを踏破したあと、椰子林でごろ寝となり、すぐに前後不覚の眠りに落ちた。しかし二、三時間眠ったか眠らないかのうちに夜が明け、急いで出発となる。ほどなく目的地のボイキン海軍警備隊に到着した。オランバ海軍警備隊を出発したのが四月十九日だから、十八日間の難行軍がこれで終わったのだ。疲れが一度に噴き出たものの、爆撃が激しく休むどころではない。すぐに渓流に沿って山奥に逃げ込まなくてはならなかった。

五月七日、先着していた旧八十五警の軍医大尉と軍医中尉が、着替えその他何かと世話をしてくれる。共にガリから転進して来ているので、苦労が分かるのだ。もはや下痢もなく腹具合もよい。食欲も旺盛《おうせい》だが、このウエワクにも糧食は充分になかった。それでも一日一合の米とサゴ椰子澱粉《でんぷん》の配給があり、これまでのないない尽くしに比べると格段の相違だ。

十日頃の便で、前方に浮かぶカイリル島に向かうのだという。そこには第二十七特別根拠地隊が陣地を構えているらしい。やがてこのウエワク地区も攻撃にさらされるのは確実で、カイリル島が私たちにとって最後の戦場になるのだ。

ところが渡船を待つ五日間、沖に魚雷艇が横行して、カイリル島には容易に渡れない。ようやく可能になったのは十二日だった。

暗くなってから、舷側《げんそく》に機銃と小銃を並べた大発がやって来て乗り込む。明るい月夜であり、振り返ると、巨大な山々がそびえる、真黒なニューギニアの陸地が眼にはいった。

四十分ばかりの緊張の末、幸い魚雷艇にも遭遇せず、無事にカイリル島に着いた。

ホーランジャ行きを辞退してマダンに残留となり、熱帯熱マラリアに罹患《りかん》し船でハンサに向けて出発していたI軍医中尉が、温かく迎えてくれた。もうひとりマダンからオランバまで苦労を共にした兵科のI大尉も、ここに先着していて再会を喜び合った。横須賀鎮守府付となったI大尉が内地に向けて出発したのは、呂《ろ》号潜水艦がカイリル島に入港した五月二十七日だった。

私たち海軍部隊は、この小島でその後の一年余を過ごした。やがて眼前の陸地は至る所、敵の上陸場所となり、カイリル島も海上を完全に封鎖包囲されてしまった。食糧の補給など不可能で、爆撃の合い間をぬって農耕し、わずかの澱粉質を得た。海岸を無心に歩くヤドカリも、蛋白源《たんぱくげん》として全《すべ》て捕えなければならない。

全員が栄養失調にかかり、私もむくんだ身体をもて余した。下痢続きの難行軍で陸地を突破したときでも、このむくみほどには苦しくなかった。

昭和二十年八月十五日の終戦は、まさに餓死寸前にあった私たちにとっては旱天《かんてん》の慈雨となった。戦争終結とともに、生存者はカイリル島と陸地の間にあるムシュ島に集められた。そこで私は部隊を離れて、海岸病舎担当を命じられる。海岸には陸軍と海軍の病舎があり、それぞれ五十名の患者がいた。

どの患者も重病人だったが、その後ニューギニアの各地から送られて来る陸軍の患者は、特に目を覆《おお》いたくなるほどの惨状を呈していた。裸足でぼろをまとい、栄養失調者は水ぶくれをし、下痢症の者は骨と皮だけになっている。他にもマラリアや黒水熱、白骨が露出している下肢潰瘍《かいよう》の者など、よく生きていたものだと、軍医の私が驚くほどだった。

戦いが終わり、夢にまで見た故国に帰れるというのに、毎日数名が息を引き取っていく。

回診に行くと、陸軍の患者が懇願する。

「海軍の軍医殿、どうか助けて下さい。国の妻や子に会いたいのです。お願いします」

野球のグローブのようにむくんだ手が、私の足をしっかりつかんで離さない。脹《は》れ上がって眼球の見えない目から、はらはらと涙が落ちていく。私も彼の心情を思い、涙が出てくる。泣かずにはいられないのだ。

翌朝見回ると、彼は息絶えていた。

ニューギニアに生き残った日本兵は、終戦から半年のうちに全員がムシュ島に集められた。

昭和十八年九月にラエを脱し、十二月シオに集結した時点で二百名いた旧第八十二警備隊のうち、生存者は私とK大尉、W兵曹の三名のみだった。

十九年四月二十二日、私たちがラム河口で敵機を避けながら渡河を待っているとき、連合軍はアイタペとホーランジャに上陸した。アイタペはほとんど無防備であり、ウエワクから西方のアイタペ、さらにはホーランジャに向けて、あたかも蟻《あり》の引越しのように行軍を続けていた陸海軍の転進部隊は、ここで真二つに分断されてしまった。

アイタペ以東にあった部隊はウエワク方面に反転したものの、以西にあった部隊は挟撃《きょうげき》される形となり、進むことも退くこともできず、背後の山中に退避するしかなかった。

既にホーランジャに所在していた航空兵を主力とする陸軍一万四千名と海軍千名は壊滅的な打撃を受け、残った者たちはさらに西のサルミに向け脱出を計ったが、私とマダンで別れた八十二警本隊は、全員が玉砕し果てていた。

アイタペの東にいた五十一師、四十一師、二十師の分断された部隊に対し、統轄《とうかつ》する第十八軍司令官は死中に活を求めて、七月アイタペにて連合軍との決戦を命じた。しかし圧倒的な兵器と兵力の前に死傷者が続出、八月三日に攻撃は中止された。これによって残存していた日本軍の兵力は半減した。残った日本軍はウエワク方面に向け、トリセリー山系の山中を再び退却しなければならなくなった。

しかし十二月、米軍に代わった豪軍の攻撃が開始され、第十八軍は、トリセリー山系とウエワク後方のアレキサンダー山系が接する奥地へと追いつめられる。そこに補給はなく、飢餓と病気で将兵は次々と斃《たお》れていく。そのうえ、豪軍の空爆は原住民集落にも加わるようになり、もはや日本軍の行き場は人も住めない山中でしかなくなる。

第十八軍の軍司令部はアレキサンダー山系の南側にあるヌンボク、五十一師はパパラム、二十師はチャイゴールとアリスに退避し、四十一師も最後には二十師に合流する。

そして二十年の七月二十五日、第十八軍司令官は総員玉砕命令を下した。ところがウエワクを攻撃するにも、まずは山を越えなければならない。日毎《ひごと》に兵力が減じていくなかで、八月十五日の終戦となった。

この死闘を、私たち海軍の生き残りたちは、連合軍の包囲と艦砲射撃、そして空からの銃爆撃に耐えながら、対岸のカイリル島から眺めていたことになる。

陸軍の三師団のうち最も消耗率が高かったのは二十師であり、ニューギニアに上陸した二万五千のうち、生還者は八百名にも満たなかった。陸海軍総計十五万における生存者は、わずか一割以下の一万余名に過ぎなかった。

私はこのムシュ島で、マダンの山中で私に陣中餅《もち》を馳走してくれた第十八軍司令部付のS軍医少佐と再会した。別れ際《ぎわ》に「次に会うのは靖国《やすくに》神社」と言い交わしたのが、そうではなくなっていた。

翌二十一年の一月、私たちの復員船高栄丸は東京湾にはいった。急に船内が騒がしくなる。それまで曇っていた空が明るくなり、真白い富士山が見えた。昔と変わらない富士の姿だった。

〈国破れて山河あり〉、私はとめどなく流れる涙をそのままにして、富士を見続けた。周囲の誰も彼もが泣いている。確かに日本に帰って来たのだ。嬉《うれ》し涙がこれほど多く溢《あふ》れることを私は初めて知った。

上陸後、私は直ちに久里浜病院に収容された。夜中、ふと目覚めると、見回りの看護婦がひとりずつ病兵の顔をのぞき込み、容態を確かめていた。私が目を開けたのを見て、看護婦が「いかがですか」と訊《き》いた。

「大丈夫です」

私は頷《うなず》き瞼《まぶた》を閉じたが、溢れる涙を禁じ得なかった。これこそ本来の医療だった。あのニューギニアの地獄の戦場では到底望むべくもなかった、正真正銘の医療なのだ。

二週間して体力が少し戻り、私は外出を許された。生まれ故郷の横浜に行ってみよう。そう決心して私はある日、横須賀線に乗った。マラリア特有の血の気がない私の顔は、車内でも視線を集めた。横浜駅のプラットホームに降り立ち、変わり果てたあたりの光景を呆然《ぼうぜん》と見回した。

突然、ホームの先から誰かが走って来る。もんぺをはいた若い娘だ。妹だった。私たちはあたり構わず抱き合った。切れ切れの言葉で、脳卒中で病床にあった父が、終戦の二日前に死亡したことを知った。

出征のとき、小田原の丘の上の家で、いつまでも手を振ってくれた父だった。やっぱりそうだったか。私はここでも思い切り涙した。

二人挽《び》き鋸《のこ》

チチハル編成第五百十八労働大隊は、ハイラル、チチハル、ハロンアルシャンなど、満州西北地区の旧日本軍部隊の主として将校によって編成された作業大隊である。

チチハル郊外の小民屯にある旧通信隊のバラック兵舎が、旧関東軍諸部隊の中間集結所になっていた。連日、新たな部隊を迎え入れては、千名単位の作業大隊が新しく編成されて送り出されていく。

携行する将校行李《こうり》は、佐官三梱《こり》、尉官《いかん》一梱までと、ソ連側から命令されていた。

私たちアルシャン地区の戦闘部隊の将校は、将校行李など持たず、身ひとつであり、軍衣とて戦塵《せんじん》にまみれ、よれよれになっていた。対照的に、チチハル地区の後方部隊にいて、無血で敗戦を迎えた将校たちは、ひとり宛《あて》三梱から十梱の行李を所有し、新品に近い軍服を着ていた。

送り出される前に、私物検査がたびたび実施された。兵五、六名を帯同したソ連軍将校を前に、私たちは舎前の広場に横一列に並び、自分の行李の蓋《ふた》を開けて立った。

検査の目的は、禁じられた拳銃《けんじゅう》、手榴弾《しゅりゅうだん》、短刀、磁石、地図、双眼鏡などの捜索と押収《おうしゅう》である。

私の所持品といえば、貰《もら》い物の私製リュックサックひとつであり、中に着替えの夏《なつ》衣袴《いこ》一、防寒襦袢《じゅばん》と袴下各一、ジャケット一、アルマイトの平食器二、支給された新品の兵用編上靴一、外科小嚢《しょうのう》一、聴診器一、米を詰めた軍足二、タオル三枚がはいっているだけだ。

非戦闘部隊の将校行李の中味は、これと違いなかなかの充実ぶりだ。内地帰還用にとっておいたと思われる一装用軍服、着替えの夏冬襦袢、袴下、私服の背広、真新しい長靴などがぎっしり詰まっている。家族持ちだった将校では、これに加えて、黒地に裾《すそ》模様のついた留袖《とめそで》、花柄の訪問着、幼児の洋服、洋服の布地、緋色《ひいろ》の長襦袢などが詰まっていた。敗残の兵隊で埋まる殺伐とした広場の中で、長襦袢の赤はいやがうえにも私たちの眼をひき、内地を思い起こさせた。

昭和十六年、金沢医大を卒業して産婦人科教室に入局した私は、大学病院で修業中に結婚した。十八年、思うところあって新妻を金沢に残して、単身渡満し、満鉄ハルピン病院の勤務を選んでいた。金沢にいるときに軍医予備員の務めを果たしていたので、いずれ召集は来るものと覚悟していた。果たして十九年の暮、赤紙が病院宿舎に届いた。その日急遽《きゅうきょ》医局の一室で壮行会がもたれた。

「軍に征《ゆ》きましたからには、一身を御国のために捧《ささ》げ、軍務に精励し、生還を期さない覚悟であります」

紋切型の挨拶《あいさつ》をするうち、何とも言えない黒々とした絶望感が身体《からだ》全体を包み込み、本当にこの世ではもう二度と妻や両親には会えないような気がした。

ハルピンの歩兵第百七十八連隊に入隊、衛生部見習士官となり、西満州のアルシャンで守備についていた翌年六月に軍医少尉になった。八月上旬、ソ連軍が進攻してくると激戦になったが彼我の武力の違いは明らかで、八月十五日の敗戦の翌日、武装解除された。

「我々がシベリア鉄道での輸送になるのは、満州里からハルピンに至る浜州《ひんしゅう》線が、南下進駐するソ連軍の兵員輸送で使えないからだ。内地の上陸地は敦賀《つるが》だろう。そこで復員業務が完了するのだ」

確信を持って言う兵科の将校もいれば、その後の日本について語る上級将校もいた。

「戦後の日本は国際観光地として立ち直る。軍需に回っていた電力が民需一辺倒になるわけだから、日本の電気産業は大いに花開く」

かと思えば、夢見がちに話す将校もいる。

「今頃、日本中の町々にアメリカ兵がうろつき回っているはずだから、俺は田舎の山の中に引っ込んで百姓になる。これからは酪農が一番だ」

いたるところで内地送還を期待する声と、希望的観測が渦巻いている。それを耳にするたび、最悪の事態が頭のなかで予想された。

果たして程なく、新品の軍用防寒外套《がいとう》と防寒靴、防寒脚絆《きゃはん》、防寒大手套《だいてとう》が支給された。もちろん旧日本軍の備品の中からだ。内地送還であれば、不必要な品々だ。

これに対しても、「戦勝国であるソ連の襟度《きんど》と配慮だよ」と楽観視する老将校もいた。

チチハルから乗った兵員輸送団貨車は、左右二段収容になっていた。中央に古びたストーブがつき、扉の裂け目から小便用の樋《とい》が外に突き出されている。通路には、将校行李とリュックサックが天井まで積み上げられた。大尉と中尉は上段、少尉、見習士官、准尉《じゅんい》は下段に位置をとった。

動き出した列車は南下し、三間房《さんげんぼう》にはいる。このまま行けば白城子《はくじょうし》経由で新京に行くこともできる。新京から先は奉天、鞍山《あんざん》、大連にも行けるし、奉天、安東、平壌、京城《けいじょう》、釜山《ふざん》という路線もある。用心深い私でさえ、一瞬明るい気持にさせられ、周囲の者も雀躍《じゃくやく》していた。

しかしそれも束《つか》の間《ま》で、列車は再び北上し、嫩江《のんこう》の鉄橋を渡り、富拉爾基《フラルキ》を通過した。これで車内一同の意見は、浜州線経由でのウラジオストック行きだということで固まった。私はそれでも一抹の不安はぬぐえなかった。ウラジオストックに行くのなら、こんな複雑な行き方をしなくて、初めから浜州線を走ればいいのだ。それとも、兵科の将校がしたり顔で言ったように、浜州線はソ連軍の兵員輸送で手いっぱいになっているのだろうか。私は黙って目を閉じ、周囲の話を聞くともなしに聞いていた。

貨車は夜通し突っ走り、国境の町満州里に着いたときは明け方に近かった。

ソ連兵が貨車の周囲に集まって来ていた。全員がルーブル紙幣を手に高くつき出し、満州札と交換してくれと騒いでいる。私はもちろん満州札など持っていない。車内の将校の中には所持している者もいたはずだが、内地に戻るつもりでいるからには、ルーブル紙幣と換えるはずもない。応じた者はひとりもいなかった。

どうせ貨車は、この満州里で石炭と水を積み、再び東に引き返す。みんな口々に言い合っていた。

貨車は再び動き出した。方向は大方の予想に反して西だった。そうなると、内地への送還があるとすれば、もはやシベリア鉄道経由しかない。遠回りになるものの、行き着く先は同じウラジオストックだ。まだ、私たちの将来を楽観視する将校もいたが、そう言う本人も内心では恐れをいだいていることが見てとれた。

列車は国境を越えてソ連領にはいった。見渡す限りの銀世界だ。チチハル郊外の小民屯の収容所に入れられて以来、私たちには正確な暦の観念がなくなっていた。時々本部から伝達される会報だけが頼りで、出発したのが十月末くらいは分かっていたが、現在が何日なのか全く知るよしもなかった。

列車はシベリア鉄道の分岐点、カリムスカヤに到着したが、それも小一時間程度の停車で動き出す。もちろん貨車から出ることは許されず、格子《こうし》のはまった小窓や、外壁の隙間《すきま》から外を覗《のぞ》くだけだ。

「西に向かった」

小窓にとりついていた将校が声を上げた。ウラジオストックを目指すなら、東に行かねばならない。車内は沈黙に包まれた。

なるようにしかならないと思うようになっていた。しかし日本内地へ帰る希望から逆に遠ざかっていく寂しさは、全身に積もった雪のように、いよいよ冷たく重くなっていく。

「いや、ひょっとしたらモスクワを経てレニングラードに着き、バルチック海経由の欧州航路の船便で帰るのかもしれない」

事ここに至っても、まだ夢のような話をする将校もいたが、さすがに誰ひとり応じない。

列車は、荒漠としたシベリアの野をひた走りに突っ走っている。行けども行けども、銀白の荒野と、寒々と並列している白樺《しらかば》の林ばかりだ。白樺が尽きると落葉松《からまつ》の林になり、再び白樺の林に戻る。遠くにあるのは白い山脈の起伏ばかりで、何時間経過しても変化がない。

全くの無人の地だった。川はあっても凍《い》てついて流れはない。梢《こずえ》を渡る一羽の鳥も、荒野を走る一匹の野兎《のうさぎ》の姿も見当たらない。見渡す限り、灰色の雪空が重く垂れ込めている。

チタの駅を、列車は疾風のように通過した。ヒロク駅も過ぎた。ヒロク駅の赤いネオンは眼に沁《し》みた。ネオンなど、何年も見たことがなかった。

列車はどのくらい走ったろうか。私は下段の寝台で、悄然《しょうぜん》と線路の音だけを聞いていた。やがて列車が停まり、下車を命じられる。

そこには駅舎もなく、プラットホームもなかった。わびしげな山里で、付近に民家が七、八軒建っていた。いずれも丸太で組み立てられた二階家で、脇《わき》に原木が山のように積み上げられている。遠くには大きな灰色の工場群が見え、巨大な煙突から黒煙がたち昇っていた。

停車した貨車の周囲に、村の男や女、子供が群がって来た。大人たちの身なりは質素で、女たちがかぶっているスカーフも粗末なものだ。村人たちには、戦勝国の国民の傲《おご》りも誇りも見られず、何かを求めるように、私たちの周囲を徘徊《はいかい》する。手に手に黒パンを横抱きにして、私たちの所持品の目ぼしい物と交換しようとする。

それを阻止するために、ソ連兵が間にはいり、円型弾倉のついた自動小銃の銃口を水平に向けて行き来する。

全員が貨車から降りると、ロシア語のできる将校が前に出て、大声を張り上げた。

「注目！　ただ今より命令をお伝えします。当大隊は、ソ連側の命令によりまして、三個中隊に編成致します。チチハル、ハイラル地区の将校団は第一中隊、アルシャン、昂昂渓《こうこうけい》地区の将校団は第二中隊、下士官と兵は第三中隊と致します」

低いどよめきが漏れた。将校とそれ以下を分断して隊を編成し直すというソ連側の措置が私たちの意表をついていたからだ。命令はさらに続く。

「第一中隊は当地点より十キロ、第二中隊は八キロ、第三中隊は五百メートルの地点に行軍します。行李類はソ連側がトラックで運搬の便を計ってくれますが、なるべく持てるものは各自携行していただきます。歩行不能者は、各中隊毎《ごと》にまとめ、速やかに本部まで申し出ていただきます。ただ今よりそれぞれの所属について下さい」

下士官と兵で編成される第三中隊が最も近い収容所行きだとは、ソ連側に労働者に対する配慮があるような気がした。今までぬくぬくと暮らし下級兵にかしずかれてきた将校団に、辛酸をなめさせる魂胆なのだ。

私たちは荷を持てるだけ持ち、隊毎にまとまった。私は第二中隊であり、二百数十人の編成になった。この先、雪道を八キロ歩かねばならない。防寒帽に防寒外套、防寒靴をはき、誰もが膨らむだけ膨らんだリュックサックを背負い、雑嚢を肩からかけ、軍刀を垂らしていた。中には、菰《こも》を持っている将校もいる。

やがて七人のソ連兵に導かれて黙々と歩き出す。もはや軍隊の隊列ではなく、佐官、尉官、見習士官、准尉が入り混じった羊の群になっていた。

何軒かの人家を過ぎると、樹木のない山道になる。どこまで続いているか分からない坂道を、ひたすら進んだ。奥に行けば行くほど、両側の山斜面は雪一色になり、樹《き》の切株だけが点々としている。見渡す限りの伐採の跡だ。

道にはトラックの轍《わだち》が刻まれ、硬く凍りついて滑りやすい。坂道が尽きると、だらだらした下り傾斜になり、再び登り勾配《こうばい》に変わり、右に左にとくねって延びる。どこまで進んでも、切株と雪山だけだった。

脱走という言葉が不意に頭に浮かんだが、不可能以外の何ものでもなかった。まず人家がなく、食い物がない。餓《う》えて凍死するのが関の山だ。

三時間ほど歩いたのち、目の前の高地の中腹に、雪をかぶった数棟の丸太小屋が見えた。そこが第二中隊の目的地だった。

氷結した段々道を三十段ばかり登りつめると、プラカード様の粗末な冠木門《かぶきもん》があった。〈ダ・ズドラーストヴエト……（……万歳）〉というロシア語が黒ペンキで書かれている。

私たちは四軒の小屋に、各五十数名ずつ分散させられた。

小屋は落葉松の原木を校倉《あぜくら》に積み上げ、屋根とて原木を並べただけのものだ。床は三十センチほど高くなっていて、その分、丸太の天井が頭につかえ、中腰でないと歩けない。

以前四人労働者が居住していたのか、ごみや藁屑《わらくず》が散乱している。私たちは、もうもうと立ち上がる埃《ほこり》の中で、装具をはずし、毛布を下に敷きつめた。

座席は、奥の方から右から順に四列に、階級と先任者順に割りふられた。一番奥の方の列に、第百七十八連隊長H大佐と第九十連隊長M大佐、第百七師団高級参謀M少佐、捜索第百七連隊長S少佐、第百七十八連隊高級医官A軍医大尉、同じく連隊副官のM中尉が坐《すわ》った。あとは中・少尉、見習士官、准尉の順に入口に近くなる。戸口に、日本式のストーブがひとつだけ置かれ、三方に明かりとりの切込み窓があり、ぶ厚い硝子《ガラス》板がはめ込まれていた。

棲家《すみか》の設営が終わると、昼飯が伝えられた。将校飯盒《はんごう》、兵用飯盒、中盒、アルミの食器などが出して並べられる。

ソ連兵が運び入れた食事は、馬鈴薯《ばれいしょ》がわずかに底に沈んでいるだけのスープ、それに大豆入りの米飯だ。できるだけ平等につぎ分け、くらいつく。空腹がいくらかおさまるくらいの量しかなかった。

後続のトラックで将校行李が着いたが、何個かがソ連兵に持ち去られたということだった。一部の将校が騒ぎたてた。行李などもとより持たぬ私には無縁の話だった。

ひと息ついたとき、正面に坐る第百七師団高級参謀のM少佐が快活に言った。胸には黄金色の参謀飾緒《しょくしょ》を誇らかに垂らし、早くもこの棟の頭脳的中枢《ちゅうすう》になっていた。

「我々に対するこんな取り扱いは、何か指令の間違いですよ。そのうち中央から指令が出て、モスコーに送られるはずです。それまでここで辛抱しましょう」

私はこの期《ご》に及んで、何という楽観的感想かと反発を覚えた。とはいえ参謀となれば、下級将校が知らない情報を何か入手しているのかもしれない――。藁をもつかもうとしている自分が、また情けなかった。

夕刻、百個近い二人挽き鋸《のこ》と斧《おの》がトラックで搬送されて来た。同時に、私たちの仕事は森林伐採だと通達された。チチハル郊外の収容所にいたとき、将校待遇として将校食を与え、労働を課さないという達示がなされたが、真赤な嘘《うそ》だったのだ。

翌日、さっそく作業隊が編成された。全体の中隊長は第百七十七連隊長M大佐であり、小屋毎に四小隊編成になった。

私たちの小隊長は、第百七十八連隊長H大佐が務め、分隊長はN獣医少佐、組長は兵科または術科の尉官《いかん》が任命された。その他の中・少尉、見習士官、准尉が作業兵になった。軍医少尉になりたてだった私も作業兵である。

兵科も軍医も区別なく、獣医、主計、法務の区別もない。かつての大隊長、中隊長、小隊長も一緒くたである。

作業は、伐採、切断、枝木焼却、搬出、積載の五班に分けられて実施されることになった。前日の晩に作業命令が出され、作業割と人名が読み上げられた。

午前五時に起床して、小屋前の広場に各小隊毎に整列する。まだ明けきっていない澄んだ蒼空《あおぞら》に、星が鮮やかに光っている。目深《まぶか》にかぶった防寒帽の中から、呼気が煙のように立ち昇った。私たちは、中隊長の号令で東方を向き、一斉に宮城遥拝《ようはい》をした。

作業場は五百メートル先の谷あいで、周囲の山斜面一帯の森林が伐採地になった。既に伐採された原木が道沿いに集材され、搬出を待つだけになっていた。

積もった雪は硬くざらついて、さほど深くはない。しかし吹き溜《だま》りでは、膝《ひざ》までのめり込む。伐採するのは径三十センチ以上の落葉松と赤松だ。しかしその途中にある白樺や雑木も、足場を確保するために伐《き》り払う必要があった。

二人挽き鋸の私の相方は、N衛生部見習士官で、耳鼻科出身であり、年齢も二つしか違わなかった。巨木の根を包む雪に腰を落とし、両足を八の字に伸べる。斧で割を入れた反対側に二人挽き鋸を構え、Nと対峙《たいじ》する。押し挽きなので呼吸を合わせ、鋸を往復させる。おが屑《くず》が周囲に勢いよくはじけ飛んでゆく。

周囲にも、点々と同じような光景があった。軍衣を着、階級章を襟につけた樵《きこり》の群だった。

ノルマは、夕方五時までに十本の伐採だ。到底こなせる量ではない。空《す》き腹も手伝って、午前中一本、午後はせいぜい二、三本伐り倒せばいいほうで、あとは足場作りのための白樺伐りに追われた。

白樺はどんなに太くてもノルマにははいらない。たいてい径十五センチはあり、木質が硬く挽きにくい。

この白樺の剝皮《はくひ》はよく燃え、私たちはロシア兵の眼を盗んで暖をとった。マッチはソ連側からひとり当たり五、六本の軸と擦り板が配給される。火をつけると、剝皮が燃え出し、枯れ枝を加えて焚火《たきび》を大きくする。あとは原木の丸太をくべる。火炎は二メートル近くまで上がり、火の粉が頭上から舞い落ちた。火力は強く、凍結した雪も溶け、地肌が見え始める。

「シベリアって、熱いなあ」

相方のN見習士官が冗談ぽく笑った。Nの出身大学はハルピンの北東三百キロにある佳木斯《チャムス》医科大学で、満鉄新京病院にいたとき召集されていた。同じ下級軍医であり、満鉄病院勤務も同じというよしみから、相方を組んでいた。

暖をとるための焚火は、周辺のあちこちで見られ、煙が上がっている。そのうち、「来たぞ」の声で、私たちも早速に元の位置に戻る。

やって来た警備兵は足で焚火の山を蹴散《けち》らし、「ダヴァイ・ラボータチ（仕事をやれ）」と怒鳴った。

私とNは防寒外套《がいとう》を雪の上に敷き直し、尻《しり》をおろす。防寒脚絆《きやはん》をつけた両足を前に投げ出し、前屈《まえかが》みの姿勢で鋸を挽く。

二人で十四、五回も鋸を往復させると、もう息が上がり、腕が言うことをきかない。

連日の疲労が全身の筋肉にたまり、そのうえ空き腹で、お互い口をきくのもつらい。腕を休めている間、周囲の林や空、同じように鋸を挽く将校たちの姿を眺めた。耳にはいる音といえば、斧で樹に割を入れる音、鋸を挽く音の二つだけで、それが谷間の樹々にこだまする。時おり、二十メートルはある巨木が倒れる音がし、その地響きが、雪の上におろした腰に伝わってきた。

最後の鋸のひと挽きで、雪に覆《おお》われた樹が倒れるときは、そこに何十年か何百年か立ち続けたものの最後にふさわしい光景だった。

根元で引き裂くような音をたてたかと思うと、はるか上方の梢《こずえ》がゆるやかな弧を描きながら、谷の方へ傾斜していく。四方に伸ばした枝という枝は、行く手の樹木や岩にぶち当たり、吹き飛ばされる。ほとんど幹だけになった樹が横倒しになる瞬間、雪煙が一面に立ち上り、幹は急勾配の斜面をまっしぐらにすべり落ちる。その様子は、海面に放たれた魚雷そっくりだった。

しかし時には、樹身が半回転捻《ね》じれて、斜めに落ちる樹もあった。倒れた瞬間に切口が二メートルくらい跳ね上がって、危険極まりない。倒れずに、隣の立木にもたれかかってしまう樹もあり、その処置に、もう一本分の余計な時間と労力を費やさねばならない。

倒れる拍子に、張り出した下枝が周囲の立木に当たってなぎ払われるときも、油断がならない。予期せぬ方向に飛び散る枝々は、破裂弾の破片を思わせ、顔すれすれにかすめてゆく。

休憩は、午前中に小休止一回、昼に大休止、午後に二回の小休止があった。しかし時計があるわけではない。一日が長かった。陽が高くなり、南側の山にかかる頃が、ようやく昼だと身体《からだ》に感じる。

昼食は、毎日雑嚢《ざつのう》に大事にしまい込んだ、三百グラムの黒パン、塩の利《き》いた鰊《にしん》一匹のみだ。

この二つは前日の夕食後に配給された。夕食を食い終わったあとでも腹は満たされず、その場で手をつけたいのを我慢しなければならない。食ってしまえば、翌日の昼飯がなくなる。昼飯なしで作業に耐えられるはずはなかった。

鰊には大きさに違いがあり、卵のはいったものはバカでかく、これに当たると羨望《せんぼう》の的になった。

大休止中は、周辺の将校たちもひと所に集まる。話題はいつも食い物とダモイ（帰国）に絞られた。私も含めてみんなが一様に食いたいものは餅《もち》だった。

誰かが「白い米の飯に、まぐろの刺し身が食いたい」と言ったとき、全員が唾《つば》を呑《の》み込み、黙り込んだ。私は金沢の新婚家庭でとった夕餉《ゆうげ》の味を思い出し、胸が詰まった。

ひと月もたつと、モスコーの指令間違いだとしたり顔で言っていたM少佐参謀も、モスコー行きを口にしなくなった。私の眼には、彼が胸に吊《つ》っている黄金色の参謀飾緒も色褪《いろあ》せて見えた。

私は二、三日前に相方のN見習士官が口にした「使い殺し」という言葉を、何度も反芻《はんすう》した。無条件降伏した国の捕虜など、生かすも殺すも勝手次第なのだ。いや、私たちはもう既に抹殺されているのかもしれなかった。

風呂《ふろ》がないので、誰もがうす汚くなっていた。雪を溶かして顔や肌を拭《ふ》くが、作業でついた垢《あか》は容易に落ちない。髭《ひげ》を伸ばしたままの者もいる。私は外科小嚢の中のクーパー剪刀《せんとう》を使って、髭だけは剃《そ》った。みじめさに対するせめてもの抵抗だった。

真新しかった防寒外套も、いつの間にかボロ布のようになっていた。焚火をたくと、火の粉が頭上に落ちてくる。防寒帽や防寒外套につくと、防水引きの外套には容易に焼け焦《こ》げや焼き穴ができた。そうでなくとも、灌木《かんぼく》の鋭い枝木にひっかかって鉤裂《かぎざ》きになる。穴からは中味の綿がはみ出す。継ぎを当てようにも、布と針、糸がない。

私たちが消耗していくのと反比例して、作業は日増しに厳しくなった。陽がおちても作業止《や》めの声はかからない。

冬の山あいの陽光は短い。五時頃を過ぎると、あたりは黒ずんでくる。気温が下がり、密度の高い寒気が肌に沁《し》み込む。まつげが硬く凍りつき、まばたきさえもしんどくなっていく。もういくら居残っても、これ以上の作業は無理だった。

そんなとき、監視しているソ連兵が、薄暗がりの中で銃をぶっ放した。無気味な連続音が谷間にこだまする。作業をしろという威嚇《いかく》だった。

空腹をかかえて小屋に帰るときは九時を回っていた。

ある日、くたくたになって辿《たど》り着いた小屋の中は、雑然となっていた。リュックサックや雑嚢の口が開いたままで投げ出されている。行李《こうり》の蓋《ふた》も開けられて裏返しになり、あたり一面引っかき回した跡がある。奥の方に、残留組の佐官たちの蒼《あお》ざめた顔が、ろうそくの灯影に揺らめいている。五十歳以上の佐官に限り、作業は免除されており、私たちの小屋では、第百七十八連隊長H大佐と第九十連隊長のM大佐とその大隊長のS中佐が、居残り組になっていた。

「ロスケが五人もはいって来て、いろんな物をかっ払っていったんだよ。銃を突きつけられているもので、どうにもならなかった」

三人とも恐怖に引きつった表情で、口々に訴えた。

私は早速に自分のリュックサックの中を点検する。ジャケットがなくなっていた。金沢で、父親が闇《やみ》の高値で買ってくれ、満州まで持って来ていたものだ。他の者たちも何がしかを盗まれていた。ソ連兵が特に欲しがって狙《ねら》った物は、腕時計と万年筆と衣類、特に女物の衣類だった。

在満中に家族を持っていた将校は、行李の中に女物の衣類を詰めて持参して来ていた。ソ連兵はそれを知っており、私たちも用心して、行李類は床板を上げて中に押し込んでいたのだ。

ひもじさの余り、自分の行李内の持物をこっそりソ連兵に与え、黒パンと交換している者もいた。それがソ連兵の掠奪《りやくだつ》を助長し、皺寄《しわよ》せが、行李も所持しない私たちに及んだともいえた。

ソ連兵とて、余分の黒パンを持っているわけではない。麓《ふもと》の駅から運ばれて来る私たちの糧秣《りようまつ》トラックを襲い、積荷下ろしの際に、黒パンを強奪していた。将校たちが持物と黒パンを交換しても、その黒パンはもともと私たちの口にはいるべきものだったのだ。

日が経《た》つにつれて、配給される黒パンは小さくなっていった。それに反比例して、私たちの空腹も度を増した。

ある日、ソ連側から私物検査の命令が出た。全員装具を持って、小屋前に整列せよという達示だ。私たちは言われたとおり、ぞろぞろと小屋前の広場に集まる。

地図、磁石、手榴弾《しゅりゅうだん》、麻薬、拳銃《けんじゅう》を持っている者は提出しろというが、もうそういう物はどこにもない。名目は禁制品検査だが、その実、これから略奪する物の下見に他ならなかった。

ソ連軍少佐を長とする三名の将校たちの周囲で、兵たちは眼を輝かせて、目ぼしい物を嗅《か》ぎまわっていた。

――日本軍将校各位がソビエトの規約をよく遵守《じゅんしゅ》して、禁制品を所持されなかったことは、本官としては満足に思います。

中央からの指令が来るまで、しばらく現在の作業を続けていきますが、作業場で不必要な品物を所持していると、ソ連刑法によって処罰されます。従って、必要な所持品を残し、その他の物は収容所本部の倉庫に、責任を以《もっ》て保管致します。各自の預かり品目を記載のうえ、保管の手続きをとっていただきたい。

通訳がこれを訳し終えると、ソ連軍少佐は顎《あご》をしゃくって笑顔になった。

「パニャートナ、ダ？　フショ（分かりましたね、以上）」

これに対しての私たちの反応はさまざまだったが、最後は、ソ連の制裁を甘くみてはなるまいという結論に落ち着いた。行李類は紐縄《ひもなわ》で厳重に梱包《こんぽう》して、提出することになった。

私には提出する物などなく、気楽といえば気楽だった。対照的に、非戦闘部隊にいた高級将校たちのしょげっぷりは、はた眼にも哀れだった。特に、参謀飾緒を胸にしたM少佐は、後生大事にしていた三個の行李を手放して、虚《うつ》ろな目つきになっていた。ソ連軍の言う保管とは、例によってその場限りの言葉であり、徹底的な収奪であるのはもう疑いようがなかった。

追《お》い剝《は》ぎにあったも同然に所持品もなくしたあと、作業はさらに厳しくなり、七時が過ぎ、真暗になっても持ち場からは帰れなかった。

作業遅延が私たちの怠慢のせいだと決めつけたソ連側は、ノルマ制にきりかえた。軍隊で鍛え上げた膂力《りょりょく》充分の者や、出征前農作業に慣れていた者は、ノルマ制が都合よく、午後三時頃には作業を終えて帰ることができた。しかしそれは例外で、多くの将校にとってノルマは初めから達成不可能事だった。軍医である私とN見習士官は、落ちこぼれ組の代表になった。

この頃、私はN見習士官が急に無口になり、ぼんやりしていることに気がついていた。二人挽き鋸を十数回挽いてひと息つくのだが、その途中でも鋸が動かなくなった。

目をやると、向こう側で腕を休め、じっと樹《き》の幹を凝視しているのだ。

「Nさん！」

私から名を呼ばれて、N見習士官はようやく我に返り、腕を動かし始める。監視のソ連兵は私たちの作業の遅さを知っており、近づいて来て小銃の先でNの背中をつついた。

シベリアでは雪は夜だけ降り、日中は晴れる。晴れていても、力一杯息を吐き出すと、白い息は火炎放射器のように、十五、六メートル先まで長く伸びた。防寒帽の口の周囲には吐く息が凍りつき、海豹《あざらし》の口元そっくりになる。口をきくたびに、つららのような氷の毛がカチカチと微《かす》かな音を鳴らした。

防寒外套は汚れ、大小の焼き穴や鉤裂きから綿がはみ出して、私たちは乞食《こじき》同然の姿になっていた。

小屋近辺の樹を伐採するにつれて、作業現場も遠くなる。歩く足下の雪は完全に凍結し、厚い鉄板さながらだった。寒気が防寒靴を通過して防寒靴下までつき抜け、足を痺《しび》れさせた。そのうえ、防寒脚絆と靴との間から入った雪で、両足のアキレス腱《けん》がメスで刻まれるように痛んだ。

もうこれ以上、鋸挽《のこび》き作業を続けるのは無理だと思われた頃、班替えがあり、私と

N見習士官は搬出班に回った。しかしこれもまた、遠目で見たほど楽な作業ではない。運ばねばならない材木は、伐り残された灌木《かんぼく》の間の雪の上に、点々と転がっている。材木の長さは三メートル五十、径は三十センチから四十センチだ。それをトラックのはいる道路際《ぎわ》まで搬出して、二メートルの高さに積み上げなければならない。

搬出路は、百五十メートルから二百メートルくらいのゆるい勾配《こうばい》になっていた。そこにレール代わりの白樺《しらかば》の幹を敷いている。材木はうまくレールに乗ると、二、三十メートルは勢いよく転がってくれる。しかしたいていは、途中の起伏や凹凸にひっかかって脱線した。

思わぬ所に跳び出して深い雪の中にめり込むと、十数人が集まって長い杖《つえ》でこじり上げなければならない。一本ならいいが、数本が重なっているのを取り出すのは骨が折れた。

搬出班でもノルマが課せられ、しかもそのノルマは搬出路が長くなっても、地形が悪くなっても変更されなかった。

搬出班では、鋸挽きと違って機敏性も要求された。斜面の上から転がってくる円材を、途中で待ち受け、脱線しないように白樺の杖でこじるのだが、これが危険だった。加速度のついた円材は、私たちの持つ杖をいとも簡単に撥《は》ね上げる。雪の中を転がる材木に追いかけられ、私たちは左右に逃げ惑った。これで無駄な体力を消耗させられた。

N見習士官が逃げ遅れ、危うく円材に襲われそうになったときには、見ていた誰もが声を上げた。幸い一メートルくらいの間隙《かんげき》を残し、材木はN見習士官の脇《わき》を猛牛のように駆け下っていった。

年が改まり昭和二十一年になったことは、中隊の本部からそれとなく知らされた。ソ連側から達示があったのだろう。しかし私たちの置かれた状況には何の変化もなかった。唯一《ゆいいつ》の変化は、作業を免除されていた五十歳以上の佐官が、荷物もろともどこかに連れ去られてある日忽然《こつぜん》と姿を消したことだった。

前日まで何の通達もなく、本人たちの様子にも変化がなかったので、人さらいのようなものだった。私たちの小屋の三人ももちろん、他の三棟も同様で、毎朝作業開始の前、宮城遥拝《ようはい》の指揮をとっていた中隊長のM大佐も姿を消していた。

「ひょっとしたら、佐官だけを集めて先にダモイさせたのではなかろうか」

誰かが羨《うらや》まし気に言ったが、賛意を表す者は少なかった。ダモイであれば、残った者の士気を高めるために、その旨《むね》をちゃんと知らせているはずだ。

「ノルマが達成できないので、詰め腹を切らされたのだよ」

顎鬚《あごひげ》を長く伸ばして、滅多なことでは笑わない工兵出身のK大尉《たいい》が言った。「こうやって上の方から間引きしていけば、一種の脅しになるからね」

なるほどその見方には説得力があった。要するに戦力にならない者は、片端から抹消する魂胆なのだろう。

翌日から宮城遥拝は沙汰止《さたや》みになった。しかし作業中に小屋を空にするわけにはいかず、居残りを順番ですることになった。同時に、小屋の室長も決め、K大尉が任についた。無愛想ではあるが工兵科だけに、伐採、搬出、積載の指導は要を得ていた。階級のうえでは、元師団参謀のM少佐がK大尉より上だが、人望がない。ここに来た当初から、作業班に入らず、炊事や小屋内外の清掃を受け持っていた。

炊事班だから、食い物を掠《かす》め取ることができるのだろう。私たちが日を経るごとに痩《や》せていくのに反して、体重もほぼ元のままであり、肌つやもよかった。

この際、炊事班も固定せず、十日毎《ごと》くらいに順番に出そうということも決められた。M少佐は表立って反対はせず、にやにやしているだけだった。おそらく、このまま楽な立場にいると、次に連行されるのは自分だと計算したのかもしれなかった。

やがて私とN見習士官の持ち場は、搬出から積載に変わった。これもまた楽な作業ではなかった。丸太を四人がかりでトラックの荷台に積み上げるのだが、一斉に力を入れないと、荷台までの斜面を上げられない。力を抜いたとたん丸太がこちら側に転がり戻ってくる。ようやく一本の円木を荷台に上げたときには、全身から力が抜け切っていた。

炊事を担当していたM少佐の最初の作業場は、私たちと同じ積載だった。しかし体格は良いのにへっぴり腰であり、材木に身体を密着させようともしない。掛け声だけで、初めから現場監督気取りだった。

ひと月も経つと、この態度が鼻につき出した。たまりかねて、それとなく指摘した私に、M少佐は目をむいた。

「あんたも医者のはしくれだから分かろうが、俺はもともと座骨神経痛の持病がある。それを悪化させたら作業に出られなくなる。員数がひとり減ったら、元も子もなかろう」

私はM少佐の剣幕よりも、〈医者のはしくれ〉という言い方が胸に刺さった。自分で口にしたことはあったが、他人から言われたことはなかった。

私はボロと化した自分の防寒外套《がいとう》と、形を保っているM少佐の外套と胸の参謀飾緒を見比べ、黙るしかなかった。私の傍にぼんやり突っ立っているN見習士官も、私同様今や〈軍医のはしくれ〉以下の存在になっていた。

さらに半月も過ぎた頃、M少佐はしばしば作業を休むようになった。本格的に休むためには、ソ連軍の本部まで行って許可を貰《もら》う必要があったが、もちろんそんな手続きは無視だ。

「どうせ作業に出ても動けないのだから、居残り番をしながら、室内清掃でもしていたほうが、あんたらも助かるだろう」

それが彼の言い分だった。ある日腹にすえかねた室長のK大尉が抗議した。

「あなたの員数も、作業のノルマには引っかかっているのです。正式に診断してもらって、そのうえで休んだらどうです」

「ソ連軍の医務室は名ばかりで、ちゃんと患者を診きれる医者はいません。薬だってない。ともかく私は病人だから、あんた方と一緒にされたら困りますよ」

巧妙な返事に、K大尉も苦りきった顔で引き下がるしかなかった。

M少佐は気が向くと作業班のあとについて来て、焚火《たきび》にあたったり、搬出を手伝ったりした。これも、非難の矢面に立つのを少しでも避けるための策に違いなかった。

ノルマの枠がひとり一日九リューベ（立方メートル）から十リューベに上げられ、私たちの作業はさらに酷なものになっていた。ひとりM少佐だけが気楽な出務ぶりで、腰痛《ようつう》にもかかわらず、堂々と歩き、立派な体格を保っていた。

少佐が居残るようになって、リュックサックの中の食い物が紛失しだしたという噂《うわさ》が立ちはじめた。もともと、食い物は支給される分のみで、手持ちの食糧といえば、禁じられている交換糧秣しかない。従って、みんなも大っぴらに口に出せないでいたのだ。

昼の休憩時に焚火の周囲に集まった際、A准尉《じゅんい》が言った。

「ゆうべ、班内に上がった角砂糖はひとり四個と半かけでしょう。他の班は、ひとり七個半ぐらい渡っていると言っています。三個足りないのじゃないでしょうか」

「そうだな。俺もちょっと少ないとは思っていた」

S中尉が相槌《あいづち》をうち、むっつりとした顔で火を眺めていたK大尉が鬚面《ひげづら》を上げた。

「そりゃ本当か。おかしいじゃないか」

焚火の周囲は一瞬緊張した空気に包まれた。「このところ居残っているのはM少佐と誰だい？」

「T中尉殿も熱を出して休んでいます」A准尉が答えた。

「しかし、配給の手違いってこともありますから、よく調べたほうがいいです」

日頃から穏健なD中尉が言った。

「炊事に当たってみましょうか」

A准尉が身を乗り出す。「間違いじゃなかったらどうしますか」

「ひとまず、少佐に訊《き》いてみてからにしよう」

K大尉が答え、A准尉がもうひと押しするように続けた。

「この前、E少尉の高粱《コーリャン》も少しやられたらしいです」

「本当か。ちょっとE少尉をここへ呼んでくれ」

別の焚火にあたっていた小柄なE少尉がやって来る。私の見るところ、彼も要領がよく、交換糧秣を手にしていないはずはなかった。

「貴官の高粱が盗《と》られたという話が出てるんだが、本当か。遠慮なく言ってくれ」

K大尉から訊かれ、E少尉は周囲の顔をうかがうような目つきで、顎を引いた。

「本当です。だいぶやられました。誰か手の早いのがいるんですね」

「そうか」

「みんなでM少佐を洗ってみましょうか」A准尉がK大尉に迫る。

「しかし、物が物だけに、現品は出ない可能性があります。食ってしまえば、もう誰にも分かりませんし」

D中尉がなだめる口調になる。

「ひとり三個として、二十四人分で七十二個ですよ。そんなには食えんでしょう。少しは残っているはずです」

A准尉が確信ありげに言った。

「よし、今日、少佐を調べてみよう」

K大尉が言った。

詰問《きつもん》するのは他の作業班が帰る前がいいという話になり、午後の小休止は返上して、その日のノルマだけは何とか早めに達成した。

いよいよ作業を終えて小屋に戻ると、M少佐は髭面に愛想笑いを浮かべて私たちを迎えた。

「ご苦労さんです。今日は煙草《たばこ》が上がっています。みんなのリュックの上にのせときました」

幸い、他の班の連中はまだ戻って来ていなかった。発熱で休養していたT中尉は、防寒外套を頭からかぶって横になっている。

「少佐殿」

K大尉が口火を切った。呼ばれたM少佐は鷹揚《おうよう》に顔を向けた。

「ゆうべの角砂糖は、誰が配給したのですか」

「T中尉と私がやったんだが」

やや不安気な表情で、M少佐は横臥《おうが》しているT中尉の方を見やった。T中尉は青白い顔をもたげて首を振る。

「私はずっと寝ていましたから、少佐殿が受領して分配されているようでした」

成り行きを見つめる全員の顔が硬くなる。

「よその班ではひとり七個半渡っているのですが、ここだけ四個半というのは、どういう訳ですか」

K大尉がM少佐に詰め寄った。

「私は知りませんね。炊事で受領したものを、そのまま配ったのですから」

「しかしうちの班だけ、ひとり三個少ないのは変ですよ」

「そんなこと知りませんよ。何なら炊事に訊いてみたらどうです」

「炊事に訊きに行ってもいいのですね」

「ええ。行ったらどうです」

M少佐は幾分怯《ひる》みながら答える。

「いいんですね。もし炊事で間違いない、七個半やったとなったら、どうしますか」

「そんなことは知りませんよ。私はちゃんと受領したままを配ったのですから」

「そうなるとこれが表沙汰になりますよ。それでもいいですか」

K大尉はつかみかかりたい気持を抑えているのか、両の拳《こぶし》を握りしめている。M少佐のほうは、平静さを取り戻したようだ。

「私はすることはちゃんとしているのですから、何も言われる筋合いはありません」

「じゃ行っていいのですね。しかし、もしもあなたが容疑者になったら、将校としてあるまじき破廉恥《はれんち》ですよ。関東軍将校の恥です。しかもあなたは参謀です。関東軍の参謀がこそ泥を働いたとなると、ここだけじゃなく、ラーゲリ全体の笑い物になりますよ」

K大尉は興奮して息が荒くなる。「間違ったら間違ったでいい。率直にみんなの前で白状したらどうです」

「知りませんね。私は何も言うことはないですよ」

「知らないではすまされないんだ」

K大尉がとうとう声を荒らげた。「我々は今日、作業場で申し合わせて来たんだ」

「なら、どうするって言うんですか」

M少佐は不貞腐《ふてくさ》れた顔で周囲を見渡した。

「みんなの見ている前で、あなたのリュックの中を見せてもらいたい」

返事はなく、M少佐は口をとがらせ、視線を床に這《は》わせた。

「それでもいいんですね。我々はあなたの潔白を確認したいのです」

Ｋ大尉が詰め寄った。

「それがいいです。少佐殿が何でもないと言われているのですから、みんなの前でリュックを見せてもらいましょうよ」

Ａ准尉がそれとなくけしかける。

「そんなことをされてもいいのですか。我々の前で、潔《いさぎよ》く言ってもらいたいのです。将校らしく、関東軍参謀らしく、言ったらどうです」

「勝手にしたらいいでしょう」Ｍ少佐が小さく答えた。

「じゃ、いいんですね」

Ｋ大尉が念をおし、目配せをした。

砂糖など、食ってしまえば何も残らない。仮に証拠が出なかった場合、どんな結末になるのか。班全員で、上官である少佐をこそ泥呼ばわりにした事実は消えない。

Ａ准尉が、Ｍ少佐のリュックサックを引きずり出した。

ひとりが、かがり火の明かりを近づけた。リュックサックの紐《ひも》が解かれる。Ｍ少佐は壁際《かべぎわ》に身体《からだ》を寄せ、身動きしない。全員の眼がリュックサックの中に注がれた。

「何ですかねこれは。飯盒《はんごう》が二つもあります。物持ちですよ」

A准尉が飯盒をつかみ出した。

「これは、俺の飯盒だ。輸送中の汽車の中でなくしたと思っていたんだ。こんな所にあったのか」

K大尉が感じ入ったように言い、飯盒を手にする。確かにK大尉の注記がはいっている。意外な物が飛び出して、M少佐の罪科のひとつが明らかになった。これで検査を続行する名分がたって、全員が色めき立った。

M少佐は無精髭《ぶしようひげ》の顔を蒼白《そうはく》にして、壁に寄りかかっている。

次に、青い将校手套がつかみ出された。

「Oという注記がはいっています」A准尉が高らかに言う。

「おっ、俺のもここにしまってあったのか」

O中尉が素《す》っ頓狂《とんきよう》な声を上げた。

襦袢《じゆばん》、袴下《こした》数枚、食器五、六個などが次々と床に並べられた。

そしてリュックサックの底からは、高粱、大豆、米の小袋がいくつも取り出される。全部で一升を超える量になった。M少佐が飢餓に備えて、懸命に貯《たくわ》えてきたのだろう。

「すごい食い物ですなあ」

A准尉が横柄《おうへい》な態度になり、M少佐の方に顔を向けた。

しかし肝腎《かんじん》の砂糖は、かけらさえ出てこなかった。

「我々がみんな腹ぺこになって山で働いている間、少佐殿は食糧を貯えておられた。不公平ではないですか」

O中尉がみんなの顔を見回す。「どうです、みなさん。これをみんなで今夜の増粥にしたらどうですか」

壁際のM少佐は声もたてられずにいる。こうなるともう誰も反対しなかった。私とて反対の声を上げる気持は萎《な》え、ぐつぐつ煮えた粥の味までもが思い出された。

他の作業班が帰って来る前に食ってしまわないと、話がややこしくなる。全員が活気づき、動き出した。貯水用のブリキ缶に吹き溜《だま》りの雪を詰める。薪《まき》を集めて来て、ストーブに薪をくべ、ブリキ缶をかける。高粱も大豆も米も、一緒くたにしてその中にぶち込まれた。

M少佐は呆《ほう》けたように壁際にしゃがみ込み、私たちの動きを眺めているだけだ。粥の匂《にお》いがし始めると、腹の虫が鳴り出した。何かと理由をつけて作業を休み、他人の物品を掠《かす》め盗り、支給の砂糖もネコババするような少佐を憎みたくなるのは当然だが、かといってせっせと貯《た》め込んだ食糧をぶん捕ってしまうのは、どことなく気がひけた。

しかしそんな感情も、空腹の前には雲散霧消してしまった。粥が出来上がると、全員が自分の食器をリュックサックから出してさしのべる。ひとり当たりかなりの量がつぎ分けられた。久しぶりの粥に、私は思わず生唾《なまつば》を呑《の》み込んだ。

「少佐殿も、腹は空《す》いとろう」

K大尉はM少佐のリュックサックからアルミの食器を取り出し、粥を盛らせた。匙《さじ》を添えて、A准尉に持って行かせた。

M少佐も観念したように匙を手にして、粥を食べ出す。

私はふとN見習士官のことが気になり、あたりを見回す。彼は奥の方にぽつねんと坐《すわ》り、食器を出すでもなく、遠くから眺めているだけだ。初めからこの騒動には加わる気はなかったようだ。

私は立って行き、呼びかけた。

「ここは食べたがいいですよ。腹が減っては戦《いく》さも作業もできません」

ようやくN見習士官は腰を上げた。食器を持って行き、つぎ分けてもらったものの、私たちとは離れた所で、食べ始めた。

高熱で寝ていたT中尉にも粥は配られた。T中尉は上体を起こし、おしいただくようにして受け取った。

私たちが食い終わった頃に、他の作業班が帰って来た。増粥のことは口にしないつもりだったが、小屋内にたち込めた粥の匂いはどうにも消しようがなく、白状せざるをえなかった。M少佐のおごりだということで、私たちは辻褄《つじつま》を合わせた。

しかしその所業は他の小屋にも広がり、ソ連軍にも知らされたようだった。ある朝、少佐に呼び出しがかかり、私たちが作業から帰ったとき、リュックサックと一緒に彼の姿も消えていた。他の収容所に鞍替《くらが》えになったという噂《うわさ》だった。

この事件から半月あまりして、私はまた最初の伐採班に戻った。相方は前と同じ、N見習士官だ。お互い軍医という親近感を抱いていたのも事実だが、誰もN見習士官と組みたがらない結果でもあった。それほど彼は誰ともうち解けず、雑談にも加わることがなかった。そんななか、Nのほうでも、どこか兄貴分として私を頼りにしている様子があり、放っておけなかったのだ。

伐採現場は小屋からはさらに遠くなり、山道を一時間以上歩かないと辿《たど》り着けない。重い二人挽《び》き鋸《のこ》を担《かつ》いで、そこに行くだけでもひと仕事だ。おまけにN見習士官は自分から鋸を担ごうとしない。行き帰りとも運ぶのは私だ。

もともとNの動作は緩慢だったが、このところそれが目立つようになっていた。捕虜呆《ぼ》けとはこういうものかと私は思い、休憩時間には私のほうからいろいろ問いかけるようにしていた。彼の出身大学である医科大学は国立で、昭和十五年に新設されたばかりだった。その他にも満蒙《まんもう》地区には、国立で新京医科大学や哈爾浜《ハルピン》医科大学、私立で盛京医科大学などの新設医大があり、どういう教育が行われていたのか、私には興味があった。

しかしN見習士官は、ぼそぼそと単発的に私の問いかけに答えるのみだった。学長は、京都帝国大学卒の寺師陸軍軍医中将だということ、冬は零下三十度、夏は三十度を超す灼熱《しやくねつ》地獄、春と秋は黄砂で悩まされたことを、私はようやく知りえた。

例によって、鋸挽きの途中で、N見習士官が手の動きを止めることが多くなった。疲れたのかと思うとそうではなく、目は虚《うつ》ろで、視線は宙に浮いている。何か考え事をしているのでもなく、単に放心しているのだ。私の呼びかけで、ようやく我に返り、手を動かし始める。

室長のK大尉に報告して、N見習士官をソ連軍の医務室に連れて行ってもらうべきかもしれなかった。しかし、仮に何かの診断が下されて、どこか他の場所、収容所病院のようなところに連行されたとしても、状態が良くなるとは思えない。顔見知りもいない所では、魂の抜けた状態はさらに悪くなるに違いない。それよりは、この収容所で帰国の日まで何とか持ちこたえるほうがいいはずだ。私はそんな結論に達し、K

大尉にも言わなかった。

その日も、N見習士官と私は大木を間にはさんで向かい合っていた。落葉松《からまつ》の直径は六、七十センチはあり、何度か回し挽きにしなければ挽きされそうもない。手を休めて樹《き》を見上げると、三、四十メートル上の方で、樹冠の梢《こずえ》が風でわずかに動いている。思い切り周囲に広がった枝という枝は、雪を衣服のようにまとっていた。

さあもうひと踏ん張りだとN見習士官に声をかけようとしたとき、彼は鋸から手を放してひょいと立ち上がった。

小便にでも行くのかと思ったが、そうでもなかった。森林の先に幻影を見たかのように、ゆっくり歩いて行く。どこへ行くのかと私は声をかけそうになったが、思いとどまった。私の声でN見習士官が驚き、さらに向こうの方に逃げ出す予感がしたからだ。

ぼんやり突っ立ってはまたよろよろと歩く姿が、遠くで監視していたソ連兵の眼にとまらないはずはない。目ざとく見つけたソ連兵は雪の上を大股《おおまた》で近寄り、「ダヴァイ・ラボータチ（仕事をやれ）」と怒鳴りつけた。

そのときだ。N見習士官は、はじかれるように走り出した。ソ連兵がまた叫ぶ。

「ストイ（待て、止まれ）」

叫びながら小銃を構え、銃口をN見習士官に向けた。その殺気を感じたのか、Nは立ち止まり、後ろ向きのままゆっくりと両手を上げた。

「倒れるぞ」

日本語が私の耳に届いた。N見習士官のずっと向こうで、一本の落葉松がゆっくり倒れ始めていた。根元に、二人の将校が立ち、「よけろ、よけろ」と言うように激しく手を動かしている。

しかしN見習士官は凍りついたように両手を上げたままだ。

雪をかぶった大木はその間にも軸芯《じくしん》を傾け、傍の立木を抱き込んだまま、地響きを立てて転倒した。

N見習士官の姿は、もうもうとした雪煙の中に消えて見えなくなっていた。

ようやく雪煙がおさまり、ソ連兵がそこに近づいて行く。私も駆け寄る。向こうにいた二人の将校も、何か恐《こわ》いものでも見るように歩み寄った。

Nは、頭の周囲を紅に染め、雪の中に突っ伏していた。飛び散った太枝が頭蓋骨《ずがいこつ》を粉砕していた。

私たちに移動命令が出たのはそれからひと月後だった。現在地からさらに十キロ山奥の地点だという。出発の前日、ソ連側が保管すると言って持ち去った行李《こうり》が、トラックで送り返されて来た。あれほど厳重に縛りつけた紐縄は跡形もなくなっていた。中味もほとんど盗《と》られたのだろう、行李は軽々と荷台から放り出された。

私たちは今が昭和二十一年のいつなのか、シベリアのどのあたりにいるのか、分からないままだった。

生物学的臨床診断学

昭和十五年、慶応の医学部を出た私は、大学病院の内科に勤務中、召集を受けて、十七年の一月、館山《たてやま》海軍砲術学校に入隊した。そこで三ヵ月の一般海軍の教育を修了後、東京築地《つきじ》の軍医学校に移り、同じく三ヵ月間軍陣医学を学んだ。

卒業と同時に軍医中尉《ちゆうい》となり、第二遣支艦隊司令部付を命じられ、佐世保軍港を出航したのは十七年六月末だった。護衛もつかない武装貨物船一隻《せき》のみの航海は、はなはだ心もとなく、その予感は、早くも台湾海峡で現実のものとなった。夜間、米潜水艦と遭遇、船長は潜水艦に体当たりを敢行し、直後に船尾から爆雷を投下した。夜が明けて、追尾は確認されず、全員が胸をなでおろした。

最初の寄港地は台湾高雄《たかお》で、内地とは全く異なる風情《ふぜい》に私は目を見張った。店先に並ぶ果物の大半は、これまで見たこともない形と色だった。三日の滞在の間、私はバナナをたらふく食った。

高雄出港後、船は珊瑚礁《さんごしよう》の島、澎湖《ほうこ》島《とう》の馬《ま》公《こう》に一夜だけ立ち寄った。次の寄港地香《ホン》港《コン》で、さらに南方に向かう海軍軍医たちと別れ、ひとりだけ下船した。

第二遣支艦隊とはいえ、私の眼に陣容は貧弱に映った。砲艦は旗艦の「橋立《はしだて》」のみで、あとは水雷艇や掃海艇の類《たぐい》を数隻擁するだけだ。

私の勤務場所は、海軍工廠《こうしょう》を小さくしたような第二工作部で、早速に、立派な建物の一室を与えられた。部屋が冷房され、電気冷蔵庫まで置いてあるのには驚いた。あまつさえ、士官二人にひとりの姑娘《クーニャン》がついて、女中代わりの世話をしてくれる。

私の任務は、工作部で働く百名余の日本人技術者と、一千名を優に超える現地人工員の健康管理である。午前中は診療、午後は集団の健康診断と検便に忙殺された。赤痢《せきり》やコレラなどの消化器伝染病の他に、内地では絶対見られないデング熱なども流行しており、気が抜けない。

とはいえ、四時以降は放免される。好きなテニスの他に、野球や水泳もでき、夜は街に出て撞球《ビリヤード》も楽しめた。軍服でレストランにはいると、専属の楽団が途端に軍艦マーチを演奏してくれるという歓迎ぶりだ。

この時期、既に戦況は転換期を迎えていた。ミッドウェー海戦で反撃の糸口を見つけた連合軍は、南太平洋に進攻、ガダルカナルがまずその標的になっていた。

それでも香港は燈火《とうか》管制もなく、タイガーバームガーデンやアバディーンは、明け方までどぎついネオンを見せつけていた。

私が水雷艇乗組を命じられたのは十一月初めで、これを境として、私の軍医生活は一変した。

早朝、私を乗せた内火艇は岸壁を離れ、対岸九龍《きゆうりゆう》の啓徳飛行場に向かった。ここから離陸した飛行機は台北どまりだった。内地便は二日後に出て、横須賀に戻り、そこで空母大鷹《おおたか》に乗り、水雷艇の待つラバウルに向かった。

大鷹の少・中尉士官室であるガンルームでは、海軍兵学校出の士官や、大学・高専出の予備士官たちと一緒だった。士官たちは、私が香港で接した優雅な生活をしている士官たちとは違い、きびきびとした軍人の所作を身につけていた。

ラバウルが近くなると、予備士官たちは零戦《れいせん》に乗り込んだ。小さな甲板を滑走し、離艦と同時に水面すれすれまで下降、しかしすぐ上昇し、見事な編隊を組んで飛び去った。私は甲板に立って見送りながら、いよいよ前線に来た感慨に浸っていた。

ラバウル港は多様な艦船で溢《あふ》れていた。空には絶えず日本機が飛びかっている。

ラバウルは、東西にひょろ長い四国の二倍くらいの大きさのニューブリテン島の東端に位置している。沿岸には、豪州政府下にあった当時の赤屋根の建築物が立ち並《し》んでいる。海岸から数キロはいると既に密林で、その中には、陸軍の各部隊が陣を布いているという話だった。

右手の方に活火山、前方には擂鉢《すりばち》を伏せたような死火山が望め、湾内の波は静かで青く澄んでいる。紋甲《もんごう》いかの泳ぐ姿が、手に取るように見分けられた。

活火山の手前の海には、赤茶色に錆《さ》びた貨物船が船首を傾けて沈んでいる。桟橋の丸太や椰子《やし》の木にも、弾痕《だんこん》が残っていた。いずれからも、前年の開戦時の戦闘がいかに激しかったか、しのばれた。

湾の奥には、飛行艇が翼を休めているのが見えた。爆音に気がついて視線を上げると、零戦や一式陸攻が、翼の日の丸も鮮やかに上空に舞っている。

近くにいる小ぶりな巡洋艦に、カヌーが二、三隻近づいて来ていた。カヌーの中には、黄緑色に熟した椰子の実《み》がはいっている。デッキにいる水兵が編み籠《かご》を垂らして、実を吊《つ》り上げ始める。カヌーに乗った島人の髪は縮れた褐色で、真黒な肌に、歯と目だけが白かった。何か唄《うた》うような声が、私の耳に届く。耳を澄ますと、モシモシカメヨ、カメサンヨだ。どうやらそれが行商の呼び声になっているようだった。

十一月下旬、私は六百トンの水雷艇に着任し、前任の軍医大尉と交代した。乗組員は、艇長以下、士官十名、下士官兵百名からなっていた。士官室には海軍兵学校の出身者はおらず、商船学校出身の予備士官と、兵あがりの特務士官、高専出の主計少尉で構成されていて、序列では、軍医中尉の私が艇長の次になっていた。

水雷艇は、文字どおりハリネズミにも似て、機銃の他に十二センチ砲三門、五十三・三センチ連装魚雷発射管一基を備えていた。

赴任した日の夕刻、私の乗った水雷艇は、もう一隻の水雷艇とともに出航した。目的地は、ラバウルが位置するニューブリテン島の西、ニューギニア島の東部にある港ラエだった。そこには海軍の第八十二警備隊が配備されている。二艇とも、食糧の入ったドラム缶を満載していた。

翌日早朝から、雲間に敵機が一機チラチラ姿を見せはじめた。こちらの動きを探るための触接である。水雷艇の十二センチ砲が火を吹いたが、敵機には当たらない。

午後になって、四発の大型機B17十二機の編隊が来襲した。

「配置につけ」

艇長の号令とともに一戦が開始され、これが私の初陣《ういじん》となった。

私は下腹に力を入れ、敢《あ》えて艇内にはいらず、甲板上に立った。

「軍医長、見ていて下さい。やりますよ、落とします」

兵士が顔を紅潮させて叫ぶ。艦橋では艇長の大きな声が響いた。

敵編隊は、次々に二百五十キロ爆弾を落とす。シュルシュルと不気味な音をたてて落下してくる爆弾を、水雷艇は三十ノットの全速で回避する。死命を決するのはこの数秒間だ。

海戦の絵で見た覚えのある水柱が、あちこちに立ち、周囲は全く見えない。僚艦も水柱に包まれている。水柱の間を、白波を立てて疾走していたが、艇尾から煙が上がっていた。

〈ワレ被弾、ラバウルニ引キ返ス〉

信号が届き、このあとは私の乗る水雷艇一隻と大型機十二機との死闘になった。

爆弾が落とされると、数瞬遅れてザーッと機銃弾の雨が降る。

突然、顔をバットで殴られたような痛みを覚え、よろめいた。そばにいた主計少尉が私の身体《からだ》を抱きかかえてくれた。

「軍医長、顎《あご》が。衛生兵、衛生兵」

主計少尉が叫んだ。

私の下顎から血が噴出していた。至近弾の弾片が顎をかすめたのに違いない。駆けつけた衛生兵が、圧迫繃帯《ほうたい》を巻きつけ、止血してくれる。

「やった、やった」

叫ぶ兵士たちの向こうを、一機が火を噴いて落ちていく。白い落下傘《らっかさん》が二つ開くのが見えた。

水雷艇は波を駆って進み、泳いでいた敵兵一人を救い上げた。二十歳を過ぎたばかりの豪州兵で、繃帯から眼だけを出している私を見やり、視線をそらした。

敵機が去ったあと、水雷艇のジュラルミン製の艦橋は穴だらけになっていた。舷側《げんそく》の薄い装甲には爆弾の破片で拳《こぶし》大の穴があいている。それでも、食糧と便乗陸兵八名をラエに届ける任務を果たし、帰路についた。

顎の傷は痛んで眠りにつけず、私はたまらず自室から出た。天測をしていた航海長が私に気づいて夜空の一角を指さした。

「軍医長、あれが南十字星ですよ」

思ったより地味な星の並びがそこにあった。以来このサザンクロスは、仰ぐたびに私のもの言わぬ友軍になった。

艇は高速航行をしており、波のしぶきとともに、夜光虫が甲板に散る。ボートの陰には、捕虜の豪州兵が縛りつけられていて、寒さと恐怖で震えていた。

ラバウルに帰港すると、私は直ちに海軍病院に入院し、手術を受けた。経過は良好で、抜糸する前に艇に戻れた。

その頃、ラバウルの東方にあるソロモン海では、ガダルカナル島を巡って一進一退の激闘が続いていた。数次にわたる海戦で、海軍が誇る高速戦艦「比叡《ひえい》」と「霧島《きりしま》」

も撃沈されていた。重巡の「青葉《あおば》」が上甲板半分を飛ばされたままの姿で帰ってきたり、駆逐艦が主砲をだらりと下げて帰還したりした。断然強かった零戦も被害が増えはじめ、朝見事な形で飛び立った編隊も、帰るときはバラバラの数機になっていた。

ラバウル自体は全くの航空要塞《ようさい》といってよく、防禦《ぼうぎょ》は強固であり、少なくとも昼間の空襲はなかった。しかしひとたび港外に出ると、潜水艦の襲撃と、飛行機の来襲があった。

水雷艇内にばかりいては運動不足になる。私たちは入港するとすぐ上陸して、ラバウルの町はもとより、近くの東飛行場や、陸軍が使用する南飛行場のあるココポの方まで行軍をして身体を鍛えた。兵科と機関科に分かれて野球試合もした。兵はそうそう病気にならず、時間を持て余したときなど、私はメルボルン放送を聞いた。英語がすべて理解できるわけではないが、戦時色を全く感じさせない音楽やニュースが耳新しかった。

十七年の大晦日《おおみそか》、我が水雷艇はニューギニア島の北方、フィリピンの東方にあるパラオ諸島に入港した。コロール島の旅館で、十八年の元旦《がんたん》を迎えた。のんびりとした三日間を過ごしたあと再びラバウルに戻り、船団護衛に従事した。

南太平洋の海は蒼《あお》く澄み、なめらかで、飛び魚が海面をかすめ、椰子の茂る島々があちこちに見られた。

　私は主砲の陰で水兵と話をしたり、艦橋に登って艇長のきびきびした指揮振りを眺めたりした。

　戦闘はたいてい夕刻近く、突如として起こった。それまで鏡のようだった海は、たちまち狂瀾怒濤《きょうらんどとう》の海に豹変《ひょうへん》し、輸送船はのたうちまわった。

　一月中旬、船団を護衛して航行中、戦闘機と爆撃機が混じった戦爆連合三十八機の強襲を受けた。応戦して五機を撃墜した。このとき零戦三機が敵の大編隊の真只中《まっただなか》に突入した。一機を撃墜したものの、三機のうち二機は被弾炎上し墜落した。救助した味方の搭乗員一名は全身火傷《かしょう》で、ラバウルの海軍病院に送院した。

　同一月下旬、水雷艇は第八連合特別陸戦隊の輸送に従事した。敵潜水艦の警戒も兼ねて、零式観測機二機も上空にあった。十六時頃、雲間から突然敵機の姿が見えた。艦爆と艦攻十七機の来襲だ。零式観測機二機はあっという間もなく撃墜され、味方の輸送船も被弾し、水雷艇の周囲にも水柱が上がる。

　手も足も出ない状況下で、私もこれまでと思い士官室に戻った。しかし「隼《はやぶさ》が来たぞ」の声で甲板に出た。

　四機の陸軍戦闘機〈隼〉が、敵大編隊に戦いを挑んでいた。動作ののろい艦爆と艦攻に比べて、隼の動きはいかにも俊敏で、またたく間に四機を撃墜した。敵機が去ったあと、隼は船団の上空をひとまわりして帰って行く。

二月中旬、別の船団を護衛してラバウルを出港後間もなく、「配置につけ」の号令が響き渡った。ついで「爆雷戦用意」の叫び声が上がり、私は甲板に出た。

水雷艇は水面上に出ている敵潜水艦の潜望鏡を発見し、それに向かって全速力で突進していた。海は蒼く澄みわたっている。敵潜水艦の真上に来ると、真下に巨鯨のような黒い影が透視できた。行き過ぎると同時に、両舷から爆雷を投下する。

ほどなく腹にこたえるような爆発音がとどろきわたる。蒼い海がみる間に真黒に変色していく。重油が流れ出し、木片や衣服、その他の物品が浮いて来る。水兵たちは総出となって、それらを網ですくった。

その後も、あちこちに駆り出された。ラバウルの北にあるニューアイルランド島、ラバウルの東に位置するブーゲンビル島、ブカ島、さらにその東の中部ソロモンの諸島、ムンダやレガタの港など、目的地もさまざまだった。

そのたびに小さな戦闘があったものの、私の乗る水雷艇は大きな被害も受けずにすんだ。敵機を撃墜したら捕虜を捕え、潜水艦を撃沈すれば証拠物件をすくい上げて、ラバウルの海軍司令部に届けた。

しかし十八年の後半にはいると、敵の攻撃力の前にひれ伏す事態が増えた。原因は、敵の電探《でんたん》（レーダー）射撃だった。闇夜《やみよ》であろうと、スコールで全く視野がきかない状況であろうと、容赦なく弾が飛んできた。帝国海軍がそれまで誇っていた夜戦が、全く通用しなくなったのだ。

そんななかでも船団護衛任務は続いた。敵は飛行機よりも潜水艦だった。

八千トン級の船団を組んだ際、白昼にそのうちの一隻《せき》が電撃された。甲板上を陸軍兵が目まぐるしく走り回る光景は、巣を急襲された蟻《あり》の大群に似ていた。数秒後に火柱が上がる。手を広げた兵士が藁《わら》人形のように、ゆっくりと上空に飛んで行き、落下していく。

海面にはおびただしい浮遊物と、西瓜《すいか》のように漂う兵士の頭以外何もない。水雷艇は、浮いている兵士を救助しなくてはならない。しかしその水域にとどまっていれば、再び魚雷を食らう。あちこちに爆雷を投下しながら、救助にあたった。

筏《いかだ》に乗っているか、つかまっている兵士はあとまわしだった。まず泳いでいる者をすくい上げる。せっかく水雷艇の舷側まで泳いで来たものの、安心したのか、そのまま沈む者も多かった。引っ張り上げたところ、片脚がないのに気がつき泣き出す者、片手をぶらぶらさせている兵、顔が半分焼け爛《ただ》れた者など、甲板にはさまざまな傷兵が横たわることになった。狭い甲板はたちまち血で染まり、波に揺れるたび、血の流れが向きを変える。

私は衛生兵を従えて、鋸《のこぎり》で腕や脚の骨を切り、めくれ上がった皮膚を縫合した。傷兵たちを送院するには、トラック島の海軍病院が最も近かった。そこへ向かう途中、水雷艇の水兵ひとりが、急に腹痛を訴えた。傷も何もない。腹痛は朝のうちからあったのだが、戦闘で忘れていたのだという。診察すると紛れもない虫垂炎《ちゆうすいえん》による急性腹症で、一刻も早い手術を要した。

無傷の輸送船に打電して、氷を投げてもらい、それで患部を冷やし続けた。翌日、傷兵を艇から運び上げ、虫垂炎の水兵とともに海軍病院に運び込んだまではよかったが、外科医が不在だという。私はそれまで虫垂炎の手術は、大学で数回助手を務めたくらいの経験しかない。患者は痛みをこらえて半ばショック状態で、外科軍医の所在を探す余裕などない。うろ覚えのまま執刀し、何とか虫垂切除を終えた。虫垂は破裂寸前で、あと一時間も遅れていれば、腹膜炎に至っていたはずだ。

三週間後トラック島に寄港したとき、この水兵は元気な姿で水雷艇に乗り込んできた。

この頃、マリアナ諸島やカロリン諸島といった内南洋《うちなんよう》の島々は、南方のソロモン諸島と比べると天国と地獄の差があった。トラック島より北にあるマリアナ諸島のサイパンに入港したとき、岸壁では、参謀肩章《けんしょう》をつけた海軍少佐が、遠目にも玄人筋《くろうとすじ》と分かる和装の女性と話し込んでいた。艦橋にいた艇長が、ひと言「たるんどる」と言い放った。

八月十日、私宛《あて》に〈横須賀《よこすか》鎮守府付ヲ命ズ〉の電報が届いた。八月二十四日、トラック島で艇から降りた。わずか九ヵ月あまりの水雷艇生活であったものの、ここで海軍魂を叩《たた》き込まれたのは確かだ。艇長以下、百余名が一丸となって戦い、港に上陸して飲み食いするときも一緒だった。

「軍医長、お世話になりました」

叫び声に岸壁から振り向くと、艇長以下全員が帽子を振っている。私は涙がにじむのをこらえ、帽子を脱いでこたえた。

三日後、飛行艇でトラック島から横浜まで飛び、横須賀鎮守府に出頭した。少将から水雷艇での生活と戦果を訊《き》かれ、最後には誉《ほ》められた。「しばらく休養せよ」のはからいで、久里浜の海軍機雷学校付となり、そこから油壺《あぶらつぼ》の分校勤務にまわされた。

赴任早々驚かされたのは、分校の水兵たちの若さ、いや幼さだった。身体の細い十五、六歳の少年兵ばかりで、それを四十歳近い水兵と応召の下士官が指導している。

精強だった帝国海軍の凋落《ちょうらく》ぶりがまさにそこにあった。

私は分校で午前中は診察、午後は近在の無医村に出かけて診療にあたった。無医村での医療行為は、村人たちにありがたがられ、お礼に新鮮な魚まで持たされた。

しかしこののどかな勤務も長くは続かなかった。文字どおり、わずか一ヵ月の骨休めだったのだ。九月末、再び転勤命令が来て、横須賀鎮守府に出頭した。

「貴官は独身か」

人事課の大佐は顔を見るなり私に質問した。医師になって数年も経《た》たないうちに軍医となり、こんな具合にあちこちに転勤させられては、結婚する暇などないのは、訊かなくても判《わか》るはずだった。

「まことにご苦労だが、東部ニューギニアの第八十二警備隊が軍医を必要としている。直ちに空路ラバウルに行き、第八根拠地隊司令の指示を受けよ」

またラバウルとは。私は耳を疑いながらも、敬礼をし、退室した。

分校のある油壺を去る日、村人たちは総出で道の両側に並び、見送ってくれた。日焼けした老若男女のなかには、診療で見覚えのある老人もいて、私の両手を握り、「ありがと」「お達者で」と言ってくれた。

もし生きて帰れたら、と私はこみ上げてくるものを抑えながら思った。こうした無医村に家を借りて診療所を設け、一生を過ごすのもいい。しかしそんな日が来るだろうか。

「ジャワは天国、ビルマは地獄、生きて帰れぬニューギニア」か。

機雷学校に転勤の挨拶《あいさつ》に行ったとき、気の毒げに言ってくれた先輩軍医の言葉を私は思い出していた。

もし生きて内地に戻れたら、それこそ神の思し召《おぼめ》しだろう。無医村治療に生涯を尽くせという神の意志なのだ。そうします、と私は胸のうちで誓った。

十月中旬、横浜杉田から二式大艇に乗り、サイパンを経てトラック島に着水した。しかし次のラバウルまでの飛行便がなかなか出ない。B24が出没し、十数機で二式大艇を襲うからだという。十月末になって、ようやく旧式の飛行艇が出た。満員で、搭乗員の下士官から、各自外をよく見張るように注意された。

もうすぐラバウルだと思ったとき、急に機内が騒々しくなった。先刻私たちに注意を与えた下士官が七・七ミリ機銃を撃ち始めた。相手はB24で、十機近くから包囲される形になっていた。機銃弾が鋭い音をたてて飛んでくる。当たり所が悪ければ墜落する。確実に死が迫っている。

胸が締めつけられ、息もできないほど痛くなる。同乗の尉官《いかん》や佐官たちを見ると、顔面蒼白《そうはく》にして震えている者、軍刀を握りしめ、閉眼泰然としている者と、さまざまだ。私も目を閉じ、下腹に力を入れ、口元を真一文字に結んだ。

飛行艇は機銃を発射しながら急降下した。雲の中に突入するまでの一、二分が一時間にも感じられた。

雲をぬって、飛行艇は逃げるに逃げた。十分後、雲間からラバウルの火山が見えた。助かったのだ。

しかし上空から見るラバウルの港は、わずか数ヵ月の間に様変わりしていた。艦船でびっしり埋まっていた港内には、小艦艇のみがぽつりぽつりと停泊している。零戦も艦爆も飛んでいない。帝国海軍の凋落は明らかだった。

半年前の四月に起こった山本五十六《やまもといそろく》連合艦隊司令長官の死は五月に公《おおやけ》にされ、海軍将兵はおろか、今や国民にあまねく知れわたっていた。ラバウルの前線基地に視察に見えた司令長官は、四月十八日の朝、一式陸攻に搭乗して、ブインに向かった。しかしブイン到着の直前、P38戦闘機多数と遭遇、護衛の零戦六機が応戦した。交戦中、司令長官の乗る一番機が被弾、火を噴いてジャングルに墜落した。二番機は海中に不時着水し、参謀長以下の乗員は助かった。

この悲劇を境にして、ラバウルの偉容にかげりが出始めていたのだ。

上陸したラバウルの街は、空から眺めたとおり、度重なる空襲で荒れ果てていた。ニューギニア行きの潜水艦便があるまで、あばら屋同然になった旅館に投宿した。仲居からは、つい最近、百機に及ぶ艦載機の襲撃があり、彼女たちも近々引き上げることになっている旨《むね》を聞かされた。

翌日、陸戦服の第三種軍装で、碇泊《ていはく》場司令部に赴いた。そこで思いがけなく会ったのが、大学で同期のTだった。同じ内科医だったが、Tは第一内科、私は第二内科で医局が異なっていた。

陸軍軍医として召集されたTは、ひと月前に一万トン級の輸送船に乗って門司《もじ》を出発していた。まずパラオに着いて十日間滞在、今度は五千トン級の輸送船に乗り換え、一週間前にラバウルに着いたのだという。

懐《なつ》かしげにしゃべる間、Tは時折不安気な表情になり、ずり落ちそうになる度の強い眼鏡を何度も指でかき上げた。

陸軍の部隊配置がどうなっているのか私には分からなかった。Tも赴任する部隊の位置を確認すべく碇泊場司令部に立ち寄っていた。

「貴様、どこなのだ。その部隊がいる場所は」

私は司令部員の手前、貴様という呼びかけを使った。

「ズンゲンの守備隊だ」

Tは召集も南方赴任も全く不本意だと言わんばかりに、ボソッと答えた。

「ズンゲンなら、南の方にある町だ。小さいながらも良港があるし、飛行場もある」

私はなるべく陽気に答えた。ズンゲンには行ったことがない。しかし連合軍がこのニューブリテン島に上陸するとすれば、ズンゲンが最も有力だと見込まれていた。ラバウルに比べると格段に防禦《ぼうぎょ》が手薄で、そこを拠点にすれば、背後からのラバウル攻略も容易になるからだ。陸軍がズンゲンに守備隊を布陣しているのもそれが理由だろう。

私は司令部の窓から見える港の風景を眺めた。並んだ倉庫の一角が空襲で焼かれ、まだ片づけられないままになっている。

Tが後ろから私の名を呼んだ。

「すまんが、何か参考書のようなものはないだろうか。門司までチッキで送った将校行李《こうり》が届かず、出帆まで待ったが、駄目だった。南方に関する参考書の類《たぐい》を入れていたのだが」

Tの浮かぬ顔は、もう門司港から始まっていたのだ。私は背嚢《はいのう》から、従軍以来携行していた『生物学的臨床診断学』を取り出した。昭和十六年、海軍軍医学校内科学教室から発行されたもので、非売品だった。水雷艇でも油壺の分校でも重宝し、今では手垢《てあか》に汚れている。あちこちに私が下線を引いていた。

「貰《もら》っていいだろうか」

パラパラとめくって顔を上げたTは、一瞬目を輝かせた。

「使ってくれ。貴様は軍医ひとりだろう。俺が行くところは医務科で、複数の医師がいる。何とかなる」

私は本を押しつけ、礼を言うTを見て、これでいいと思った。

司令部員の話によると、連合軍はガダルカナルを陥落させたあと進軍を早め、中部ソロモンから、すぐ近くのブーゲンビル島トロキナ岬に上陸していた。このラバウルのあるニューブリテン島が次に狙《ねら》われるのは、ほぼ確実だった。Tとはここで別れた。

十一月初め、ニューギニア行きを待っていた私は、ようやく伊《い》百八十一潜水艦に便乗することができた。最新鋭の潜水艦で、蛍光灯がつき、冷房もきいている。艦長、航海長、水雷長の三人は兵学校出身だった。下士官たちの動きも機敏で、私はかつて乗った水雷艇を思い出した。

この潜水艦の目的地は、ニューギニア島の東部シオだった。守備隊に届ける食糧二十トンを積んでいた。

ラバウルを出て二日後の夕刻、伊百八十一は静寂のなかで浮上した。しかしその直後、航海長の「爆音」のひと声が響き渡った。私はラッタルから駆け下り、部屋に戻った。今度は急速潜航だった。

この海域は既に敵地になっており、連合軍の飛行機が空を飛び、海上には魚雷艇が横行していた。降ってくるのは、爆弾か爆雷か。潜水艦は海中でじっとしている他なく、私たちも艦内で身を硬くする。

何の変化もないのを見届けて、三十分後に艦は再浮上した。私は艦内の将兵に別れを告げて甲板に出た。暗い海上を大発《だいはつ》が三隻《せき》、近寄って来る。ゴム袋に入れた食糧が、素早く運び込まれた。

その内の一隻に乗り、潜水艦から離れた。目が闇に馴《な》れているはずなのに、海上には何も見えず、大発のエンジン音以外何も聞こえない。突然、大発の前が開いた。いつの間にか、砂浜に着いていた。

「お迎えに参りました」

暗闇の中で声だけがする。私は自分が視力を失ったような錯覚がし、兵隊の背中にくっつくようにして歩き出す。ジャングルの中の小径《こみち》はさらに暗く、私は何度もつまずいた。

やがて草原に出、一時間ほどで、第八十二警備隊の宿営地に着いた。ロウソクが一本灯っているだけの医務科天幕では、軍医中尉が二人、看護兵長が三人待っていてくれた。少し言葉を交わしただけで私たちは就寝した。

翌朝になっても、天幕の中は暗い。改めて見る五人の顔色も土気色をしている。長い間のジャングル生活のため、やはり健康体ではないのだ。ジャングルの樹木は陽光さえ通さない。薄暗いなか、朝食は六人で小さな牛蒡《ごぼう》二本を分け合い、軽く一杯の米飯に粉味噌《こなみそ》をふりかけて食べた。

午前中、警備隊司令の大佐に着任の挨拶に行って、腰を浮かさんばかりに驚いた。大佐から、その場でラバウル海軍病院への転勤を告げられたのだ。

「どういう経緯があったのか分からんが、今朝、電報が届いた。念のため、打電をし返し、第七根拠地隊の司令部にも確認した。間違いがない。次の潜水艦に乗って、急ぎラバウルに戻ってくれ」

私は二の句も継げずに、医務科の天幕に戻った。

私以上に驚いたのは、私と交代で横須賀鎮守府に赴任することになっていたI軍医大尉だ。連合軍が間近に迫っていて、転勤など諦《あきら》めていたところに、私が本当に赴任して来たので喜んでいたのだ。しかしそれが糠喜《ぬかよろこ》びに変わって、I軍医は土気色の顔を青くした。

「そうすると、交代要員はラバウルの第八海軍病院にいる軍医になりますね」

I軍医は口惜《くや》しさをにじませた声で言った。

「そういうことになります」

私は答えながら、この警備隊に残って、上陸して来る連合軍と戦い続けるのと、敵の飛行機と潜水艦が制圧している空と海を、まずはラバウル、そしてトラック、サイパンを経由して横浜へ赴くのと、どちらがいいかを考えていた。この時期、危ない橋はむしろ、内地に帰るほうではないだろうか。

私と交代するラバウルの軍医も、同じ危険をおかして内地に転任しなければならない。

そこまで考えて、今度は私自身の今後の運命にも思い至る。目と鼻の先にあるラバウルといえども、果たして無事戻れるのか。辿《たど》り着けたとしても、ラバウルはこの東部ニューギニアよりも先に連合軍の手中におさまるのではないか。

同じことをI軍医も思ったのか、それ以後I軍医は居残ることを嘆かなくなった。帰るも残るも、地獄の一歩手前という点では同じなのだ。

伊百七十一潜水艦より、食糧補給のためにシオの沖合に浮上するという連絡があったのは四日後だった。患者三名と私、そして食糧受け取りのための下士官、兵は三隻の大発の中で待機した。浮上した潜水艦からの信号で、岸辺を離れた。

着任したときよりは少し海の上が明るく見えたのは、決して三日月のおかげばかりとはいえない。私自身の目が暗さに慣れていたのだ。

患者三名に付き添って艦内の一室におさまった。艦内の仕様は、来るときに乗った伊百八十一潜水艦よりはよほど旧式に見えた。それだけに心細さがつのる。ほどなく潜行するのが分かった。患者たちは潜水艦は初めてらしく、怯《おび》えた目で天井を見つめている。患者の一人は用便中にゲリラに銃撃されて脇腹《わきばら》をえぐられていた。あとの二人は戦傷ではなく、栄養失調と悪性マラリアだった。三人とも現地に残っていれば、これからの行軍には耐えられるはずもなく、落伍《らくご》は必至だったろう。

ラバウルまでの潜行航行中、私は患者の手前、最大限に平静を装《よそお》った。どうあがいても、ラバウル港に着くまではこの潜水艦と運命を同じくする他、手だてはないのだ。

それだけに夜明け前に港にはいったときは、全身から力が抜けた。患者三人の顔にも安堵《あんど》の色が読める。

「さあ着いたぞ。海軍病院までは歩くしかない」

自分を奮い立たせるためにも、声に力を込めた。

浮上している潜水艦には、再び食糧が積み込まれている。ラバウルに充分な食糧が備蓄されているのに対し、私が昨日までいた東部ニューギニアにはそれが乏しい。どの潜水艦も、その間を往復する運搬船として使われていた。

港から陸地に少しはいったところにある第八海軍病院は、いくつもの病棟に分かれ、内地の病院にも劣らない規模をもっていた。港に近い倉庫群が爆撃の被害に遭っているのと比べて、建物は不思議なくらい無傷だ。おそらく屋根に大書してある赤十字のマークのおかげで、爆撃や銃撃を免れているのに違いない。

引率して来た患者三人を入院させ、院長の軍医大佐に着任の申告をしている間、私は身体《からだ》のだるさを感じた。あちこちに引き回された精神的な疲労と思い、下腹に力を入れ、背筋を伸ばした。

「どこか身体の具合が悪いのじゃないか」

院長は言い、私の額に手を当て、机から体温計を出して測らせる。三十八度の熱だった。院長は私に入院を命じた。

着任早々患者になるなど、面目次第もなかった。マラリアからの熱で、ベッドに横になるなり悪寒《おかん》に襲われ、熱はその日のうちに三十九・一度まで上がった。

すぐにアテブリンを服用、ビタミンCとBの静注《じょうちゅう》をしてもらった。夜間、発汗とともに解熱《げねつ》した。しかし翌日の夕方、頭痛と悪寒発熱が再来し、脱力感のなかで、ここが海軍病院であることの幸運を思った。陽も通らないジャングルの中の天幕の中で患者になっていれば、手厚い治療や看護は望めない。

マラリアの発作は三日後におさまり、その翌日無事に退院し、患者から医師の身分に戻った。

「あなたと交代したO軍医が乗った輸送機は、掩護《えんご》の零戦二機とともに、トラック島の手前で撃墜されたよ」

私が主任となる内科病棟を案内するとき、副院長のN軍医中佐が言った。

「そうですか」

暗然とするしかなかった。その軍医は、まるで私のために押し出されて、死地に赴いたようだった。またそれはまかり間違えば、第八十二警備隊のI軍医の運命にもなっているはずだった。

しかし、と私はN副院長に従って廊下を歩きながら考えていた。第八十二警備隊にしても、これから上陸して来る連合軍と交戦しながら転進しなければならない。私のいるこのラバウルにしても、敵は目前に迫っており、早晩袋の鼠《ねずみ》になるのは明らかだ。つまり、どの道行く末は同じなのだ。

内科病棟の患者は、三日熱マラリアの他、熱帯熱マラリア、マラリア脳症の患者が多かった。熱帯熱マラリアの患者は食を受けつけず、痩せ細り、譫言《うわごと》を言っている。脚気《かつけ》、熱帯潰瘍《かいよう》、結核、さらには極度の貧血になっている患者もいる。マラリア脳症の患者は、調子はずれの歌を唄《うた》ったり、陽気に浪曲をがなりたてて騒々しい。最近入院してきたという患者は、栄養失調で文字どおり骨と皮だけになっていた。臀部《でんぶ》の肉が全て落ち、肛門《こうもん》が丸見えだった。

こういう患者を、医薬品の充分でない第八十二警備隊でもたされても、手の施しようはないはずだ。私は海軍病院で治療に当たれる束《つか》の間《ま》の幸運だけはかみしめた。

十一月中旬になると、ニューブリテン島への連合軍の上陸はいよいよ間近と思われ、ラバウルに対する空襲もほとんど連日になった。しかし応戦する零戦や隼《はやぶさ》、対空砲撃の勢いはまだ衰えず、敵の進出をはばんでいた。とはいえラバウルでの地上決戦は濃厚になり、第八方面軍司令部は、非戦闘員の女子職員や海軍病院の看護婦、民間人女性たちのトラック島への退避を決定した。輸送船は〈ぶえのすあいれす丸〉で、護衛艦と直掩の零戦もついたが、ラバウル出港後、ほどなく米軍機の襲撃に遭い、撃沈された。救助されたのは、ごく一部だった。

昭和十九年の正月、患者ひとりに陣中餅《もち》が一個ずつ配布された。タロ芋をおろして春菊の葉を刻んだものを混ぜ、バナナの葉で包み、蒸焼にしたパンは珍しかった。パインにも舌鼓《したつづみ》をうった。しかし特に嬉《うれ》しかったのは、添えられていた梅干し一個だった。旨味《うまみ》のある懐《なつ》かしい酸《す》っぱさが、身体中に沁《し》みわたった。

一月中旬、副院長のN軍医中佐から呼ばれた。副院長は皮膚科が専門で、手術室には整形外科のA軍医少佐も待ち受けていた。

手術台に横たわっている患者は、顔にひどい爆創を受けていた。二十五ミリ機関砲の射手で、対空戦闘中に負傷したらしい。

大学病院なみに立派な手術室で、私たち三人は白い手術用のガウンを着、手術帽をかぶり、ゴム手袋をした。私の役目は麻酔の管理と手術の助手だった。おかげで執刀者二人の息の合った手際《てぎわ》を、充分に観察することができた。

下顎骨《かがくこつ》の欠けた部分には、腰骨《ようこつ》から採取した骨を移植した。同じく近くにある皮膚片を薄くはいで下顎に張りつけるという術式も、初めて目にするものだ。私は戦地でようやく医師らしい満足感を味わい、これならおそらく内地の優秀な大学病院にも劣らない診療体制だと内心で舌を巻いた。

この患者の手術はそのあとも二回あり、その度ごとに呼ばれた。当初顔の形を成していなかった患者の顔は、三度の手術で、傷痕《きずあと》は残しながらも元の顔を取り戻した。

内科病棟に入院して来る患者たちは、さまざまな病気をかかえていた。マラリアを筆頭にして、デング熱、アメーバ赤痢、腸チフス、不明熱、栄養失調などがあり、伝染性の疾患だと診断がつけば、直ちに隔離病棟に移した。

連合軍の空爆は数日おきにあり、海軍病院にも誤爆と思われる被害が生じた。ラバウルを死守することになった陸軍の第十七師団と第三十八師団は、空襲に備えて地下壕《ちかごう》の建設を進めていた。海軍陸戦隊もそれにならって、壕を掘り進める準備にかかった。二月、ラバウル港にあった軍艦、飛行場に残留していた航空機も、整備をするものを残してすべて北部の諸島を目ざして引き上げた。これによって、ラバウルは完全に孤立し、防禦《ぼうぎょ》一辺倒の配置となった。

空襲下の緊張した日々の続くある日、衛生兵のひとりが私を院外に連れ出してくれた。二台の自転車に跨《また》がり、小高い丘に向かって三十分ほど走った。あたりには人家もなく、爆撃された跡も見られない。

自転車を草むらに隠して曇り空の下をしばらく歩くと、丘の向こう側を見渡せる所に出た。丘の西側はゆるやかな谷間になっていて、中程には野原が開けていた。細道を下ると野原の入口に小さな椰子《やし》が生えている。衛生兵が立ち止まり、椰子の葉のつけ根を押し開けた。

ている。

「主任、サソリです」

慎重に覗《のぞ》き込むと、黒褐色の三センチくらいのサソリが、けなげにも尾を持ち上げている。

「これは里芋です」

雑草の中に一メートル以上も伸びた葉があり、水芭蕉《みずばしょう》に似た花をつけている。里芋の花を見たのは初めてだった。その先には、黄色くなった拳《こぶし》大の瓜《うり》がころがっている。なかには芽を出し、根まで出しているものもある。かと思えば青く小さいものは花や蕾《つぼみ》を一面につけていた。ハヤト瓜だと衛生兵が教えてくれた。常夏《とこなつ》の島では、瓜にしても生育期のさまざまなものが混在しているのだ。

「ここで採ったハヤト瓜は、病院の厨房《ちゅうぼう》に持ち込んで漬物にしてもらっています。主任も食べられたはずです」

「そうだったかな」

記憶をたどろうとしたとき、衛生兵が声を出した。指さす方向に、灰色の蛇が小枝の上で鎌首《かまくび》をもたげていた。赤い舌が妙に毒々しい。

南側のゆるやかな斜面にはカカオが植えられて、林のようになっている。太い幹にも小さな枝にも、花がついている。紅紫色のがくに守られた白い花弁が美しく、すぐ脇には薄黄色の紡錘《ぼうすい》形の実もぶらさがっている。

衛生兵がひとつ取って割ってみせた。落花生に似た茶色の種子が入っている。言われるがままに口で割ると、中は淡紫色で渋い。おそらくタンニンのせいだろうが、外包はアケビのように白く軟らかいものに包まれ、甘酸っぱい味がした。

「この種を発酵させたあと乾燥粉末にすると、ココアやチョコレートができます。厨房ではさすがにそこまではやっていません」

衛生兵が言う。実は自然に落下して芽を出し、小さな苗木があちこちに育っていた。

二月の末、碇泊《ていはく》場司令部から病院に連絡がはいった。これまで東部ニューギニアから何度か傷病兵を運んで来た伊百七十一潜水艦と伊百八十一潜水艦が、いずれも敵艦船によって沈没させられたという。これ以後ニューブリテン島以外からの傷病兵の入院は、ほぼ不可能になるという知らせだった。二隻とも、私が東部ニューギニアとラバウルの間を往復した際、便乗させてもらった潜水艦だ。

潜水艦の消失は、東部ニューギニアに、食糧や医薬品の運び込みの手段がなくなったことも示していた。私は海岸線までジャングルがせり出している現地を思い浮かべた。ジャングルの中での食糧探しは困難を極める。しかも連合軍は何組かに分かれて、あちこちの港や砂浜に上陸し、転戦して来る日本軍を待ち受けているはずだった。

三月上旬、ラバウルの南八十キロのズンゲンに、豪州兵を主力とする連合軍が上陸したとの報がもたらされた。ズンゲンはワイド湾の一角にある小さな町で、船着場と飛行場がある。連合軍がニューブリテン島に攻め込むとすれば、そこを拠点にすると当初から予想されていた。

だからこそ、陸軍はズンゲン守備隊を置き、ラバウルとズンゲンの間にも二ヵ所、ヤンマーに警備隊、その十二キロ手前のアドラーに守備隊を配置していたのだ。

私はラバウルの海軍病院に着任後、ズンゲン守備隊に赴任すると言っていた大学同期のT軍医中尉《ちゅうい》に手紙を出していた。海軍病院にいるので、ラバウルに来る機会があれば立ち寄るように伝えた。返信はなかったが、戻って来ないところからすると、彼の手に渡ったのは確かだった。

海軍病院にとっても、ズンゲンの戦闘は他人事《ひとごと》ではなく、情報を逐一とりまとめていた。ラバウルに連合軍が近づいたとき、患者たちをどこに収容するか、陸戦隊が掘り進めた地下壕か、それとも退却してジャングルの中に逃げ込むのか、その際、重症の患者はどうやって運搬するのか、さまざまな意見が出された。病院長の軍医大佐は、ズンゲンでの戦闘をもう少し見極めてから決断を下す、という結論を出していた。

三月中旬、ズンゲン守備隊の隊長から、「玉砕する」との訣別電《けつべつでん》がラバウルにもたらされた。

この時点で病院長は、地下壕への移転を決定した。下見のために案内された地下壕は、予想以上に広く天井も高い。ひとつひとつの大地下壕が小さな通路で連結されている巧妙な造りにも、舌を巻いた。陸軍の助力もあって掘り進めたというが、その労苦は並大抵ではなく、戦闘に比するものだったに違いない。ラバウル地区に築かれている地下壕の総延長は、既に三百キロに及んでいるという話だった。

病棟の配置や患者の分別、搬送の方法などに関して、院長や副院長、病棟主任が集まって話し合われた。患者と衛生兵、医師と事務や厨房の職員を合計すると三千人近くになる。移動はたやすくはない。

三月下旬、病棟で回診をしていた私に衛生兵が耳打ちした。

「陸軍の軍医中尉が見えています」

衛生兵はTの名前を口にする。

「負傷でもしているのか」

「松葉杖《まつばづえ》をついておられますが」

回診を中止して、Tが待つ部屋に行った。

窓の外を見ていた戦闘服のTが振り向く。鉄帽をかぶり、背嚢《はいのう》を背負い、腰には拳《けん》銃《じゅう》と軍医携帯嚢を帯びている。前線からたった今戻って来たようないでたちだった。

松葉杖は部屋の入口に立てかけてあった。足を負傷しているふうでもない。

「どうした。ズンゲンにいたのではなかったか。敵が上陸したと聞いたが」

私はズンゲン守備隊の隊長からはいった訣別電については触れなかった。

「もちこたえられなくて、ヤンマーまで後退して、そこの警備隊に合流した」

眼を宙に浮かせたTの口は重かった。

「守備隊長も一緒にか」

「一緒だった」

「それで」

「成瀬少佐殿は戦死された」

「他の将兵はどうした。全滅か」

私の問いにTは首を振る。歯切れの悪い問答になっていることに気づき、私も慎重に言葉を選ぶしかなかった。

「全滅はしなかった」

「というと」

「ヤンマーからアドラーに後退した」

アドラーはヤンマーよりさらにラバウルに近く、そこにも守備隊が配置されている。

「アドラーで敵を食い止める作戦というわけか」

「そういうことだ」Tは頷《うなず》く。

「それで、どうなった」

私は訊《き》いたが、Tは返事をせず、視線をそらした。

「で、アドラーからラバウルまで、どうやって来たのだ」

「ラバウルまで行く大発があったので、便乗させてもらった」

「ひとりで？」

Tはまたしても頷く。私は思わず訊いた。

「しかし何のために？」

「司令部に報告に行こうと思ってな」

「報告？」

耳を疑った。軍医が単身で司令部に戦況を報告に行くことなど、海軍ではありえない。陸軍も同じだろう。

「もう司令部には行ったのか」

私の問いにTは黙ってかぶりを振った。ラバウルにある司令部は、すべて地下壕深く、どこかに待避していた。とはいえ碇泊場司令部に行けば、所在地は教えてくれるはずだ。Tもそれは承知で、まずは海軍病院にいる私を訪ねて来たのかもしれなかった。

回診を部下の軍医に任せて、病院のはずれにある宿舎に向かった。Tは私のあとからついて来たが、白衣姿の後ろを戦闘服の将校が歩く光景は目立つのか、衛生兵や職員たちが好奇の眼を向けた。

部屋にはいると、厨房から湯を持ってこさせた。缶に入れていたコーヒーの豆をひき、布でこした。砂糖を多めに入れてカップをTにさし出す。

「海軍にはコーヒーもあるのか」

椅子《いす》に坐《すわ》ったTは、汚れた両手でカップを握りしめた。

「うまい」

「毎日飲めるわけでもないのだがね」

私はTがまだ背嚢を背にしたままなので、おろさせた。

「いつか借りた診断学の本、返しておくよ」

Tは背嚢を開き、『生物学的臨床診断学』を私にさし出した。貸したときよりは、いくらか手垢《てあか》にも汚れ、表紙の角も丸くめくれ上がっている。

「役に立ったろうか」

「使うことはなかったが、読むのは楽しかった。内地の病院が思い出されてね。海軍病院では、大いに役立つと思うよ」

そうかも知れなかった。前線で有用になるのは診断学ではなく、応急の戦傷の手当なのだ。

「ズンゲン守備隊での治療はどんなものだった？」

肚《はら》の底でくすぶっていた疑問の一部を吐き出した。

「栄養失調まではいかなかったが、食糧は充分ではなかった」

「戦闘は？」

「来る日も来る日も地下壕掘りだった。俺もシャベルを持たされたくらいだ。空爆のときには、全員そこに逃げ込んだ。不思議なことに、敵は船着場の周辺や、飛行場だけには爆弾を落とさないのだ」

私は頷く。おそらく占拠後、すぐに使用できるように算段したのだろう。

「そのうち艦砲射撃が始まった。射撃は正確で、船着場そのものは温存するような攻撃だった。地下壕で、地面が揺れるのを感じるのは嫌なものだ」

「そうだろうな」

いずれラバウルも似たような攻撃にさらされるのだと私は思った。しかしズンゲンの守備隊は、あくまでも同地を守りぬくための布陣ではなかったのか。地下壕を掘り、そこに逃げ込んでいるだけでは戦闘にならない。隊長から「玉砕する」の訣別電がもたらされたのは何だったのか。

「ラバウルの司令部に、玉砕の打電がなされたと聞いたが」

私はついに口にした。

「どうして知っている」

「陸軍司令部から海軍司令部に連絡があったのだろう。こっちの海軍病院には、患者と職員合わせて三千人がいるから、敵が迫って来れば、地下壕に搬送しなければならない。いざとなったら、軍医も衛生兵も戦わなければならなくなる」

「玉砕命令は出た」

Tはボソリと言った。「だが向こうの圧倒的な兵力には、こっちはどうにもならぬ。総崩れになった」

総崩れということは、負傷者が多数出たことを意味する。その負傷者を守備隊で唯《ゆい》一《いつ》の軍医であるTは、どう扱ったのか。私の疑問は小さくなるどころか、膨らむ一方だった。

「将兵ともども、後方のヤンマー警備隊に合流することになった」

「それは誰の命令で？」

「誰の命令でもない。自然にそうなった」

「隊長もか」

「肩を負傷した少佐殿も、あとから到着した」

淡々と言ってのけたTを前にして、私は背に冷水を浴びせられたような気分になっていた。あとから守備隊長が到着したということは、軍医であるTのほうが早くヤンマーに退却していたからに他ならない。

「ヤンマー警備隊には全部で百三十人近くが集まった。将兵合わせて」

黙り込んだ私を見て、Tは言い足した。

「もともと守備隊の員数はどのくらい？」

「四百を少し超える程度だ」

そうなると、守備隊の三分の一程度が後方に退却した計算になる。しかもその中に、玉砕命令を出した隊長も混じっていたとすれば、指揮系統が全く機能していなかったことを意味する。

しかし、と私は思い直した。三分の一の将兵が前線を離脱したとしても、三分の二は戦線に残り、即死するか戦傷死したのではないか。隊長よりも早く退却したTは、その死傷者をどう扱ったのか。いや扱った云々《うんぬん》ではなく、これは誰が考えても見捨てたことになる。

「で、ヤンマー警備隊はどうなった」

「そこでズンゲン守備隊成瀬少佐殿も戦死された」

どこか他人事のようなTの返事だった。

「他の将兵は？」

「それは知らん」

ヤンマー警備隊が玉砕したという報は、まだラバウルにもたらされてはいない。敵も、今はそこに対峙《たいじ》して、増援部隊を待ちつつ、アドラーさらにはラバウルに攻め込む機をうかがっているのだろう。

ヤンマーからアドラーまでは十二キロある。Tはアドラーから大発に乗ったと言ったが、アドラーまではどうやって後退したのだろうか。私は平静を装《よそお》って訊いた。

「歩いた。三時間で着いた」

「ひとりでか」

Tは頷く。

「アドラー守備隊への申告は？」

「下士官がいたので大まかな戦況は伝えた」

ここに至って、私はTの行動が完全に軍規から逸脱していることを理解した。この逸脱は、正式に言えば敵前逃亡になる。しかもそれは三度にわたって行われたと結論できる。一度目はズンゲンでの負傷者を遺棄して、戦線を離脱した。二度目にヤンマーを誰の命令もなく抜け出し、さらに三度目として、アドラー守備隊をもあとにして、単身ラバウルに到着した。

司令部への報告というのは、単なる口実だろう。松葉杖も、負傷を装ったのではないか。

コーヒーを飲み干して眼を宙に浮かせているTを、私はもう一度見据える。Tの虚《うつ》ろな眼は、これまでの自分の行動がどういう意味をもつのか、覚《さと》りはじめているようにも感じられた。

私はまた、敵前逃亡の軍医を自室に入れて歓待している自分の立場も、考えざるを得なかった。

陸軍司令部に報告すべきかどうか、それともT自身に司令部出頭を勧めるべきか、私は迷った。

いや、Tがラバウルを目指して来たのには、私に会いたい気持もあったのではないか。

せめてここは、知らぬ存ぜぬを通して、旧友を迎えるように遇すべきではないのか。

私はそう心に決め、今日一日、私の部屋に泊まっていくように言った。Tは迷わず、私の勧めに従った。

夕食は烹炊《ほうすい》所に頼み、二人分を宿舎に運ばせた。トマトと瓜《うり》のはいった温野菜、甘《かん》藷《しょ》の茎の煮つけ、赤い色の残った焼き魚、缶詰のパイナップルは、Tの眼には信じられないくらいの馳走《ちそう》に映ったに違いない。うまいを連発しながらがつがつ食べた。

部屋の隅にあるシャワーの設備にも、Tは目を丸くしていた。冷水シャワーは実にありがたく、私は毎日ベッドにはいる前に恩恵にあずかっていた。しかしTは私の勧めにも首を振り、軍服を脱ごうともしなかった。職員に命じて入れさせた簡易ベッドにも、軍服のまま横になった。

外が暗くなると、Tは問わず語りで、ズンゲン守備隊での苦労話をしはじめた。

「きみから借りた『生物学的臨床診断学』で、大いに役に立ったのはマラリアの項だった。予防のところに、マラリアの衛生施策が書かれていた」

そんな項目があったかどうか、自分自身マラリアにかかりながら、うろ覚えだった。

この海軍病院に来るまでは、艦艇の中と内地の勤務が主だったので、予防対策とは無縁だったのだ。Tとも会わず、ラバウル勤務にもならず、あのまま東部ニューギニアにとどまっていれば、イの一番に読んだろう。

「ひとつ、蚊の発生防止。いわゆる水溜《みずた》まりの排除。ふたつ、蚊の刺螫《しせき》防止。つまり個人と集団の完全な蚊帳《かや》使用と、燻煙《くんえん》。三つ、マラリアの発生防止。すなわち労力および寒冷に対する注意――」

Tはまるで口頭試問で、試験官の前で答えるように言った。

「それで、貯水槽にはタップミノーを入れていた」

「タップミノー?」私は訊き返す。

「蚊を食べる小魚だよ。スコールがある前にはその小魚たちが騒ぎ出して、水面に浮かんでくる。雨待ち魚だった」

ひと息つくとTはしばらく口をつぐんだ。

「抗マラリア剤はちゃんと用意されていたのだろうね」私は尋ねた。

「キニーネ、アテブリン、プラスモヒンの三種が支給されていた。キニーネが一番多かったが、防湿包装が粗悪でね。糖衣錠《とういじょう》が溶けて、無効になってしまった。アテブリンのほうは大丈夫だった。これがすぐになくなって、困ったよ。プラスモヒンもじきに欠乏して、補給を陸軍病院のほうに頼んだが、ナシのつぶてでね」

「困ったろうな」

私は同情する。治療薬がありながら、それを持ち合わせていない医師の立場ほど切ないものはない。

「陸軍病院からの打電で、抗マラリア薬の作り方だけは教えてもらった」

「そんなものが作れるのか」私には全く初耳だった。

「シマリケイという泰山木《たいさんぼく》に似た木があるんだ。樹皮をはいで、煎《せん》じて飴《あめ》状に煮つめて、小さな丸薬《がんやく》を作る。そのままだとネバつくので、泥を乾燥させた粉末をまぶすと、保存がしやすくなった。キニーネの半分くらいの予防効果はあった」

Tの穏やかな声は暗いなかを天井で反響し、私の耳に届く。

敵が上陸するまでは、医師として自分の持てるだけの知識と技量を駆使して、守備隊将兵の健康維持に努めたのに違いない。

しかし戦闘が始まってからの医療は、Tにとっては何から何までが新しい経験だったのだろう。私としても、三ヵ月の軍陣医学の講義を受けたからといって、その後の将兵の治療に充分対応できたかどうか。戦場では、その場その場の出たとこ勝負で動いてきただけだった。

仮に私がTと同じような守備隊に配属され、たったひとりで戦傷者を治療しなければならなかったとして、果たしてどれだけのことができたろうか。しかも味方は総崩れになり、一部の将兵は戦線を離脱しはじめていたのだ。負傷者を手当している軍医にも、当然銃弾は飛んで来る。重傷者を置き去りにして、後方の安全な場所を求めるのは自然な行為にも思えてくる。水雷艇勤務だった私が、退却を一度たりとも考えなかったのは、単に逃げ場がなかっただけだともいえた。

「守備隊といっても、モグラ同然でね」

話題を転じたTの声を、私は冷静な気持で聞いた。

「洞窟《どうくつ》陣地に身を隠して、火器も、筒先だけを地面から出しているんだ」

Tがひと息ついてまた続ける。「しかし、敵の艦砲射撃と空からの爆撃は、並大抵のものではなかった。計測がついているのか、夜中でも沖合から砲弾が飛んでくる。夜が明けると、爆撃機が爆弾を投下し、急降下した戦闘機が低空から銃撃してくる。洞窟陣地の入口を塞《ふさ》がれて、外から岩石を取り除いていると、そこを銃撃されるからたまったものではない。

徹底的にこっちの陣地をつぶしてから、敵は上陸して来た。兵力はこちらの十倍、火器は百倍、守りようがない。それなのに第八方面軍司令部からの命令は、死守せよだった。打電された文面は、冷たいものだったよ」

そこでTは少し沈黙した。私は閉じていた瞼《まぶた》を開け、暗い天井を眺めた。宿舎内は静かで、近くの樹木を寝ぐらにしている鳥の声だけが低く届いた。

「〈守備隊員は、各自の持ち場を各自の故郷と思い、一歩も退くべからず〉だとよ」

〈持ち場を各自の故郷と思い〉と、私は頭のなかで復唱した。

軍医にとって持ち場は、やはり負傷者のいる所だろう。負傷兵、あるいは病気の兵隊がいない所に軍医がいたところで、何の益にもならない。

しかし、隊が総崩れになって、動ける将兵も持ち場を離れて退去したとき、軍医の持ち場は、動けない将兵の所なのか、それとも動ける将兵が退いて行く所なのか。

また堂々巡りに立ち戻っていた。

ともあれ、Tが前線をさらに退き、より安全なラバウルに単独で来た点は、どう考えても戦線離脱に違いなかった。司令部への報告は、軍医の任務ではないのだ。

私とTはそのあと内地の大学病院の話をして、いつの間にか眠りについていた。

翌朝も、朝食を部屋に運んでもらって二人で食べた。前の夜、あれだけしゃべったTはほとんど口をきかなくなっていた。私がいれた砂糖の甘みをきかしたコーヒーをすするときだけ、うまい、ありがとうを言ってくれた。

さてこの旧友をどうしたものか、コーヒーを飲む間、私は考えあぐねていた。このまま自室に置いておくわけにもいかず、かといって追い立てることもできない。しかも、八時過ぎからは病棟の診療が始まるのだ。

この迷いは、幸か不幸か、八時前に病院長が部屋の戸を叩《たた》いたことで救われた。病院長は陸軍司令部の参謀、副官と一緒だった。副官から名前を質《ただ》されたTは、従順に身仕度をし、私に一礼してから部屋を出て行った。後ろ姿を見送りながら、私はTがかすかに左足をひきずっているのに初めて気がついた。軍袴《ぐんこ》の尻《しり》が黒く血で汚れている。おそらく、ズンゲンでの戦闘で負傷したのだろう。松葉杖は私の部屋に残したままだった。

その負傷が、あるいはTを最終的には怖《お》じ気《け》づかしたのかもしれなかった。いったん怖じ気づくと、人はどこまでも逃げたくなるものだ。

戦闘用軍装の彼が海軍病院に単身来たことは、職員の誰かによって碇泊《ていはく》場司令部に報告されたのだろう。そこから第八方面軍の司令部に連絡がいき、参謀が動き出したのだ。

私にも司令部から呼び出しがかかるものと覚悟していたが、何の沙汰《さた》もないまま、その日と次の日が過ぎた。

参謀と副官を乗せた車が海軍病院にやって来たのは三日目だった。院長室に呼ばれた私は、Tの言動について詳しく訊《き》かれた。迷ったが、ほぼありのままを二人に告げた。黙秘しているのであれば、私の証言は彼にとって不利になるかもしれないという懸念《けねん》はあった。しかし正直なところ私には、どの部分を口にし、どれを言わなければTに有利になるのか、区別がつかなかった。

一時間たらずの問答だったろうか。参謀は私の証言に礼を言い、立ち上がった。

「よく分かりました。T軍医中尉《ちゆうい》も、悔いるところ大だったのでしょう」

参謀は重々しく私に言った。

「やはり軍法会議でしょうか」

これだけは訊いておかねばという気持で私は質問した。一瞬ためらったあと、参謀は答えた。

「軍法会議はありません」

参謀はかぶりを振り、隣の副官に先を促した。

「実は昨日、T軍医は自決しました。アドラー守備隊まで連行する直前です。監視をもっと厳重にしておくべきでした」

「自殺ですか」

私は愕然《がくぜん》として傍にある椅子《いす》にへたり込みそうになった。

二人を見送りながら、私はTが海軍病院に来たとき、既に自決を心決めしていたのではないかと思った。私に『生物学的臨床診断学』を返しに来たのも、それが理由だったのではないか。

ラバウルは、その後も度重なる空爆を受けた。そしてついに五月下旬、海軍病院も大規模な空襲を受けた。それまでは、ラバウルの他の地区が空爆されても、屋根に赤十字の印を大書した施設は何とか免れていたのだ。

この空襲で、患者や職員、衛生兵、軍医を含めて、千五百名が死傷した。その数は、実に海軍病院にいた総員の半数にのぼる。

杏《シン》花《ホア》

昭和十八年十一月、華中の安徽《あんき》省天長県の城内に脳膜炎と思われる病気が発生し、同地の警備隊長は、部隊本部に軍医の派遣を要請した。

江蘇《こうそ》省泰県にある部隊本部はこれに応じ、軍医見習士官として赴任間もない私を派遣することに決めた。おそらく、現地人の病気に本格的に関与するほどのことはないが、かといって放置もできないという衛生部の判断がなされたのだろう。派遣するには、若い下級軍医で充分と見なされたのだ。

十一月下旬、命を受けた私は、途中揚州に一泊し、翌日天長県に到着した。そのまま県政府に赴いた。

県政府は富裕な民家を使用していて、二つの中庭を通り越した先に県長室があった。県政府と言っても、日本の県庁とは全く違う。書物戸棚に四、五冊の帳簿のようなものが置いてあるに過ぎない。質素な政治が行われているのか、あるいは政治力が弱くて、治政が広く民衆に及んでいないためと思われた。

四十歳くらいで恰幅《かっぷく》の良い県長は、すぐに町の医者と通訳を呼ばせた。通訳は生憎《あいにく》不在らしく、その妻が医師を伴っておどおどしながらはいって来た。

医師は白髭《しらひげ》を垂らした面長、長身の老人で、通訳の妻とは違って悠然としている。椅子《いす》に腰をおろすと、長い指を膝《ひざ》の上で組んだ。

私が病気について質問する前に、老人が口を開いた。今自分の国は日本軍に占領されてその駆使に甘んじているが、自分たちは決して心から征服されたのではない——。

これを通訳の妻が、私に気をつかいながら関西訛《なま》りの日本語に訳した。私はなるほど、中国民衆の矜持《きょうじ》が、この老医師の挙止に現れていると思った。

話してみると、老医師は古い漢方医学を学んだ者で、中国では国医《グオイー》というらしい。西洋医学の教える症候についての知識はなく、私がいろいろ訊《き》いても、否定するばかりだ。

要領の得ない返答は、あるいは敵国の軍医の質問に答えるのは快しとしていないからかもしれなかった。「没有《メイヨウ》（ない）」とか「不知道《ブーチーダオ》（知らない）」を繰り返す。

通訳の妻は余計にまごつき、老医師の言わないことまで、かなり達者な関西弁で言い添えた。

「脳膜炎《ナオモーイイエン》ないよ。ミッチャあるよ。良民《リャンミン》みな風邪引いてはるんや。貧乏やろ。薬飲めへんねん。みんな死にはる」

こんな場面で、大阪のおかみさん言葉が飛び出すので、私は思わず苦笑した。県長もついには笑い出し、会談は要領を得ないまま、老医師には帰宅してもらった。

通訳の妻が言う〈ミッチャ〉とは、大阪弁で天然痘のことである。もしそうであれば、事は脳膜炎より重大になる。

私は通訳の妻に案内させ、患者の家を七、八軒まわってみた。流行しているのは天然痘ではなく、水痘だった。皮膚に水泡ができるのは同じだが、その形状は両者で全く違う。患者の中に、水痘脳炎を併発している者が一名いたのみで、私はひとまず安《あん》堵《ど》した。

通訳の妻は、ぜひ自分の家にも寄ってくれと言う。家に案内されたところに、通訳である夫も外出から戻ってきた。彼は大喜びで私を迎え入れた。

王《ワン》夫婦は、十年以上大阪や神戸で理髪店をしていたという。支那事変が起きたので急遽《きゅうきょ》引揚げて来たのだ。

屋内にはいると、土間にいた黒い豚が騒ぎ出し、びっくりした。豚用の土間を通り抜けた先に、煉瓦《れんが》を敷きつめた二坪ほどの中庭が見えた。奥に、客を招く開け放った土間があり、私はそこに腰かけた。

王通訳は鄭重《ていちょう》すぎる物腰で、私に熱い茶を勧めた。久しぶりに日本語が使える嬉《うれ》しさからか、上気した顔を私に向け、堰《せき》を切ったように語り始めた。

王夫婦は、心ならずも神戸を引揚げたあと、上海《シャンハイ》に落ち着いたらしい。しかしそこでの理髪店の経営はうまくいかず、出身地であるこの田舎町に帰ってきたのだという。

問わず語りの端々に、戦争に巻き込まれたわが身の不幸を嘆き訴える言葉が混じった。

王通訳は、私と話すときは関西訛りが少なかった。大阪にいたとき、理髪店は大いに繁盛《はんじよう》し、夫婦で客をさばききれず、日本人の従業員もひとり雇っていた。あまりの忙しさに、女房のほうが肩や肘《ひじ》、手首を悪くしたらしい。洗髪しようにも鋏《はさみ》を動かそうにも指が痛く、近くの医院を受診したところ何とかという病名を告げられたという。

その病名を私に訊いてきたので、腱鞘炎《けんしようえん》に違いなく、そう答えた。治療法などない。手を休めるのが一番の治療だ。

しかし理髪店というのは夫婦でやってこそ儲《もう》かるのであり、従業員に頼るようになると、その給料を払わねばならず、うまみが少なくなる。上海で店を持ったが客が少なく、女房が働くほど忙しくないので、腱鞘炎はおさまった。

腕がありながら、上海でどうして商売が成り立たなかったのか、私は不思議に思い、訊いてみた。

「そりゃ軍医さん。こっちにはあまり理髪店で髪を刈る習慣がないからですよ。流しの床屋です」

王通訳は答えた。なるほど路上の床屋なら、泰県の町で一度ならず見かけたことがあった。客を呼ぶのに、毛抜きの道具をビューンと鳴らして路地を回っていた。

現在王夫婦の収入は大してないのだろうが、家を見回したところ、生活に困っている風ではない。やはり商売がうまくいっていたときの貯《たくわ》えがあるのだと、私は勝手な想像をした。

王通訳との話が弾んでいる間、中庭で飼われている十羽あまりの鳩《はと》が、代わる代わる高い青空へ舞い上がり、ひとしきりしてまた狭い中庭に降りて来た。

私はこの天長県に一ヵ月留まって、水痘の流行具合を見ることになった。王通訳にもたびたび世話になり、あるとき彼のほうから、髪を刈らせて下さいと私に言ってきた。

軍医として応召して以来、私は当然ながら坊主頭《ぼうずあたま》になり、二ヵ月に一度ほど、部隊内の兵から髪を刈り揃《そろ》えてもらっていた。

王通訳の家に再び案内されると、中庭の奥にある土間の部屋に通された。椅子に坐《すわ》り、白い布をかけられて首だけを出す。前に大きな鏡こそないものの、王通訳のバリカンの手つきや立ち振る舞いは、内地の理髪店とそっくりだった。

髪を刈り終えた頃、女房が湯を沸かして持って来た。亭主は、革のベルトで剃刀《かみそり》を磨き始める。その脇《わき》で容器の中でシャボンを溶く。

「こうやって日本人の髪を切り、髭を剃《そ》るのは、六年ぶりです」

王通訳は感慨深げに言いながら、私の襟元に刃を当てた。

「しかし、お医者さんの頭を刈るのは初めてです」

亭主が言うと、女房のほうが異を唱えた。中国語で何か言い合ったあと、亭主が説明してくれる。

「少し間違えました。隠居したお医者さんの髪を切り、顔を剃ったことはありました。ですから、現役のお医者さんを客に迎えたのは、軍医さんが初めてです」

訊くと、大阪で客となった引退した医師は、もう八十歳を過ぎていたらしい。頭髪はほとんどなく、整えるのに十分もかからなかった。逆に髭剃りは、たるんだ皮膚を伸ばし伸ばしやらねばならず、髪の何倍も時間がかかるのだと、通訳は笑いながら言った。

私は目を閉じ、久しぶりに職人の剃刀が髭に当たる快さを味わった。

剃り終わった顔を熱いタオルでぬぐい、通訳は私の肩を揉《も》んでくれた後に、終了を告げた。

代金を所持していた日本円で払おうとしたが、固辞された。

「やっぱり、私にはこの仕事が一番です。代金を払いたいのはこちらのほうです」

そう言う亭主を、妻は目を細めて眺めていた。

その後、水痘の蔓延《まんえん》する様子もなく、脳炎の続発も見られなかった。私は十二月二十五日、天長県を出て、江蘇省泰県の部隊本部に帰った。

年が明けて昭和十九年になり、正月祝いをすませた一月七日、天長警備隊は軍医の配属を申し出てきた。少しは土地鑑があるという理由で、また私にその役がまわってきた。

二度目の天長県への旅の折には、私にも余裕ができていた。最初の旅は緊急事態の発生ということもあり、周囲を眺めるゆとりさえなかったのだ。

泰県の部隊本部から揚州へは、軍のトラックに乗った。トラックは故障や敵襲を考慮して、必ず二台ずつで行動する。昼過ぎに、揚州の運河の埠頭《ふとう》に着いた。

運河は揚子江《ようすこう》に続き、そこを航行する内河輪船や漁船が数多く入港して来る。私たち連絡や事務の将兵は、小さな運河の支流と美しい塔の見える街を通り、皇宮《ホワンゴン》という宿舎にはいった。翌日、天長県と連絡する別のトラックの便に乗るのだ。

夕食までにはまだ間があり、私はトラックで乗り合わせた下士官を誘って街に出た。路地から少し上がった廟《びょう》の前の広場で、四、五人の子供たちが遊んでいた。子供たちはみんな裕福な家の子だろう、服装もさっぱりしている。紅一点の女の児《こ》は、真紅の縁取りのある群青《ぐんじょう》の中国服を着ていた。中国陶器に描かれた唐子《からこ》そっくりだった。日本ならば小学校に上がる前の年頃だ。両耳に下げた緑の耳飾りが、動くたびに揺れる。

私は母親が使っていた時計のメダルを思い出した。そのメダルは中国製の翡翠《ひすい》の耳飾りを加工したものだった。

私は幼児の耳飾りも翡翠だと直感し、近づいて確かめたくなった。幸い子供たちは、軍服姿の大人二人の闖入者《ちんにゅうしゃ》にも驚かず、遊びを続けている。

同行の下士官までが「あの耳飾りの金環が耳たぶを貫いているかどうか知りたい」と言う。

私は女の児を驚かさないように、笑顔で接近し、かがみ込んで耳飾りに触れた。

童女は不審がるどころか、私が耳飾りを誉《ほ》めてくれると思ってか、可愛《かわい》らしい笑みを浮かべてじっと立ちどまった。耳飾りを釣っている純金の環《わ》は、回してみると回った。耳にはちゃんと孔《あな》が開けられていた。

私は下士官と頷《うなず》きあい、童女には「謝々《シエシエ》」と言って立ち上がった。

男の児たちは童女のまわりに集まり、何か話を聞き、またこれまでのように一緒に飛びはねる遊びに戻った。この光景も陶器の唐子絵そのものだった。

翌朝またトラックに便乗した。揚州を出ると、ゆるやかに波打つ平原になる。麦畑と高粱《コーリヤン》畑が地平線まで続いている。処々に見える樹《き》は楊柳《ようりゅう》で、それがいかにも大陸風の景観をかもし出していた。

夕方天長県に着き、勝手知った警備中隊の兵営に向かい、中隊長に申告した。

天長県は平原の中にあり、高い城壁で囲まれた人口一万程度の小都市だ。城には東西南北に門があり、日本軍と南京《ナンキン》政府である汪兆銘《おうちょうめい》政権の警察隊が守っていた。城外地域のほとんどは共産軍の支配下になっているため、密偵や工作員の潜入に監視の眼を光らせていた。

城門は朝七時に開かれ、夕刻六時に閉められる。朝の開門と同時に、城外で待ち構えていた農民が一斉に詰めかける。警備隊員はこれを叱咤《しった》、あるいは笑いながら制止する。ひとりひとり良民証を提示させ、荷物の中をかき回してから入門を許可する。

城内の広場では、市が毎日のように開かれた。広場に場所を取れなかった者は、一間幅ほどの通りに店を開く。かん高い売り声があちこちで交叉《こうさ》し、通りは身動きもできない混雑を呈した。

桶《おけ》の中では大きな川魚が躍り、野菜の緑や大根の白、かぶや人参《にんじん》の赤い肌が朝日にきらめく。そこここで天ぷらの湯気が立ち始める。さまざまの色の凧《たこ》、美しい絵のはいった燈籠《とうろう》、豆太鼓のついた風車、竹細工や木工細工も並べられる。土塊《つちくれ》の錘《おもり》が風に揺れるたびに、羽根が動き、まるで飛んでいるような鶴《つる》の玩具《がんぐ》も、店先にぶら下がっていた。

着任して五、六日が経《た》った頃、中隊長のT大尉《たいい》から呼ばれた。

「東門小学校の校長を治療してやって下さい。長い間衛生兵が行って手当をしているが、治らんらしい」

私は衛生兵におおよその場所を訊いた。衛生兵は案内しましょうと言ってくれたが、断った。ひとりでの気楽な散策を楽しみたかったのだ。赴任してすぐ、例の理髪店夫婦にも会いに行ったが、彼の通訳も頼まないことにした。少しずつではあるものの、私は中国語を勉強し始めていた。

冬陽の輝く午後、私は軍医携帯嚢《けいたいのう》を肩にして出かけた。

衛門を一歩出ると、何とも形容しがたい気軽さを覚えた。私は体内にたまった重苦しい空気を吐き出すように、深呼吸をした。

衛門の前で遊んでいた子供たちが、私の姿を見つけて寄って来た。

「大人《ダーレン》、大人」

そう言ったかと思うと、日本語で「タバコ、タバコ」と、両手をさし出しながら叫ぶ。黒い衣服を鼻汁で光らせた子や、寒空に肌の見えるほど破れた着物をまとった子が、ぶら下がらんばかりにして騒ぐ。私が何とか囲みを脱しようとしたとき、前の子が叫んだ。

「東洋先生《トンヤンシエンシャン》」

東洋先生とは「日本のお方」くらいの意味だ。こんな呼ばれ方なら悪くないと、私は思わず微笑した。するとその顔面のわずかな変化を目ざとく見てとって、子供たちは一層歓声を上げてまた私を取り囲む。

幸か不幸か、私は煙草《たばこ》をやらず、飴玉《あめだま》の類《たぐい》も持っていない。

やっと囲みを解かれて、衛門の前を離れることができた。少し行った十字路を左に折れると、東の城門に通じる本通りになる。本通りと言っても、道幅は一間強しかない。敷石で舗装されていて、金具のついた軍靴では歩きにくい。両側の店では、客が立ちながら飯を食っていて、舗道が濡《ぬ》れている。私は滑らないように、一歩一歩踏みしめるようにして歩いた。

大きな商店は少なく、飲食店の他に、薬草を売る店や乾物屋、金物屋が軒を連ね、キリスト教会、歯科医院などもあった。私は漢字の看板と、売っている実物を見比べながら、歩を進めた。

東門内広場の左に、〈県立東門小学校〉と書かれた白亜のアーチがあった。中は古《こ》色蒼然《しょくそうぜん》とした廟で、前庭で五、六人の子供が遊んでいた。

子供たちは、日本の羽根突きの羽根と同じ物を足で蹴《け》る遊戯に興じている。布製の靴の内顆《ないか》で、羽根をしゃくるように高く蹴り上げる。年かさの子は、それを肩にとまらせたり、額で受けたりして、いろいろの曲芸をする。

日本とは異なる遊びの珍しさに見とれていると、五歳くらいの子がいつの間にか近寄ってきて、私の軍刀の紐《ひも》に触れ始めた。

赤い頭巾《ずきん》をかぶり、ぶくぶくした綿入れを着たその子に、私は訊《き》いてみた。

「幾歳《ジースイ》」

幼な子ははにかむだけで答えない。しかしその姉らしい子が「五歳《ウースイ》」と答えた。

自分の中国語が通じたのが分かって、嬉しくなる。言葉が通じると、お互い親近感が増す。私は羽根を借りて蹴り上げてみた。しかし馴《な》れないうえに、重い軍靴ではままならない。子供たちは、私の下手さ加減を見てはしゃいだ。

そこへ、二十五、六歳の若い女性が廟の中から出て来た。すらりとした身体《からだ》に、赤い縁取りをした紺の支那服がぴったり合っている。細面の美しく上品な顔には知性も感じられた。

彼女は私たちが遊んでいるのを立ちどまって見ていたが、楽し気な雰囲気につられたのか、子供から羽根を借りた。

上衣の裾《すそ》をちょっとつまみ、羽根を布靴で蹴った。羽根は頭から肩、肩から膝《ひざ》へと躍り舞う。私は見事なその技に見とれた。すると、彼女は「はしたないところを見せた」とでも言うように恥ずかし気に羽根を返し、立ち去りかけた。そのとき、私はここを訪れた目的を思い出した。

「校長先生はいますか」

と訊きたいのだが、言葉が分からない。

「軍医官《ジユンイーグワン》」

そう言いながら、軍医携帯嚢の赤十字のマークを示した。彼女は私の理解できない言葉で答え、ついて来いというような仕草をした。私はあとに従い、廟の中にはいった。

廟の広間を改造して硝子《ガラス》戸をはめた教室に、十四、五脚の机と椅子《いす》が並んでいる。教室と中庭を隔てた所にまた家屋があり、左に教師室、廊下を挟んだ右に校長室の木札が掛けてある。

案内した女性は、校長室に入って何か話をしている様子だった。しばらく廊下で待っていると、膝まである上衣を着た三十半ばの男性が、左足をひきずりながら出て来た。愛想笑いをして小腰をかがめる。それが校長で、若い女性が校長夫人だった。私は軍隊流に挙手の礼を返した。

その場でさっそく診察をした。校長の左下腿《かたい》は、ほとんど壊死《えし》状態になっていて、どこを押さえても膿汁《のうじゅう》が出た。傷そのものは銃弾によると思われたが、私はことさら訊かなかった。

傷を消毒し、繃帯《ほうたい》を取り替え、新薬である二基のスルファミンを投与した。その後、私は毎日往診に通った。投薬三日目で膿は止まり、傷は日増しに治っていった。

傷の処置、繃帯の取り替えが終わると、校長は茶を勧める。私はこの際、本格的に中国語を習おうと思った。校長は快諾してくれた。

なかなかの知識人で、私よりひと回り年長とはいえ、共通の話題があった。会話に加え、手近な紙に文字を記せば、意思疎通《そつう》はできる。私には往診が楽しい時間になった。

初対面の会話は当然、「您貴姓《ニングイシン》（お名前は？）」に始まり、「何処《どこ》の出身ですか」ということになった。

私の所属師団は、もともとは第五師団で、広島出身の将兵が多かった。昭和十八年五月、一部が改編され、他の旅団と合わせて第六十四師団ができ、通称は開《かい》部隊になった。しかしそういう経緯は軍の秘密で、漏洩《ろうえい》はできない。

その代わり私は、自分が大阪高等医専を出ており、出征前までは大阪に住んでいたことを口にした。

「大阪《ダーバン》」

校長は言い、さらに神戸《シエンフー》とか、その他にも日本の地名をいくつか数え上げた。日本の事情にかなり通じているのに、私は感心した。

彼の名前は包甲林《バオジアリン》で、安徽省合肥の出身だと言う。双方から名前を告げ合うと、親密度は高まった。

包は日本で発見された結核の薬、セファランチンについても知っていて、どんなものか訊いてきた。中国にも肺結核は多いらしい。

セファランチンは、台湾に産する植物から抽出された薬だが、まだ実験段階で臨床応用はされていなかった。そういうことまで知っている包の教養に、私は内心で舌をまいた。

傷がほぼ癒《い》えたあとも、私は小学校兼自宅になっている包の家を訪ねた。午後二時以降であれば教室に子供たちは残っておらず、教師室に教師がひとりか二人いるだけだった。

私はまず校長室を覗《のぞ》き、包がいれば中に招き入れられた。いないときは奥の自宅に足を向けた。包はいつでも笑顔で私を迎えてくれる。

あるとき彼は「グオモールオを知っているか」と訊いてきた。

全く見当がつかず、字で書いてくれないかと頼んだ。グオモールオは「郭沫若《かくまつじゃく》」だという。知らないはずはない。

「それは、日本で医学を修めた貴国の文学者だ。岡山の六高から九州大学の医学部を出ている。確か日本人の妻との間に、子供が何人かいるはずだ」

すると包は満足気に微笑し、「子供は五人だ」と教えてくれた。

「ひょっとしたら、もう帰国しているかもしれない」

私は言った。蔣介石《しょうかいせき》に追われて日本に亡命したとはいえ、支那事変が始まったあと、日本にとどまるのはむずかしいはずだ。

案の定、包は私の発言を肯定するように頷き、「妻子は日本に残したままだ」と答えた。

包の家には来客が多かった。たいていは若者だが、ときには五、六十歳の年長者も混じっている。とうてい学校関係者や生徒の父兄たちばかりだとは思えず、私は包が何か結社のようなものの指導者ではないかという気がした。

不思議なのは、来客たちが軍服を着た日本人の闖入者を見とがめもせず、軽く会釈《えしやく》をして奥の間に行くことだった。包のほうでも決して中座をせずに、応対は妻に任せていた。

それでも、若い客が一度に四、五人やって来たとき、私は軍刀を身近に引き寄せた。まさか盗まれることはなかろうが、中身が見たいと言われる事態は避けたかった。

というのも、私の軍刀はいたく短かったからだ。広島に住む祖父が私の入営を祝い、軍刀にあつらえ直してくれたものだ。備前長船《びぜんおさふね》の名刀と祖父は言っていたが、脇差《わきざ》しなのかもしれない。式典で抜刀して腰に支えると、他の将校の刀は耳の上、あるいは頭上に切っ先が出る。ところが私の軍刀は顎《あご》のあたりまでしか届かず、いつも部隊副官にいぶかし気に見られた。

幸い包の家では軍刀は話題にならなかった。話のなかで、包はまた「トウシャンマン」は知っているだろうと言ってきた。これも字で書くと「頭山満」だ。右翼の頭目でありながらも、中国建国の父である孫文の亡命生活を支援し、その後継者蔣介石が日本に滞在したときは起居を共にしていた。中国では、その彼が支那事変の収拾のためにどう動いてくれるか、注目されているのに違いない。

部隊に赴任した昨年の夏、揚子江を航行する内河輪船で、その頭山満の姿を見かけたような気がした。二十名ほどの随行員に囲まれた容貌魁偉《ようぼうかいい》で、白髪と長い顎鬚《あごひげ》、丸眼鏡の巨体の老人は頭山満そっくりだった。そのうえ、随行員のひとりのポケットには、雑誌『改造』が差し込んであった。

私が日本語と中国語、そして書字を交えてそれを言うと、包は頭山満はまだ中国に来ていないと、首を振った。

その断言の仕方が全く確信的であり、私はこんな田舎町に住む一教師が、日中の最近の動きに通じていることに、また驚かされた。

包のほうから日本語を教えてくれないかと持ちかけて来たのは、それから少し経ってからだ。私には望むところだ。

包はどうやって入手したのか、日本で発行された中国人向けの日本語読本を持ち出した。それを毎日少しずつ読むのが、私たちの日課になった。

口惜《くや》しいことに、私が中国語を理解するよりも、包が日本語を理解するほうが速かった。平仮名の〈あ〉の字源は〈安〉であり、〈い〉は〈以〉であると教えると、感心したり、嬉《うれ》しがったりした。平仮名が漢字に起源をもつことを知って、誇らしい気がしたのだろう。

読本は月毎《つきごと》に日本の行事を説明してある。五月の節句の章になったとき、私は鯉《こい》のぼりの絵を示しながら、日本では粽《ちまき》を食べるのだと言い添えた。

すると包は、それは我が国が本家本元だと胸を張り、屈原《くつげん》の話をし始めた。屈原は楚《そ》の王から追われ、汨羅《べきら》の淵《ふち》に身を投げた。それを人々が悲しみ、亡骸《なきがら》が魚から食べられないように、笹《ささ》の葉に米飯を入れて川に投げ込むようになった話は、私も知っていた。

それでは屈原の詩、漁父辞は知っているか、と包が訊《き》いてきた。冒頭の二、三行なら知っている、と私は答え、机の上にあった筆を借りて紙に書きつけた。

屈原既放　屈原　既に放たれて
游於江潭　江潭《こうたん》にあそび

行吟沢畔　　行きて沢畔に吟ず
顔色憔悴　　顔色　憔悴《しょうすい》し

しかし私の知識はここまでで、無念というように筆を置くと、包はその筆を執ってさらさらと後を続けた。

形容枯槁　漁父見而問之曰――

その後も三十句か四十句ばかり延々と書き続け、とうとう最後の〈遂去不復与言（遂《つい》に去ってまたともに言わず）〉まで辿《たど》りついた。

唖然《あぜん》と眺めていた私も最後の句だけは覚えていて、思いきり手を叩《たた》いた。すると包は先生に誉められた生徒のように、少し顔を赤らめて照れた。

治療を口実にした私の往診は毎日続いた。これが軍務かと思うくらい、私には楽しい日々になった。

そのうち一月下旬の日本の旧正月が過ぎた頃、中国の正月である春節が近づいた。家々の門口には、赤い短尺にめでたい文字を書いた春聯《しゅんれん》が貼《は》られた。日本の門松と思えばいい。〈天開長楽〉や〈人到恒春〉などの文句を、私は字を習いはじめた学童の気持で読んだ。中国読みはすんなりとはいかないものの、意味だけはほぼつかめる。

宿営地の隣の家でも、鶏や豚が騒ぎたてる。鶏は空高く舞い上がり、屋根にとまったりして鳴き出す。どうやら鶏を料理する段取りをしているらしい。それらの物音は、一軒向こうの家にも移り、町全体がお祭り気分になった。私たちは町に侵入した軍隊ではあったが、こうして見る限り、両者は平和裡《り》に共存しているように思えた。

町に出てみると、大道見世物が来ていた。演目は『漁夫の利』らしく、鷸《しぎ》と蚌《はまぐり》が争っている。大きな蚌を頭にかぶった役者と、頭上に鷸をのせた役者がもみ合い、最後には鷸が蚌を食べてしまう。ところがそこへ漁夫がやって来て、投網《とあみ》をかぶせ、一度に鷸と蚌を獲物《えもの》にしてしまった。

見ていた私には、この寸劇が別の意味に感じられた。今日本と米国が戦っているときであり、中国にとってはそれが漁夫の利になるのだ。

春節の日に、私は包校長を訪ねた。小学校は休みで、家の中はきれいに整頓《せいとん》されていた。夫人もあでやかな衣服を着ている。包は喜び、「まず顔を洗って下さい」と言い、洗面器を持って来た。そこに夫人が湯を注ぐ。

驚いたのは、夫人からタオルを受け取った包が、それを湯に浸したときだ。日本でなら、タオルは乾いたのが洗面器の脇に添えられるだけだ。

湯で顔を洗いながら、私はある話を思い出した。明治の頃、満州に派遣された日本のスパイが、洗顔のときタオルを動かしたため、見破られたという。中国でのやり方は、タオルではなく、顔を動かすものだ。しかし密偵でもない私は、心おきなく熱いタオルを動かしてさっぱりした。

包はめでたい春節だからと言い、夫人に目配せした。供せられたのは団子汁に似たすまし汁だ。汁にはほんのりと甘味がある。中に団子が二つはいっていて、口に入れるとほとんど味がない。しかし噛《か》んでいると、最後のところで砂糖の味がして、甘味が口の中いっぱいに広がった。貴重な砂糖を、最大限に生かした料理だった。

三月にはいると、城門の内も外も春めいてきた。包の家に行く道すがら、私は遠回りして城壁に登ってみた。冬枯れの平原のあちこちに、わずかながら緑がまじっている。やがて宿舎の庭の枯芝にも緑の色が見え出した。タンポポの葉が萌《も》え出した所に寝そべり、空を見上げる。高い空に雁《がん》が飛んでいた。一列になって東北の方向に悠々と渡って行く。それがあたかも日本に向かっているように思われ、私は大陸に渡って四つの季節を経験したことを実感した。

包の傷が完治したあとも、私は三日にあげず包の家を訪ねた。包に日本語を教えているうちに、私のほうも中国語の会話がだいぶできるようになった。

　ある日、包がやや真剣な顔で訊いてきた。

「你知道《ニーチーダオ》チュウティェン・ユーチュエ（チュウティェン・ユーチュエを知っていますか）」

　私が首を振ると、例によって包は筆をとって書いてみせた。〈秋田雨雀《うじやく》〉だった。思わぬ所で聞く日本の劇作家の名に、私はまたもや驚かされた。どうして彼を知っているのかと反問すると、秋田雨雀が今、高郵地方に来ていると言う。

　高郵は揚州の北、五、六十キロのところにある小都市で、共産軍の集結地だ。とすると、秋田雨雀は共産党員ということになり、私はまたまた驚かされた。

　しかし包はそれ以上、雨雀については語らなかった。とはいえ、こういうことを知っている包自身も、共産党の同調者、あるいは党員かもしれないと私はにらんだ。その眼で振り返ると、包によく会いに来る四、五人の若者も、長上着を着て優雅な身なりをしているが、党員か同調者の可能性もある。

　とは言うものの、包が共産党員であれ、同調者であれ、今の私にはどうでもよかった。私が軍の内情さえ口にしなければ、包はあくまでも私の中国語の教師だった。

　会話がまあまあできるようになった私は、欲を出して、漢詩を中国音で覚えたい気になった。もともと唐詩が好きで学生時代から親しみ、二つ三つは暗唱していた。

その中でも一番好きだったのは、張継の『楓橋夜泊《ふうきょうやはく》』だ。私は用意された紙に、七言絶句を書きつけた。包は嬉々《きき》として私の筆先を見つめ、書き終わった私に尊敬の眼差《まなざ》しを向けた。

「これは張継《ヂャンジィ》の『楓橋夜泊《フェンチャオイエーボー》』です」

そう言って背筋を伸ばし、息を整えた。

月落烏啼霜満天《ユエルオウーティシュアンマンティエン》　月落ち烏《からす》啼《な》いて霜《しも》天に満つ
江楓漁火対愁眠《ジャンフェンユーホアドゥイチョウミエン》　江楓《こうふう》漁火愁眠に対す
姑蘇城外寒山寺《グースーチェンワイハンシャンスー》　姑蘇《こそ》城外寒山寺《かんざんじ》
夜半鐘声到客船《イエーバンジョンシェンダオクーチュアン》　夜半の鐘声《しょうせい》客船に到《いた》る

私は包のあとにつき、繰り返し繰り返し読んだ。読んでいると、私たちが、交戦している敵国人同士であることを忘れた。

「この寒山寺のある蘇州は、そんなに遠くはないですよ。行こうと思えば行けます」

包はいとも簡単に言ってのけた。軍医であっても私が自由に外出できるのはこの城内だけで、蘇州に足を延ばすのは不可能事だ。

「いつか、この戦争が終わったら」

私は笑顔を見せて包に答える。

「戦争は必ず終わります。終わらない戦争なんてありません」

包はにこやかな顔を私に見せ、最後のところでいかにも校長らしく真顔になった。

戦争は必ず終わる――。私はこれまで考えもしなかった貴い真実を、包に教えられた気がした。

そうだ、この戦争を運良く生き延びられたなら、寒山寺を訪れ、その足で天長県まで来て包夫妻に会いに来よう。私は最後にもう一度『楓橋夜泊』を読みながら心に誓った。

三月下旬になると本格的な春が急ぎ足でやって来た。庭先のタンポポも、二、三センチの花茎を持ち上げ始め、ついには花を咲かせた。昨日は二つ、今日は三つと、私は毎日営庭の花の数をかぞえた。

そしていよいよ四月にはいると、四本ある営庭の杏《あんず》の木に花が咲いた。これを桜に見立てて、中隊あげての花見の宴が催された。将兵たちは一本の杏の木の下に円陣をつくり、草の上に胡座《あぐら》をかいた。白酒《バイジユウ》を飲みながら、兵たちが順番に歌を唄《うた》い出す。中隊員はさすがに中国地方の出身者が多いためか、のっけから安来節《やすぎぶし》だ。

安来千軒　名の出たところ
　社日桜に　十神山

ひとりが唄うと、次の喉《のど》自慢の兵が拍子をとって続ける。

出雲《いずも》名物　荷物にならぬ
　聞いてお帰り　安来節

そして今度は、向かい側の兵が手を上げ、赤い顔をして喉を披露する。

愛宕《あたご》お山に　春風吹けば
　安来千軒　花吹雪

みんなうまいのだが、その節回しは微妙に違っている。私は次にどういう違った文句とこぶし回しが出てくるか、酔いのなかで耳を澄ました。

わしがお国で　自慢なものは
　出雲大社に　安来節
伯耆大山《ほうきだいせん》　だらりの帯よ
　解いて投げたか　五里ヶ浜
人の手前は　薄茶と見せて
　心濃茶の　四畳半

全部で二十四、五人の歌合戦になったろうか。最後のほうで、何人かに繰り返された文句には、全員がしんみりした気持にさせられた。

咲いた時より　その散り際《ぎわ》を
　人に見せたい　桜花

しこたま酔ったその日の翌日は酒が残っていた。夕方、まだ頭が重いのを我慢して包を訪ねると不在だった。帰りかけてふと、小さい中庭一杯に杏の花が咲いているのに眼がとまった。ちょうど昇りかけた夕月に照らされて、木全体が白く浮かんでいる。その清楚《せいそ》な姿は桜と見紛うほどだ。

包夫人も赤ん坊を抱いて軒下に立ち、やはり杏の花を眺めている。

私は杏の中国音を知りたくて、夫人に何の花ですか、と訊《き》いた。

「杏花《シンホア》」

夫人の返答はどこか誇らし気だった。

「杏花、好的名子《ハオダミンズ》（いい名ですね）」

私はもう一度「シンホア」と口に出してみる。すると急に一枝が欲しくなり、思いきって夫人に言った。

「給我一枝《ゲイウオーイーデー》（一枝くれませんか）」

「好《ハオ》」夫人はにっこりと答えた。

しかし枝は高くて手が届かず、刀で斬《き》るしか方法はない。私は夫人に後ろへ下がるように手で合図をして、軍刀の柄《つか》に手をかけた。軍刀を抜いてみたことはあったが、物を斬るのは初めてだ。斬り損じたら赤恥をかくが、ここはやってみるしかない。

私が刀を抜くと、夫人は二、三歩後ろに下がった。頭上の枝に刃で触れて見当をつけ、祈る気持で気合いもろとも振り下ろす。微《かす》かな音を残して、枝は地面に落ちた。その瞬間、杏の花の匂《にお》いがあたりに漂った。

刀を納め、杏の一枝を手にする。

「謝々《シエシエ》」

夫人は安堵《あんど》したように笑いを返した。

宿舎に戻ると私は花を瓶にさした。それを眺めていると、ここが戦場という気持が遠のいた。

三日後の昼過ぎ、包を校長室に訪ねた。小卓の上に立派な雑誌があるのに気がつき、手に取った。『東方雑誌』という雑誌名は、私には初見だった。

包に訊くと、四十年前に上海で創刊された雑誌だという。

「この雑誌の編集方針は、中国国民を導き、東アジアの連携を実現することです」

私が興味をもったのを見てとった包は、そういう意味のことを口にした。

「連携というと、どこの国と？」

私は思わず日本語で訊いた。

「日本と連携して、ロシアに対抗するのです。この雑誌は立憲君主制の実現を目ざしています」

包も日本語に中国語を交えながら答えた。これまで包を共産党員かその同調者と見ていた私は、意外の念にかられた。

その雑誌を種にして二時間ばかり包と語り合っての帰り道、私はまた別の考えにとりつかれた。

ひょっとしたら包は、自分が共産党員であることを隠そうとして、わざわざ親日的な『東方雑誌』を、私の眼に触れる所に置いたのではないか。

しかしそんな勘ぐりをする自分が情けなくなり、包は知識の源としてあの雑誌を読んでいるのだと、すんなり思うことにした。

杏の花が散り、樹々に若葉が萌える頃、駐屯隊の中が何となくざわつき出した。どうやら本隊である開部隊が江蘇省を去り、新しい任務につくらしい。噂《うわさ》は本当になった。私たち天長警備隊はひとまず泰県の部隊本部に復帰し、そのあと北進し、黄河の北に移動するという。主目的は、京漢鉄道の奪取だと聞かされた。

私はいずれ包校長に別れを告げなければならないと思いながらも、切り出せずにいた。

いつものように包を訪ねると、彼はちゃんと警備交代が近いことを知っていた。しかも、確信あり気に言い添えたのだ。

「そのあと警備にやって来る日本軍は、装備が悪くて、大砲も木製のようですよ」

まさか張り子の虎《とら》の大砲でもあるまいが、次の部隊が前線部隊である私たちより装備が劣っているのは確かだろう。

私は包が、作戦についてもっといろいろ質問してくるのではないかと警戒した。移動の目的や転進する地域について問いただしてくるのであれば、やはり彼が共産党員かその同調者である可能性が濃厚になる。

しかし私が帰るまでに、包はそうした類《たぐい》の質問は一切口にしなかった。それどころか、日を定めて、私を夕食に招待してくれると言う。私はまたしても自分の勘ぐりをあさましく感じた。

招待の当日、私は手土産に清酒の一升瓶を持って行った。私を迎えた包夫妻は衣服を改めていて、夫人は美しく化粧していた。

料理は手料理だが、誠意がこもっている。紹興酒で乾盃して、小宴が始まる。包は私が持参した清酒を脇《わき》に置いて、これから先私を思い出しながら、ちびりちびり飲むのだと言う。

「紹興酒も米から造った酒ですが、日本酒のほうが格段に上等です。味噌《みそ》も醬油《しょうゆ》も日本の物が数等良い。みんな日本人が中国から学んだものを改良したのです」

私はそれがまんざらお世辞とばかりは思えず、早くも酔いを感じながら嬉《うれ》しく聞いた。

夫人が運んで来る温かい料理を、包はさああと勧めた。中国料理は温度を食べるものですと言い、私は大いに納得させられた。

食べては飲み、飲んでは話すうちに、二時間くらいがあっという間に過ぎた。

包は一篇の詩を書いた紙をさし出した。

「あなたが唐詩が好きだというので、私の好きな唐詩を書いておきました」

見ると、詩は陳子昂《ちんすごう》のものだ。陳子昂の五言古詩『薊丘覧古《けいきゅうらんこ》』は私も暗唱していたが、包が書いてくれた『登幽州台歌』は記憶になかった。

「今日が、私たち二人の最後の授業です」

包校長は言い、書きつけた詩をゆっくり読み出した。

登幽州台歌《デンヨウヂヨウタイゴー》　　陳子昂《チエンツーアン》

前不見古人《チエンブジエングーレン》
後不見来者《ホウブジエンライジョー》
念天地之悠悠《ニエンティエンディージーヨウヨウ》
独愴然而涕下《ドウチユアンランアルティーシャ》

前に古人を見ず
後に来者を見ず
天地の悠悠たるを念《おも》い
独り愴然《そうぜん》として涕《なみだ》下る

一回目の包の朗唱のあと、私は一句ずつ彼について発音する。酔った頭に、何とか記憶をとどめようとして、必死だった。四、五回はなぞったろうか。包は最後に私ひとりに朗読させた。言い終えると、包も、そばで聞いていた夫人も手を叩《たた》いてくれた。私は誉められた生徒の気持で、「謝々」と言った。

したたかに酔い、腹もくちくなった頃、包はさらに一個の印刻を取り出した。別に一枚の贈呈の紙片が添えられていた。それには、これまでに受けた傷の治療への感謝とともに、互いの国の言語研究がこの上ない喜びだったこと、それを記念して印刻を贈る、と書かれていた。

読み終わって胸が熱くなった。もしこの戦争で死なずに生き延びることができ、内地に帰れたら、一生この印刻を使い続けようと思い定めた。

小宴が終わる頃には、もう二人共かなり酔っていた。包は、心配はいらない、帰りは洋車《ヤンチヨ》を呼んでいると言う。私は辞退したが、これが来客に対する礼だと言われ、しぶしぶ受け入れた。

外に出ると、酒で火照《ほて》った頬に、春の夜風が快い。

門口には洋車が待っていた。乗るのは初めてだ。車夫はかなりの年寄りで、郷里の私の父親よりは年上に違いない。しかも小柄だ。

車夫が私を乗せようとしたとき、酔いも手伝ってか、一計が頭にひらめいた。やにわに車夫を洋車の中に押し込めると、私は梶棒《かじぼう》を取った。目を丸くしている包夫妻に手を上げ、そのまま走り出す。

咄嗟《とつさ》の出来事に仰天したのは車夫だ。

「大人《ダーレン》、不行《ブシン》、不行（お客さん、停めて下さい）」

「没関係《メイグワンシ》、没関係（構わない、構わない）」

私は走った。横木の前に先棒が二尺あまりも突き出ている。そのためか洋車は思ったより軽い。

幸い石畳の道は人通りも少なく、不思議と軍靴も滑らない。

「大人、不行、不行」

車夫はまだ叫んでいる。

「知道了《チーダオラ》（気にするな）」

私は右手で梶棒を支え、軍刀を肩に担《かつ》いだ。そのほうが走りやすい。息も切れない。十分も走ると、衛門の前に出た。

衛兵が捧《ささ》げ銃《つつ》をし、「敬礼」の声が鳴り響く。私はそのままの勢いで営庭の中まで洋車を引き入れ、ようやく走りやめた。

怯《おび》え顔の車夫に中国紙幣をさし出す。車夫は、校長先生から先に代金は貰《もら》っているようなことを口走り、辞退した。私は構わず車夫のポケットに紙幣を押し込む。

車夫は何度も頭を下げ、身をかがめながら衛門を出て行った。

一日置いた四月三十日、新しい部隊に警備を引き継いで、私たちの中隊は天長県を出発した。東門に通じる本通りに、中隊が行進する靴音が響き渡る。朝日を受けて、磨き上げられた銃がキラキラと光った。

城内の住民は総出だった。狭い道の両側に並んで立ち、手に手に日の丸の小旗を振っている。中隊としては一年足らずの駐屯だったはずだが、将兵たちにはそれぞれ知り合いができたらしく、あちこちから声がかかった。

予期していたとおり、小学校の門の前に、包夫妻が子供を抱いて立っていた。私は正しく挙手の礼をした。夫妻はにこやかに笑み返す。無言の別れだった。

城門を出ると、楊柳《ようりゅう》が瑞々《みずみず》しい若葉を朝の日に輝かせていた。果てしなく続く平原でも、高粱《コーリヤン》がもう大分背高くなっている。こうして私たちは京漢鉄道作戦への第一歩を踏み出した。

死産

昭和十九年十一月の初め、乾期を迎えた北ビルマの空は、あくまでも高く澄み渡っていた。乾いた風が心地よく吹き、一年中で一番の好期を迎えようとしている。

私たちの大隊は、北ビルマの中心であるシュウェボー市の南方約三十キロの小村にいた。近くの鉄道の小駅からも六キロばかり離れていて、全くの農村地帯と言っていい。そこで部隊は敗残の身を癒《いや》し、何とか立ち直るべく懸命に生きていた。

ビルマ全般の戦況は、日を経《ふ》るごとに不利に進行している。

その年の三月に軍司令部によって発起されたインパール作戦は、四ヵ月後の七月には、日本軍の惨敗《ざんぱい》に終わっていた。第三十一、第十五、第三十三の三つの師団から成る第十五軍は、退却の際もアラカン山脈の難路に行く手をはばまれた。雨期に入ってにわかに河幅を増し、激流と化したチンドウィン河を必死で渡河《とか》し、北ビルマの平原を雪崩《なだれ》のように総退却した。

このとき日本軍は、あらゆる面で甚大《じんだい》な被害を受けていた。第三十一師団の中で最も損害の少なかった私の所属する輜重《しちょう》大隊でも、十八年四月の編成当時いた八百の兵員は、半分の四百になった。二個中隊が所有していた自動貨車は全《すべ》て失われ、四百頭いた日本馬はわずかに二頭、百頭いた現地徴発馬は数頭に減っている。馬以外では、現地人の管理する象隊が数頭いるのみだ。この現況では、師団の輸送を担《にな》う輜重隊としての機能は、九割方失われたと言っていい。

インパール作戦発令と同時に、私たちは三月十六日にチンドウィン渡河、アラカン山脈を越え、インパール北方の英軍根拠地コヒマに向かった。しかし敵の反撃は激烈であり、加えて頭上からは英軍機の執拗《しつよう》な攻撃を受けた。兵力は日毎《ひごと》に失われていく。五月になると弾薬と糧秣《りょうまつ》の補給が途絶え、攻撃どころではなくなり、敵機の襲来の隙《すき》をぬっての食糧探しに追われた。

そうしたなか、六月初め、師団長が撤退の命令を下した。しかしこの退却もまた進軍同様、容易ではなかった。飢餓寸前の私たちに、傷病者後送の任務はひたすら重かった。自力歩行の傷病兵が倒れても、介抱し担送する余力もない。進軍のときには小《こ》径《みち》だった場所も、今は濁流となっていて、進めない。仮眠している背の下まで、いつの間にか水が迫《せ》り上がって来る。

コヒマから百キロ南下してようやくウクルルに至るまで、補給は皆無だった。私たちには泥水をすすり、草を食らうしか生きるすべはなかった。辿《たど》る道筋には、飢餓と悪疫《あくえき》に倒れた自軍の兵士の屍体《したい》が累々《るいるい》と横たわっている。山あいはその屍臭に満ち満ちていた。

七月上旬師団長が更迭《こうてつ》され、新師団長に代わったが、状況が好転するわけではなかった。

八月上旬ようやく敗残の将兵たちはシッタンに集結することができた。急迫する英軍の砲爆撃をしのぎながら、八月下旬、チンドウィン河を渡ってイエウを通過した。

このとき生き残った兵員のほとんどが栄養失調状態にあり、全員がマラリアに罹患《りかん》していた。兵の中には赤痢《せきり》にかかっている者さえいた。しかし赤痢といえども、その病兵を隔離することはできない。病兵は激しい下痢をしながら、将兵の列について来る。通常であればそれが感染を広げる結果になる。幸か不幸か赤痢は蔓延《まんえん》しなかった。衰弱した病兵は次々と脱落し、いわば自然に隔離状態になったからだ。

飢えと病気の悲況にある師団の将兵とは対照的に、英軍の追撃は日に日に激しさを増した。充分に機械化された敵軍は雨期のビルマの平原を悠々と走り回り、頭上には敵機が自在に飛来する。師団は、長大な流れであるイラワジ河の西岸にじりじりと追いつめられていった。

十月の末、私たちの連隊は、イラワジ河と古都マンダレーを結ぶ要衝の港町サガインの近くに、ようやく辿り着いた。そこで、後退をする師団のさらなる転進のため、輸送業務に当たる任務が与えられた。連隊主力は、最後の力をふりしぼり、敵機の激しい空襲で戦場化しているサガインに進出することになった。

しかしどの部隊もおのおの多数の患者をかかえている。こうした各部隊の患者を収容し、傷病を治療し、原隊に復帰させてくれるような後方の医療機関は、もはや存在しない。

部隊の活動上、多くの患者をかかえ込んでは足手まといになる。そこでこの地に傷病兵を残留させ、自力によって戦力を回復する方策がとられた。下級軍医である私が、その責任者に任命された。

医薬品はもう底をついていた。マラリアの治療薬であるキニーネとアテブリン、プラスモヒンだけは、まだかろうじて残っている。しかしこれらを病兵に投薬することができたとしても、問題は貧血だ。全員がマラリアによる高度の貧血に陥っていて、顔からはほとんど生気が失われていた。

マラリアは赤血球を破壊し、貧血をもたらす。マラリア治療には貧血の治療が不可欠なのだ。それには、まず第一に蛋白質《たんぱくしつ》の摂取、第二に鉄剤の補給が必須《ひっす》だった。鉄剤としては、何といっても動物のレバーが一番である。私は一緒に残留している主計軍曹に頼み、牛や鶏のレバーを入手させた。軍曹は北方の町シュウェボーまで一日がかりで往復したが、取得できる量は病兵の数に比べると微々たるものだ。

レバーに限らず、蛋白質を含む食糧全般が不足している。付近一帯はいわば穀倉地帯である。収穫期を前にしていながらも、農民の米倉には前年度の籾《もみ》が満ちていた。しかし、私たちの必要とする員数分の確保は、主計部員の努力にもかかわらず、極めて困難だった。

ビルマ人は、もともと日本軍に対しては協力的とさえいえた。ところがいかにも敗残兵の外観を呈している私たちの集団は、彼らの眼にも今や疫病神《やくびょうがみ》そのものだったろう。あまつさえ、日本軍が立ち寄る集落は、英軍機の仮借ない爆撃にさらされる。私たちの患者集団が、爆撃下で暴徒化するのではないかというビルマ人の不安は、私にも容易に理解できた。

私たち患者集団が村にはいったとき、集落内に、若い女性や幼児の姿はほとんどなかった。残っているのは男性、それも老人や壮年者ばかりで、たまに見かける女性も、老婆《ろうば》と子供が多かった。

村の道には、白い花をつけたジャスミンの香が匂《にお》っている。真白な小さな花が生垣いっぱいに咲く家々の庭では、ブーゲンビリアや大輪の色とりどりのダリア、カンナも、これ見よがしに花を誇っている。そんななかで、私たちの有様はいかにも場違いな闖入者《ちんにゅうしゃ》でしかなかった。

道の先に、たまたまうら若い女性の姿を認めると、彼女たちはそそくさと脇《わき》の小径や、生垣の陰に姿を消した。

その日、午後の遅い時刻、私は接収した民家の縁側で、連隊の健兵対策についての意見書を起草していた。

突然、村の一角で天を裂くような一発の銃声がした。同時に、数十羽の鳥がすさまじい羽音と鳴き声をたてて飛び立った。

銃声は、これも民家を接収した診療所のそばの大木の近くで起きたものと、私は直感した。靴をはくのももどかしく走り出た私は、その大木のまわりに病兵や衛生兵たちが立ちすくんでいるのを眼にした。誰もが肩をおとし、茫然自失《ぼうぜんじしつ》している。

私が前に出てみると、ひとりの兵が樹《き》の根元に両下肢を投げ出すように坐《すわ》っていた。頸《くび》のあたりに、三八式銃の銃口があてがわれている。既にこと切れていた。

兵は入院しているマラリア患者で、四十歳近い年配者だった。この村に残留して以来、うつ傾向を呈し、普段から要心はしていたのだ。

周囲の兵が私に事情を告げた。ちょうどその日、病気が軽快した二人の兵が退院する日だった。サガインの本隊に復帰するために早めに夕食をすませ、銃と背嚢《はいのう》を持って、病室の下の階段のところで脚絆《きやはん》を巻いていたという。そこにこの病兵が駆け寄り、発作的に銃をとって自決したのだ。日頃から私は、こうした突発的な事件を予防するために、病兵には実弾を渡さないようにしていた。退院する二人は、出発前に私に本隊復帰を申告し、薄暮《はくぼ》を待って村を出る予定だった。

病気で死なれるのには慣れていたが、患者が自ら、それも診療所内で命を絶つのには不慣れだった。しかし今となってはどうしようもない。

私は村はずれにある墓地に遺骸《いがい》を運ばせた。その一帯には白い砂のような土の台地が広がっている。灌木《かんぼく》がまばらな場所を選び、深い穴を掘った。読経《どきよう》のできる兵のひとりに一編の経をあげてもらい、小高い塚をつくった。

宿舎に帰る足も重かった。亡《な》くなった病兵の病歴書に、自殺とは書けない。私は、この兵が悪性のマラリアにかかり、治療の甲斐《かい》もなく戦病死したと記載した。

この衝撃的な事件から十数日経た十一月下旬、診療日の昼近い頃、私は医務室で診療業務のしめくくりをしていた。

そこへ数人のビルマ人男性が、外から窺《うかが》うようにして診療所にはいってきた。全員が上半身裸で、ロンジーだけをつけている。

現地人が、こんな所に顔を出すことは滅多にない。何かあったのだと思い、男たちの前に立った。

彼らは褐色の顔を紅潮させて口々にしゃべり訴えるが、私はビルマ語を全く解さない。少し会話のできる衛生兵を呼んで、事情を訊《き》かせた。

衛生兵はしばらく男たちとやりとりをしていた。ようやく事情の察しがついたようで、困惑した顔を私に向けた。

「どうも子供が樹に登っていて、落ちたようです。それも瀕死《ひんし》の重傷になっているようであります」

「よほど高い樹だったのだろうな」

思わず唸《うな》ったが、衛生兵は律義《りちぎ》にどのくらい高い所から落ちたか訊き直している様子だ。そんな詳細はどうでもよかった。しばらくの問答ののち、衛生兵がまた私に言った。

「軍医殿に往診を頼めないだろうかと現地人は言っています」

「瀕死の状態なら、往診より、こちらに連れて来るほうが良かろう。往診ではたいしたこともできん。ここなら多少の器具も薬も揃《そろ》っている」

衛生兵はまた片言のビルマ語で男たちに伝える。しかしなかなか話はまとまらない。男たちと衛生兵の双方が、要領を得ない表情をしている。私が事故の現場に行ったところで、どうせ患者をここに運ばなければならないのは眼に見えている。最初からここに運んだほうがいいのだ。声を高め、衛生兵の通訳を励ました。その甲斐《かい》あってか、男たちはそそくさと診療所を出て行った。

樹の上から子供が落ちたのなら、骨折、それも上肢か下肢か、あるいは鎖骨の骨折くらいだろう。まさか首の骨は折ってはいるまい。もしそうなら、手荒く動かさないほうがいいが——。負傷の軽重を予想しながら待った。

ものの十五分もたったかたたないかの頃、入口の方で、今度は先刻の倍ぐらいのビルマ人の騒ぐ声が聞こえた。何事かと思って腰を浮かすと、急に長椅子《ながいす》のようなものが室内に入ってきた。

よく見ると、長椅子の上に女性が仰向けになっている。しかも女性は小山のように大きい腹部をかかえ、顔に玉の汗を浮かべて肩で息をしていた。腹部は異様に膨隆《ぼうりゅう》し、まさに気息奄々《きそくえんえん》を絵にかいた状態だ。

これを見たとたん、私は衛生兵の通訳の間違いが判《わか》った。

瀕死の重傷というのは、この妊婦のことなのだ。そして多分、登っていて落ち、打ちどころが悪く、腹の中にいた胎児が死亡したのではないか。

私は通訳の衛生兵に、これを確かめるように促した。衛生兵は、今度は今までよりも盛んな仕草で、しばらく男たちとやりとりをした。

「確かに、軍医殿が言われたとおりのようであります」衛生兵がほっとして頷《うなず》く。

そのとき、この辺一帯で腕利《うでき》きと評判の産婆だという五十がらみの女性が、前方に進み出た。何やらまくしたてている。衛生兵がどうにか聞き取り、また私に伝えた。

「この妊婦は、二日以上にわたって尿が出ていないそうです。このようなとき、シュウェボーにいる英国人医師は、すぐに手術をしたと言っています」

衛生兵も困惑顔だが、私はそれ以上に胸の内で、弱った事態になったと思った。

腹部の異常な膨隆は、中に胎児がいることと、尿閉によるものであることはもう間違いがない。

この診療所に、産婦人科的な器具器械があろうはずがない。そんなものはそもそも軍隊とは無関係の道具だ。何より、私自身が産婦人科的技術をもち合わせていない。

私は昭和十七年十二月、岡山医大附属医専の繰り上げ卒業のため、産科実習は受けていなかった。その直後の速成の軍陣医学教育でも、産婦人科的手術は等閑視《とうかんし》されていたのだ。

しかし事ここに至っては、シュウェボーまでこの患者を連れて行けと言っては、私の、いや日本軍の面目がたたない。第一、シュウェボーの英国人医師も、日本軍の進出とともにどこかに姿をくらましているはずだった。

私は覚悟を決め、まず手始めの処置は尿の排出だと判断した。すぐにネラトンチューブの消毒を衛生兵に命じた。幸いネラトンは一本だけ、器械箱の中に持っていた。ネラトンの消毒を終えた衛生兵は、どうしましょうかと言うように、私を見た。明らかに躊躇《ちゅうちょ》している顔色だ。女性の導尿の経験はないのだ。私にも無論ない。

仕方なく私がネラトンを取り上げると、脇にいた産婆が「それはわたしにやらせて下さい」という仕草をした。渡りに舟で、私も「頼んだよ」というような仕草を返した。

産婆は経験があるらしく、開脚した妊婦の陰部へネラトンを差し込んだ。みるみる大量の排尿があり、下に置いた尿がめを満たした。四リットルくらいには達したろう。排尿があると、先刻まで玉の汗を出し肩で息をしていた妊婦は、楽になったようで、膨隆していた腹部も、見ている間に小さくなった。

しかし、まだ問題は解消していない。子宮内に残っている死児を娩出《べんしゅつ》させなければ、妊婦の命も危なくなる。こちらには手術の器具も技術もないので、ここは薬物による方法しかない。

　私には、どんな退却の苦境のなかでも、背嚢の底にしまっていた虎《とら》の巻があった。西川義方《にしかわよしかた》博士著『内科診療ノ実際』だ。

　表紙や目次はなくなり、小さくなるだけ小さくなって丸まってしまっていた。アラカン山脈越えのとき、鼻紙一枚さえも重くなり棄《す》てたくなる苦難の日々にも、持ち続けてきた本だった。ことあるたびに本を開いていたので、キニーネに陣痛促進作用があるのを、かすかに覚えていた。

　医務室に急いで戻り、そのあたりを開いてみると、果たして、キニーネの投与後にリチネ（ひまし油）を飲ませると、胎児の娩出が期待できる、と記載してあった。この方法以外にはないと思った。

　妊婦に対しまずキニーネを常用量より少し多めに服用させ、ついで三十分後にリチネを飲ませよと、衛生兵に指示した。

　リチネを投薬し終わると、あとは死産を待つだけだ。時計を見ると、もうとっくに昼を過ぎている。

　私はいつも宿舎の方で昼の食事をとっていた。

「まあ、お産のことだから、ここはゆっくりするに限る。産まれそうになったら、宿舎の方に知らせてくれ」

余裕を見せて衛生兵に言い置き、宿舎に戻った。

昼食をすませると、いつもの習慣で午睡のベッドに入った。医学書の記載どおりうまくいくのか不安が頭をもたげたが、今さら気になってのこのこ顔を出せば、却《かえ》って沽券《こけん》にかかわる。私は無理に目を閉じた。

どのくらい時間が経過したか分からないが、階段を駆け上がって来る足音で目が覚めた。

「軍医殿、軍医殿」

室《へや》の入口で衛生兵の呼ぶ声がする。

「どうした」ここでも余裕を見せて私は訊く。

「生まれました」

「そうか」

胎児娩出後には、必ず胎盤の娩出、つまり後産がなければならない。これを確かめねば、安心はできない。

「後産はあったか」

私の質問に衛生兵はしどろもどろの返答だ。何しろ子供が出たというので、夢中になって報告に来たらしく、あとがどうなっているか知りようがなかったのだ。診療所までの百メートルを大股《おおまた》で急いだ。

「そうか。それでは、すぐに行ってみよう」

私は鷹揚《おうよう》に軍袴《ぐんこ》をはき、半袖《はんそで》シャツに腕を通して宿舎の民家を出た。診療所までの百メートルを大股《おおまた》で急いだ。

診療所に着くと、そこにいる衛生兵やビルマ人の顔には喜びの色が溢《あふ》れていた。

私は産婦のそばに寄った。彼女の脇の膿盆《のうぼん》の中には、胎児と臍帯《さいたい》、そして間違いなく胎盤があった。胎児はもう浸軟《しんなん》をおこしかけていた。月齢にすると七、八ヵ月、千二、三百グラムはあると思われた。女の死児だ。

それを確かめたとたん、何とも言えない安堵感《あんどかん》に襲われ、胸が一杯になった。満足感が湧《わ》いてきて、自分の診療椅子にへなへなと腰をおろした。

喜色満面の産婆が何か私に言いかけたが、意味は分からない。たぶん私への祝福と感謝だったろう。私は衛生兵を呼び、今日は産婦に消化のよい物を与え、沐浴《もくよく》はさせないがよいと言わせた。あとで、そんな注意は言わずもがなで、産婆のほうがよほどよく知っていると気がついた。

産婆を先頭にして、長椅子を抱えたビルマ人たちは嬉々《きき》として引き上げて行った。そのときもまだ私は、満足感に浸りながら椅子に坐り続けていた。

傷病兵の治療をして前線に帰すのとは、全く異質の満ち足りた気分だった。傷や病気の癒《い》えた将兵といえども、戦場がある限り、再び生命を危険にさらさなければならない。兵である限り、それは宿命だ。病院自体が安全な場所にあれば、そこに半病人としてとどまらせておいたほうが、本当はましなのかもしれなかった。

ところが妊婦は違う。今回は運悪く死産であったものの、こうやって母体の命を救ってしまえば、またいくらでもお産はできるのだ。私はここに医学医療の原点を見たような気がしていた。

その翌日だ。村の長老と思われるビルマ人の男性三人が、診療所の入口に現れた。三人とも履物を脱ぎ、それを左手に持って私の診療机の前に進んで来る。そこで腰をかがめ、膝《ひざ》を床につけて両手を合わせ、叩頭《こうとう》した。私はこうした仕草をどこかで見たような気がした。

「軍医殿、これは大変なお礼の仕方ですよ」

横についていた衛生兵が言った。

なるほど、と私は咄嗟《とっさ》に思い出す。敬虔《けいけん》な仏教徒であるビルマ人が、仏さまの前で行う礼拝の作法に違いなかった。私は慌《あわ》てて、三人に起立を促した。

三人はおもむろに立った。そのうちの代表者と思われるひとりが、何やら言った。ビルマ語を解する衛生兵を呼んだ。代表者はこの村の村長だと言う。

「昨日のお礼をしたいので、治療代がいくらか言って欲しいそうです」

衛生兵の通訳を聞いて、私は昂然《こうぜん》と胸を張った。

「我ら日本軍のドクターは、軍人を診ても、民間人を診て治療しても、治療費を請求することは絶対にない」

衛生兵がそれを伝えると、三人の表情には明らかに感動の色が流れた。口々に「チェーズーティンバーデー（ありがとう）」と言いながら、診療所を出て行った。

この出来事を耳にしたのか、二日後、主計軍曹が私を訪ねて来た。

「軍医殿、ぜひともお願いがあります。例の件が何とかなるかもしれません」

例の件とは、病兵に提供する栄養源のことだった。村長にそれを頼んだらどうかという提案だった。

「しかし二日前に、治療費など取らぬと言ってしまっている。今さらのこのこと物乞《ものご》いに行くのも気がひける」

私は自らの迂闊《うかつ》さを悔いた。村の重鎮三人がやって来たとき、こちらの食糧困窮になぜ思い至らなかったのか。

「軍医殿、物乞いではありません。金はビルマ紙幣で払います」

主計軍曹は直立姿勢で訴えた。「このあたりの村々に食糧がないのではありません。自分ら日本軍に、食糧を融通してくれないのであります」

軍曹の目が赤く潤《うる》んでいるのを見て、私は胸を衝《つ》かれた。

彼としても、病兵の栄養源確保のために、死にもの狂いで近くの村や町を巡っているのだろう。食糧を渡したがらないビルマ人の気持も、当然だった。食糧の補給が増えれば増えるほど、軍隊は腰を落ちつけてしまう。それでは彼らも困るのだ。

ここはもう私の体面などどうでもいい。

「よし、一緒に行こう」

「行って下さいますか」

主計軍曹は顔を紅潮させた。

村長の家は、例の妊婦の家の先、七、八十メートルのところにあった。屋敷は広く、住み心地良さそうな黒ずんだ平屋の母屋《おもや》は、涼しげな前庭を有している。前庭は白い砂のような土で覆《おお》われ、家の前に数本の巨木が立っていた。樹木の下にはいると、首筋ににじんでいた汗がひいた。

玄関近くに日陰をもつ茂みがあり、丸テーブルと椅子が出してある。ちょうどその椅子に、診療所で叩頭の礼をとった村長が泰然と坐っていた。

私たちは近づいて挨拶《あいさつ》した。村長はすぐに私と軍曹に椅子を勧め、家の方に向かって何やら呼びかけた。すると、二十代半ばの痩《や》せて褐色の肌をした佳人が出て来た。薄いビルマ服を着て、赤いロンジーをはいている。おそらく村長の娘だろう。

彼女は椅子にかけると、煙草《たばこ》に火をつけ、一、二服して火を確かめ、その吸い口を私の方に向けて勧めてくれた。

私は煙草をたしなまないが、ここで断ってはまずい。彼女が口をつけた吸い口も気になったものの、煙草を口にした。彼女は軍曹にも煙草を勧めた。

仕草をまじえた短いやりとりのなかで、彼女が英語を解することが判《わか》った。しかし私のほうは、ドイツ語なら多少の読み書きができたものの、英語には自信がない。主計軍曹のほうも、からきし駄目だと言う。

こうなると何とか英語の単語を並べる他ない。私は現在、多くの患者をかかえているること、その患者たちの治療には牛乳や肉、レバーが必要であること、目下その入手に困っていることを、訴えた。もともと拙《つたな》い英語だから遠慮はない。単語を単刀直入に並べただけの要求は、彼女にも通じたようだった。

期待違《たが》わず、彼女は父親の方を向き何やら話しかけた。父親は大きく頷いた。話が伝わったことが分かると、私は急に自分がみじめに感じられた。「軍医は治療費など請求しない」と胸を張って豪語したはずの私が、今している行為はやはり物乞いに等しいではないか。

急に、この場に長居をするのが恥ずかしくなり、私は軍曹を促して村長の家を早々に辞した。

「軍医殿、あれで大丈夫でしょうか」

帰りの道すがら、軍曹が不安気に訊《き》く。「もうひと押ししたほうが良かったのではないでしょうか」

「いや、こちらの言い分は充分伝わっている。あとは向こうの胸三寸だ。大丈夫だよ」

そう答える私にも実のところ自信がなかった。とはいえこちらでやるべきことはやったのだ。これで駄目なら諦《あきら》めるしかなかろう。それが本音だった。

翌日、村長からは何の音沙汰《おとさた》もなかった。

そして次の日、昼前どきに、再び診療所の前がビルマ人の声で賑《にぎ》やかになった。

外に出て見ると、十数名のビルマ人の男たちが頭に甕《かめ》を載せて立っていた。男たちは私の姿をみると、甕を下におろした。それぞれの甕の中には、なみなみとした牛乳や肉類、レバーがはいっている。

私はすぐに主計軍曹を呼びにやった。彼は飛ぶようにしてやって来て、たちまちにして商談は成立した。

それからというもの、毎日のように、時に多い少ないはあったが、いわば村人からの贈り物が、私たちの食膳《しょくぜん》を賑わすようになった。

日が経《た》つにつれ、病兵たちの顔には生気がよみがえり、活気が現れてきた。マラリアによる貧血と、栄養不足も段々と改善された。

それまで診療所内に充満していた病兵たちの暗さと惰気《だき》も影をひそめるようになった。

同時に、本隊への復帰を望む声が聞こえはじめた。

十二月も押し迫り、昭和二十年の新年も間近い日に、サガインの連隊本部より、〈全員、連隊本部復帰〉の命令が到着した。

私たちはいつものように、隠密《おんみつ》のうちにこの村を去り、勇躍サガインに向かった。

同時に私の任務も、本来の医学医療ではなく、傷病兵を前線に送り出す軍陣医学に戻っていた。

野ばら

私は開戦の昭和十六年の十二月、三ヵ月繰り上げで、東北帝大医学部を卒業し、翌十七年一月直ちに海軍軍医科士官となった。館山《たてやま》海軍砲術学校で実戦訓練を二ヵ月受けたあと、三月に築地《つきじ》の海軍軍医学校に入校した。

軍医学校では受講と臨床実習に明け暮れ、六月末に卒業した。勉学と修練の他に、海軍士官としての三Sを繰り返し諭された。すなわちSmart, Silent, Scientificだ。

あわせて戦陣訓も叩《たた》きこまれた。「上官に欠礼するな」「敬礼するため、右手には荷物を持つな」は基本だが、「五分前に整列せよ」「海水を飲むな」も加わる。さらには「下士官に注意をするときは、兵の前でしてはいけない」や、「乗艦が爆撃され沈没するときは、できるだけ早く船から離れろ」「船から飛び降りるときは膝《ひざ》を曲げ、水面に足が着いたと思った瞬間、水を蹴《け》る」だった。

卒業と同時に新米の軍医中尉《ちゆうい》に任官し、卒業生全員が赴任命令を受けた。私は第四艦隊司令部付になった。司令部はカロリン諸島のトラック島にあり、横須賀《よこすか》から病院船氷川丸《ひかわまる》に乗り込んだ。

二週間の航行ののち、司令部に着任の挨拶《あいさつ》に行くと、既に私の任地は転属になっていた。

新任地は第三特別根拠地隊で、トラック島よりさらに東に位置するギルバート諸島のタラワ環礁《かんしょう》に向かわねばならない。

タラワに発《た》つ貨物船を待つこと十日、七月の末に環礁の一島ベチオ島に着いた。炎暑は激しく、晴着の白い海軍の夏服も汗でびっしょりになった。

昼過ぎにやっと司令部に辿《たど》り着いて、汗まみれの制服のまま、まず司令官に挨拶、ついで首席参謀、軍医長と、順次部屋を訪れた。

軍医大尉のS軍医長は汚れた防暑服に裸足《はだし》だ。しかも口髭《くちひげ》をはやし、頭髪は伸ばし放題で、私はいささか驚いた。

「敵にやられんで、よくこんな遠い所まで来た。お前の命は今日から俺が預かった」

それが最初の挨拶で、最初の命令は次の言葉だった。

「ともかく敵襲があれば、どこにいようと医官の避難場所は医務室だ。分かったか」

「はい」

私は背筋を伸ばして答えた。

医務室で二人の先任医官に紹介された。いずれも軍医中尉だが、もう南方勤務が長いと思われ、日焼けした真黒な顔になっていた。

「軍医長は口は悪いが、根は人情家だから、心配することはないよ」

士官宿舎で旅装を解いているとき、先任医官のI軍医から言われた。

翌日から極暑が続き、北国生まれの私には相当こたえた。しかし、軍医長の下、一糸乱れぬ軍規のもとで行われる医務隊活動についていく他ない。

内地で秘《ひそ》かに憧《あこが》れていた、椰子《やし》の木陰で島娘の踊りを楽しむどころではなかった。第一島民そのものが、軍の命令で環礁の他の島に移住させられている。椰子の汁を吸いたいという願望も果たせなかった。

このベチオ島は、南北三百メートル、東西二キロという細長い小島であり、中央部に大きな飛行場が東西に延びていた。滑走路の北に本部、南に高角砲隊が位置し、西には陸戦隊、東には設営隊が陣地を作っている。

本部にある二階建の鉄筋の司令部は、コンクリートも厚く、堅固にできていた。

通常の島なら、敵の爆撃に備えて、蟻《あり》の巣のような防空壕《ぼうくうごう》を造るのだろうが、環礁の島では不可能だ。一メートルも掘ると海水が出てくる。椰子の丸太を高く積み重ねて、上に砂をかけて防空壕にするのがせいぜいだった。

至近弾を受けた場合、爆風で簡単に崩れ落ち、中にいた者が押しつぶされるか、生き埋めになる危険がある。特に病人をかかえている医務隊では、患者を収容するため、病院の周囲に塀のような防空壕を作らねばならなかった。

赴任してひと月ばかりたった頃、一兵曹が虫垂炎《ちゆうすいえん》にかかり、手術になった。私を含めた医官三名が手術場にはいった。腰椎穿刺《ようついせんし》を命じられ、二つ返事したものの、それまで一回の経験しかなかった。I軍医中尉の助言どおり太い針を押し進めたが、ことももあろうに途中で折れた。手術場が暑いうえに、へまをしたことで、術着の下で汗がふき出してくる。

「軍医殿、穿刺針は貴重品です。黄金の針と思って下さい」

二本目の針を手渡しながら、皮肉たっぷりに看護兵曹が言った。私は余計緊張する。二本目も折ってしまえば、ヤブ医者の噂《うわさ》が隊全体に広まるに違いない。祈るようにして突き進めた針は無事に収まり、事なきを得た。そのあとの手術も無事にすんだ。

島の南側にある高角砲隊から、医務隊に衛生講話の依頼が来たのもその頃で、軍医長はその役を私に命じた。講義なら軍医学校でさんざん受けてきたばかりだから、まだ記憶も新しいだろうというのが理由だった。

高角砲隊から、サイドカーで迎えに来たのには驚かされた。もちろん乗るのは初めてで、殿様気分でサイドカーの中に坐《すわ》った。

高角砲隊には三百人もいたろうか。どの顔も真剣で、私はアメーバ赤痢《せきり》の伝染性の恐ろしさや、外科的救急処置など、習いたての知識をここぞとばかり教え込んだ。特に好評だったのが止血法で、実際に兵を五、六人前に呼び、棒切れや手拭《てぬぐ》いを使って実演させた。

講義後の質疑応答にもさっと手が上がり、止血はいつまでも続けていいのかと訊《き》かれた。

止血した末端の部分の色が変わり出したら、止血部位を一時緩めてやるべきだと答えた。答えながらペニスの例を持ち出すことを思いつき、ペニスの先から出血しているからといって、根元をゴム輪でいつまでも絞めていたらどうかと問い返した。色が変わって最後には腐れ落ちると言うと、やんやの拍手と笑いに包まれた。

病院では、デング熱の治療やアメーバ赤痢患者の回診、外科患者の繃帯《ほうたい》交換などを行っており、暇な時はなかった。

病院生活に慣れた頃、重症の下痢患者を受けもたされた。アメーバ赤痢のような粘血便ではないので、まず原因菌の究明をしなければならない。病室の一部を検便室にして、連日その患者の便を検便鏡で調べた。細菌学の教科書もひっぱり出して、起炎菌が腸トリコモーナスであるとつきとめたときは、我ながら快哉《かいさい》を叫んだ。連日の糞《くそ》まみれから、やっと解放された喜びも加わっていた。これは軍医長からいたく誉められ、穿刺針を一本無駄にした借りも、帳消しになったと思った。

赴任して八ヵ月ほど経《た》った十八年の二月末、医官三人が全員、軍医長室に至急集められた。

「実は、近くのナウール島に兵隊が大勢着いた」

軍医長は壁に張られた南洋の地図を指さした。ナウール島など聞いたこともなかったが、タラワ環礁よりも西に位置し、ちょうどこのギルバート諸島とソロモン諸島の間、こちら三分の一寄りの所にあった。

「ところが総員デング熱にかかり、軍医不足でどうにもならんらしい。司令官は緊急に軍医一名を送ることに同意された。お前たち三人の中、ひとりだけ派遣する。しかしだ。三人とも行きたいかもしれん。三人とも行きたくないかもしれん。俺としても、お前たちの中から誰を手放すか、判断がつかん。三人で決めるのも大変だろう。ひとつジャンケンで決めてくれんか。勝った者がナウールへ行け」

妙な理屈だと思ったが、いかにも軍医長らしい解決法のような気がした。私は上眼づかいに二人の先輩医師の顔をうかがう。二人とも行きたいような表情をしていない。ここは最下級医官で新参者の私が手を挙げるべきだと思った。

「わたくしが参ります」

一歩前に出て言った。他の二人も異議があるようには見えない。

「駄目だ。ジャンケンと言ったろう。俺の前ですぐやれ」

軍医長は怒声混じりで命じた。仕方がない。私たちは向かい合い、私が音頭《おんど》取りでジャンケンを口にする。勝つのがいいのか、負けるのがいいのか、本心は自分でも計りかねた。グーを出したが、他の二人はチョキだった。

「よし！　お前行け」

軍医長はギョロリとした眼で私を睨《にら》み、言った。

早速、航空隊の便を調べ、翌日出る飛行機に便乗することになった。

翌朝、司令官と幕僚たちに挨拶をして、総員見送りの位置につけのラッパに送られ、タラップを登った。

飛行機はいったんマーシャル諸島のウジラン島に行き、人員と物資を積んでからナウール島に着陸した。

医務隊はT軍医大尉が軍医長で、その下に軍医中尉がひとりおり、そこに私が加わって医官は三名になった。

タラワとナウール島の違いは、防空壕の造り方から歴然としていた。タラワでは丸太の囲いに砂をかぶせただけだったが、ここでは地下深く掘られ、いざとなれば、病棟自体も防空壕の中に移動できるようになっている。

話どおり、患者はデング熱が多かった。

ひと月たった頃、患者が輸送されて来たが、将兵ではなく、小型輸送船の乗員だった。船が敵の潜水艦によって撃沈され、海中浮遊していたところを救助されていた。

この患者に、海軍軍医学校の戦傷学の講義で習った水中爆傷の実例を初めて見た。

外見上はどこも異常がない。腹部の軽度膨満と激しい腹痛を訴え、憔悴《しょうすい》しきっている。一見したところは部分的な腹膜炎だった。T軍医長の執刀で開腹して、驚いた。腸管が何ヵ所も破裂している。しかも腸管の屈曲部が必ず破れている。大腸では、上行、横行、下行結腸の屈曲部、小腸でも曲がった個所に、空気の漏れ出る小さな穿孔《せんこう》があった。

これは腹壁を介しての衝撃ではなく、肛門《こうもん》からの水圧が腸内に波及し、内部から腸管を破裂させた結果だ。この患者の場合、海上に浮かんでいるとき、味方の駆潜艇が敵潜水艦に対して爆雷攻撃を行っており、その水中衝撃が爆傷をもたらしていた。

腸管を全長にわたって丁寧に調べ上げ、切除と端々縫合を繰り返した。手術を終えたのは四時間後だった。私は軍医長の手際《てぎわ》の良さと慎重な手技に目を見張った。しかし患者は二日後に死亡した。術前の衰弱が激しく、大手術に体力がついていけなかったのだ。

デング熱の患者がようやく減り始めた頃、米軍によるナウール島の空襲が始まった。島の南に位置するソロモン諸島のガダルカナル島が米軍に占拠され、敵機はそこから発進していると思われた。

病院を防空壕の中に移動させる用意をしていた頃、T軍医長に呼ばれた。

「君に転勤命令が届いている」

「タラワに戻るのですね」

タラワ島をあとにしたときS軍医長からは、数ヵ月で交代という話を聞いていたからだ。

「いや、欠員となったタラワには、補充の軍医が到着する。君は内地に戻る」

「内地ですか」

全く寝耳に水の話に、私は血の気がひくのを覚えた。

「そう。まずは横須賀鎮守府《よこちん》付になる。そのあと、どこか、たぶん艦艇勤務になると思う」

タラワのS軍医長と違ってもの静かなT軍医長は、淡々と説明した。

私は内地に帰れるという喜びと、空襲が始まったこの時世、果たして無事に行き着けるかという疑問を整理しかねていた。タラワに赴任した一年前に比べて、情勢は悪化している。

「幸い、二日後に港に潜水艦が立ち寄る。それに便乗させてもらって、トラック島に行ってもらう。それから先は、現地の司令部の指示を受け給《たま》え」

「このナウールは医官二人になりますが」

「もともとここは二人が員数だ。この四ヵ月、君がいてくれて本当に助かった。礼を言う」

T軍医長の目がみるみる赤くなる。私は胸打たれた。

二日後の夕刻、ナウールの港に呂《ろ》四十四潜水艦がはいり、そこに便乗させてもらった。潜水艦は積荷の出し入れを終わると、暗い中を静かに出港する。

翌朝早く、海上のかなたに敵機が見え、初めて潜水した。浮上と潜水を何回か繰り返したあと、午後になって初めて爆雷の投下を受けた。命中こそしなかったものの、室内灯が消え、天井からペンキがはげ落ちた。敵機は二機で、執拗《しつよう》にこちらを探索しているらしく、潜水艦は八十メートルの水深まで潜り、待機することになった。

潜水が一日、二日と続くと、心理的にも息苦しくなってくる。三日目になると、艦内の酸素が欠乏しているのは明らかで、呼吸が切迫し、冷汗が出てくる。動くと余計酸素を消費するので、じっとしていなければならない。部屋に備えつけられた箪笥《たんす》の引き出しを開け、中の空気を吸った。

動けないのも辛《つら》いが、それにも増して大変なのが大便の処置だった。狭い厠《かわや》の中で排便後、手押しポンプで艦外に押し出さねばならない。水深百メートルも近くなると、全身の力を込めないとポンプはびくともしない。排便のたびに、くたくたになった。

四日目の真夜中零時を期して、艦《ふね》は浮上することになった。敵の対潜哨戒機《しょうかいき》や駆潜艇がいるかいないかは不明で、全くの博奕《ばくち》だった。幸い敵機も敵艦もおらず、新たにはいって来た空気のうまさは格別だった。

十日後、トラック島に無事着いた。一週間滞在し、病院船天応丸《てんのうまる》の到着を待つ。入港した天応丸は六千トンを超える堂々たる船で、停泊している軍艦と比べてもひけをとらない。傷病兵が搬入されたあと、私も船室をあてがわれた。内地に赴任になる陸海軍の士官五人と同室になった。

天応丸がもともとはオランダの病院船で、日本海軍が拿捕《だほ》して、そのまま転用されていることも、士官室で知らされた。

何といっても話題になったのは、この病院船が無事に日本に着くか否《いな》かだった。天応丸は護衛の艦船を従えていない。赤十字のマークは、空からも海からも見えるようにはなっている。国際法の規程では、病院および病院船への攻撃は禁止されているが、天応丸には軍医以外の士官も便乗している。完全な病院船ではないのだ。

無関係の軍人が乗っているとはいえ、船が武器を運んでいるわけもなく、もちろん武装もしていない。丸腰なので、やはり病院船であることは間違いない。誤爆でない限り、潜水艦からも敵機からも襲撃されることはなかろう。――そんな結論に落ちついた。

戦況については、トラック島勤務が長い海軍中尉《ちゆうい》が詳しかった。一年前のミッドウエー海戦での日本海軍の無残な結果以来、米海軍は益々《ますます》力をつけ、ソロモン海戦ではレーダーによる射撃で、空母や戦艦を次々に失っているという話だった。

「こちらは相手が全く見えないのに、敵はレーダーによってこちらが見えているのですから、お話になりません。闇夜《やみよ》で不意討ちをくらうのと同じです」

私より後任の中尉は怯《おび》えた目で言った。

天応丸は敵潜の攻撃を受けることもなく、レーダー射撃の犠牲にもならず、六月中旬、無事に横須賀に着いた。司令部に中告に行くと、すぐさま呉《くれ》の海軍病院勤務を命じられた。

赴任の前、三日間の休暇を与えられて、郷里の福島で両親や姉たちと再会、無事を喜び合った。家には一泊しただけで汽車に乗った。

海上勤務を覚悟していた私は、通常の病院、それも海軍が誇る海軍病院での勤務が内心嬉《うれ》しかった。

病院では内科伝染病棟勤務を命じられた。その年の三月岩国航空隊で発生した、流行性脳脊髄膜炎《のうせきずいまくえん》の患者三十二名の担当になった。ようやく勤務体制に慣れた頃、近くの兵団で細菌性食中毒が出て、二十二名が入院、その十日後には航空隊で三十五名の細菌性赤痢が発生して、伝染病病棟は徹夜続きになった。

忙しさは年末になってようやく下火になり、年明けからは、徹夜続きでてんてこ舞いの勤務はなくなった。

伝染性の疾患は、その他にもパラチフス、アメーバ赤痢、腸チフス、ジフテリアなどがあり、これに三日熱マラリア、熱帯熱マラリア、デング熱も加わった。マラリアやデング熱などは本来内地には見られないもので、南洋での戦線展開が疾患にも反映している。

入院患者のカルテには、それぞれの所轄《しょかつ》部署が記入されており、私は必ずそこに眼を通すことにしていた。患者がどういう部隊で病気を得たかを知っておくことは、診察の際のちょっとした問診でも役に立った。

その所轄部署の多様さは、私の想像を軽く超えた。伊勢《いせ》・日向《ひゅうが》・金剛《こんごう》といった戦艦、鈴谷《すずや》・熊野《くまの》などの重巡洋艦、長良《ながら》・北上《きたがみ》という軽巡に、隼鷹《じゅんよう》・飛鷹《ひよう》の航空母艦が加わる。

そして水上機母艦日進《にっしん》、潜水母艦長鯨《ちょうげい》や迅鯨《じんげい》、駆逐艦初雪・黒潮、海防艦の鹿島と八雲、伊《い》号潜水艦、水雷艇の鷺《さぎ》、十一号魚雷艇、十五号掃海艇、一〇〇四高速艇、敷設艦《ふせつかん》の津軽と給糧艦の伊良湖《いらこ》、病院船の朝日丸・高砂丸《たかさごまる》もある。

これに清澄丸や高栄丸など二十以上はあるさまざまの徴用船舶が加わる。

船ばかりではなく、患者は陸上部隊からも送られて来ていた。それらは、横鎮《よこちん》、呉《くれ》鎮《ちん》などの略称で記載されている。舞団、大竹団、佐五特、八二警、佐伯防、一〇二需、呉廠《しょう》、横砲校、一八設、一一航空司、七一五空、七五一空、岩空——。

私はそうした所轄部署を眺めながら、自分が働いたタラワ島やナウール島など、海軍の所轄のほんのごま粒にしか過ぎない事実を思い知った。

受け持った患者のうちおおよそ三分の一は死亡し、三分の一は後遺症のため除隊となり、残り三分の一が健康を取り戻して原隊に復帰する。しかし療養生活が長びいて、その間に所轄の艦艇が撃沈された場合は、いったん司令部付になって、すぐに別の部署への赴任命令が出される。

病院に勤めていると、いやがうえにも、かつていた南洋の島々のことが気になる。もたらされる戦況は、全般的に悪化の一途を辿《たど》っていた。

十九年になって早々、タラワのあるギルバート諸島の島々が、次々と攻撃されていることを知った。椰子《やし》の丸太を組み、その上に砂をかぶせただけのタラワの防空壕《ぼうくうごう》が思い出された。空からの爆撃あるいは艦砲射撃にあえば、あんな防空壕はひとたまりもない。持ちこたえろと言うほうがおかしいのだ。おそらく、あの豪放磊落《らいらく》なS軍医長や、その配下の二人の軍医も犠牲になっているだろう。

私が助《すけ》っ人《と》に行ったナウール島も、おそらく同じように攻撃を受けているに違いない。唯一《ゆいいつ》の望みは、防空壕が頑丈にできており、通常の空と海からの攻撃には耐えられる点だ。敵の上陸さえなければ、耐えられる可能性は充分にある。米軍は、日本軍の陣地のあるすべての島を占拠するのではなく、無力化したあと見捨てて通過する戦術をとっているらしかった。そうなれば、ナウール島のT軍医長たちは生き延びるすべが残されている。

私がナウール島からトラック島まで便乗した呂四十四潜水艦がどうなっているかは、分からない。ただし病院船天応丸が、今も撃沈されずに患者を運んでいることだけは確かだった。

赴任して一年がたった八月末、転勤命令が来た。今度はいよいよ艦艇勤務だった。乗艦する船が航空母艦と聞いて、私は胸が躍った。

もともと呉海軍病院での勤務が一年以上続くとは考えていなかった。軍医の中でも私は最も若い部類に属しており、いずれはどこかに赴任させられると覚悟していたのだ。しかし南の方への転属命令だけは御免蒙《こうむ》りたい、と内心では思っていた。辿り着くだけでも命がけになるような移動は、遠慮したかった。

病院では少人数の送別会が張られ、私は再び汽車で横須賀に向かった。今度は休暇をとる余裕はなく、福島まで足を延ばせない。

九月初め、まだ残暑が厳しいなか、横須賀のドックで艤装《ぎそう》中の軍艦信濃《しなの》に着任した。そびえたつ真黒な鉄のビルディングのような船体を眼にしたとき、私はこの船と運命を共にしようと思った。

信濃は、戦艦大和《やまと》、同じく武蔵《むさし》につぐ三番艦の戦艦になる予定だったが、建造途中で、急遽《きゆうきよ》上部を航空母艦に造り変えられていた。

ドックにある黒い鉄の壁には、舷梯《げんてい》代わりの細い板が斜めに三つ四つ掛けられている。水兵たちがこの仮設階段を昇降して、航海に必要な最小限度の物資を積み込んでいる。その表情は忙しそうというよりも、むしろ必死の形相に近かった。

医務科には私を含めて三人の軍医が配置されていた。軍医長はM軍医少佐で、佐世保海軍病院からの転属だったが、海軍病院の前には重巡洋艦、その前は水雷艇に乗っており、艦艇勤務の経験は長かった。海上勤務が初めてなのは私だけだった。

信濃の完成は、戦勢の挽回《ばんかい》のためにも急がれた。そのため、未完成な部分は、瀬戸内海で訓練をしながら完成させる窮余策がとられた。多数の技術工員が便乗してきた。

鋼鉄の城、これが軍艦だ。城の中には千五百人近くの人間がいた。水兵たちは、鉄の天井にハンモックを吊《つ》るして寝る。周囲はすべて鉄であり、硬く冷たい金属の中で、私たちは寝起きすることになる。

夜分、所用で診察室へ行くときには充分な注意が必要だ。昼間何気なく歩いて通った場所に、所狭しとハンモックがぶら下がっているので、腰を折り曲げたまま潜《くぐ》り抜けなければならない。水兵たちは昼間の訓練に疲れて、死んだように寝入っている。片足をだらりと外に垂らして、今にも落ちそうな格好の者もいる。

苦労したのは艦《ふね》が動いているときの静脈注射だった。針がうまくはいり、固定したまま注入していると、艦の動揺に伴い、自分の身体《からだ》が浮いて手元が持ち上がる。かと思えば、患者の腕が自然に上下して針先が狂いそうになる。

医学部の学生のとき、背丈だけは学年でも三本の指にはいった私は、厠でも苦労した。用を足したあと、ゆったりした気分で厠を出たとたん、戸口の上の鉄板に目から火が出るほど頭をぶっつけた。慎重の上にも慎重になるまで、三回ほどこの体験を繰り返し、腹立ちまじりで鉄板を叩《たた》いた。もちろん、鉄板はびくともしない。

当直明けの朝早く、急患で診察室に呼ばれた。足のぶら下がったハンモックの列を潜り抜けて診察室にはいると、患者はもう看護兵の脇《わき》にいた。陰茎の出血だという。局部を見ると、中央部の皮膚が二センチほど切れている。

「一体どうしたんだね」

私は訊《き》いたが、水兵は下を向いたままで答えない。

「ハンモックから落ちて切れたのだそうです」

看護兵が代わりに答えた。

どういう落ち方をすれば、こういう傷ができるのか、思案しながら傷を消毒し、ガーゼを当て絆創膏《ばんそうこう》を貼《は》りつけた。

貼りつけながら、陰茎が勃起《ぼつき》すれば、この絆創膏も用をなさなくなると思ったとたん、私は納得がいった。ハンモックの横には、太くて丈夫な綱が走っている。転び落ちる際、それに局部が引っかかれば、こうした傷ができる。もちろん、件《くだん》の一物が充分に勃起しているのが前提条件だ。

絆創膏はじきにはずれたのに違いないが、水兵はその後診察室に顔を出さなかった。

信濃の瀬戸内海への回航は、十一月末と決定された。東京湾外には既に米潜水艦が跳梁《ちょうりょう》している。濱風《はまかぜ》、雪風、磯風の駆逐艦三隻《せき》が護衛につくことになった。

横須賀軍港の出港は、二十八日の昼過ぎだった。金田湾で仮泊後、午後六時抜錨《ばつびょう》、暗夜の東京湾を出た。二十ノットで之字《のじ》運動しながら大島と利島の間の列島線を通過しながら南西方に進んだ。

伊豆諸島近くで、右舷《みぎげん》後方に黒い影が発見されたという。敵の浮上潜水艦か、味方の哨戒艇《しょうかいてい》か、確認する余裕もなく、左に舵《かじ》を切って、直角に南方に回避した。回避行動を二時間ほど行った後、針路を元に戻した。護衛駆逐艦を先頭にして瀬戸内海に向かった。

夜九時過ぎに出されたのが、出港祝いとも言うべきお汁粉だった。わずか一椀《わん》の量だったが、私は一年間いた海軍病院でも味わえなかった代物《しろもの》に舌鼓《したつづみ》をうった。緊張している乗員たちの気持を少しでもほぐすために考えられた処置だろう。そのはからいにも感心した。

お汁粉のうまさは他の士官たちも同様だったらしく、中・少尉が居住する第一士官次室のガンルームでも、ひとしきりそれが話題になった。

ガンルームで仮眠にはいり、ようやく寝入った矢先だった。大音響とともに大きな揺れがあり、目が醒《さ》めた。驚いて飛び起きたあとも、二発、三発、四発と衝撃を感じた。

魚雷攻撃を受けたと直感し、仮眠するときに机の上に置いた軍手と懐中電燈《でんとう》をまさぐる。

落ちつけ落ちつけと自分に言いきかせながらも、懐中電燈を握る手にやたらと力がはいる。程なく、非常電源による非常灯がついて周囲が明るくなり、気分がいくらか落ちついた。

ガンルームから他科の中・少尉が飛び出していく。私もあとに続いて、士官室に向かった。私の戦闘配置は士官室だった。

日頃診療を行っていた治療室は第一戦時治療室となって、軍医長の指揮下に入る。通常の士官室が第二戦時治療室になり、私の配置だった。

何が何でも士官室に行かねばならなかった。戦死するなら戦闘配置の場所でなくては恥である――。いつもそう叩き込まれていたし、私もそう念じていた。

私は傾いた艦の通路を、よろよろしながら必死で走った。

士官室にはいったときには、既に部下の看護兵が負傷者の治療を始めていた。看護兵の中には特別志願兵の上水《じょうすい》もいて、日頃私が教育したとおり、出血部位の止血処置をしていた。

私は最もぐったりしている患者の負傷部位を調べる。横臥《おうが》させてようやく、背部の負傷が明らかになる。肋骨《ろっこつ》の間に鉄片が食い込んでおり、慎重にそれを取り出す。幸い破片の先端は肺に達しておらず、気胸の心配はない。消毒をしてガーゼを詰め、胴体をぐるぐる巻きに繃帯《ほうたい》をした。

艦はその間にも傾斜が増した。機械室からの音も次第におかしな音に変わっていく。普段の低い力強い音ではなく、かん高い音だ。

艦自体の振動も強くなっている。私たちはこの信濃には絶対の信頼をおいていた。飛行甲板も厚く造られ、爆撃にも強い不沈艦の自負が乗員にはあったのだ。

にもかかわらず艦はさらに傾いていく。機械室の音と艦自体の振動は小さくなったが、何か力強さが足りない。

そこに、罐《かま》に海水がはいったらしいという、真偽のほどが確かでない知らせが届く。塩水を罐で焚《た》いて艦を進めることなどできないだろう。私は嫌な予感がした。

罐室から六人の負傷者がやって来る。同時に、全身蒸気に濡《ぬ》れた機関科の水兵二人が、這《は》いずりながら士官室にはいって来た。息も絶え絶えで、おそらく軍服の下は重度の熱傷だろう。分隊と氏名を聞いている暇もない。疼痛《とうつう》止めの注射をし、強心剤を服用させた。

看護兵には他の負傷兵の人工呼吸を命じる。この人工呼吸は、演習でも私がさんざん教え込んだものだった。教えられたとおりのやり方で、必死にやってくれている。

私はそうした指示と注射で追われた。士官室は内部にあり、外部の状況は全く分からない。気がつくと、機械室の音も艦の振動も静かになっていた。エンジンは止まり、艦も動いていないようだ。

そのときだった。艦橋から「患者退去用意」の号令が、伝声管を通じて流れてきた。負傷者は二十二名、床に横たわっている。そのうち二十名は独歩ができそうだった。二名が全く動けない重傷者だ。

重傷者は、簀《す》の子《こ》のような簾状《れんじよう》担架で運搬せねばならない。簀の子の端についた綱を引っ張って床を滑らせる。ようやく飛行甲板まで運び出すと、既に十五、六人の負傷者が横になっていた。

軍医長の姿がなく、私は「患者退去用意よろし」の連絡を艦橋に届けた。

艦の外はいつの間にか明るくなっていた。士官室で治療している間に四、五時間はたっていたのだ。私は再び士官室に引き返した。

艦の傾斜はさらに強くなっている。廊下を立って歩くのもむつかしい。壁につかまり、半分壁に体重をかけて歩くしかない。

士官室に着き、新たに辿り着いた患者の手当てをしていると、「総員退去用意！」の号令が耳に届いた。

幸い自力歩行のできる負傷者ばかりだ。治療は中断だが仕方がない。私は看護兵たちにも退去を命じ、負傷者を先にして飛行甲板に向けて登った。来る時よりも、艦の傾斜はひどくなっていた。

途中、機関科のA中尉《ちゆうい》に出食わした。ガンルームの中で、よく会話を交わした士官だ。

「どこに行くのだい」

降りて行く中尉にびっくりして私は訊く。

「下にT少尉がいるのです」

中尉は答えた。彼の部下であるT少尉は注排水を指揮しており、まだその部署に残っているらしい。

「もう底に行ったら危ないぞ」

私は言ったが、中尉は黙って降りて行った。

飛行甲板下の格納庫まで来ると、既に右舷は海面につかり、荒波が窓に打ちつけている。恐ろしい谷底を覗《のぞ》き込んだ気がし、全身に鳥肌が立つのを覚えた。

「反対側に行け」

恐怖を打ち消すように看護兵と負傷者に叫んだ。常日頃より、退去のときは必ず水に没した舷と反対側の舷の方から退去すべしと教えられていた。そうしないと渦に巻き込まれるからだ。

実際、谷底になった格納庫付近には、大きな渦が巻いている。この渦に巻き込まれれば海中深く引き込まれること必定だ。

私たちは落ちないように気をつけながら、上甲板を目ざした。

上甲板に出て、既に「総員退去」の号令が出ていることを知った。各自退去を始めている。

艦の側壁には、吃水線《きつすいせん》下の重要な部分を保護するため、外側に膨らんだ防護区画のバルジがある。私は看護兵と共に左舷のバルジまで降りた。総員退去の命令が出た以上、負傷兵の扱いはもう私の責任ではなくなる。負傷兵も自力で退去しなければならない。

バルジで、上着をズボンの中に入れ、艦内帽の顎紐《あごひも》をしかと結んだ。ズボンの裾《すそ》を靴下に入れ、靴を脱ぐ。

「俺について来い」

私はまだ行動を共にしている負傷兵と看護兵に声をかける。艦内にいたときの恐怖心はいつの間にか消えていた。自分たちが死に直面しているという切迫感がない。しばらく泳がねばならないだけだ。

「泳ぐぞ」

叫び終わるか終わらないうち強烈な衝撃があり、艦が傾斜を強くした。同時に、海に放り出され、海中深く沈んだ。

これで終わりか、と数瞬思ったが、身体が浮き上がり、海上に頭が出た。やれやれと息をつく。

しかし周囲がよく見えない。眼鏡が飛ばされてしまっている。

私は泳いだ。沈み行く信濃から少しでも遠くに離れなければ、渦に巻き込まれる。二百メートルは進んだろうか。近視眼には、沈みかけた信濃がすぐ近くに見えた。また必死で泳ぎ出す。振り返ったが、もう海上に艦らしい影はなかった。何とも言えない悲しみが胸に溢《あふ》れてくる。出てきた涙が、波に洗われた。

かくなるうえは、泳ぎ続けるしかなかった。駆逐艦三隻が救助を始めていた。海に浮かんでいる乗組員を救うために、スクリューを止めて、風にまかせて流して来る。風が強く、駆逐艦は相当な速さで流され、そのうえ波も高い。一回の作業で、数人しか救えない。

私はすぐ近くに、頭に繃帯を巻いた負傷兵がいるのに気がついた。帽子はかぶれず、襟の座金のある星章《せいしょう》から少尉だとは分かった。独歩はできず、簾状担架で運び上げた重傷者だ。立てないほど、下肢にも熱傷を受けていたのに、海に浮いている。しかしもう体力も限界なのか、時々海中に顔が沈む。

「おい、頑張れ。もう救助が始まっている。沈んだらいかんぞ」

私は叱《しか》り飛ばすように励ます。

駆逐艦はいったん風下に流れると、エンジンをかけて迂回《うかい》して風上まで行く。そこでスクリューを止め、波間に泳いでいる者を再び救助していく。

少尉は頭の繃帯が目立つので、最初に救助されるはずだが、何しろ駆逐艦は風まかせだ。

少尉は顔を垂れ、海水を吸い込んでははっとして頭を上げていた。私はもう一度、怒鳴った。しかし、そのうち静かに沈んでしまった。

私が救助されたのは十分後くらいだ。帽子についた二本の黒い線のおかげで士官だと判別され、救助も優先的だったのだ。

救助してくれたのは駆逐艦雪風で、甲板に上がるなり、頬を叩かれた。救助されたとたん、安心して気を落とすのを防ぐためだ。救助された者同士、お互い気合いを入れあって過ごした。寒さで全身が震えてきた。

順番に駆逐艦の風呂《ふろ》に入れてもらう。乾いた服を着せられ、ひと息つく。軍医長が雪風に救助されたのもその時で、互いに無事を確認し合った。

救助作業はその後も続けられ、周囲の海面を泳いでいた者はほとんど拾い上げられた。

外はもう暗くなり始めている。

「よく助かったものだ」

ひと風呂あびた軍医長が私の傍に来て言った。お互いのことかと思ったが、軍医長は壁際《かべぎわ》に横になっている水兵の方を眺めている。

「あの負傷兵、大腿骨《だいたいこつ》完全骨折だった。よく泳げたものだ」

「そうでしたか」

私は波間に沈んでいった少尉の顔を思い浮かべた。

このとき駆逐艦三隻に救助された信濃の乗組員は、千余名にのぼった。六割方は救助された計算になる。

救助された乗組員たちが、ほとんど全員瀬戸内海の三ツ子島に軟禁されたことは、軍医長ともども築地の海軍病院に転属を命じられた頃、知った。おそらく大艦の沈没を秘するためだろうと推測し合った。

築地の海軍病院は、私が軍医学校にいたとき実習を受けた所で、およそ三年ぶりの里帰りといってよかった。軍医長は年が改まっての昭和二十年二月、佐世保の海軍病院に転任を命じられた。三月、私は軍医大尉に任じられた。

病院にもたらされる戦況は、日に日に暗いものになってゆく。日本各地への空襲も始まっていた。四月には沖縄戦も開始された。

七月、私は母港佐世保から横須賀にはいる敷設艦《ふせつかん》常磐《ときわ》の乗組みを命じられた。軍医長である少佐が急病になっての交代だと聞かされた。

第十一分隊長が私の肩書であり、部下の分隊士にはA軍医中尉とF軍医少尉がいた。二人の分隊士は前から常磐の軍医で、前年五月、沖縄沖の機雷敷設戦にも参加していた。

「沖縄への途中、米潜水艦の群に見つかったのです」

F軍医少尉は、新しく上官になった私に説明してくれた。

「こっちは、何百という機雷を積んでいるので、雷撃されるとひとたまりもありません」

その脇《わき》で、A軍医中尉も首をすくめる。

「米潜水艦がお互い日本語で連絡し合っているのにはびっくりしました」

「本当か」びっくりするのは私のほうだ。

「〈時宗、時宗〉と言ったり、〈敢闘精神旺盛《おうせい》〉という声も聞こえるのです」

私は信じられず、二人の顔を見たが、嘘《うそ》を言っている様子は全くない。むしろ真剣そのものだ。

「〈時宗〉は、魚雷発射の合図でした。それで、半浮上の米潜水艦がいて、〈時宗〉の声が聞こえたときは、こちらは取舵《とりかじ》一杯でした」A軍医中尉が言う。

「商船を改造した一隻《せき》だけが雷撃を受けました。機雷満載の敷設艦ですから、雷撃を受けるとひとたまりもありません。船全体がひとつの火柱になって轟沈《ごうちん》です」

F軍医少尉はその光景を思い浮かべるように、顔を歪《ゆが》めた。

常磐勤務になって、私はこの軍艦の戦歴を知った。開戦当初から常磐は機雷部隊の旗艦として稼働《かどう》していた。マーシャル諸島のクエゼリン沖では、空襲を受けて損傷しながらも、沈没を免れていた。その後も南洋各地の機雷敷設と輸送に従事し、この一年は台湾沖、沖縄沖、朝鮮海峡、宗谷海峡の機雷封鎖戦を全うしていた。

もともとこの常磐は、明治三十二年、英国のアームストロング社で建造された艦《ふね》だった。当時としては最新鋭の装甲巡洋艦で、連合艦隊第二艦隊の三番艦だった。日露戦争でウラジオストック艦隊を敵とした蔚山《ウルサン》沖海戦では、花形艦として活躍した。その後は少尉候補生たちの練習艦となって働き、今次大戦前に大改装が加えられていた。第二甲板を全《すべ》て空洞化し、レールを通して、八百キロ機雷五百を格納できる機雷敷設艦として生まれ変わったのだ。

今回の目標は、機雷で津軽海峡を封鎖して、日本海を敵潜水艦から守ることだった。七月時点で、動く連合艦隊はこの常磐を旗艦とする第十八機雷戦隊のみになっていた。常磐の乗組み総員は千名、目ざす集結地は、下北半島の大湊《おおみなと》だ。

八月の初めに大湊に入港し、七日に大方の準備を完了した艦隊は、半舷上陸《はんげんじょうりく》を許された。私は艦長のK海軍大佐、主計長とともに久しぶりに大地の感触を靴底で味わった。この日、大湊公会堂では、石井漠《いしいばく》が公演しており、ひとしきり舞踊を堪能《たんのう》した。

艦長や主計長と別れ、帰りは分隊士のF軍医少尉と一緒になった。夜空にはほとんど雲がなく、容易に星が数えられた。F軍医少尉は熊本医大附属医専の出身だった。

「父は小さな町の警察署長をしております」

F軍医少尉は私の鞄《かばん》を持ち、少し後ろに寄り添うようにして言った。

「署長さんか、偉いな」

「偉くはないのです。私が少尉になった時、面会に来てくれて言いました。『お前は高等官、俺のほうは三十年勤めてまだ判任官だ。しっかり働かにゃいかんぞ』と手を握ってくれました」

「やっぱり偉い署長さんだ」私は答えた。

「父は本当に苦労して、私を医専まで出してくれました。母は今まで、絹の着物や毛の織物を身につけたことはないと思います」F軍医少尉はぽつりと言う。

内火艇の来るまでまだ時間があった。私たちは昼間の暑さが鎮《しず》まった岸壁に出た。

「軍医長、歌を唄《うた》ってよろしいでしょうか」F軍医少尉が不意に訊《き》く。

「いいね。聞かせてくれないか」私は答える。

F軍医少尉が唄い始めたのは菩提樹《ぼだいじゅ》で、ドイツ語だった。なかなかの声量で、テノール気味の歌声はほの暗い湾の奥まで届くように感じられた。

聞き終えて拍手をすると、二曲目は野ばらだと言う。野ばらなら、私もドイツ語で大方覚えていた。

Sah ein Knab' ein Röslein stehn, Röslein auf der Heiden,
War so jung und morgenschön, lief er schnell, es nah zu sehn,
Sah's mit vielen Freuden.
Röslein, Röslein, Röslein rot, Röslein auf der Heiden.

童《わらべ》は見たり　野なかのばら
清らに咲ける　その色愛《め》でつ
飽かずながむ
紅《くれない》におう　野なかのばら

Ｆ軍医少尉は満足気に私の方を見て微笑する。二番に行きますよ、という表情だ。私はうろ覚えだったが、Ｆ軍医少尉と一緒なら唄える気がした。

Knabe sprach: ich breche dich, Röslein auf der Heiden!
Röslein sprach: ich steche dich, daß du ewig denkst an mich,

Und ich will's nicht leiden.
Röslein, Röslein, Röslein rot, Röslein auf der Heiden.

手折りて往《ゆ》かん　野なかのばら
手折らば手折れ　思い出ぐさに
君を刺さん
紅におう　野なかのばら

唄い終わったF軍医少尉は目を輝かせて私を見、最後まで行きましょうと言うように、手で拍子を取り出した。手の振りは小さいが、あたかも合唱団の指揮者のようだ。残念ながら私は三番まで歌詞を覚えている自信はなかった。とはいえ、どうせ、最後は同じ言葉の連なりだ。私は頷《うなず》いた。

Und der wilde Knabe brach 's Röslein auf der Heiden.
Röslein wehrte sich und stach, half ihm doch kein Weh und Ach,
Mußt' es eben leiden.

Röslein, Röslein, Röslein rot, Röslein auf der Heiden.

童は折りぬ　野なかのばら
折られてあわれ　清らの色香
とわにあせぬ
紅におう　野なかのばら

途中、私はＦ軍医少尉の唇の動きをなぞって声を出していたが、末尾の繰り返しにはいると、暗い海に眼を向けて声を張り上げた。Ｆ軍医少尉は静かに手の振りをおさめる。二人で手を叩《たた》く。

「軍医長、野ばらを唄ったのは四、五年ぶりです」

感激したようにＦ軍医少尉が言う。

「私はそれ以上、七、八年ぶりだよ」

「まさか、わたくしが海軍軍医になって野ばらを唄える日があるなどとは、思いもよりませんでした。ありがとうございます」

Ｆ軍医少尉は律義《りちぎ》に頭を下げた。

ちょうど迎えに来た内火艇に乗った。揺れる船内にお互い黙って坐《すわ》っているとき、私は不意に明日戦死するのではないかという予感がした。こんな平穏な時間が続くはずはないのだ。

キラキラ光る小さな波を見ながら、歯をくいしばって、その思いを打ち消した。艦に帰ると、居残りをしていたA軍医中尉の報告を聞き、医務室当直下士官であるT上等兵曹の記録に署名をした。

出港に向けて、医務室の準備は完了し、戦時治療室開設準備も整っていた。艦は敵前での津軽海峡機雷封鎖戦を前に、眠りについた。

翌八月八日、常磐は五百個の八百キロ機雷を積み込んだ。全艦艇十三隻《せき》の搭載機雷は二千個だと聞かされた。

私は第二甲板に置かれた五百個の機雷を目にして圧倒された。

機雷一個でも戦艦を轟沈させることができるのだ。それが五百個とは、まるで海に浮かぶ火薬庫だった。私はまた、前夜波止場で野ばらを唄ったあと、自分たちは戦死するのではないかと感じたあの予感を反芻《はんすう》した。

十三隻がすべて機雷を積み終えるには、丸一日を要する。出撃は九日の朝とされた。

九日の朝七時、私たちは対空戦闘のブザーで起こされた。私は身仕度をすると同時に、医務隊である第十一分隊の配置に就いた。間を置かず、艦内放送があり、敵機二機の来襲を告げた。爆撃機ではなく索敵機で、それが飛び去るや、全幕僚と全艦長の召集がかかった。

常磐の作戦室に急遽《きゆうきよ》集まった艦長と幕僚に対して、常磐艦長のK海軍大佐が重々しく口を開いた。

「敵艦隊は、仙台沖より北上中である。二時間後には爆撃機の来襲が予想される」

末席に坐っていた私は、背筋が冷えるのを覚えた。A軍医中尉とF軍医少尉の話を思い出していたからだ。沖縄沖の機雷敷設戦で、商船を改造した敷設艦は魚雷攻撃を受けた。ひとつの火柱となり、何も残さず沈んだというではないか。

常磐も、爆撃機の一弾でも命中すれば、ひとりの生存者もなく爆沈するだろう。

「艦隊が攻撃を受けるのは、もとより覚悟のうえだ。命を惜しんでいては、機雷敷設艦には乗れない」

常磐艦長は全員の顔をひとりずつ覗《のぞ》き込むようにして言葉を継いだ。「問題は、全艦艇が載積している二千個の機雷だ。これが爆発すれば、大湊警備府全体に重大な被害が予想される」

艦長はここでひと呼吸を置いた。私は二千個の機雷が一斉に爆発する光景を思い描こうとした。火柱から降り注ぐ火が港の家々の屋根に落ち、町全体が大火災になる事態は必至だった。

「従って、機雷はすべて潮流に流すことにする」

このひと言で、テーブルについていた全員の肩から力が抜けていくようだった。

「しかし、猶予《ゆうよ》は二時間しかない。二時間後には敵機来襲が予想される。各員、全力を尽くして欲しい」

立ち上がった艦長の目は赤く潤《うる》んでいる。私たちは敬礼してテーブルを離れた。

それから全員総がかりの機雷降下作業が開始された。

せっかく積み込んだ機雷をすべて吐き出すのは惜しい、とうそぶく兵もいた。実のところ私はほっとしていた。機雷がなければ、たとえ撃沈されても火柱となって全員戦死する事態は起きないからだ。誰も口にはしなかったが、それは全員の本音に違いなかった。私たちは機雷が米艦隊の方に流れてくれるのを願った。

ようやく降下作業が終了したのを見届けて、後甲板で私は主計長と救護班の打ち合わせを始めた。救護班は主計兵、工作兵、烹炊《ほうすい》兵から成っていて、その指揮は主計長に任されている。

打ち合わせの途中、突然、対空戦闘配置につけのブザーが鳴り響いた。ブザーが鳴り終えると艦内のスピーカーがこう告げた。

——グラマン戦闘機に護衛された爆撃機数十機近づく。

スピーカーの声は二回繰り返されたが、それが終わる前に、私は訓練どおり自分の配置である砲塔下に向かった。

かねてから医務班を四班に分けていた。私が率いる班は砲塔下の前部兵員室だ。A軍医中尉《ちゅうい》は士官室、F軍医少尉は准《じゅん》士官室、看護長は治療室で、それぞれが部下を引率して配置につく。

伏せの姿勢をとった瞬間、常磐は全火砲を開いたらしく、耳を聾《ろう》する砲声がした。同時に身体《からだ》全体を殴られたような衝撃がして、意識がなくなった。

失神の時間は、三十秒ほどだったろうか。新たな衝撃で意識が戻ったときには、頭から水をかぶったように血だらけになっていた。

頭に手をやると、右側頭部がぶよぶよとしている。頭蓋骨《ずがいこつ》骨折は間違いない。艦内は暗く、動こうとしても、足が何かにはさまれて動けない。そのうちガスで呼吸が苦しくなってきた。

その間にも、爆撃機が投下する爆弾が上甲板を貫通して、中甲板で炸裂《さくれつ》する。もはや中甲板は血の海で、あちこちに戦死者と負傷者が横たわっていた。私についいている部下三人も血だらけになっている。しかし私よりは身体が動くようだった。ここでできる治療は止血しかなく、三人にそれを命じた。

その瞬間また爆弾の衝撃を受けた。破裂したのは准士官室の方向であり、F軍医少尉と彼についているT上等兵曹のことを一瞬思い浮かべたが、そのまま意識を失った。

気がついたときは、上甲板に運び上げられていた。爆撃機は飛び去っていた。周囲は負傷者で溢《あふ》れかえっている。私の頭に浮かんだのは、負傷者の手当であり、また一方、常磐がこのまま沈没してしまわないかという恐れだった。沈没前に海に飛び込んでも、この傷ついた身体で泳ぐのはもう無理だ。常磐とともに沈むしかない。残された最後の時間まで、戦傷兵の治療に当たらなければならない。

そう考えて立ち上がったとたん、意識が遠のいた。

意識が回復したのは、大湊海軍病院の病室だった。頭蓋骨骨折、右耳断裂の他、十七ヵ所の戦傷を負っており、文字どおりの繃帯《ほうたい》ぐるぐる巻きだ。

私が最後に意識を失っている間に、操舵《そうだ》機能を失った常磐は座礁《ざしょう》し、総員退艦となっていた。攻撃を受けてから四十時間以上、将兵は艦内にとどまっていたことになる。

常磐の戦死者は百四十五名、戦傷者は三百名だと、病院長から聞かされた。戦死者の中にはF軍医少尉とT上等兵曹も含まれていた。

やはりあのときの准士官室への直撃弾で、一瞬のうちに肉片と化したのに違いなかった。A軍医中尉のほうは背中に火傷《かしょう》を負っただけで、違う病室に収容され、私を見舞いに来てくれた。

全艦艇十三隻の戦死者は二百六十名で、死者の半数以上が常磐の乗組員だった。敵機の攻撃が最も大きい常磐に集中し、十数個の命中弾を受けたためだった。

「蜂《はち》の巣のようになっても、常磐はよく沈まなかったと思います」

A軍医中尉は、繃帯から目だけを出してベッドに横たわっている私に向かって言った。

「もし沈んでいたら、自分たちも助かっていたかどうか」

私は頷く。轟沈《ごうちん》していたら、意識消失していた私など、そのまま艦とともに海底に沈んでいたはずだ。

私が終戦の詔《みことのり》を聞いたのは、その四日後だった。

終戦があと一週間早かったら、と私は思った。あと一週間早かったら、F軍医少尉もT上等兵曹も、その他の二百五十八名の戦死者も、無事に生き永らえていたのだと、思った。

Sah ein Knab' ein Röslein stehn, Röslein auf der Heiden,

童は見たり　野なかのばら

ベッドの中で私は目を閉じ、野ばらの出だしを小声で唄った。

巡回慰安所

昭和十九年九月、部隊の所属する第五十五師団は、ビルマ南部のイラワジデルタまで後退、駐留した。その年の三月に始まったインパール作戦に対する陽動作戦終了後、物資豊富なその地域に滞在し、疲弊消耗した戦力の回復をはかるためだ。かといって、ここことて戦場外とは言えず、敵機の襲来が時々見られ、そのたびに壕《ごう》やジャングルの中に逃げこんだ。

ところが敵は飛行機だけではなかった。

「ニャンモー地区に天然痘患者が出た」

ある日、部隊長が慌《あわ》てふためいて私のいる医務室にやってきた。その地区の現地人協力者から連絡があったのだという。

部隊の駐留位置は、バセイン河畔の村ニャンモーから東へ三キロ、マンゴー林の中にあるタッタゴン村だ。師団司令部が置かれているヘンサダとの連絡にも、バセインでの糧秣《りょうまつ》受領も、このニャンモー村から船を利用してバセイン河を下る必要がある。ニャンモー村は部隊の玄関口であり、喉首《のどくび》にあたっている。そこに天然痘が発生したのだから、部隊長にとって驚天動地の一大事に違いなかった。

早速に調査を命じられた私は、医務室のI衛生軍曹を連れてニャンモー村へ急行した。

現地に着いて村長に訊《き》くと、患者はひとりだけだという。村長の案内で患者の家に向かう。四十半ばと思われる村長は、小柄な身を前屈《まえかが》みにして小走りに走る。いきおい私とI軍曹も歩幅を広くしなければならない。

乾季の陽光が背中を灼《や》きつけた。背中で十文字が交叉《こうさ》した軍医携帯嚢《けいたいのう》と拳銃《けんじゅう》の革紐《かわひも》が、汗の逃げ場を遮り、防暑衣がしとどに背中に張りつく。

道で遊んでいた二、三人の子供が、物珍しそうに小走りにあとについて来た。村長が走りながら振り向く。目玉をむいて村長から睨《にら》みつけられた子供たちは、口々に何かはやし立てながら逃げて行く。道で餌《えさ》を拾っていた鶏が驚き、垣根に飛び上がって首をかしげた。

二キロほど行くと村はずれに出た。民家もないだだっ広い所に、取り残されたようにバナナとマンゴーの木が五、六本生えている。その下に新しい小屋が建っていた。ここが患者の家だという。どうやら急造の隔離病舎らしい。大きさは四畳半くらいで、一メートルほど床を上げ、入口に五、六段の階段がついていた。

階段の下まで恐る恐る近寄った村長が、内に向かって声をかける。しかし返事がない。

もしかすると死んでいるかもしれないと思った私は、村長を押しのけて階段を駆け上がった。最上段に私が上がると同時に、中から扉が開いた。

息をのむ。目の前に現れたのは、巨大なトウモロコシだった。陽光をまともに受けて、腰巻のロンジー一枚の女の顔といわず首から胸、上肢と、隙間《すきま》なく皮膚を覆《おお》っているのは発疹《はっしん》だった。

その痘疹の見事さに呆然《ぼうぜん》となっているうち、トウモロコシの女はすっと中に消え、扉を閉めた。

天然痘であるのは間違いがない。階段の途中で立ち往生して、これも呆然となっているI軍曹を促して下に降りた。

翌日からは忙しくなった。まずは部隊全員、次にニャンモーの住民、そしてタッゴンから周囲の村々へと、種痘の範囲を拡《ひろ》げていった。村との距離が遠くなると、村の若い者が牛車で迎えに来る。大八車の両輪を大きくしたような乗り物で、藁《わら》や人を載せられるように台車の上に柵《さく》がついていた。

周辺の村の防疫《ぼうえき》もひととおり終わり、今日が最終日という朝、やはり牛車が迎えにやって来た。私とI軍曹が防疫の七つ道具を持って乗り込むと、馭者《ぎよしや》台の若者が掛け声とともに牛に鞭《むち》を当てる。

「ヘイ、ノア（牛、行け）」

牛はゆっくりと歩き出す。

牛車は車軸をきしませてのんびりと畦道《あぜみち》を進む。日照りでひび割れた畑から出て来た水牛の群が首に吊《つ》った鈴を鳴らしながら、牛車の前を横切って行く。

民家のはずれで牛車は少し右に向きを変えた。雲ひとつない空と台地の間にマンゴー林が広がっていた。その手前が今日種痘を行う村らしい。マンゴー林の右に続く丘にはパゴダが見える。紺碧《こんぺき》の空を背景にした白いパゴダが遠目にも美しい。

しかしこの速度では、村に着くまでに大分時間がかかりそうだ。ギーコ、ギーコという車軸の気怠《けだる》い音を聞きながら、私はまどろみ始める。どこか遠くで鶏の鳴き声がしたような気がした。

「軍医殿」

牛車の柵に背をもたせていたI軍曹の声で、私の両瞼《まぶた》は上がった。

「この広野が一面のれんげ畑で、それがずっと向こうの地平線まで続いて、ひばりがさえずりながら、高く高く、あの青い空に消えていき、声だけが残って——」

うっとりと遠くの地平線の方を見ていた軍曹の視線が、ゆっくり私の方に向けられる。

「いいですね。内地の春は」

私も頷《うなず》くしかない。I軍曹は四国の松山、私は善通寺の出身で、昭和十七年の一月祖国を出てから、もう二年半が経《た》っていた。

内地の話をしているうちに牛車は村長の家の前で止まった。屋敷は一メートル程の竹垣に囲まれ、庭にはバナナとパパイアの木が四、五本立っている。そこにはもう村人たちが集まっていた。

山刀を腰にはさんだ中年の男、子供を腰の横に器用に抱きかかえている母親、トウモロコシの葉で巻いた太い煙草《たばこ》をくゆらせている老婆《ろうば》。立っている者、しゃがんでいる者、老若男女《ろうにやくなんによ》三十人あまりが、それぞれの恰好《かっこう》で私たちを出迎える。

庭の中央に用意されたテーブルの上に、私は医療器具を置いて、早速に店開きをする。痘苗《とうびょう》のシャーレに埃《ほこり》がはいらないように用心しつつ、村人の小麦色の上膊《じょうはく》に次々と種痘を接種していく。

ようやく全員に防疫を終え、ひと息ついたとき、村長が「タミンサバ」と笑顔で言いかけてきた。食事をして下さい、という意味だ。まだ日が高い。I軍曹に眼をやると、〈折角だから招《よ》ばれましょう〉というような視線が返ってきた。

やがて板敷の部屋に机が運ばれ、料理の皿が並んだ。鶏肉《とりにく》と冬瓜《とうがん》とトマトのカレー煮だ。よく見ると私とI軍曹の皿には、トサカをつけた鶏の頭が、冬瓜のひと切れを枕《まくら》に目を閉じている。

私たちの机を取り囲むようにして、村長以下六人の男が膝《ひざ》を立てて尻《しり》を落とした坐《すわ》り方をし、細めた目でこちらを眺めていた。

「サババサバ（食べて下さい）」

村長が盛んに勧める。私は勇気を出し、彼らにならい、右手の五本指で皿の飯を丸めて口に入れた。村長はいよいよ目を細め、頷きながら私の手元を見ている。I軍曹も負けじと五本指を使っている。

次に私は鶏の頭をそっと押しのけ、黄色く染まった肉の一片を口に放り込んだ。辛い。たちまち口の中が大火事になり、涙がこぼれる。

「カウンデ、アミャジ・カウンデ（おいしい、とてもうまい）」

涙目で私が言うと、村長は益々相好《ますますそうごう》をくずしながら頷く。

私もI軍曹も、鶏の頭だけを残して、何とか中味をたいらげる。口の中は、大きな息を何度も吐きたいくらいの熱さだ。

村長に礼を言い、帰り仕度を始める。門まで送って来た村長が私の肩を叩《たた》き、「ネピンガラバ、ネピンガラバ（明日もおいで、明日も）」と何度も言う。

「ナレレ、ナレレ（分かった、分かった）」

私は笑顔を返して牛車に乗り込む。男たちに見送られて村を出た。椰子《やし》の木の影が地上に長く延び、葉末を軽い風が吹き抜けていく。

「軍医殿、例の鶏の頭がまだ眼に焼きついて離れません。この分だと、今夜夢に出て来そうです」

「明朝の〈起床〉の時、コケコッコーと言ってしまうかもしれんな」

満腹になった腹をかかえて二人とも笑う。馭者が振り向いて怪訝《けげん》な顔をする。牛にひと鞭あてて、「ヘイッ、ノア」と叫んだ。

幸い、天然痘患者はあの隔離小屋の一名だけで、続発しなかった。

私たちは再び通常の医務室の業務に戻った。

医務室ではビルマ人の女性を二名、看護婦として使っていた。私が片言のビルマ語を覚えられたのも、彼女たちのおかげだ。

タッタゴン村には、バセイン河の支流が流れていた。支流とはいっても、乾季なのに川幅は五十メートル近くある。夕刻、私は川辺にしゃがんで夕涼みするのを日課としていた。濁流の水面に赤い夕焼けが映え、あたりは静かで美しく、ここが戦場とはとても思えないひとときだ。

ある日の夕方、上流の方角から、ビルマ人看護婦がただならぬ声をあげて走って来た。

「少尉《しょうい》どのゥ、マラリアの兵隊患者、川に落ちた。流されるゥ」

色黒だがインド系の顔立ちをして目のきれいな看護婦のマシュエが、血相を変えて上流を指さす。なるほど、西瓜《すいか》のような丸い物が浮きつ沈みつして、ゆるやかに中流を流れて来る。

思わず立ち上がったものの、西瓜だと断定して腰をおろした。

「あれは西瓜だよ」

「西瓜？　違う。少尉どのゥ、あれ、脳症マラリアでアタマ熱い兵隊さん。川で冷やしてた。ふらふら滑った。転んだ。流された。わたしそれを見た」

マシュエは断固として譲らず、地団駄踏まんばかりの形相だ。弱った。あれが西瓜でなかったら、飛び込まなければならないのはこの私だ。はたして濁流を泳ぎきれるだろうか。

どうか西瓜であってくれ、と願いながら、岸から二、三十メートルの所を流れ近づいてくる物体を眺めた。

すると真ん前まで流れて来た西瓜が、こちらを見て、「助けてくれえ」と叫んだ。これはいかん、マシュエが言うように紛れもなく日本の兵隊である。最悪の事態に私はうろたえた。

泳ぎに自信がないわけではない。しかしひとりで手ぶらで泳いで行ったところで、下手に近づけばしがみつかれる。そうすると二人とも溺《おぼ》れ死んでしまう。

とはいえビルマ人看護婦の手前、日本男子として恰好良いところを見せなければ、面子《メンツ》を失ってしまう。今後の診療に支障をきたす。

まだ踏ん切りのつかない私は仕方なく、兵士の西瓜頭が流れるのを追って、岸を小走りに走り出した。

「頑張れよーっ」

勢いよく声だけはかけてみる。するとマシュエも真似《まね》をして、黄色い声を張り上げる。叫びながら私のすぐ後ろについて、息づかいも荒く黄色い声援をやめない。豊満な胸のあたりが、背中にぶつかりそうである。彼女の「ガンバレヨ」の叫び声の方が迫力があり、私は手持ち無沙汰《ぶさた》で、走るより他に芸がない。これまた仕方がないので、ボタンに手をかけ、上衣《うわぎ》を脱ぐような仕草をしながら走ってみた。

するとマシュエが、「ハイッ、少尉どのゥ」と、頼みもしないのに手伝い、上衣を脱がせてしまった。順序としては次がシャツと靴とズボンだが、これも彼女がひったくるようにして脱がせ、最後には手際《てぎわ》よく帽子まで脱がされてしまう。まるで、運動会の二人三脚の仕度競走の逆をしながら走る恰好だ。私はついに褌《ふんどし》一枚になってしまった。この体裁で岸を走るのは、何層倍も体裁が悪い。かくなる上はと覚悟を決め、濁流に飛び込む。しかし身体《からだ》は、抜き手を切って一直線にという具合にはならない。迂闊《うかつ》に近寄れないと躊躇《ちゆうちよ》する気持が残っているので、ゆっくりした平泳ぎだ。

溺れかけている兵士に五メートルくらいまで近づいたところで、模様を見る。死にそうに弱ってからなら、片足を引っ張って岸に泳ぎ戻るくらいはできる。

「おい、頑張れよっ」

無情なようだが、相変わらず口だけの応援だ。せめて溺死体《できしたい》だけは収容してやるので、それで我慢しろ、というのが私の本音ではある。

この勇気のない光景を岸のマシュエが見ていないか気になり、ちょっと振り返った。彼女の姿はない。それほど下流に流されていたのだ。

これはどうしたものか。兵隊が弱るまでねばるべきか迷っていると、上流から小さな丸木舟が矢のように下って来るのが見えた。

乗り手は、炊事のビルマ青年のひとりだ。私とマシュエが大声で走るのを聞きつけ、舟を漕《こ》ぎ出したのに違いない。ロンジーの裾《すそ》を股《また》ぐらにたくし上げ、櫂《かい》さばきも鮮やかに西瓜頭に漕ぎ寄せる。助け上げられた兵士は、水を何度も吐いた。

小舟なので二人乗ると、舟べりが吃水線《きっすいせん》すれすれになる。私が乗る余地などない。それでもビルマ青年は私にも声をかけた。こちらも溺れかけていると思ったらしい。俺は大丈夫、この兵士を早く岸に、と片手を上げ振ってみせた。

「ナーレーデ（了解）。マスター、ほんと、ジョートーか」

と訊くので、「上等、上等」と答える。

舟が岸に漕ぎ寄せられるのを、横目の横泳ぎで眺める。私はかなり流されてからようやく岸辺に泳ぎ着く。

さすがにヘトヘトだ。あたりは既に暮色に染まりつつある。褌一枚の姿で、岸辺を二キロ余りも歩いて元の場所に戻った。

そこには衛生兵なども駆けつけ、救急処置をすまされた兵士が、無事担架に横たえられていた。

ところが、マシュエだけがまだ金切り声を上げている。

「助けた少尉どの、帰って来ない。流されたァ。助けてヨーゥ」
川の方を見やって、ひとりで大騒ぎしている。半狂乱の態《てい》なので、私の姿は眼にはいらないらしい。胸には私の上衣やズボンを抱きしめている。衛生兵たちの手前もあり、助けもしないのに助けたと名乗るのは照れくさく、彼女のそばに寄って肩を叩いた。

暗がりの中、マシュエは驚いて私をしばらく見ていたが、突然私の服を放り投げると「ウォーン」と大声で泣き出し、しがみついて来た。

事の次第は炊事のビルマ青年が説明したようで、ようやく彼女は気を鎮《しず》め、担架に付き添い、カンテラを振りながら椰子林の中の病室の方に去って行った。

濡《ぬ》れた褌ひとつで残された私は、彼女が放り出した上衣やズボン、靴を暗がりの中で探し当てるのにひと苦労した。

ところが、私のこの行為が部隊長にどう伝わったのか、人命救助の功績ありとされ、感状まで下ったのには、さらに驚きいった。今さら兵士が溺死寸前になるまで手をこまねいていたとは言えず、ありがたく受け取るしかない。受け取ったものの、軍医に人命救助の功績ありとは、何度読み返しても複雑な気持にさせられる感状だった。

この事件の十日後、私は師団司令部に呼びつけられた。何事かと思いつつニャンモー村まで行き、バセイン河を下り、ヘンサダにある師団司令部に出向くと、司令部付のY高級軍医から任務を言い渡された。

「巡回慰安所ですか」

思わず後ずさりしていた。Y軍医はおもむろに顎《あご》を引き、命令回報をさし出す。

「準備が完了次第、これを各部隊に配布する」

私は回報に眼をおとす。

一、九月二十日以降、十日間の予定をもって、当地区に巡回慰安所を開設せらる。
二、その設営地は、師団本部の後方一キロのジャングルとす。
三、慰安所使用の細目は追って通達す。

軍医としての私の任務は、担当の経理部員と一緒に、特に衛生管理の重要問題を解決することだという。いわば、巡回慰安所の責任者だ。

しかし衛生管理上の重要問題とは具体的には何なのか。そもそもそういう重要問題であれば、師団の野戦病院所属の軍医を当てればいいのではないか。私には自分の部隊の医務室を指揮する責務がある。

それを遠回しに言うと、野戦病院は患者が多く、軍医をひとり引き抜くことはできない、十日ほどの期間だから、医務室は衛生下士官に任せればよい、との返事だった。Y高級軍医のもとを退出し、設営隊の下士官の案内で慰安所の建設予定地まで行く間に、私は考えた。人命救助の感状の内容が司令部まで伝わり、私が暇をもて余していると思われたのではないか。そうなると、誤解が誤解を生んだことになる。事の発端としては、あのマシュエの黄色い金切り声がいけなかったのだ。

苦々しい思いをかみしめながら、設営隊が働いている現場まで歩く。ジャングルの一角は見事に伐採と地ならしが終わり、うなぎの寝床のような長屋が八割方できかかっていた。

竹の柱に、簀《す》の子《こ》張りの竹の床と、アンペラ囲いの壁があり、屋根は椰子の葉で葺《ふ》かれている。中は、まず片側に一間幅の見通しのきく土間の廊下があり、これに面して三畳半くらいの広さに区切られた個室が六つ並ぶ。ドアは竹枠の厚い筵《むしろ》一枚だが、各部屋の仕切りはアンペラ二枚の重ね張りである。確かに隣の部屋の覗《のぞ》き見はできないものの、弾性に富む竹張りの床は各部屋に共通だ。ほんの少しの体動でも、長屋全体が屋鳴りし振動する。しかし胸を張って出来映えを自慢する設営隊長の前で、ケチをつけるわけにもいかない。隊員たちのかいがいしい働きぶりにも、慰安所への期待ぶりが表われているように思われた。

帰りがけ、経理部の主計曹長から、計画の大筋を聞かされた。この地区一帯に駐留する師団の将兵は約四千名であり、これに対してやって来る慰安婦はわずか五名だという。滞在期間は十日だから、受け入れ側の延べ人数は五十である。四千を五十で割ると、一日あたり八十名の受け持ちになる。これではいかにも残酷だ。

それを私が指摘すると、主計曹長はいとも簡単に言ってのけた。

「将兵数は四千でありますが、全部が全部元気な者とも限りません。傷病兵や年配の将校も混じっております。自分としては、利用者は半数の二千名と踏んでいます」

しかし二千名としても、受け持ちは半分になるだけで、一日四十名である。商売上、慰安婦たちは一日何人をこなせるのか、私にはさっぱり知識がない。私が首をひねっている間に、主計曹長は何やら計算していたが、「ひとりあたりの時間は三十六分です」と告げた。

ひとり三十分ならまあまあかもしれないと感じたものの、それは彼女たちが一日二十四時間、不眠不休で商売するという前提だ。いくら商売とはいえ、二十四時間ぶっ通しの勤務はできまい。食事、睡眠、休養などを考慮すると、ひとり当たりの持ち時間は半分の十八分になる。これはこれで短か過ぎるような気もした。

「さきほど申し上げた二千名の数字ですが、もっと減るのではないかと思います。兵隊の外出時間には制限がありますし」

主計曹長は思慮深げに言う。

外出時間まで考えると、これまた頭が痛くなる。そもそもこういう細かいことは軍医の仕事の領域ではない。もうどうにでもなれという気がしてきた。

げんなりした私の表情を見てとったのか、主計曹長はいそいそと机から紙片を取り出した。

「これが慰安所の時間割です」

見ると次のように決められていた。

イ　兵　自　九：〇〇　至一五：〇〇
ロ　下士　自一六：〇〇　至一九：〇〇
ハ　将校　自二〇：〇〇　至　八：〇〇

これではまるで二十四時間勤務ではないか。そう返すと、将校は数も少ないので、実のところ夜の十二時以降は休養になるはずです、と曹長がつけ加えた。

料金表も既に出来上がっており、昼と夕方と夜で一回使用料が違う。つまり階級が上がる毎《ごと》に料金も高くなる仕組みだ。この点は問題がないが、〈一回〉とは何をもって一回とするのか、その定義を決めなければ話は進まない。しかし中途半端《はんぱ》な十八分をひと区切りと〈一回〉の代わりに時間制にする手もある。区切りのいい十五分にしたところで、だれが計時係を務めるするのは不可能に近い。しかも各個室に係がいる。のか。しかも各個室に係がいる。

主計曹長も首をかしげている。慰安所開設までの一両日の間に経理部全体で考えておくことで、この日は決着した。

軍医としての私にはもうひとつ懸念《けねん》があった。薬剤不足の現在、性病蔓延《まんえん》の予防が何より大切だ。しかし師団にゴム製品がどのくらいあるのか見当がつかない。

帰りがけにY高級軍医にもう一度会い、衛生サックの確保を申し出た。Y軍医は、早急に衛生部隊や材料廠《しょう》の携行在庫をかき集めて準備することを約束してくれた。

夕刻、タッタゴン村に帰り、部隊長に報告する。

「たった十日間か。いかにも頭でっかちの師団参謀が、点数稼ぎに考え出しそうなことだ。もっと長くすることはできんのか」

部隊長は残念げに言い、つけ加える。「それにヘンサダまでは遠い。この地区に散らばっている部隊の中では、わが部隊が最も離れている。行くにも一日がかりだ」

営業日数の延長はあるいは可能かもしれないものの、設置場所に文句をつけることはできない。案外、一番遠い所に位置する部隊の軍医を慰安所管理担当とすることで、不平を抑えようとしたのかもしれない。部隊長が言うように参謀が思いつきそうなことだった。

「ともかく、うちの部隊の兵隊が行ったときは、よろしく頼む。便宜をはかってやってくれ給《たま》え」

部隊長から念をおされたとき、私は部隊の将兵たちに、日頃全くといっていいほど、この方面について注意を与えていない事実に気がついた。部隊長のS大佐は、衛生面を重視する人で、日頃から、私に対して戦場下での傷の手当ての仕方、マラリアの予防や飲料水についての注意など、手が空けば講義するように命じていた。これまで私が仕えた部隊長たちは、ほぼ全員、将兵の衛生面については全くといっていいほど興味を示さなかったので、私は講義を面倒臭がるどころか、S大佐の配慮に感心さえしていたのだ。

ここで部隊の兵隊たちに、性病に対する知識やサックの使用の大切さを教えておくのは有益のような気がした。私がそれを口にすると、部隊長はにわかに膝《ひざ》を打った。

「きみ、それは名案だ。言うなれば、これは一種の前線への出陣だよ。兵隊たちに病気がはびこっては、戦力に大いに影響する。明朝は何時頃、ここを発《た》つのか」

と訊《き》いてきた。昼少し前だと答えると、その前に部隊員を全員集合させるので、例の如《ごと》く講義と訓示を頼む、と言われた。

はたして翌朝、兵隊五百余名が広場に集められた。手前側には、話を聞こうとして部隊長以下の将校も勢揃《せいぞろ》いしている。まずI衛生軍曹が前に出て、兵士たちに号令をかけた。

「気をつけ！　軍医殿に敬礼、頭《かしら》あー中」

「休め！　そのままで聞け」

台の上に立った私は声を張り上げる。訓示の内容以上に重要なのは、後ろの方まで届くように地声を出すことだった。

「いよいよ明日から、師団司令部のあるヘンサダに巡回慰安所が開設される。その責任者として本官が赴くことになった。開設期間は今のところ十日である。ついては、これからお前たちがあれこれ迷わないように、慰安所へ行ったときの注意を与える」

私は前置きして、性病の種類と恐《こわ》さを、いささか誇張もまじえて話し出す。こちら側にいる将校も、自分たちも無関係ではないので、神妙な顔で聞き入っている。

〈突撃一番〉の実物と星秘膏《せいひこう》をI軍曹から受け取り、実際の使用法をこと細かに説明する。サックの良不良の見分け方として、煙草《たばこ》の煙を吹き込んで風船のように膨らませ、煙が漏れるかどうかを調べるやり方があること、装着時には先端に空気を残さぬよう注意すること、一度使用したものは決して二度使わず、ましてや裏返しにして二度使うべきではないこと、などを教える。

チューブ入りの星秘膏は軍独特の製品であり、消毒と潤滑油の役目をするもので、まず各自の武器に塗布し、装着後はサックの上からも塗布せよと、つけ加えた。

「これらの注意を守れば安全である。面倒だからといって絶対に手を抜かんようにしろ。あとで三等症にかかり、医務室に泣きついて来ても、治療はしない。いいな、分かったか。質問はないか」

私は言い結び、兵たちを見回す。中ほどでひとつだけ手が上がり、I衛生軍曹の指示で、最前列まで走り出る。

「軍医殿が今言われた防毒マスクであります。一度使用したあと二度と使ってはいけないとのことですが、現地では二つ以上貰《もら》えるのでありますか。自分はできれば三つ、いや四つくらいは欲しくあります」

これには兵だけでなく、将校組からも笑いが漏れた。

「よし、中々力《りき》があってよろしい。その点については、師団の衛生部のほうで鋭意、在庫を集めているところだ。本官からも、そうした望みが多いことを伝えておく。よし、以上、終わり」

私は訓示を終え、台から降りた。

午後、ヘンサダの現場に着くと、すっかり慰安所が完成していた。少し離れた所には検問所兼事務所も設けられ、中には私の居室もある。夕方到着する慰安婦五名の居室は、慰安所に隣接して造られている。日々の賄《まかな》いは、司令部の炊事班が運んで来るという。

私が最も懸念していた〈突撃一番〉の数については、案の定、充分な数が確保できないようだった。その解決策として、使用後全《すべ》てを回収、消毒と洗濯をし、かげ干しで乾燥させて、破損や穿孔《せんこう》の有無を点検する旨《むね》の弥縫策《びほうさく》が決定されていた。無事合格したものには歯磨き粉をまぶし、二度、三度使うという。一連の作業は、もちろん衛生部が請け負う。

在庫不足は星秘膏も同様であり、これは慰安婦のほうにもたせて惜しみ惜しみ使う方法がとられる手はずになっていた。

もうひとつの検討事項については、経理部で定義が決められ、主計曹長から報告を受けた。一回の射精をもって〈一回使用〉と規定されていた。他にも経理部では、微に入り細に入る規定も決めており、私は妙に納得させられた。防具の装着励行はもちろんだが、飲食物の持ち込み厳禁、作戦機密の漏洩《ろうえい》厳禁、行為に際しては局所以外の体部をもって相手方の局所に触れることも厳禁である。ただし、この最後の細目については、相手方はこの限りにあらずとも付記されている。

Y高級軍医に進言していた慰安所の開設期間に関しては、十日間が十一日間に延長されており、慰安婦には気の毒だが、私もいささか安堵《あんど》した。

翌朝、九時前から検問所の前には行列ができた。小隊毎にこぞって来た兵たちもあれば、三々五々集まって来た兵たちもいる。こういう場所では兵たちは騒々しくなるものと思っていた私の予想は、見事にはずれた。何かの検査を受けるかのように、全員が静かで大人しい。

少しばかりの行列を見込んで、設営隊では門の前に空地を造り、そこがジャングルの樹木の日陰になるようにしていた。しかし長蛇の列はそこにおさまりきれず、ジャングルの傍からはみ出し、炎天下にあぐらをかく事態になった。

運悪く初日に、こともあろうに敵機の来襲があった。こういうときには通常、近くにある避難壕《ひなんごう》に駆け込むのだが、慰安所にはそうした付設の設備は当初から設けられていない。いざとなれば、すぐ近くのジャングルに逃げ込めばいいからだろう。敵機の爆撃が始まっても、列はぴくりとも動かない。互いに髭面《ひげづら》の顔を見合せ、上空を仰ぐくらいだ。ここで下手に動くと、席が詰められ、順番待ちがふいになるのが分かっているからに違いない。

よくしたもので、延々と続く行列でも誰ひとり動かないので、敵機も気づかないようだった。慰安所周辺には一発の爆撃もせずに帰って行った。

門の前には、司令部から派遣された日直の下士官が立った。経理部と衛生部で作成した例の規定細目の見届け役である。

「十五番、終わりましたァ」

出て来た兵が申告する。

「ご苦労！　衛生防具を使用したかッ？　見せよ。よしッ、そこの消毒槽に返納して帰れッ」

「はいッ。返納終わりッ。帰ります！」

いちいちの掛け声が私のいるところまで届く。

退室が遅れると、日直下士官は、土間の方に向かって声を張り上げる。

「三十番！　まだかァ？　長いぞ。急げ！」

そこには通常の享楽街《きようらくがい》と違って、うわついた気分は微塵《みじん》もない。下士官も兵も真剣な面持でやりとりを繰り返した。

夜になると、慰安所の近くにも歩哨《ほしよう》が立った。慰安所専用の歩哨ではなく、元からある立哨範囲の中に慰安所が開設されたのだ。

夜間の利用者は、当然ながら闇《やみ》の中から誰何《すいか》される。

「誰かッ？　誰かッ？」

銃を構えて歩哨が誰何する。三度繰り返す間に返答がなければ銃殺である。あとで味方の将校だと分かっても、名誉の戦死扱いにされるのが関の山だ。

「巡察将校、何某《なにがし》。他週番下士一名」

将校は所属までは口にせず、たいていは巡察将校で通した。従っている将校も〈週番下士官〉に早変わりである。

その返事で、歩哨は気ヲツケの姿勢に戻る。しかし相手が巡察将校なら、報告の義務がある。

「立哨中、異常なし。報告終わりッ！」

「ご苦労！」

将校は闇の中で答え、〈週番下士官〉と共に無事に慰安所にはいって行く。

開設中日を過ぎた頃、私の所属部隊から、二百人以上の兵がやってきた。その引率者が医務室のＩ衛生軍曹だった。

彼は私の居場所を聞きつけて顔を出した。

「自分が引率者になったのも、部隊長殿の命令です」

Ｉ軍曹が報告する。「こういうことも、医務室の業務の範疇《はんちゅう》だからと言われました」

部隊長の言い分にも一理あると思い、私は苦笑する。

「ついては、自分もここまで来て手ぶらで帰る手はないと思いました。利用していくつもりです」

「しかし下士官の利用は、午後四時からだぞ。それまで兵隊を待たせるのは酷だろう。お前だけ日を改めて出直したらどうか。部隊長殿も文句は言われないだろう」

やんわりとたしなめる。

「出直したときは、またそのときです。今日はその前哨戦として、軍医殿から何とか便宜をはかっていただくわけにはいかないでしょうか」

もっともな願いであり、私はさっそく主計曹長と日直下士官に相談した。

既に懇意になっている主計曹長は、手続き上うまく時間をごまかすことを請け合ってくれた。残る問題は、どうやってＩ軍曹を中に入れるかだ。ここで日直の軍曹が粋《いき》な名案を思いついた。

「列を成した兵隊たちは、真剣そのものの眼でこっちを睨《にら》んでいます。出入りの人数を数えているのです。下手に割り込めば、大騒ぎになります。ここは、慰安婦にちょっと病気が出たことにしましょう。自分がここに駆け込んだら、軍医殿が衛生下士官を引き連れて、急ぎ慰安婦の部屋にはいって下さい。軍医殿は一分後に退出、あとの処置は部下に任せたというような態度をとっていただければ」

非の打ち所のない解決策であり、I軍曹には昼過ぎまで私の部屋に待機してもらい、日直下士官が顔を見せたところで、二人で一番奥の部屋に赴いた。私にとって、使用中の〈個室〉を覗《のぞ》くのは初めてだった。

脱衣場が手前にあり、奥の布団《ふとん》に半裸の女性が上体だけを起こしていた。三十にはもう少しで手が届くと思われる年増《としま》ではあるが、愛くるしい顔つきで、肉づきも良い。日直下士官が彼女を選んでくれたのも、特別のはからいなのかもしれなかった。

男二人の突然の登場に驚いた彼女だったが、いわば慰安所つきの軍医である私の顔は見知っていたようで、私の説明にもにこやかな顔を返してくれた。

「私の部下なので、よろしく頼む」

これが私の口上だった。退室するとおもむろに日直の軍曹に声をかけ自室に戻った。

椅子《いす》に腰かけても、駆け足をしたあとのように妙に息が上がっていた。中に住人がいない慰安所内を見たときは何とも思わなかったのに、実際に〈個室〉が稼働《かどう》しているのを見てしまった今、私の気持は上ずっていた。目の底から、個室の住人の顔と姿態が容易に消えない。

彼女たちが到着した日、五人の姿を遠目にも見、その後も何度か行き合ったが、私の気持はぴくりとも動かなかった。彼女たちはいわば軍用慰安婦であり、性病に罹患《りかん》していないかどうかは、衛生部隊の軍医が検査をしているはずだった。いかに私がこの管理責任者、つまり妓楼《ぎろう》主とはいえ、彼女たちが私の患者になることはまずない。いわば、出来上がった商品として、私は彼女たちを受領し、十一日間大切に使わせていただくという気持になっていたのだ。

その商品が生身の人間に他ならぬことをまざまざと思い知らされていた。いや生身の人間どころか、それを超えるものとして感じるようになっている自分を見つけた。

軍か軍属の手によって内地でかき集められる前、彼女たちはそれぞれこの道においてはそれなりの年季を積んでいたはずだ。戦場であるこの地でも、相手をした数によって給金は支払われる。たとえそれが軍票だとはいえ、不景気な内地よりもよほど実入りはいいはずだった。

そういう眼で見ていた私だったからこそ、何ら動じなかったのだ。しかしその前提は崩れ去っていた。明日の命も知れぬ戦場で、将兵たちは自然の本能にかられて、蜜《みつ》に群れる蟻《あり》のようにここに集まって来ている。炎天下に動かず、静かにはしているものの、その内側には悽愴《せいそう》な生殖本能が渦を巻いているはずだ。

そんな生死の境にさまよう亡者《もうじや》じみた男たちの煩悩《ぼんのう》を受けとめ、こころを癒《いや》し、〈解脱《げだつ》〉に導いているのが、彼女たちではないのか。それもひとりや二人の数ではなく、衆生《しゆじよう》を相手にしているから、その行為は衆生済度《さいど》というべきだろう。

私がほんの一瞬の間眼にしたのは菩薩《ぼさつ》だったのかもしれない。

考えがそこまで至ったとき、I軍曹が戻って来た。

首尾良くいった旨《むね》、軍曹は私に報告し、最敬礼した。

私は留守をしている部隊の医務室の様子を訊いた。著変はなく、新たなマラリア患者の発生もないという。

I軍曹はすっきりした顔で、三時少し前、部隊の兵たちを引率して帰って行った。

その後、慰安所のほうでも異変はなく、私は手持ち無沙汰《ぶさた》のまま日を過ごした。あと三日で特殊な任務も終わるという昼過ぎ、受付にいる主計曹長が、ひとりの上等兵を私の前に連れて来た。負傷したようなので診察をお願いしますと言い、どこか気弱そうな兵だけを残し、曹長はそそくさと持ち場に戻った。

「一体、どうしたのか」

無聊《ぶりよう》をかこっていた私は、半ば腕が鳴るのを覚えながら訊《き》いた。

「はっ、軍医殿。実は紐《ひも》が切れたのであります」

「紐？　どこの紐だ？」

「はい、その、息子の頭の吊《つ》り紐であります」

上等兵は顔を赤らめ、どもりながら答える。

「息子を怪我《けが》したのか。見せてみろ」

上等兵は情けなさそうな顔で軍袴《ぐんこ》のボタンをはずした。そして件《くだん》の〈息子〉を痛そうに引っ張り出す。

「ここであります」

診てみると、包皮繋帯《けいたい》が見事に切れている。しかし吊り紐とはうまく言ったものだ。

「この吊り紐はもともと強靭《きようじん》にできておる。それがこのザマであれば、よっぽど猛烈にやったんだな」

私は皮肉半分、感心半分で尋ねる。

「いえ、そんなことはなかったのであります。四発やっただけであります。四発目に切れたのであります」

「なに四発もか。達者な奴《やつ》だな。それでは息子もたまらんだろう」

「いえ、この前は五発でありましたが、何ともなかったであります」

「なに、今日が初めてではないのか」

私は驚いて訊き返す。

「はい、三日前にも一挺《ちょう》蹴らせていただきました」

上等兵は前をはだけたままで答える。息子は申し訳なさそうにうなだれたままだ。

「敵娼《あいて》が前回と異なっていたので、また元気が出たのであります」

規則には、慰安所に通うのは一回きりにせよとはうたっていない。となれば、何回来ても規則違反にはならない。経理部でも、そういう事態がありうるとは想定もしなかったに違いなかった。

しかしそれはそれとして、今心配なのはこの上等兵がどうやって傷を負ったか、そしてその際性病に感染をしていないかどうかだ。

「はっ、ちゃんと装備したのでありますが」

「が、どうなんだ」

「は、マスクが破れて息子の根元にからみついていたであります。痛むので分かったであります」

「馬鹿者《ばかもの》！」

怒鳴り上げてしまう。破れた状態であれば、感染の可能性もある。

早速に昇汞水《しょうこうすい》を用意し、痛がるのを叱《しか》りつけながら局部を入念に洗滌《せんじょう》した。

後処置をし、持参していたウロトロピンを投与した。

「いいか、ここに来るのは今日で終わりだ。部隊に戻ったら、部隊付の軍医殿に一部始終を申し上げ、悪性の下疳《げかん》や淋病《りんびょう》にかかっていないか、診てもらえ。放置すると、命取りになるぞ」

私は多少の脅かしをまじえて諭し、上等兵を帰した。

その日以降は息子を傷つけた利用者はもちろん、他の負傷者も現れず、十一日間の任務は無事に終わった。その朝、五人の〈菩薩〉が、司令部の下士官に連れられて慰安所を出て行くのを、居室の窓から見送った。次の勤務地でも、彼女たちの到着は今か今かと待ち受けられているのに違いなかった。

私は司令部付のY高級軍医に申告したあと、タッタゴン村に帰着した。早速に部隊長に任務が終わった旨を申告しに行く。

「いやご苦労。ジャングルの傍の慰安所というのも、見方によっては趣がある。虎《とら》か何かの吠《ほ》える声が聞こえたぞ」

「部隊長殿も行かれたのでありますか。それでしたら、立ち寄って下されば、粗茶くらいの接待はできましたのに」

「いやいや、誰それと名前は言えんが、四名の将校を伴って行ってみた。邪推は無用、単なる巡察じゃよ、巡察」

部隊長はかんらかんらと笑い声を上げた。

行軍

私は昭和十七年慈恵医大を卒業し、九月短期現役として海軍軍医見習尉官《いかん》を拝命、中国の青島《チンタオ》に渡った。そこで四ヵ月間、厳しい初期士官教育を施された。翌十八年の二月、同地にあった海軍軍医学校で普通科学生に任命され、軍陣医学の教育を受けた。三月に軍医中尉となり、四月十五日、南方ナウール島守備隊付軍医を命じられた。

ナウール島と言われてもピンとこなかった私は、図書室に行ってようやくその位置を確認できた。その瞬間、もうこれは生きて内地に帰って来ることはあるまい、と覚悟めいた諦《あきら》めに襲われた。

ナウール島は、日本の南方、父島や硫黄《いおう》島、サイパンやグアムを経て辿《たど》り着くトラック島のさらに遥《はる》か東方、ギルバート諸島の中の小島である。近くにはマキン島やアベママ島、タラワ環礁《かんしょう》が点在している。こうした南方まで将兵を送り布陣している日本軍の企図に、鼓舞される反面、空恐ろしさをも覚えた。

横須賀《よこすか》鎮守府で修理を終えた第四艦隊の駆逐艦に乗って、トラック島に到着した。トラック島には戦艦や空母、巡洋艦などが停泊しており、その数の多さに圧倒された。

内地や中国で目撃した軍艦の質と量の違いに、海軍の底力を見せつけられる思いがした。

トラック島からは、朝鮮人軍属を数百人乗せた貨物船に便乗し、無事にタラワ環礁のベチオ島に着いた。そこからナウール島に行く便を待つ四日間で、島のあちこちを見てまわり、滑走路を有するこの島が完全に要塞化《ようさいか》されているのに驚愕《きょうがく》した。

全島ハリネズミと言ってよく、海岸線はすべて半地下式トーチカで占められている。骨組を成しているのは径三十センチはある椰子《やし》の丸太であり、間には岩石が埋め込まれ、その厚さは一メートルから二メートルに及んでいる。しかもこのトーチカの配置は巧妙に計算されていて、一点の死角もないという話だった。

各トーチカの間には地下《ちか》壕《ごう》の連絡路があり、将兵は自由に移動できる。海岸には、陸上と海中に丸太を使った防壁も設置されている。まずは水際《みずぎわ》で進路を拒み、逡巡《しゅんじゅん》しているところをトーチカの砲陣地や機銃陣地から攻撃し、上陸する敵を殲滅《せんめつ》するという目論見《もくろみ》だ。

島に布陣する第三特別根拠地隊千名、佐世保第七特別陸戦隊千五百名、第四艦隊設営派遣隊千名の士気も高いように私には感じられた。事実、私を案内してくれたS軍医長は、「こっちの兵力は三千五百だが、その十倍の敵の攻撃にもびくともしないはずだ」と胸を張った。

軍医長は私を海岸線まで案内し、沖合五、六百メートルの所に座礁したままになっている赤錆《あかさ》びた輸送船を指さした。船体には〈斉田丸〉の文字がまだ読めた。

「敵がこの海岸に上陸して来たときは、あの船から一斉に機銃掃射をすることになっている。充分に敵をおびき寄せてからだ。背後からの不意討ちをくらって、上陸兵はそれこそ袋の鼠《ねずみ》だよ」

軍医長は、兵科の将兵に全幅の信頼をおいているようだった。

このベチオ島とは対照的に、水雷艇で渡ったタラワ環礁の西六百キロに位置するナウール島には防空壕はあるものの、迎撃手段は何も有していなかった。守備隊総員は三千名であり、私が着任した六月頃から、毎日のように敵航空機の空襲に見舞われた。

こうなると、島への補給は途絶えがちになる。潜水艦に頼るくらいしか手段はない。ところがこの海域にいる潜水艦は五指に満たず、一隻《せき》に積める米や醬油《しょうゆ》その他の食糧はたかがしれている。

無線で連絡をとりあい、海岸沖に潜水艦が浮上する夜は、あらかじめその近くの海岸に大発《だいはつ》二、三隻を待機させておく。海上と光で合図をし合い、夜が明けないうちに積荷を移し替えるのだ。

いきおい一食あたりの量も次第に少なくなっていった。粉味噌《こなみそ》をふりかけ、軽く一杯の米飯と、牛缶二個を三、四人で分けて食べるのが一食分となり、それでも一日二食しかとれない。梅干し一個の分配があれば、最後の最後までしゃぶりつく。できることなら、種殻さえも細かくかみ砕いて腹の足しにしたかった。

島内に散在する原住民の畑はほとんど食べ尽くし、よほど山の中に分け入らねばタロ芋やタピオカなど入手できない。

畑地を確保した分隊では、自給自足をめざして、種まきや苗を植え始めたところもあった。しかし昼間は敵機の格好の目標にされる。早朝や暮れがけの短い時間にしか農作業はできない。

栄養が不足すると、どういうわけか身体《からだ》全体が不潔になってくる。軍服を洗うのも、身繕いするのも、億劫《おっくう》になるからだろう。するとカサカサになった皮膚に虱《しらみ》がへばりつきはじめる。こちらとしては、貴重な一滴の血だから、吸われてはかなわない。渓流で水浴しながら、一匹一匹を丁寧につぶす。

このときも油断はできない。敵機は、流れに沿って日本軍が起居していることを知っており、小川づたいに銃撃を繰り返すのだ。

いつの間にか、聴覚が研ぎすまされてくる。誰かが「爆音、こちらに接近」と叫ぶや、全員が水から上がって大木の根元に身を潜めた。

私自身、体力が日増しに減ってきているのを実感していた。起き上がるとめまいがし、頭痛に襲われる。ここでマラリアにかかっては、一巻の終わりに違いない。努めて横になった。

そうしたなか十一月下旬、タラワ環礁の司令部から無線がはいった。上陸作戦に出た敵軍と交戦中だという知らせに、守備隊総員は息をのむ思いで、その後の推移を見守った。タラワの運命は、そのままナウール島の運命なのだ。いや、タラワ環礁のべチオ島が全島ハリネズミの陣地を築いているのに対し、ナウール島の迎撃能力はその何十分かの一であり、より苛《か》酷《こく》な運命を辿るに違いない。

無線はその後も一日に何度かはいったが、戦況は思わしくないようだった。海岸に座礁していた輸送船斉田丸に構築した機銃陣地も、空からの爆弾投下と、海中に仕掛けられた爆薬で、無力化されてしまったらしい。

そして三日目、生き残りの百名足らずの兵員で、最後の総攻撃をかけるという、悲痛な知らせがもたらされた。誰も口にはださなかったものの、玉砕命令が下されたことは分かっていた。果たして、その後無線も停止してしまった。

「もうむこうは駄目だね」

T軍医長が言った。「元気を出そう。我々は、どんなことがあっても頑張るんだ」

しかし私にはその頑張る手立ての見当すらつかない。脳裡《のうり》には、タラワに着いた翌日、歓迎会を開くために集まってくれたS軍医長以下七名の軍医たちの顔が去来し、その夜は眠れなかった。

翌朝、ナウール島守備隊の総員は、海行かばを唄《うた》い、哀悼の捧《ささ》げ銃《つつ》をした。男泣きの声が、あちこちの椰子の木陰から聞こえる頃、ようやく夜明けの太陽が昇りはじめる。誰もが今度は自分たちの番だと、覚悟を決めた。

しかし、五日たっても十日たっても、敵軍が上陸する気配はない。その代わり、これまでの倍近い頻度での空襲が繰り広げられた。おそらく敵は、上陸占領すれば、多大の損害が出ると踏んだのに違いなかった。それほど、タラワでの抗戦は激しく、敵も相当の被害を蒙《こうむ》ったのだろう。

これ以後、制空権とともに制海権も失い、島は完全に孤立してしまった。

昭和十九年を迎えると、食糧事情はますます悪化の一途を辿った。

幸い、塩だけは確保できた。海水を集めて、夜中に煮つめればいい。柔らかい山草なら片端から塩煮できる。しかし蛋白質《たんぱくしつ》不足はいかんともしがたい。大半の兵が栄養失調になり、全身の浮腫《ふしゅ》と下痢に悩まされた。私自身も例外でなく、顔はパンパンに腫《は》れ、瞼《まぶた》も上下がくっつき、かろうじて前が見えるくらいになった。

あるとき看護兵が、松喰虫《まつくいむし》の幼虫のようなものを鉄兜《てつかぶと》一杯にとってきて、これは食べられますかと私に訊《き》いた。体表に白い毛を密集させた毛虫であり、さすがにそのままでは危ないと見てとり、熱したフライパンの中に放りこませた。

するど毛は焦《こ》げ、内臓だけが凹《へこ》んだ所に集まった。毒味と称して、匙《さじ》ですくい上げ、口に含む。嚙《か》みしめると、油が口の中に拡《ひろ》がった。苦みはなく、何とも言えぬ旨味《うまみ》がある。

それからというもの、この種の毛虫も食糧の中に加わったが、いくらかき集めたところで、たかがしれている。

主計長が、食用油だと思って虎《とら》の子のように最後まで保管していた十八リットル缶の中味が、実は米糠《こめぬか》だと判《わか》り、怒って捨ててしまった。看護兵からこの報告を聞いたときには、私のほうが腹が立った。糠の中の胚芽《はいが》こそ、薬品も底をつきかけた今、貴重な薬ではないか。

すぐに取りに行かせた。非常食用に残しておいた乾燥芋を取り出し、鉄兜を擂鉢《すりばち》代わりにして木の棒でつき、粉にする。この芋粉と米糠を同量練り合わせて蒸すと、ちょうどふかしパンのようなものができあがった。

これは適当に分け合って、七、八人で試食した。味もそっけもなかったが、その晩は食べた全員が頻尿《ひんにょう》状態に陥った。便所との間を何度も行き来するため、ほとんど眠れない。しかし翌朝、顔をなでてみると浮腫が引いている。ふさがっていた瞼もあき、見えるようになった。以後、ふかしパンを利尿剤として使った。

下痢止めに効くものはないかと思案し、竹を焼いて粉末にしてみた。この竹炭粉末を下痢のひどい患者に試したが、効果はなく、口の中が真黒になるだけだった。

便所は、天幕からかなり離れた場所に穴を掘って設置してはいた。しかし間に合わず、途中でしゃがみこみ排便したあとが、そこここに見られた。下痢便はほとんど緑の繊維からなり、周囲にわずかに黄色の粘液がついているに過ぎない。要するに、栄養不足に腸も悲鳴をあげているのだ。

少しでも体力の残った兵士たちは畑に出かけてゆく。畑でも収穫間近の作物は、そこを狙《ねら》ったように敵機が爆弾を落とし、吹き飛ばされた。

動物性蛋白質は、トカゲや蛇、うなぎやエビなど、付近のものは既にとり尽くして、さらに山中深くはいらねばならない。これには大きな危険が伴い、山中に避難した原住民に襲われ、帰って来ない兵士も出た。

そうした屍体《したい》は、熱帯の高温多湿によってすぐに腐敗する。あたりに悪臭が漂うようになって、発見されることも稀《まれ》ではない。ある者は既に白骨化しており、ある者の腐肉には黒山のハエや他の昆虫が群がり、無数の蛆《うじ》が、眼窩《がんか》や口腔《こうくう》にうずたかく盛り上がって蠢《うごめ》いていた。

私自身、栄養失調と浮腫で象のようにむくんでいた脚をひきずりながら、病兵を診療していた。

患者はほぼ全員が極度の栄養失調かマラリアであり、腸炎や下腿潰瘍《かたいかいよう》がそれに加わった。マラリア脳症で気がふれる者もいる。浮腫でブクブク膨れ上がり、患者は虫けらよりも脆《もろ》く死んでいく。

悪性マラリアの黒水熱にかかると、もう助からない。ヘモグロビンが破壊された挙句の真黒な小便を出しながら、息をひきとっていった。

軍医として私にできるのは、せめて若い椰子の実《み》の果汁をぶどう糖代わりにして、タマネギの毛やバナナの根を刻んで煎《せん》じ、飲ませたりするくらいのことに過ぎない。毎日のように最期《さいご》の脈をとった。

その中のひとりは、「母ちゃん、ぼた餅《もち》食いたい」と、かすかな声を残して動かなくなった。

死期が近づくと、人は死臭のようなものを発するのだろうか。死を待つ患者には、ハエが幾百ともなく集まってくる。患者は自分の手でゆっくりとハエを払う。手の運動が止《や》んだときが死期だった。

敵機の銃弾に負傷した兵が、遠くから運ばれてきたこともある。傷口は化膿《かのう》し、汚い繃帯《ほうたい》の上には早くも蛆が這《は》っている。私は自分用の圧搾口糧《あつさくこうりよう》をひとつ渡した。驚いた兵士の凹《くぼ》んだ眼が一瞬輝き、涙に潤《うる》んだ。

「中尉、いちいち同情していたら自分がやられます」

傍にいた看護兵が、私の耳元でささやいた。

私同様、別の守備隊で多くの病兵を看取《みと》ったT軍医長と会ったとき、予後に関する私見を聞かされたのも、同時期だ。

〈立つことのできる者、三十日。身を起こして坐《すわ》れる者、三週間。寝たきり起きられぬ者、一週間。寝たきり小便する者、三日間。返事をしなくなった者、二日。まばたきしなくなった者、明日〉

その眼で患者の経過を観察すると、なるほど大きな誤差はない。ある日、看護兵が病兵を背負って戻って来た。動かなくなった兵がいるので、診てくれという中隊からの連絡があったのだ。若い患者の顔には、もう死相に近いものが出、眼はうつろに一点をじっと見つめている。私が軍医であることは分かったようだった。

「おい、しっかりしろ」

励ましながら脈をとると、そのまま倒れた。生命の灯が全く燃え尽きていた。

昭和二十年の半ばを過ぎると、敵は空襲のあと毎日のように魚雷艇で島を巡り、マイクで降伏を勧告しはじめた。空からは伝単《でんたん》もまかれた。

――ニホンノミナサン、ムダナタタカイヲヤメマショウ。ワタシタチレンゴーグンハ、オキナワヲセンリョウシマシタ。ワタシタチハ、タベモノヲタクサンヨウイシテオリマス。ビョウキニタイシテ、クスリモアリマス。ミサキニ、シロイハタヲモッテキテクダサイ。オムカエニイキマス。

しかし守備隊の誰ひとりとして降伏の意志など、もち合わせてはいない。〈健兵は三敵と戦い、病兵は一敵と戦い、重患はその場で戦い、動き得ざる者は刺し違え、各員絶対虜囚となるなかれ〉。この命令を遵守《じゅんしゅ》する決意を固めるばかりだった。

その頃、私は看護兵たちのひそひそ話を立ち聞きした。最後はどうやって死ぬかの話し合いをしていた。ひとりが、手榴弾《しゅりゅうだん》を抱けば雑作無いと言うと、もうひとりが、それでは肉がバラバラに散るし、第一、手榴弾がもったいないと反論する。拳銃《けんじゅう》を持っている准尉《じゅんい》が、俺は手榴弾は敵陣に投げ、その勢いで自分の頭に弾を撃ち込むと答えた。

私自身は、ねばるだけねばって山頂の司令部地区まで後退し、最後は拳銃をくわえて引き金をひくつもりにしていた。とはいえ、いよいよ最期のとき、山頂まで二キロの坂道を登る体力が残っているかが問題だった。

そう心決めしていても、望郷の念は断ち難い。敵機が上空から去った夕暮れどき、海岸に出て、寄せては返す波を眺める。目の前の海こそ、故国へと続く唯一《ゆいいつ》の道だった。

守備隊司令部と内地の連絡は、かろうじて保たれていた。八月、広島と長崎に新型爆弾が投下されたこと、ソ連軍の北満への進攻も知らされた。

八月十一日、メルボルン放送を傍受した司令部から、日本がポツダム宣言を受諾するらしいというニュースが、ナウール島各地に散らばっている守備隊に伝達された。

そして八月十五日、私は午前中の診療を終えると、看護兵二人と一緒に畑に出た。ちょうど診療所に顔を出していた北岸守備隊長のY大尉が、私も同行したいと言う。四人で畑まで歩いた。そこには開墾を手伝わせていた原住民がいて、ジャングルを切り払う作業をしている。その枝葉の散らかる所に火をつけて焼く。このところ敵機の襲来は、日に二、三機で、私たちも大胆になっていた。

煙がもうもうと上がり、枯木は気持よいくらいに燃えた。突然、原住民の男たちが仕事をやめ、恐怖の表情で空を見上げた。

「アメリカ、ヒコーキ」

叫ぶや否《いな》や、姿はもうジャングルの中に消えていた。

私たち四人に爆音は聞こえない。しかし原住民の聴覚は鋭く、私たちは油断せず、耳をそばだてた。すると微《かす》かに爆音らしいものが聞こえる。その方角を向くと、軽爆撃機がいつもとは違った超低空で、煙めがけて突っ込んできた。

「おい逃げろ」

Y大尉が叫ぶ。私は夢中でジャングルに走り込み、崖《がけ》を這い登った。その間、爆弾を落とされはしないかと恐れたが、機銃掃射すらない。

軽爆は頭上すれすれに行き過ぎた。もう一度旋回して来ることを予期して、私は道なき小山をよじ登る。しばらく身を潜め、敵機が去ったのを確かめて畑におりた。

Y大尉も、二人の看護兵もそれぞれどこからか姿を現した。

「危なかったなあ」

Y大尉が笑い、こちらも胸を撫《な》でおろした。もともと体力がないので、無我夢中で動くと力を消耗してしまい、その場にへたり込みたい気持だった。

そこへ、逃げた原住民二人が戻って来た。「キャプテン」と言って、紙片を私に渡す。いつもの降伏を勧める伝単だと思い、見ると〈日本降伏す。平和来《きた》る〉と記してある。

私は、この伝単は真実だと直感した。Y大尉も同意する。すべては終わったのだと、私は本当にへたり込みたい気持をおさえ、立っているのが精一杯だった。

その晩、私は原住民の村に招かれた。日頃から時々顔を出し、村人を診ていた返礼だろう。総出の原住民は色とりどりに化粧して輪になり、踊り続けた。真中の火が勢いよく燃え、喜び満面の彼等の姿を浮かび上がらせる。野ネズミの丸焼きをかじる私には、不思議に負けた口惜《くや》しさはない。ただ呆然《ぼうぜん》と、原住民たちの単調な踊りを眺め続けた。

考えてみれば、惨《みじ》め極まる一方的な戦いだった。万にひとつの勝ち目もなかった。蒼白《あおじろ》く痩《や》せ細った栄養失調の日本軍に対して、補給充分の連合軍。小銃の日本軍と、大砲の敵軍。敵機は、日本兵のひとりでも見つけると、ウサギ狩りのように執拗《しつよう》に銃撃した。私たちは日の丸のついた飛行機が飛来するのを、一回も見たことがなかった。

「助かったぞ」

宿営地に戻ると、兵士たちの顔に忘れられていた笑いが浮かんでいた。負けて元気が出る。私はこれが帝国海軍の終末なのかと思った。

しかし実際は、ナウール島守備隊にとって、これはさらなる悲惨な終末に向けての始まりだったのだ。

四日後、上陸した豪軍によって武装解除を受け、私たちは豪軍の輸送船に乗せられた。南西方向に向けて一週間の航海をしたのち、船はブーゲンビル島の沖合に錨《いかり》をおろした。そこから上陸用舟艇でトロキナに着いた。

砂浜に自分の足で立ったとき、私は既に息切れがしていた。すると待機していた豪兵の三人が、銃剣を構えて、私たちの列に飛びかかって来た。引率の豪軍将校がこれを制して怒鳴る。制止がなければ、二、三人の戦友はその場でひと突きにされたはずだ。

駐屯の豪軍からは軍医と将校が来て、引率の将校と何か相談を始める。私たち五百人を超える日本兵を、どうやって収容所に運ぶかの相談なのだろう。

しばらくして駐屯の将校が、四列縦隊に並ぶように命じた。階級の区別も、身体《からだ》の大小の順もなく、七、八十メートルの隊列ができあがる。私語は許されない。荷物は自分で担《かつ》げと言う。整列が終わると、不眠と焦燥の疲れを憩《いこ》う時間も与えられず、早速に出発となった。

どれほどの距離を、どのくらいの時間をかけて歩くのだという指示はない。収容所に着けばゆっくり休めるだろう、それまでの辛抱だ。その辛《つら》さのあとには、内地に帰ることができる。私たちの誰もがそんな希望のもと、最後の力をふるい立たせようとした。

「出発」の号令と共に、隊列が動き始める。先頭に装甲車がいた。その後ろを、栄養充分で血色の良い豪兵が三名、銃剣をさげて先導する。隊列の左右には、十メートルおきに豪兵が銃剣をかかげてついて来る。

すぐに私たちの息は上がった。終戦を迎えて以降、守備隊では何の訓練も行われず、かぼちゃや芋で生命をつないだだけだ。長い距離など歩いていない。この行軍は、最後の苦難なのだ。命令に従って歩こう、この一歩一歩が、内地帰還につながるのだ。私はそう自分に言いきかせる。

しかし思っていたより強行軍だ。軍隊生活のなかでも、これほどの強行軍は経験しなかった。しかもここは、高温多湿、日本陸海軍が瘴癘《しょうれい》の地として指定していたブーゲンビル島である。加えて、まだろくに食事も与えられていない。

これは大変な行軍だ、犠牲者が出る恐れがある。私は不安にかられた。軍医として、豪士官に抗議をしなければならないのではないか。

先頭を行く隊列の中に、私がよく話をしていたS主計兵曹がいた。眼鏡をかけて、饑えのなかでも愛想をくずさない。召集前は、銀座で名の知れた割烹《かつぽう》店で腕利《うでき》きの板前だったと言い、「中尉、内地に帰ったら、一杯やりましょう」と話すのが常だった。私もいつか本当にそんな時が来るような気がして、何かと勇気づけられた。

ブーゲンビル島に向かう用船の中でも、「私が先頭に立って行きます」と豪語した。「無理をするなよ。いくら隊唯一の栄養たっぷりの男でも、歩く訓練をしていないのだから、危ないよ」

そうなだめ、私と一緒に歩くように言ったが、無駄だった。

強行軍は一時間ほど歩いても終わらなかった。私自身、苦しくなった。何よりも水が欲しい。私はよろよろと隊列を離れた。

豪兵が私の腕章の赤十字を見て、「お前はドクターか」と訊《き》く。「イエス」と私は無雑作に答えた。このときほど、私は慈恵医大で学んだことを感謝したことはなかった。他の医大がおしなべてドイツ語を教育用語にしていたのに対して、慈恵医大だけは創設者の遺志に従い、英語を主としていたのだ。とはいえ、こんなところで役立つとはこれまで考えもしなかった。

「この先で、日本人が倒れている。お前行って診てやれ」

そう言うと私の返事も聞かず、護衛の兵隊が交代で乗るトラックを停めた。

「このドクターを乗せろ。そして日本人を診てもらえ」

命じられた運転手は、後部に乗るよう私に指示した。

トラックはスピードを上げ、前進する。途中、道端に倒れている日本兵がいたが、少しも関心を示さない。

「大分倒れている。俺が診たいので、引き返してくれ」私は叫んだ。

「あれは我が軍の軍医が診る。お前の知ることではない」運転手は怒った。

さらに行くと、二、三人が隊列から離れてフラフラと足取りがおぼつかない。私は運転手に声をかけ、停止を要求した。運転手も、私の剣幕に気圧《けお》されたのか、トラックを停めた。

トラックを降りて二、三十メートル引き返し、道端に坐り込んでいる兵士の背嚢《はいのう》をはずし、木陰に寝かせた。胸を開き、脈を診る。脈は早くて小さい。熱射病の極期だ。私は自分の水筒をはずして、水を飲ませた。
三、四人に同じことをしているところに、運転手が少し心配気な顔をしてやって来た。
「これは大変な病気だ。早く豪軍の病院に連れて行け。そうでないと、みんな死んでしまう」

大声で告げた。私の顔を見ていた運転手は、やっと事の重大さが分かったようだった。

「分かった。早くそいつらを乗せろ。お前も乗れ」

彼の言うとおり日本軍の兵士たちをトラックに乗せ、しばらく行くと、また前の隊列で倒れている者が見えた。

「あれも連れて行け」

私が言うと、運転手が首を振った。

「こいつらを先に運ぶ。戻って来るから、お前はあの患者のところを離れるな」

運転手は答え、私をおろすとトラックを発進させた。倒れている患者の傍に行き、水を飲ませる。注射器も注射液も持っていない。気つけ薬もない。私にできることは、ひたすら脈を診ながら、声を大きくして元気づけることぐらいだ。

隊列の日本兵たちは、誰も立ち止まらない。こちらをぼんやりと見て、ひたすら歩いている。監視の豪兵も、私の腕章と倒れている患者を一瞥《いちべつ》したきり、無表情で通り過ぎる。

豪兵を運ぶトラックは、私と患者の脇《わき》を速度もおとさずに行き過ぎる。あたかも速度をゆるめれば、面倒事がふりかかるとでも考えているようだ。

患者を運び去ったトラックは、二十分くらいして戻って来た。運転手は、私が患者たちに水を与えているのを見ていたのか、軍用水筒を二個手にしていた。これには感謝の念が湧《わ》いた。

しかし、ぐったりした患者をトラックに乗せるのは手伝ってくれない。汚いものを見るかのように、離れた所から見ているだけだ。

三、四人の患者を収容してしまうと、狭い荷台はいっぱいになる。助手席は空いているのだが、運転手は、そこにひとりでも乗せろとは、決して言わない。

倒れている患者が眼にはいり、車を停止させた。私が降りると、運転手は勝手知ったように車を発進させる。ここで患者を介抱しながら待てという意味だ。

倒れている患者のもとに行って、息をのんだ。「私が先頭に立って行きます」と言っていたS主計兵曹だった。名前を呼んだが、目を開けるだけで精一杯であり、水を飲む力もない。それでもひと口くらいは含んだろうか。脈は微弱そのもので、しかも線香花火のように少しずつ細っていく。豪兵が「行って診てやれ」と言ったのは、S兵曹だったのだ。

私は名前を呼びながら、体格のよいS兵曹の身体を揺すった。その身体から芯《しん》のようなものが抜けていく。やがて下顎《かがく》呼吸が始まり、すぐに終わった。

もう私の手の届かない所に、S兵曹の身も心も行ってしまったと思うと、涙がにじんできた。

これまで何人もの患者を見送ったが、目が潤《うる》んだことはなかった。ドラム缶風呂《ぶろ》に一緒にはいり、背中を流してくれたS兵曹だった。銀座での再会は、もうかなわない。

再び戻って来てくれたトラックに、私は彼の亡骸《なきがら》を担ぎ上げようとした。しかし運転手が拒んだ。死んでいるかどうか私に確かめ、死んだ者は乗せられないと首を振る。そこに置き去りにするしかなかった。

トラックに乗り込み、患者を収容して、夕刻、最後の隊列から大分遅れて収容所に着いた。S兵曹以外にも、絶命していた患者が四、五人はいたろうか。やはり置き去りだった。

収容所には、トラックで運び込まれた患者が横たわっている。病院などは初めから存在しなかったのだ。無事に自力で到着した将兵たちも、苦しさで喘《あえ》ぐばかりだ。

途中で脱落したり、収容所で絶命した兵隊は、予備兵として連れてこられた、若く体格の悪い者が多かった。私とて、トラックに乗せられていなければ、途中で倒れていたに違いない。

ひと息つく間もなく、豪軍から整列の声がかかった。所持品を持って広場に集まり、服装点検が始まる。それが終わると、荷物はその場に残したまま、収容所に戻って待機せよと命令された。所持品も並べるように言われた。

死にものぐるいでここまで運んで来た荷物が、豪兵の手で無雑作に開かれ、中味が出されていくのを黙って眺める。紛れもない強奪だったが、私たちに制止するすべはない。台の上に並べられた時計や万年筆の所持品も、袋に入れられ、トラックに積まれる。

トラックが去ってしまうと、各自の荷物を取りに行くことが許された。私はここで、父親から買ってもらった金時計と、背嚢に入れていた千人針を盗《と》られ、残されていたのは毛布と下着五枚だった。越中褌《えっちゅうふんどし》まで没収された兵隊もいた。

検査が終わると、二十人ずつに分けられ、それぞれ一軒の掘立小屋があてがわれた。文字どおりの掘って柱を立てただけで、床も周りの囲いもない。申し訳程度に屋根はついている。周辺の草木をとって来て寝床をつくり、その上に毛布を敷いて寝るしかない。

収容所の周囲には鉄条網が張り巡らされ、二ヵ所ある望楼からは機関銃の銃口がこちらを見おろしている。

炊事場に当番が取りに行く食事は、判で押したように雑炊だった。しかし食べられないよりはましだ。

夕方になると、口笛を鳴らして豪兵がやってくる。缶詰や煙草《たばこ》を持って来て、金網越しに物々交換が始まる。私はまだ万年筆や時計を持っている者がいるのに驚いた。どこかに隠し持っていたのだ。洋モクをくわえて得意顔の特務士官もいれば、交換した缶詰を開いて自分だけ空腹を満たしている下士官もいた。

二ヵ月くらい経過したとき、この物々交換中に、豪兵の口から私たちがさらに奥地の収容所に移されることが漏れたのか、たちまち噂《うわさ》になって広まった。果たしてその四、五日後、突然朝早く出発の声がかかった。

隊列を組んでの行軍が始まった。最初の行軍とは違ってゆるやかであり、息も上がらない。一時間ほどで海岸に着き、上陸用舟艇に乗せられた。

そこから二時間かけてマサマサ島という島に送られた。ナウール島守備隊の大部分が先に着き、収容所生活を送っているという話だった。

しかし私は、この島に足を踏み入れたとたん、嫌な予感がした。前にいた収容所は地獄に近かったが、このマサマサ島は地獄そのものに感じられた。

海岸から五百メートルもはいると藪《やぶ》になり、蚊の羽音が耳にうるさい。枯葉になっている椰子《やし》の葉を持ち上げると、大群が舞い上がった。この樹木や竹を切って、小屋を建て、住めという。私は背筋が冷たくなった。

到着早々、私たち五百人は家造りに精励した。椰子の大木を切り倒し、材木と大きな葉を集める。雑木を切って、そこを土台にして地ならしをする。ここでも将兵の区別なく全員が総出で、夕刻までになんとか住む家が出来上がる。四十人くらいがはいれる小屋が、次々に建てられた。

夕食は炊事場まで貰《もら》いに行き、新築の小屋で最初の食事をした。

案の定、その夜から蚊の襲来に悩まされるようになった。暑さでも眠れない日が続いた。

一週間もすると、高熱患者が出始めた。一定の潜伏期を経てのマラリア、特にその熱帯型が原因だ。

善後策を考えているところへ、豪兵が、先着していた守備隊の部隊本部からのメモを持って来た。懐《なつ》かしいT軍医長の筆跡だ。ナウール島にいた軍医四人は、分散していた島の守備隊を受け持ち、ばらばらになっていた。幸い軍医の犠牲者は出ていないらしかった。

メモの内容は、マラリア患者が多発しているので困っている、応援に来てくれというものだ。豪兵二人に連れられて小一時間歩き、部隊本部の収容所に着いた。T軍医長との挨拶《あいさつ》もそこそこに、私は患者を見せられた。

大変な患者数だ。八百名近くいる将兵の三割がマラリアにかかって寝ている。ナウール島ではひとりのマラリア患者も出さなかったのに、この島に来たとたんにこの有様だと、T軍医長は眉《まゆ》をひそめた。

しかし私たちナウール島の衛生隊は、初めからマラリア治療薬は所持していない。事ここに至っても治療のすべはないのだ。本部の全員がマラリアにかかるのは眼に見えている。そして私がいる収容所の五百人も、同じ運命を辿《たど》るに違いない。

この本部にいた五日間、毎日二十名近くの発熱患者が出た。前日出た患者の熱は下がらず、過労と栄養失調で症状は激しくなっていく。脳症を併発する者、黒水熱に苦しむ者も混じって、兵舎は阿鼻叫喚《あびきょうかん》の様相を呈してきた。丸太小屋に、高熱でうめく声が充満する。戦友が交代で付き添い、頭を水で冷やすのだが、文字どおり焼け石に水だ。

深夜、一名の患者が行方不明になった。豪兵の見張りの中をどうやって脱出したのか、二キロ沖合にある小島に泳いで渡っているという知らせがはいった。その島は、兵隊たちからは将官島と称されていた。日本陸海軍の将官のみが特別待遇で居住していたからだ。

早速、私は豪軍のランチに乗って迎えに行かされた。患者は支離滅裂な言動で、四十度近い高熱を呈している。マラリアの脳症だった。バグノンを一筒射《う》って連れて帰ったものの、翌日に死んだ。

六日目に、私は再び豪兵に連れられ、もとの収容所に戻った。その道すがら、二人の豪兵に窮状を訴えた。下士官でもない彼らに何を頼んでも無駄だとは思ったが、駄目でもともとなのだ。

「このまま放置すれば、日本兵の全員がマラリアで死ぬ。我々には、マラリアの治療薬がない」

豪兵は口をきくことを禁じられているらしく、早く歩けというように銃口の先で私をつついた。

「これは人道上の問題だ。大半の人間が死んだら、後日、必ず豪軍の責任が問われる」

私は知っている限りの英単語を並べた。しゃべっているうちに涙が出てきた。兵士たちはあの敗戦の日から、内地帰還を夢みつつ、どんなにか希望に燃えていたことだろう。私自身は途中赴任したのだが、ナウール島の守備隊は、足かけ四年の間、絶海の孤島で、艦砲や銃撃、空襲におびえながら戦い、やっとの思いで終戦を迎えた。明日への希望をいだき、妻子や親に会える喜びを胸に秘め、昨日までの敵に抗《あらが》わずにこの奥地まで来たのに、何という悲惨な結末だろうか。

涙ながらに訴える私を、豪兵二人は何か異様なものを見るように見返し、互いに目配せをしただけだった。

収容所に戻った翌日から、恐れたとおり熱発《ねっぱつ》患者が急増し始めた。ひとり患者が脳症を起こしているという知らせで、兵舎に行ってみると、梁《はり》の上で軽業師のように跳ねまわっている。この患者も翌々日息をひきとった。

患者の続発は、もはや手がつけられないほどすさまじい。私としてはただただ解熱《げねつ》を待つだけである。

悪性の黒水熱の患者が意識をなくしたと、看護兵が知らせに来た。患者は既に昏睡《こんすい》状態に陥り、全身黄疸《おうだん》が著しい。体格の良い兵隊だったが、夕刻、遂《つい》に亡《な》くなった。別の兵舎でもまた若い兵士が死んでいった。

二人の遺体をテント張りの霊安所に運び、元気な者だけで、形だけの慰霊を行った。しかしこの健康に見える兵隊たちにも、熱がある者がいるに違いない。足取りの重い者が多かった。型通りの葬式を終え、七、八人で屍《しかばね》をかつぎ、裏山の雑木林にある仮の埋葬地まで行った。穴を掘って埋め、木札で階級と氏名を書き、葬《ほうむ》った。

死亡者は毎日出る。昨日屍をかついで埋葬地に行った兵士が、今日には屍となって戦友にかつがれている。私は次々と出る死者に対して死亡診断書を記すのに忙殺された。

そうしたなか、私にも遂に四十度近くの高熱が襲って来た。ものすごい悪寒戦慄《おかんせんりつ》であり、どんなに自制しようとしても、身体《からだ》が震え、歯がガチガチと音をたてる。高温多湿のこの土地における悪寒は、教科書に書いてある以上のものだった。本部のT軍医長からもしものときに備えて渡されている、わずかばかりのアテブリンを飲んだ。熱はどうにか三日後に七度三分にさがった。しかしそれ以下にはならない。

この高熱でも、私は患者の回診は忘れなかった。軍医を大切にしてくれた同僚士官たちのおかげで、患者の治療に専念することができた。治療といっても、患者の頭を水で冷やさせ、体温を計り、声をかけて励ますくらいだったが。

患者のもとから戻りがけ、私は金網の向こうに、本部の収容所から戻るとき話をした豪兵が立っているのに気がついた。長身で眼鏡をかけており、どこか気弱なところが兵隊らしくなかったので、覚えていたのだ。

私が呼びかけると、彼も私に気がついた。

「このままだと、ここにいる全員がマラリアにかかって死ぬ。私自身もマラリアに苦しんでいる。抗マラリア剤を配給するように言ってくれないか」

　豪兵は私の足元がふらついているのが分かったのか、収容所の中の方を見やった。動いている兵士の誰もが、足を引きずるようにして歩いている。

「よし分かった。もう行け」

　豪兵は私を追いやるように手を動かした。

　一縷《いちる》の望みをいだいたが、その後何の音沙汰《おとさた》もない。その間にも連日三、四名、多いときは七、八名の死亡者が出た。

　五日ほどして、私は収容所の入口に呼び出された。例の豪兵とその上官らしい少尉《しょうい》が立っていて、薬箱を手渡された。

　マラリア患者の大発生は将官島の司令官たちにも伝わり、豪軍の司令官に治療薬品の供給を要請したらしかった。

　手渡された抗マラリア剤のアテブリンとプラスモヒンは、どうみても充分な量ではなかった。多発する患者の数を思うと、惜しみ惜しみ使うしかない。それでも元気を回復する者も出てきた。死亡者はこの日を境に少しずつ減っていった。

　とはいえ、五百人いた収容所の将兵はおよそ半分になっていた。八百人いた本部でも同様だったに違いない。

年が明けて昭和二十一年の一月中旬、近く内地帰還が始まるという知らせがはいった。余りにも死者と病人が多いので、早く帰還させたほうがよいという了解事項が、豪軍と連合軍司令部の間でなされたという噂だった。多数の犠牲者を出したうえでようやく内地送還が早まるなど、私は釈然としなかった。

しかし患者たちは素直にこれを嬉《うれ》しがった。私も出し惜しみしていた医薬品を残らず使用することにした。

一月二十日、かつて日本海軍の空母だった鳳翔《ほうしょう》が迎えに来た。空母として計画建造された世界最初の航空母艦がまだ健在だったのかと、私は目を見張る思いがした。大正期に造られたこの艦《ふね》が健在であるからには、敗戦の内地もまだ捨てたものではないような気がした。

海岸から鳳翔まで、豪軍の舟艇で運ばれた。重病人は担送、軽病人は戦友の肩にすがって船に乗る。病人を中央に置き、二百人以上がぎっしりと詰め込まれる。

途中、この舟艇が大きく旋回したとき、船縁《ふなべり》にいた兵がひとり振り落とされた。

「おい落ちたぞ。引き返してくれ」

誰もが口々に叫ぶ。私も前の方にいる豪兵に訴えようと思ったが、ギュウギュウ詰めの病人の傍からは動けない。

騒ぎが聞こえているはずだが、豪兵は全員が素知らぬ顔であり、船はそのまま突っ走る。私たちの抗議も救助の依頼も馬耳東風だ。

この船を操舵《そうだ》してお前たちを母船に運ぶのが我々に与えられた命令で、救助の命令などは受けていない、落ちた者が悪いと言わんばかりだ。私はそうだったのかと内心で合点する。ナウール島から移されたトロキナで死の行進をさせたのも、さらにマラリア蚊の充満する瘴癘《しょうれい》の地マサマサ島に移動させ、多発する病人に手をさし伸べようとしなかったのも、全く同じ心情に根ざしたものなのだ。これは武器を使わない殺戮《さつりく》ではないか。

私たちは、降伏したあと、眼に見えない攻撃を受けたのだ。それも徹底的に。

舟艇は一時間強で鳳翔の舷側《げんそく》に着いた。中にいる日本人の乗組員に、ひとりひとり艦に上げてもらう。誰もが丁寧に「御苦労さん、御苦労さん」と会釈《えしゃく》してくれる。この温かい待遇に、私はもう日本に着いたような錯覚がした。

この艦の軍医に同期のS軍医がいることを知り、早々挨拶《あいさつ》に行った。S軍医は変わり果てた内地のこと、特に東京の変わり様を詳しく話してくれた。内地に帰ってからも大変な事態が待っていることを、私は痛感させられた。

航海の途中、重症のマラリアの患者が三名、帰還を待たずに死んだ。遺体は火葬も保管もできない。水葬はやむを得なかった。乗艦していた軍医五名と係官だけが立ち合った。他の将兵に知らせて島々の悲惨な記憶を呼びさましたくはなく、全員が浸っている喜びに水をさしたくなかったのだ。

二月一日の早朝、艦は久里浜《くりはま》沖に投錨《とうびょう》した。午後、三年ぶりで、内地の土をこの足で踏んだ。検疫所《けんえきしょ》の畳の上で、その日は安眠できた。三年ぶりの畳の感触だった。嬉しさの余り、眠れずにいる将兵も多かった。

翌日、朝から多数の家族が面会に来た。帰還の知らせがラジオで報道されたのだ。劇的な面会があちこちで起こった。その陰で、亡き戦友の家族たちが肩をおとして帰って行く。戦病死の模様を教えてくれと、私に懇願する遺族もいた。

私はそのたび息が詰まり、答えられない。空襲下のナウール島での飢餓、トロキナでの死の行軍、マサマサ島でのマラリアと、私は士官、下士官、兵の死の有様を思い出し、言葉が続かない。涙を流す私を前にして、家族も泣く。きょとんとしているのは、四、五歳の幼児だけだった。

翌々日、検疫所を出て、おのおの郷里へ帰って行った。私も夕刻、東京日野の実家に帰り着いた。これが、敗戦後の五ヵ月間、息も切れ切れに歩かされた行軍の終わりだった。

アモック

インドネシアが独立宣言をしたのは、日本の敗戦の二日後、昭和二十年八月十七日だった。この独立は、オランダ領であった同地への進攻がなければ実現されなかったに違いない。私はその四年近くの歩みを軍医としてではなく、軍政部の医官として見届けた。

日本の敗戦に先立つ八月十一日、南方総軍総司令官寺内寿一元帥《てらうちひさいちげんすい》は、インドネシア独立準備委員会の委員長にスカルノ、副委員長にハッタを任命していた。しかし十五日の無条件降伏で、日本軍はインドネシアの義勇軍・兵補《へいほ》を解散、スカルノとハッタはやむなくジャカルタから失踪《しっそう》した。二人はジャカルタ東方八十キロにあるレンガスデンクロックの義勇軍兵舎に立て籠《こも》ったあと、ジャカルタに戻り自宅前でインドネシア独立を宣言した。それが十七日午前十時であり、一週間後の二十五日午前零時を期して、南方各軍の作戦は任務を解除された。日本軍の武装解除は、さらに十一日後の九月五日であった。

昭和十七年の三月、陸軍第二十五軍は北スマトラの北端アチェに進駐し、軍政部を設置した。私が軍医大尉《たいい》の身分を解かれ、医官として軍政部に勤めることになったのは、その年の十一月だった。

昭和十一年千葉医大を卒業した私は、大学医局の内科に在籍していた十六年に短期現役を志願して軍医になった。どうせ召集されるなら軍務を二年間で終えておきたかったのだ。東京の第三陸軍病院にいたその年の十二月に開戦となり、私の見込みは完全に絶たれた。翌年五月、私はシンガポールにある南方第十陸軍病院に転属になった。さらに十一月、陸軍病院本院がスマトラ島北部のメダンに移転し、私は初めてスマトラの地を踏んだ。

そんな折、病院長の軍医中佐から、移籍を打診されていた。軍医大尉になったばかりの私は、佐官待遇という処遇にも心ひかれた。短期で兵役を終えるという所期の目的にもかなっていたのだ。

軍政下の当初は、食糧の値上がりもなく万事平穏に推移した北スマトラでも、半年以上過ぎたその頃は、食糧をはじめとしてすべての物資が値上がりしはじめていた。

島の北端にあるコタラジャ病院赴任早々に直面したのは、敵国人捕虜収容所の賄い《まかな》問題だった。収容所にはアチェ州都、王城の町コタラジャの旧蘭軍《らんぐん》兵舎が使われていた。オランダ人は男女を問わず、栄養不足で瘦《や》せ果てている。収容所の健康管理の責任者であるコタラジャ病院の内科医長ドクトル・マヨージンは、賄費の支給額を上げて欲しいと私に申し出た。

ドクトル・マヨージンは、オランダが育て上げたインドネシア人医師で、オランダ留学も終えており、完全な親蘭派だった。それだけに、オランダ人捕虜の日毎《ひごと》の訴えに耐えられなくなったのも無理はない。彼はちょうど私と同い齢《どし》であり、親蘭派でありながら、新院長の私には礼節を尽くしてくれた。インドネシア人にもこういう知識人がいることに、蒙《もう》を啓《ひら》かれる思いがした。

日本の軍政下で、食糧は値上がりし、物によっては市場で早くも在庫が底をつきかけていた。特に、木綿の衣類、薬品、砂糖などが払底《ふってい》しつつあった。

十七年末になると、二十本の房が十個ついた一枝のバナナが、軍政前は十五銭だったのに、倍の三十銭に値上がりした。

捕虜たちに衣類の補給は少なく、男女ともパンツひとつで暮らしていた。賄費一人一日十四銭を十七銭にして欲しいとのドクトル・マヨージンの要求を受け、私は軍政部から他州の捕虜収容所の視察調査を命じられた。

急遽《きゆうきよ》六百キロの道程を走破して、隣の東海岸州に出張した。東海岸州ランタウパラパ捕虜収容所の所長は現役の陸軍中佐で、衛生担当医師は軍医だった。蛋白食減《たんぱくしょく》で収容者はすっかり痩せていた。しかし秩序はよく保たれ、自治的に仕事を分担し、所内も清潔に保たれている。マンディ（水浴）においても、女性が裸になれるように水洗便所の五個を婦人専用にしている。頭上の水槽が、すべて果物の冷蔵庫に兼用されているのには感心した。

収容所内のオランダ人医師団は、「十四銭が十七銭になったところで、所詮《しょせん》は軍票だ。十七銭にしたところで、この先どうなるか分かったものではない」と、皮肉を言った。道理であり、私には反論のしようがなかった。

アチェに帰って軍政部長官に報告し、即日賄費は十七銭になった。同時に、軍政関係の現地人従業員の賄費も、一斉に十七銭に上げられた。

しかし衣類の補給は、次第に不可能になっていった。街を一歩離れてカンプン（集落）にはいると、素裸の少年少女の姿が目立った。バブー（女中）も、パサール（市場）には衣類が全く並べられていないと嘆いた。

軍政病院はすべて現地自活を旨《むね》としていた。内地からの薬の配給は期待できない。私が院長を務めるコタラジャ病院は、戦前ここから十九の地方病院に薬品や医療材料を支給していたので、余裕のある品もあった。マラリアに対するキニーネ剤、プラスモヒン、アテブリン、内地産のバグノンの注射の他に、熱帯潰瘍《かいよう》に対するサルバルサン類や蒼鉛剤《そうえん》があった。化膿菌《かのうきん》や淋病《りんびょう》の薬である二基サルファ剤アルバジルとプロントジルは、まさに宝石のような貴重品だった。

木綿類の払底は、外科用繃帯《ほうたい》と脱脂綿の入手困難にもつながった。対応策としてバナナの葉を乾燥させて薄く巻き、繃帯の代用とした。しかし脱脂綿の代用にはならない。

患者には皮膚疾患が多い。外用剤添加油脂類として、鰐革《わにがわ》製造屋に頼み、動物脂を求めた。大鍋《おおなべ》で沸騰《ふっとう》させ、浮上する脂肪を集めて使うのだ。

さらに困ったのは、救急車やその他の病院車に使うブレーキオイルの欠乏だ。薬剤師に命じて代用品を考案させ、酒精と松根《しょうこん》タールの混合液を使用するようになった。何とかこれも代用品の役目を果たした。

病院の従業員に欠かせない嗜好品《しこうひん》に、茶とコーヒーがある。私はたびたびコタラジャ病院の傘下《さんか》にあるタケンゴン農園病院に出張した。診療はそこそこにし、付近の茶園をまわって茶とコーヒーを集めるのが任務だった。

砂糖と塩、塩漬け乾燥小魚類は、従業員に配給制をとり、かろうじて不足を補った。

病院人員の宗教構成は、インドネシア人の回教徒、華僑《かきょう》の仏教徒、インドネシア人と華僑のキリスト教徒から成り立っていた。入院患者も同様だ。回教徒に豚肉は厳禁である。食餌箋《しょくじせん》に人種別、宗教別の処方を用意しなければならない。幸いオランダ統治の間に、用意周到な食餌箋が完成していた。賄部の調理師にも、回教徒のインドネシア人と仏教徒の華僑が配置されている。

入院患者につける看護士や看護婦にも、同じ宗教の者を配さなければならない。さらに回教徒は金曜日が集団礼拝日であり、キリスト教徒は日曜日には働かず、仏教徒は毎月五日が参寺休日となる。当直日や夜勤の割当配慮にも頭を悩ました。

日本軍が接収した病院は軍政下に置かれるので、何事も州政庁と歩調を同一にする必要がある。作戦上の誤りがないよう、南洋一帯は日本内地時間の呼称に一致させられた。本来、日本と南洋とでは時差が二時間ある。しかし病院では、太陽のかんかん照りのときに通院したり働かせることはできない。従来の時間を踏襲し、午後は四時まで休院、四時から六時までの再開院とした。

もうひとつ、日本軍が命じた東に向かって宮城遥拝《ようはい》をする朝礼も、採用しなかった。無用の抵抗と混乱を避けるためである。

昭和十八年五月のある日の夕方、宿舎に帰ってマンデーをしたあと、パパイアを食べていたとき、玄関にでっぷり肥《ふと》った華僑の老婦人が訪れた。小娘を脇《わき》に従え、足が纏足《てんそく》のためヨチヨチ歩きだ。人なつっこい顔で私にインドネシア語で挨拶《あいさつ》する。土産に海亀《うみがめ》の卵を二十個持参していた。

どうやら話の内容は、今後自分の家族を診て欲しいということらしかった。オランダ統治時代は、軍医でも州政庁病院の医師でも、勤務外の時間は自宅を開業事務所にして、患者を診ることができた。薬は、所属病院の薬局に処方箋を持って行けば買えた。

老婦人の名はニョニャタイという。纏足の者は、裕福な生まれでなければ生活していけない。一週間後、彼女の招待を受けてその邸宅を訪れた。未亡人であり、広い屋敷の中国式の室内装飾には、玉石がふんだんにちりばめられている。特に私の眼をひいたのは、大きな黒檀《こくたん》の机の置かれた部屋だ。机の上に阿片《あへん》吸煙器が二個設置され、籐《とう》の寝椅子《ねいす》が二脚両側に横たわっている。大切な客人には相対して吸わせるのだという。ニョニャタイは阿片中毒者でもあった。

阿片吸煙器には種類もいろいろあるという。彼女のは精巧なコルベン硝子《ガラス》器具で、五徳の上にかざされ、下にコンロが置かれている。コルベンの中にアルミ箔《はく》板が敷かれ、点火すると、とろ火が板を熱する仕組みだ。

板の上に白い阿片末がふりかけてある。分量は吸煙者の経験により、中毒の深度に応じて加減するのだとニョニャタイは言う。とろ火によって白い粉はたちまち黒く変色し、やがてブッブッと煮立つ。ちょうど銅製のカルメラ焼き器の上に砂糖を置いたのと同じで、ドロドロになると白煙が出る。白煙は、硝子管がついた隣の水溶器に誘導され、ボコボコと水中をくぐり抜ける。無色の阿片気体を、先の細長いパイプで寝そべりながら吸煙するのだ。その一部始終をニョニャタイは演じてみせた。罪悪感などかけらもない澄んだ表情だった。

初めて阿片吸煙の実態を見た私は、薬局長を加えた週一度のドクトル会合の際に、阿片の取り扱い方を尋ね、さらに驚かされた。

モルヒネには医師の処方箋が必要だが、阿片末は全く別扱いで何もいらない。オランダ統治時代、阿片末はパサールの売薬店でも、やや高価だが簡単に入手できたという。日本軍政下になって、軍政病院薬局を窓口にした専売制に移行していた。しかしパサールよりは安価で、一包一グラム一円に設定されている。しかも病院の薬局で、名も告げず、住所も告げず、誰でも五包までは買える。

阿片中毒患者に対する医療対策をドクトル・マヨージンに問うと、これまた意外な答えが返ってきた。阿片中毒患者は酒を求めず、肉体的欲求を離れて、夢幻の中にひとり静かに暮らす。薬気が切れると、常人よりもせっせと働く。今まで、阿片中毒を治療してくれと言って病院を訪れた患者などひとりもいない。むしろ問題なのは酒精中毒のほうではないかと、私は逆襲された。

なるほど、街頭での日本兵の飲酒上の暴虐《ぼうぎゃく》ぶりは、日曜日ごとに見られ、憲兵にぶっ叩《たた》かれて引かれていく光景は日常茶飯事になっていた。飲酒の習慣のない回教徒にとっては、全くの野蛮人に映っているに違いない。

煙草《たばこ》とともに阿片も軍政専売にしたのは、軍票回収のための政策だと、軍政部で聞いた。

ニョニャタイの家で立派な阿片吸煙器を見せられたひと月後、軍政要員から私に、自分が使っている華僑のジョンゴース（ボーイ）の診察依頼があった。

軍政要員の宿舎は回廊が中庭を囲み、主人の室と使用人の部屋は中庭を隔てて建っている。ジョンゴースは三十代半ばの男で、華僑特有の中国服を着て、部屋の入口の壁に気持よさそうに寄りかかっていた。片側に阿片吸煙器の硝子容器があり、室内ランプ用の油櫓《ゆろ》が火を消したまま放置されている。虚脱したように両手をだらりと垂れ、陶然としている。ゆり起こしてみたが、とろりとした目を半開きにするだけで返事もしない。

男の吸煙器は極めて簡単なもので、長いキセルが吸煙器になっている。錫箔《すずはく》を長く伸ばして、端から阿片末を少量ずつ散らして包み、巻煙草風にしたあと、ブンゼン燈《とう》用火源で端からあぶる仕組みである。主人の軍政要員によると、錫箔の円筒の先に直接口を当てて白煙を吸うのは貧乏人で、こうなると命は長くないらしい。

この使用人の男も阿片吸煙の欲望だけに生きていて、一円の阿片末のために忠実に働き、命令をきくという。いったん吸煙すると、矢でも鉄砲でも脅しがきかず、どこに何が起ころうと我関せずの境地に入る。女性への欲求は全くなく、週一回の吸煙にすべてをかけると聞き、私はドクトル・マヨージンの言葉を思い出し、処置なしと軍政要員に告げるしかなかった。

多少の知識を得てから、病棟を眺めると、感染性下腿潰瘍《かたいかいよう》の外来患者群に阿片中毒が多いことが分かった。

熱帯性腐敗性下腿潰瘍では、病原菌が数種混在して難治となり、最後は骨折を合併する。化膿菌や腐敗菌によって下腿が次第に深く潰《つぶ》れ去り、骨膜に達すると、日夜を分かたず痛覚が襲う。

病院は、南国特有の大樹と広い緑の芝生を有し、庭内を回廊が病棟から病棟へ縦横に通じている。そこは風通しがよくて涼しく、週二回、椅子と細長いバケツが五十個ほど並ぶ。外科のマントリー（補助医師）が、バケツに重曹と石灰水の温液を満たしていく。やがて下腿潰瘍の患者が、男も女も衣服の裾《すそ》をまくり上げて出てきて、椅子に坐《すわ》る。そして膝《ひざ》まで没するバケツ内の温液に両脚を浸す。約一時間、患者は辛抱強く医師の指示に従う。こうやって潰瘍患部の酸性度をアルカリ性液で中和し、薬剤の治療効果を上げるのだ。

しかしそれでも疼痛《とうつう》に耐えきれない患者は、その緩和のために阿片末に頼る。それをとめるすべが医療者側にあるはずがなかった。

八月、夕食も終えて寝ようとしていた矢先、軍政部の総務部長から電話がかかった。時計を見ると十時を回っている。

「今から至急、西海岸のチャラン憲兵派遣分隊まで出張して下さい。任務の内容はこの分遣隊に行かなければ分かりません」

部長命令は断るわけにはいかない。すぐに運転手のアチェ人、アリフィンを起こして準備をさせた。ドラム缶に百五十リットルのガソリンを詰め、スペアタイヤ二本、継ぎはぎだらけのチューブ二本をプリムスの後部トランクに積み込む。濃厚コーヒーを水筒二本に入れ、宿舎を出たのは十二時近くになっていた。

南洋の深夜は、家の中より外のほうが涼しい。時折、餌《えさ》のネズミをあさるトッケー（大型トカゲ）のけたたましい叫び声が闇夜《やみよ》に響く。

真夜中に叩き起こされたアリフィンも無愛想で無口なら、私も不機嫌でしゃべりたくもない。ロンガ海軍飛行場を右にして、車は時速五十キロで走る。かつて立派に舗装されていた道は、戦乱でもうでこぼこ道になっている。チャランまでは百四十キロの距離だが、この悪路では所要時間四時間半だろうと胸算用する。

コタラジャを離れて一時間ほどして、グラティ山の麓《ふもと》にさしかかったとき、覚悟はしていたが車がパンクした。目の前はインド洋であり、海明かりを頼りに、私も上衣を脱いで手助けをする。予備のチューブに空気を入れても、すぐに抜ける。

「アパ・マチャム（何てことだ）」

アリフィンがぶつくさ言いながら、チューブの穴を糊《のり》づけする。タイヤを取り替えるまで三十分かかる。コーヒーを二人で口にしたあと、ようやく走り出す。

プリムスは軍配給の車だが、アリフィンは初めからこれが気に入っていなかった。

「ドクトル、こういうでこぼこ道を走るには、フォードが一番です。フォードというアメリカ車は開拓地向けに造られています。庶民と一緒に走って来た車で、何よりいいのは、部品が自転車屋でも手にはいります」

私はそんなものかと思うしかない。チャランへの道はますます悪くなり、プリムスは時折腹をこする。チャランも近いと思われる海岸の波音の聞こえる林の中で、二回目のパンクに見舞われた。

夜露がしっとりと大地を濡《ぬ》らして、肌寒い。アリフィンは「アパ・マチャム」と「アパ・ボレ・ブアット（仕方ない）」を繰り返す。継ぎはぎだらけのチューブだが、とにかく交換するしかない。この修理に一時間を要した。

チャランには、予定から一時間半遅れて六時過ぎに着いた。チャラン憲兵分隊を訪ね、隊長の憲兵准尉《じゆんい》に遅刻の申し訳をする。そこで初めて、私の出張内容が判然とした。

この時期蘭軍はスマトラ奪還をめざして、インド洋からスパイを送り込んでいた。インド洋上の潜水艦から放たれたスパイは、海岸線に上陸せず、河川を利用してゴムボートで陸地奥深く遡行《そこう》する。そこで後方攪乱《かくらん》戦術を企てるのだ。

これを未然に防ぐには現地人に協力を頼む以外になく、そのために日頃から軍政によって現地人の信頼と融和を培《つちか》っておかねばならない。

二ヵ月ほど前、河の遡行に成功したスパイがチャラン後方の山奥で原住民に発見され、チャラン憲兵分隊に収容されていた。厳重な取調べを続けながら、第二のスパイ潜入の際の囮《おとり》として使うため、刑務所内に監禁した。しかし私が出張命令を受けた深夜に、そのスパイは憲兵から髭《ひげ》剃《そ》り用に借りた安全カミソリで、橈骨《とうこつ》動脈を切断したのだ。

発見されたときは出血多量で重態となっており、捕虜に対するジュネーブ条約に基づく緊急の手当が必要となった。責任は軍政部側にあるので、軍政病院の私が呼ばれたのだった。

しかし二回のパンク事故で私の到着が遅れたため、憲兵隊は待ちきれず、最寄りの陸軍駐屯部隊のY軍医大尉を招請した。結局スパイは死亡した。Y軍医は一応の検死と国際法による死体検案書の作成をして帰隊し、私の出番は全くなくなっていた。

憲兵分隊長の准尉は、遅着の理由を聞いて労をねぎらってくれた。少しばかり休養したあと、昼の暑さを避けるべく、八時過ぎにはアリフィンと共に、来た道を引き返した。

昭和十九年になると、前年の十月内地で出された学徒出陣令によって、多くの法文系学生が戦場に送り出され、スマトラでも騒々しいくらいの配置換えが実施された。この頃、私たちはニューデリー放送によって、連合軍が東南アジア連合軍司令官として、マウントバッテン英軍中将を任命したことを知った。

日本軍では、防禦《ぼうぎょ》一点張りの塹壕《ざんごう》掘りが急務になった。北スマトラ防衛軍司令官であるK少将は、兵士のマラリア罹患《りかん》を防ぐため、しばしば自らの司会で軍医会同を開いた。

軍政部側から出席した私は、旧オランダ時代の防疫文献《ぼうえきぶんけん》を基に、マラリア防禦につ
いては常に水際《みずぎわ》作戦が重要であることを強調した。そのため湿地帯を放置せず、主だ
った湿地を土木部が池に変え、そこには必ず小魚類の放魚を行っている旨《むね》も詳述する。
軍医側からは、悪性マラリアの治療に寒冷地を選び、酒精ぶどう糖溶液注入療法を
実施している旨とその成績が発表された。〇・三ccの純アルコールを十倍のぶどう糖
液とともに静注《じょうちゅう》すると、脾臓《ひぞう》内に閉じ籠《こも》っていたマラリア原虫が体表面に移行すると
いう。それが体表面の冷寒部において、血液内で死滅するというものだった。
防禦隊の敵上陸防禦作戦も水際作戦なので、蚊の棲《す》み家《か》とはいえ、各地の湿地帯近
くに塹壕を掘る必要がある。いきおい兵士はマラリア蚊の群れにさらされ、多くのマ
ラリア患者が発生した。しかし結局敗戦まで連合軍の上陸はなかったので、塹壕掘り
はくたびれ損になった。
南洋では、乾期には地上の楽園と思われるような所でも、雨期には一面の湿地帯と
化し、マラリア地獄と化す。機上から乾期に観察を行って作戦図をひいても、雨期に
は全く使いものにならない。
もうひとつ、一見素晴らしく見える椰子《やし》林の離島が、上陸してみると癩病《らいびょう》患者の隔
離島だと判明することもあった。

こうした失敗に懲《こ》りて、コタラジャ河の河口にある島々に部隊派遣作戦を実行する前に、下調べの命令を受けた軍医大尉が私を訪ねて来た。しかし私自身も、隔離島を実見したことがない。軍医とともに、オランダ統治時代の癩病治療対策を調査確認する機会を得た。

北スマトラにある十九の州立病院では、担当地域内で発見された癩病患者を、一定の離島に送る仕組みになっていた。陸地周辺の小島で、小舟で往復でき、しかも清水が出る場所が選ばれていた。島専用の紙幣を発行して、患者は自治生活を送る。大工は大工職、菓子屋は菓子を作り、理髪師は床屋を開業するのだ。もとの職業を生かして働く患者は、お金を村の郵便局に貯金し、一定額になると本物の通貨に換えてもらい、家族に送金したりもするという。

北スマトラには十六の癩島があり、患者の中から村長が選ばれ、日常生活物資が受け持ちの病院に補給されていた。私が勤めるコタラジャ病院管轄《かんかつ》の癩島は、コタラジャ河にそそぐ支流の河口近くにある椰子林の島だ。専用カヌーがあり、カヌーを繋《けい》留《りゅう》する河畔には、消毒液を入れたタンクが装置されている。

私は同行する軍医大尉に、全身消毒をするので半袖《はんそで》、半ズボン、ズック靴で来るように伝えていた。しかし当日のいでたちは、軍刀と拳銃《けんじゅう》を帯行した長靴と正装であり、衛生軍曹も軍服だった。

病院からは週一回島を見回るマントリーがいた。通院できない山間の村落のマラリア患者に対しては、特別の訓練を受けたマラリア・マントリーがいるように、癩病にも特殊なレプラ・マントリーがいる。このマントリーが検血や投薬、注射をし、生活物資の補給もする。

コタラジャ病院所属のレプラ・マントリーは、二十年の経験をもつアチェ人だった。彼が毎週一回、住民全員に必要な衣類、衣布、塩、砂糖、米、香料、石鹼《せっけん》、歯ブラシなどを持ち込む。癩病治療には大風子油《だいふうしゆ》があり、潰瘍に対してはサルファ剤、軟膏《なんこう》、繃帯《ほうたい》が用意される。マントリーは病院の薬局長と当番医師に月一回報告書を出す。本来なら月一回、当番の医師が巡回診療と視察をするのだが、開戦以来医師不足に陥り、医師の巡回診療は実施されていないという話だった。

私と軍医、衛生軍曹を伴って、案内役のレプラ・マントリーが灰色の小川をカヌーで漕《こ》ぎ出し、河口の島に向かった。

十五分ばかり河を下り、島の手前まで来たとき、衛生軍曹と軍医が「錦蛇《にしきへび》だ」と同時に叫んだ。なるほど、マングローブの大枝が川面《かわも》すれすれに伸びている上に、径十五センチくらいの大蛇が長々と横たわっている。鮮やかな斑紋《はんもん》が川面に映って美しい。

マントリーによると、夜はこうした蛇や鰐《わに》が獲物《えもの》をねらっているので、島には近づけないらしい。

いざ島に上陸して私たちは驚いた。ほとんどの住民は裸であり、夫婦は小屋を作って住んでいる。子供ができ、マントリーが出産予定を知ると、助産婦が病院から駆けつけ、生まれた赤ん坊を母親には渡さない。消毒して病院に収容する態勢ができていた。しかしこれも戦争が始まってからは実行されていない。皮膚癩で鼻の欠けた母親の乳房に、何ひとつ着物をつけない生まれたばかりの赤ん坊がとりつき、乳を吸っている。

私たちの姿を見て、手足のきかない患者が周囲からにじり寄って、何かアチェ語で訴える。軍医や衛生軍曹の正装が珍しいのか、目のつぶれた子供や手の指の崩れかかった子供が裸のまま取り巻き、軍刀にさわったり、腰の拳銃をなでまわす。歩けない男がいざりながら、軍医の磨きぬかれた長靴に抱きつこうとする。軍医は顔色を変え、右へ左へ逃げまわるしかない。

私は日焼けしているうえに防暑用半袖半ズボン、ズック靴なので珍しくないのだろう、誰も近寄って来ない。マントリーが言うには、島民が日本軍人を見たのは初めてらしい。

村の一角では、一見どこが癩病かと思われる華僑《かきょう》の一家族が肩を寄せ合って戸口に立ち、冷ややかな眼で私たちを眺めていた。

村落の周辺には、よく耕されたタピオカ畑や野菜畑があり、パパイアとバナナが整然と植えられて実《み》をつけている。高い椰子の大木に海風があたり、梢《こずえ》を揺らす。周囲を海に囲まれているためか、気温も高くない。井戸からは、清水がこんこんと汲《く》み上げられていた。この施設がなければ、日本軍一個大隊の進駐には絶好の島だろう。

帰りがけも半裸の癩病患者に取り囲まれ、ほうほうの体でカヌーまで逃げ戻った。河を遡上して病院近くの岸に上がり、千倍溶液のクレゾール消毒液がはいったタンクの栓をひねる。消毒液を全身に浴びたあと、隣の清水タンクの水で洗い流す。ズックの靴底まで消毒液に漬けて脱ぎ、平服に着替えた。

軍医大尉の意気消沈ぶりは明らかで、部隊に帰ったら軍刀も拳銃も長靴もアルコール消毒しなくてはならぬとぼやくことしきりだった。

この軍医大尉の視察報告が大いに功を奏したのだろう、島への大隊移動は沙汰止《さたや》みになった。

反面、病院側に提出した私の報告は大きな波紋を呼んだ。開戦以来、検査の不備に乗じて、レプラ・マントリーが配給物資をパサールに横流ししていたことを発表したのだ。マントリーは査問会に付され、特に塩、砂糖、衣料品の猫ばばが明らかになると、レプラ・マントリーの職からはずされることになった。

しかし、癩病患者たちの報復を恐れて、誰ひとり他のマントリーが交代を希望しない。やむなく当人の職はそのまま継続された。

同様な不平不満が積もって騒動へと発展したのが、アチェ河口に近いスマトラ最大の癩島だった。八十世帯、二百人の人口で、患者の中には、小学校教師や電気器具商もおり、職業別からみてもひとつの社会を構成できる村だった。患者もこの島にはいれば、政府の援助により、衣食住には困らない。外の世界で忌《い》み嫌われ、家族に迷惑をかけるよりは、島での生活を望み、島外には出たがらなかった。

ところが日本軍が進駐して以来、物資配給が減り、島内での食糧の相互融通が不可能になった。最も困るのが、東南アジアでの最大の消耗品である衣料品の不足である。軍政部員の中には、これにつけ込み、木綿や絹などの布地を数反くすねて、これを餌《えさ》にインドネシア人女性をチンタ（愛人）にしている者まで現れた。

病院側も必死になって、米、塩、砂糖、衣類、乾魚の入手に努力したが、集まった量は需要に追いつかない。

そのうち、コタラジャ警察の現地人署長から、癩病患者たちが島を離れてそれぞれの村に帰りたいと騒いでいる旨《むね》の通報があった。患者たちは手に手にコーランを持ち、進撃の言葉を唱え、政庁に押しかけているという。

インドネシアの現地人はマラリアはさほど恐れない。しかし癩病は非常に恐《こわ》がっており、患者たちが町や村にはいるだけで、大騒乱になるのは火を見るより明らかだ。

私はかつて捕虜収容所の賄費《まかないひ》を十七銭に上げた経験から、癩村の賄費も十七銭にすべきだと判断した。

軍政庁の総務部と財務部に出かけたが、事務官は「軍政規定だから」を繰り返して譲歩しない。医師など軍政要員の端くれくらいにしか思っていない態度に、私はついに堪忍袋《かんにんぶくろ》の緒が切れた。

「業《ごう》を煮やした患者が抗議に押しかけても知らんぞ」と、捨《す》て台詞《ぜりふ》を投げつけて席を蹴《け》った。

幸か不幸か、私と入れ代わりに五、六名の癩病患者がはいって来て大騒ぎになった。私は、それ見たことかと後も振り向かず、病院に戻った。

その日の夕刻、財務部長から私に電話があり、賄費を十七銭にする旨の返事があった。こうして騒動は、配給品の増加と配給機構の監視が強化されて、一応の決着をみた。

病院での勤務が長くなるにつれて、患者から種々贈り物が届くようになった。これは、私が華僑の患者をアチェ人と同等に扱ったこともあずかっていた。日本軍政下では、華僑を第三敵性国家民と見なして、インドネシア人とは一線を画していた。私は華僑の長と会い、病気に関しては区別をしない旨を伝え、華僑組織に徹底させていた。医療は、人種によって差をつけるべきものではないからだ。

私の宿舎の冷蔵庫には、内地では決して味わえない食物がいつもはいっていた。海《う》亀《み》《がめ》の卵、ツバメの巣、鰐の陰茎と睾丸《こうがん》、トカゲの肉、猿の肉、蛇の肉、虎《とら》の肉、牛の睾丸と陰茎という具合だ。華僑はそんな贈り物をサド（馬車）に乗せ、姑娘《クーニャン》にことづけて私に届けた。

海亀の卵は、コタラジャから数キロ離れたインド洋岸に上がって産卵したものを、掘って集める商売人がいた。一回に百個から二百個採取して、中華料理店に高値で売るという。殻に弾力性があり、ぺこんぺこんとへこむ。鶏卵《けいらん》のように生卵に醤油《しょうゆ》をかけて食べるには生臭い。目玉焼きが最適で、朝食に毎日食べた。

ツバメの巣の実物は、乾いた泥だらけの舟形をし、手掌《てのひら》にひとつ載るくらいの大きさだ。梢や枯葉、海草がツバメの唾液《だえき》で固まっている。あるとき華僑の婦人会が持ち込んで来たツバメの巣は、灰色の半透明の液体で葛湯《くずゆ》に似ていた。携帯用の重箱に一杯に盛って、大事そうに抱えている。

「ドクトル、お飲みください」

催促されても、初めてなのでおいそれとはいかない。聞くと性欲賦活《ふかつ》食で非常に高価なものらしい。

恐る恐る味わってみると、少し生臭いものの、舌触りもやわらかで、甘味のついた葛湯と思えばいい。

巣は、海岸の険しい岸壁の穴に海ツバメが作ったものだという。岩場をよじ登ったり、崖《がけ》の頂上から縄梯子《なわばしご》をおろして巣を採り集めるが、危険極まる商売らしい。採取した巣は、笊《ざる》に入れて半日小川の流れに浸して泥や枯葉や糞《ふん》を除き、もう半日流れにつけておけば、淡黄色の布海苔《ふのり》状の網の目が残る。これがツバメの唾液で、熱湯に入れたあと絹布《けんぷ》でこすと、どろりとした半透明のツバメの巣が得られる。

毎日飲んでも飲みきれないほど貰《もら》ったが、別段精力絶倫になるというものでもなかった。冷蔵庫に保存しておくと甘味が増した。

鰐の陰茎は、コチコチに乾燥した乾物である。長さも三十センチ程に短くなっている。もともとは長さ七十センチ、径十五センチはあるらしい。睾丸のほうも、不器用に握った団子のように縮まっている。鰹節《かつおぶし》同様、少量ずつ削ってスープに入れるか、コーヒーや紅茶に入れて飲む。華僑の男などは小片をそのまま口に入れ、さきいかのようにして食べるが、私にはその真似《まね》はできなかった。

トカゲの肉は、一メートル半にもなる大トカゲのもので、水牛の肉塊を大きな鉄針につけ、夜中に釣る。すき焼きにはもってこいの味がする。

牛の陰茎や睾丸も鰐同様、乾物にする。食べ方は鰐と同じだ。軍政部の産業部畜産科が宿舎の隣だったので、牛の去勢にいわゆるキン抜きをするのか訊《き》くと、輸精管圧《あっ》挫法《ざほう》が採用されていた。従って陰茎と睾丸は屠場《とじょう》で入手されたものだった。

オランダ統治時代に狩猟禁止だった大型の鶴《つる》類も、軍政部になると食卓にのぼった。私も狩りに出かけ、湿地に降り立った鶴やコウノトリを撃った。鶴類の肉が食べられるとあって、近くの部隊の軍医三人が昼食会に集まって来た。ぜひ解剖させてくれというので任せた。ところが胃袋から半消化の蛇が数匹出てきて、一番若い軍医は食事もそこそこに帰って行った。

海亀の卵やツバメの巣、鰐や牛の陰茎と睾丸の噂《うわさ》を聞きつけた近くの部隊長の大佐から、日本酒や大豆との交換を申し込まれたこともあった。願ってもない話で、右から左へと交換した。

ある日、アチェ人の回教徒から、赤ん坊の割礼《かつれい》を依頼された。私には全く経験がないので断るしかなかった。ドクトル・マヨージンに相談すると、現地人医師を紹介するので一度実地検分するといいと言われた。数日後、割礼の赤ん坊が三人来るので見学に来るよう誘いがあった。

割礼は、外来でも瘤《こぶ》や腫瘍《しゆよう》を切開する処置とは全く待遇が区別されていた。すべて予約制で、その手術前後には外科室には他の患者を入れない。現地人医師が言うには、インドネシアで開業するには、このスナット（割礼手術）ができないと医師として待遇されないらしい。内科医も患者の依頼に応じなければならないという。

手術そのものは単なる包皮切除手術で、簡単なものだった。赤ん坊と母親の取り扱いに慣れれば、私にやれないことはない。その後は、依頼があれば応じることにした。

赤ん坊は、歯が嗜好品《しこうひん》のキンマで赤黒く染まった母親に抱かれてやってくる。包皮にメスを入れられ、真赤な亀頭《きとう》がむき出しになると、泣きわめく。局麻も何もしない。五日後、母子ともども抜糸に病院を訪れる。これで赤ん坊は回教上男と認められ、祝福される資格を得る。母親はいかにも嬉《うれ》し気に、「テレマカシ、トアン（ありがとう、先生）」と挨拶《あいさつ》して帰って行く。

ドクトル・マヨージンに聞くと、割礼は宗教上はともかく、医学的にも有用らしい。亀頭の皮膚は顔や手の皮膚のように丈夫になり、衣物の摩擦の刺激にも鈍感になる。

大人になってからの性交にも早漏がなく、長時間耐えられるため、男女双方に都合がいいのだという。

ドクトル・マヨージンは、ついでにと言って、インドネシア女性の性快楽への工夫も話してくれた。チンタを迎えようとする女性は、夕方のマンデーの際、必ず膣《ちつ》を奥深くまで微弱な明礬《みようばん》水で洗滌《せんじよう》するという。明礬水で収斂《しゆうれん》した膣は、毎夜初回交渉の感を男性に与えるのだそうだ。

マレー半島やスマトラでは、毎年十一月から十二月にかけてが雨期であり、その年は長雨がラマダン月と重なった。

回教暦では、一ヵ月が二十九日の小の月と三十日の大の月が、おおむね交互に繰り返される。これだと一年が約三百五十四日となり、一年毎《ごと》に十一日ばかり太陽暦とずれるため、年一度のプアサ（断食《だんじき》）になるラマダン月は、毎年太陽暦から十一日ずつずれている。

インドネシアでは、宗教省が毎年のプアサ開始日を決定発表する。回教徒はこの日から一ヵ月、空腹の苦行にはいる。断食期間中、〈白糸と黒糸が見分けられる〉つまり日昇と日没の間は、コーランの教えに従って水も煙草《たばこ》もコーヒーも飲めない。

役人もこのひと月は勤務時間も午後二時までとされ、遅刻や早退も大目に見られる。日中は飲まず食わずで、日没後は水、煙草、軽食が許される。この間、毎日数回礼拝堂に集まり、コーラン読誦《どくじゅ》も欠かさない。

プアサ明けはマカン・ブサール（大宴会）となって、盛大な食事をする。大量の羊の肉や鶏の肉の費用捻出《ねんしゅつ》のために、ゆすりやたかり、役人の賄賂《わいろ》増額が横行する。

私のいる北スマトラのアチェ人は、インドネシアの中でも宗教上の戒律を最も厳しく守り、アッラーへの誓いは絶対だった。

プアサ明けの一月五日、私は緊急出張命令を受けた。出張先はコタラジャから三百五十キロも離れている標高千五百メートルの農園である。タワール湖畔にタケンゴン農園病院があり、私の定期出張先だった。病院ではもともと英国人内科医とオランダ人外科医が働いていたが、捕虜収容所に移されてから医師不在となり、私が月一回出張していた。

行ってみて事態が分かった。プアサ明けのマカン・ブサールにはいろうとする明け方、ひとりのアチェ人の中年男がパラン（鉈様《なた》の刀）をふるって、五人の男女を殺傷していた。男は左手にパラン、右手にコーランを持って町を走り、コーランの中の進撃の言葉を唱えながら、出会った五人の歩行者を次々と殺傷したという。警察に取り押さえられ、タケンゴン農園病院の隔離精神病室に収容されていた。

同種の犯罪はプアサ明けに毎年数件あるらしい。ひと月に及ぶ断食で脳細胞が栄養失調をきたし、それに基づいて錯覚と幻覚が生じるもので、オランダ統治時代からの研究で〈アモック〉と命名されていた。英語でいうラン・アモック（錯乱状態で荒れくるう）の由来となった言葉だ。

後日、アチェ地方法院の日本人法律家に聞くと、オランダ統治時代の文書中では、アチェのアモックをインドネシアの他の地域で発生する非宗教的なアモックとは区別し、アモック・トンクー（回教徒のアモック）と呼び、詳述していた。

回教では、異教徒との戦争で戦死した際、戦死者は回教上の死者の儀礼なくして天国に生まれかわることができ、七名の美女をはべらせて暮らせる思想があるという。天国でいかに幸福な生活ができるかを書いた本『聖戦物語《ヒカヤットプランサビイル》』は、オランダ統治時代は所持禁止となっていた。この思想を基に、疲労困憊《こんぱい》した脳細胞によって精神異常がおこり、日頃の不平不満が異教徒に対しての突発的な殺意に転じる。襲われる対象はオランダ人がほとんどだったと、文書には記載されているらしい。

この思想は、信仰深いアチェ人には特に濃厚で、この世で生きる希望を失った者は、異教徒を殺して自分も死に、天国に昇りたいという願いにとりつかれる。そこで見知らぬオランダ人に突然襲いかかり殺害するのが、アモック・トンクーである。回教の教義上、自殺は禁止されている。ところがアチェでの信仰は熱狂的であり、かつアチェではオランダ人との交戦が長期にわたったので、その敵意が潜在的に高まったとも解釈されていた。

私は知らなかったが、昭和十七年の三月、スマトラ全島が日本軍に占領された直後、油田地帯のロスマウエ近くのバイユ村で、日本兵襲撃事件が発生していた。これもアモック・トンクーの一種であり、日本軍は威力を示すためにこの村を全滅せしめたと、軍政部の法律家は説明した。

タワール湖を一望するブルックボン丘には、ブントールクボホテルが建っていた。このホテルの持ち主はもとカラユキさんで、以前はコタラジャ兵站《へいたん》ホテルの支配人だった。華僑《かきょう》の夫を亡《な》くしてからこのタケンゴンに移り、支配人となっていた。私は定期出張のたびに泊まっていた。

早朝、静寂に包まれたタワール湖畔を散策する。湖畔の所々に日本式の梯子《はしご》が水中に向けて下ろされ、湖面に達することができる。現地ではサロン（腰衣）をつけたまま水浴をする習慣がある。そのためのものか洗濯用、あるいは釣舟のもやいのためかもしれなかった。朝もやが湖面を覆《おお》い、湖自体もまだ眠りから醒《さ》めていない静けさだ。

湖畔の道を戻る途中、梯子にしがみついている少年が眼にはいった。よく見ると近くにも、少年よりは年長の少女が水中につかって、サロンをふわりと水面に広げている。気になって私は近づいた。

少年は口もきかずに、身体《からだ》を水中につけて動かない。すると澄んだ湖水を通して、少年の身体の下から糞塊《ふんかい》がひとつ、またひとつと湖底の濃緑に吸われるように落ちていく。

隣の少女も同様なことをしているのだろうが、広がったサロンの下なので定かには見えない。少年は私の顔を湖面から見上げたまま、水中にかがんでいる。やがて隣の少女は、二、三度左手の中指を鼻にもっていって臭《にお》いをかぎ、梯子を昇って来た。濡れたサロンで姿態をひきしめ、私の存在など無視して家の方に向かい、少年も続いた。

高原の湖水はあくまで群青《ぐんじょう》に沈み、脱糞という人間の営みなど呑《の》み込んで余りある美しさだ。この平穏な高原の町で五人の殺傷事件が勃発《ぼっぱつ》したなどとは信じがたかった。町では一ヵ月のプアサも明け、どの家もマカン・ブサールを催して一家団欒《だんらん》に入ろうとしていた。

私はまず現地人警察署に出向いた。そこには、二人の子供を抱えた妻が警察に呼び出されて、がたがた震えていた。犯人は、タケンゴンの町から二キロ山奥の貧農であり、タワール湖畔のモスクでの最後の祈りを終え、家への帰り道、行きずりの五人を滅多切りにしていた。

タケンゴン農園病院に赴くと、犯人の農夫は隔離された鉄格子《てつごうし》のついたコンクリートの床にサロン一枚で坐《すわ》っていた。何やら独語を発しており、どうやらコーランの言葉のようでもある。皮膚は黒く、顔貌《がんぼう》はアチェ人特有のこけた頰をもち、目と眉毛《まゆげ》の間が狭くてくぼみ、一見精悍《せいかん》な印象を与えるが、身体は瘦《や》せこけている。傍に寄った私の顔など見向きもしない。

おそらく男はプアサの掟《おきて》に従い、忠実にひと月の断食を行ったのだろう。

この犯人が精神異常をきたしているか否《いな》かの診断が、私の任務であった。アモックという精神異常であれば、オランダ統治時代の法律に基づいて病院送りになり、刑務所入りは免れる。

オランダ統治時代、全インドネシア領域の精神病患者は、インド洋上の孤島ウェー島に送られた。そこには二千名を収容できる設備の整った精神病院があった。

しかし昭和十八年初頭、ウェー島には日本軍の海軍第九特別根拠地隊が置かれ、要《よう》塞化《さいか》された。三千名の海軍将兵が起居する島となり、当時いた精神病患者千二百名は全員、マレー半島の奥地タイピンに移送された。その結果、各地で発生する患者は軍政病院の各所に収容された。

私はこの事例が、まさしくアモック・トンクーに基づく精神異常である旨《むね》の診断を下した。かつ日本人の被害者もなく、現地人の単独行動であり、集団行動ではないと書き添え、軍政部長官に報告した。これでこの捜査は終止符をうたれた。もちろん被害者には何の補償もなかった。

この事件から四ヵ月後の五月上旬の未明、私はまたもや電話で緊急の出張命令を受けた。行き先は、コタラジャから二百五十キロ東方にある北アチェの商業の中心地ビルーエンの町近くであり、極秘に救急車で急行せよと言う。事件はやはりアモックのようで、回教徒がコーランの言葉を唱え、パランを振りかざしてビルーエン地区駐屯部隊の兵舎を襲撃していた。軍政部派遣の日本人警察官二人も被害にあっていた。

私は二人のアチェ人看護婦と、二人の外科マントリー、運転手アリフィンに非常召集をかけ、出発した。速度を上げてサレー高原を越え、ビルーエン街道を海側に進み、目的地のバンドラ村に着いた。事件はこの小村で起きていた。

午前九時、あたりはようやく暑さを増してきている。水筒のコーヒーを飲む暇もなく、周囲の異様な光景に立ちすくんだ。憲兵が十名近く拳銃《けんじゅう》や小銃を構えて、パランを手にした村民たちと対峙《たいじ》している。気がつくと、村民が六名、地面に倒れていた。

背後には村の礼拝堂がある。地面から一メートル高い所に、四方に柱を立て屋根と板敷を設けただけの質素な造りだ。

私たちは平服で、腰には寸鉄も帯びていない。赤十字の腕章が唯一《ゆいいつ》の武器だ。マントリー二人が、倒れているアチェ人に近づく。私も近寄る。

血走った目をしてパランを握りしめた村長らしい男が、アチェ語でマントリーとやりとりをする。緊張した私の耳に焼きつくように、マントリーの発する第一語がはいる。「アッサラーム・アライクム」で、「あなたに平和を」という挨拶言葉だ。

礼拝堂の裏から女が二人、アチェ語を発しながら私たちの方に駆けて来た。マントリー二人は少しも動じず、看護婦に繃帯《ほうたい》と消毒薬を出させている。こういうときのアチェ人は女性でも油断ができない。レンチョン（曲刀）で刺されることもあると聞いていた。しかしどうやら彼女たちの夫や兄弟が倒れているらしく、一緒に手伝う姿になり、私は胸をなでおろす。

誰も口をきかない。私は傷を診る。六名のうち三名は既に絶命し、大量の出血が地面にしみている。負傷者はすべて貫通銃創で、肺の上部や大腿部《だいたいぶ》に傷があり、至近距離からの銃撃である。応急手当のあと、ビルーエン病院に搬送するように命じる。死体は、一応出血を潔《きよ》め、繃帯を施し、家人に渡すことにして現場の仕事を終えた。

警察署に寄って事情を聞くと、直接の動機となったのは、前夜駐屯部隊の一兵士が暑さのために兵舎を抜け出し、軍靴《ぐんぐつ》のまま礼拝堂の板敷に上がり込んだことだった。兵士はしばらく涼をとったあと兵舎に帰った。その直後、村民たちが口々にコーランの言葉を唱えながら、兵舎を襲ってパランで切りつけていた。涼んでいるところを村人のひとりに目撃されていたのだ。

夜目の利《き》くアチェ人のパランが、多数の兵士の首や肩、胸におろされ、重傷者と即死者が出た。非常呼集によって隣の兵舎から応援兵が駆けつけ、パランに対して銃撃戦になった。

コーランの言葉に酔ったアチェ人は、貫通銃創を負ったにもかかわらず、十メートルや二十メートルは平気でパランをかざして進んだという。それが兵士の負傷者を増した。

私たちが駆けつけたのは、乱闘騒ぎは一段落し、兵隊が全部後退したあとだった。代わりに急行した憲兵隊が村人たちを囲み、睨《にら》み合いの最中だったのだ。赤十字マークをつけた私たちが中にはいり、村人たちの逆上がやわらいだのだろう。ビルーエン病院収容の負傷者は二日後、三人とも死亡の転帰をとった。

西南太平洋の日本軍の旗色は昭和十九年以降、陸海ともにいよいよ不利になりつつあった。連合艦隊司令長官山本五十六《やまもといそろく》大将が戦死したのが前年の四月であり、後任の古賀峯一《こがみねいち》大将も、十九年三月末、フィリピンのダバオへ退避飛行中に行方不明になり、搭乗機は撃墜されたものとみなされた。

ウェー島に設けられた海軍第九特別根拠地隊が、敵艦上爆撃機八十五機によって空襲されたのは四月下旬だった。ウェー島沖のインド洋上に現れた敵空母二隻《せき》と駆逐艦四隻からの攻撃と判明した。同島の重油タンクは被爆炎上し、その黒煙は二十キロ離れたスマトラ北端のオレレ港からも望見された。

この日私は、コタラジャ憲兵隊の軍曹と共に無蓋《むがい》フォードに乗って、コタラジャ郊外に住む現地人要人の診察に出かけていた。憲兵隊の要請だった。アチェホテル裏の宮兵団進駐記念碑近くまで来たとき、道を歩く現地人がみんな跳びはねるように道の両側の溝にかがみ込むのを目撃した。空襲だと気がついたときは、コタラジャ停車場前の広場に着いていた。駅前にいる人だかりがサロンをひるがえして、逃げまどう。

私と憲兵軍曹も車を乗り捨て、駅前の大木の根元に入り込む。大木は枝が天上を隠すように繁《しげ》っていたが、敵機の方角を見計らい、大木の周りを軍曹と二人でぐるぐる回る。機銃の弾が舗道にあたって砂煙をたてる。敵機が去るまでの十分間が、一時間にも感じられた。

ようやく敵機が去ったあと、駅前で人が騒ぎ出す。人だかりの真中で、屋台の主人が大腿に機銃を受けて唸《うな》っていた。つい先刻、私と軍曹に向かって、「ここへ、屋台の下に来なさい」と叫んでくれた男だった。

要人の往診は諦《あきら》めるしかない。屋台の男に応急処置を施してから、私たちは急いで車で病院に戻り、軍曹は憲兵隊に帰って行った。

病院の入院患者にとっても、これは初めての空襲だった。半年前、各病棟前には防《ぼう》空壕《くうごう》が掘られていたが、一度も使用していない。蛇の棲家《すみか》になってはいないか職員同士話していたところだったのだ。病棟を見回してみると空っぽだ。全員が防空壕に避難しているのだろう。

下腿潰瘍《かいよう》からくる下腿骨折で一週間前両脚を切断していた患者も、寝台の上から消えていた。ところが、「ドクトル、ドクトル」とその寝台の下から声がする。この患者が、空襲下の病院に残った唯一《ゆいいつ》の強者《つわもの》だった。

「ジャンガン、マティラー！（死ぬなよ）」

私が励ますと、患者は白い歯を見せてニッと笑ってみせた。

この日コタラジャでは、二人の軽傷者と、大腿貫通銃創の屋台店主が被害を受けたのみだった。夕方には王城の町も平穏に戻り、午後八時には南洋特有の涼風とともに、映画館も茶館も店を開いた。鈴を鳴らしたサドが、華僑の娘やインドネシア人の婦人を乗せて街を走り、優雅なサロン姿の男女のそぞろ歩きが見られるようになった。

コタラジャへの空襲は、ウェー島を襲ったついでの敵機三機による威嚇《いかく》射撃だったと、軍政部は発表した。

この頃既に、日本海軍にとっては住むに艦船なく、陸軍将兵にとっては帰るに船舶なき状況になっていた。そのため、軍も軍属も防衛作戦のための準備に大童《おおわらわ》だった。

敵は、英印軍総司令部があるニューデリーから、朝な夕なに日本語で海外放送を流す。

「日本の将兵のみなさん。みなさんは闘わざる捕虜です。怪我《けが》をしないで無事に帰るのを、内地の家族は待っています」

こんな放送には耳を塞《ふさ》いで、北スマトラ防衛軍は三ヵ所に飛行場建設を始めていた。ひとつは海軍の第百一施設部隊を主軸として、コタラジャの北東海岸から二十キロにあるブランビンタンの村落、第二は陸軍側が北アチェの商業中心地ビルーエンの二キロ西方トッピンマネーの平原、三つ目は西アチェの州都ムラボウ近くのトルモン村落だ。所用地の田畑、椰子《やし》畑を強制収用し、労働力は陸軍が徴用したジャワ島からの苦《クー》力《リー》に求めた。

まずトッピンマネーの山側一帯に苦力小屋が建設され、五千名の苦力を移住させた。苦力の衛生管理は軍政側の責任となり、コタラジャ病院の私がその長に任命された。

おそらく苦力の三分の一はマラリア罹患者《りかんしゃ》であり、再発・新患者発生を考慮すれば、毎日百名近い発病者を計算に入れなければならない。その他にもアメーバ赤痢《せきり》や胸部疾患も含めて、約十パーセントの患者に対する薬剤の貯蔵と配給を考慮しておく必要がある。私は病院から、マラリア・マントリーと外科マントリーを週交替で派遣することにした。

ところがドクトル・マヨージンが、意外な情報を私にもたらした。それは、飛行場予定地が平地であるにもかかわらずこれまで村落が一切なく、住民に放置されてきた理由だった。

この地は、乾期では一面の緑地帯で放牧地になっているが、雨期には深さ一メートルの池になると言う。また以前この一帯では雨期に悪性マラリアの発生が猖獗《しょうけつ》を極めたことがあり、もともとあった三つの村落を山側に強制移住させた経緯があった。

陸軍の参謀は乾期に飛行機を飛ばし、空からの偵察でこの地を選定したのだろう。果たしてドクトル・マヨージンの警告どおり、工事開始と同時に雨期がやってきた。道路という道路は長靴《ちょうか》を没する泥土《でいど》と化した。起重機も掘削機もなく、つるはしとモッコのみの苦力人海戦術は頓挫《とんざ》し、見渡す限りの泥沼になった。

作業のない苦力たちは、喧嘩《けんか》をして怪我《けが》が絶えない。おまけに私が全く予想しなかった疾患が流行の兆《きざ》しを見せた。淋病《りんびょう》である。

五千名の苦力の食事の世話をするために百名のジャワ女性の賄婦《まかないふ》がついて来ていた。ところがこの女性たちが、苦力の性欲のはけ口となったのだ。

賄婦たちから次から次に淋病が広がった。苦力の淋病退治に、貴重な二基サルファ剤アルバジルを湯水のように使うわけにはいかない。ましてプロントジルを配布するわけにはいかない。

しかしよくしたもので、苦力がマラリアやデング熱で高熱を出すたびに、淋病菌も自然に死滅して治癒《ちゆ》していった。淋菌は高熱に弱いのだ。私の悪戦苦闘も半年あまりで終了した。

飛行場建設のために、陸軍から中尉《ちゆうい》以下五名の下士官が派遣されていた。いずれも土木関係の出身者のようで、指示も的確だ。苦力を督励し、カンテラを灯して日夜工事を進める。平地の周辺に、幅一メートル深さ一メートルの溝を突貫工事で何本も掘り、排水に成功した。

乾土となった所を砂利と砕石で埋め固め、芝生も配して、千八百メートルの滑走路と四つの退避壕を完成させた。苦力も賄婦もジャワに帰り、飛行場は日本軍機の飛来を待つばかりになった。

ところが完成後の飛行場には、一機の飛来もない。数ヵ月後、ビルーエン病院のマントリーから、退避壕には木製の単葉飛行機が、脚もつけずにお飾りとして放置されたままだと聞かされた。

海軍側が建設したブランビンタン飛行場も、海軍兵士や現地人のマラリアその他の病気による犠牲者を出して完成した。そこに友軍機が飛来したのはたったの一回らしかった。戦局はもはや決定的になりつつあると私は感じた。

第三のトルモン村落における飛行場は、作戦変更によって中止された。

飛行場用地の土地買収には軍票が使われた。一平米あたり十四銭であり、土地成金が一夜にして出現した。数千円、数万円の軍票を手に入れた農民や村長、郡長は、札束を南京袋《なんきんぶくろ》に入れ、盗難を警戒して毎夜抱いて眠っているという。

北スマトラの七月は、乾期のなかでも最もさわやかで、特に朝は心地よい。十九年七月下旬の朝八時過ぎ、コタラジャ地区に空襲警報が鳴り渡った。病院では出勤したばかりの職員たちも右往左往するばかりだった。そして午前九時、私は軍政部長官の電話を受けた。直ちにウェー島のサバンに急行し、現地の被害を調査して復命せよとの命令だった。

ウェー島は先の四月にも大空襲を受けていたが、今回はそれにも増す英蘭軍の海上からの攻撃らしい。島には海軍の九特根の兵士三千名と陸軍の第五百部隊がいた。海対陸の激戦の砲撃音は、海岸に立てば聞こえるに違いない。

私は敵艦船の退避を待って、飛行機で直行することにした。もたもたしていると敵艦隊機動部隊は反転して再来襲するやもしれない。ことは瞬時を争う。

ロンガ海軍飛行場に急ぐ。オレレ港へ五キロの地点でラバ河のはね橋を渡り、ロンガ村に入る。飛行場にはメダンからの中型爆撃機が着いていた。サバン行きは私ひとりで、サバン飛行場に着陸できるかは不明だ。飛行時間は十五分だという。

ロンガ飛行場を飛び立って、コタラジャを右に眺めてウェー島の上空にさしかかったとき、双発機の右の発動機が突然停止してしまった。

「反転して陸地に向かいます。コタラジャ上空を高度四百メートルで旋回しながら、エンジンを修理します」

まだ二十歳そこそこと思われる整備兵が落ち着いて言う。「パラシュートを装備して下さい」

無雑作に渡されたパラシュートは、生まれて初めて見る代物《しろもの》だ。言われるとおりに、青色の厚いベルトに両脚を入れて締め、背にパラシュート袋を背負う。胸の前でベルトの止め金に帯を通して締め上げると、あとはもう飛び降りるだけになる。

私は水泳でも、二メートル以上の高さから飛び込んだことはない。せめて海上すれすれに不時着でもしてくれれば助かるかもしれない。数秒は躊躇《ちゆうちよ》したが、下腹に力を入れると少しは余裕が出た。機内を見渡すと、がらんとしている。胴体の底に木製の厚い簀《す》の子《こ》が張ってあるのみで、椅子《いす》もなければ身体《からだ》を支える横棒もない。こっちは両脚で踏ん張るしかない。胴体の両側には、数本の電線スチールパイプが機首から後尾に通っている。兵隊輸送時には、兵は腰をおろして向かい合いに坐《すわ》らせ、すし詰めにするらしかった。

小さな窓から外を見る。モスクが見え、コタラジャ河が白い帯のようになっている。コタラジャ病院の屋根には、赤十字のマークがくっきりと描かれている。自分の病院ながら、そんなマークがあるなど知らなかった。オランダは、戦争突入前に既に戦争準備をしていたのだ。

コタラジャ上空を旋回したのは三分足らずだろうか。エンジンの修理に成功したと整備兵が報告し、私に挙手の挨拶《あいさつ》をして一本の角瓶を差し出した。

「自分は飲めませんので差し上げます」

陸軍出身の私は知らなかったが、航空兵には酒保で特配があるとのことだ。コタラジャの酒保ではブランデーが一本四十円した。少尉任官の初任給が八十円だからその高価さはおして知るべしである。私はありがたくいただいた。

運がなければ、私とこの整備兵、操縦士の若い航空兵の三人は、共に命を失うところだった。

サバン飛行場は平穏であり、無事に着陸できた。角瓶を抱えた私は迎えのジープに乗って九特根司令部に出頭した。要件の伝達をした直後、再び敵機動部隊の艦砲射撃と空襲が再開された。飛行場到着があと十分遅れていれば、私の搭乗した爆撃機は無事でいられなかったはずだ。

この年の二月に着任したばかりの司令官の海軍少将は短軀《たんく》赤ら顔の温顔で、日露戦争の軍神広瀬中佐の甥《おい》だと聞かされた。

司令官の傍では、私の申告を気にも留めない態度で、若い参謀が黒猿の子供とたわむれていた。

敵艦隊の再攻撃で身動きできなくなった私は、町の視察を断念して、ひとまず海軍の防空壕に入れてもらう。一時間後、艦砲射撃のおさまったのを見届けて、町に出た。私にとってサバン出張は初めてだった。

ここサバンにあった南洋最大の精神病院がマレー半島に移転したあと、病院の建物は海軍の兵舎や偕楽園《かいらくえん》の慰安所となり、一部が海軍病院になっていた。この病院の院長は私と同じ千葉医大出身のK海軍軍医少佐だった。院長を訪ねたあと、軍政部の駐在機関長S氏を訪れた。

ウェー島は形が日本の佐渡島《さどがしま》に似ている。北にサバン港を包み、裏東方にバロハン湾をもつ火山島である。温泉も湧《わ》く。サバン港はスマトラ唯一《ゆいいつ》の自由貿易港として発達し、島民数は一万人を超える。

最も高い山がマーニアテ山でたかだか五百メートルであり、全島ジャングルで覆《おお》われていた。海岸はマングローブの樹林で縁取られ、周囲は比較的浅海になっている。島の所々に淡水湖が点在し、貯水池として島民に水を与えている。島民の自営自活のため、S機関長はジャングルを開拓して芋畑を作ろうとしていた。

街の商店街に出てみると、人っ子ひとり通っていない。椰子の木、街路樹も折れたり、根こそぎ倒れたりしていた。偕楽園も一部着弾で破壊されている。民家は大半が破壊され、住民の負傷者も出ていたが、海軍の軍医たちによって治療されていた。

ウェー島がインド洋上の一大要塞《ようさい》と化しているのが、村長の要請で付近の被害状況と必需品の調査をしている私にも理解できた。要所に対戦車壕や鉄条網が完備され、攻撃用の砲弾が地雷に転用されている。地下大退避壕には通信隊も入り、海岸や岬には対戦車砲台と機関銃座が構築を終わっていた。

　これは第百一施設部隊と陸戦隊が血と汗を絞っての成果であり、ジャングル内の人夫からは常時六百名のマラリア患者が発生したという。これらは海軍軍医の診療にゆだねられていた。

　私は華僑《かきょう》の好意で、兵站《へいたん》宿舎には泊まらず、彼の家に一泊する予定にしていた。しかし海軍参謀T中佐の従兵が私を迎えに来た。中佐は島内砲台の被害状況の調査に駆けまわり、司令部に戻ったところで、私の来島を知ったらしかった。中佐の宿舎に一泊するようにとの伝達を従兵は受けていた。

　T中佐とは奇《く》しき縁があり、タケンゴン農園病院でともに一週間過ごしたことがあった。北スマトラ視察中の海軍参謀がタケンゴンで発病し、入院したという知らせで、私がコタラジャ病院から出張したのだ。検査の結果、アメーバ赤痢と判明した。私はコタラジャの野戦病院への転院か、ウェー島への帰島を進言した。ところが参謀の海軍中佐は遠距離の旅を嫌い、私にタケンゴンで密《ひそ》かに治療してくれるよう依頼してきた。仕方なく私は病院にとどまり、一週間、午前午後二回にわたるリバノール稀釈液《きしゃくえき》の腸洗を続行し、栄養剤の静注を加えた。発病から十日で全治していた。爆撃下のサバン港での思いがけぬ再会を迎えることになった。

海軍側の情報では、敵機動部隊はアンダマンやニコバルの諸島近海を遊弋《ゆうよく》しており、再びウェー島にも来襲する恐れがあるらしい。そのため日本軍は三日間、船も飛行機も出さないという。コタラジャに帰るすべをなくした私にとって、T中佐の厚情はありがたかった。

中佐は痩軀《そうく》端麗の武人で、年齢は四十代半ばだろう、間もなく大佐昇進が近いと従兵から聞かされた。クリスチャンでありながら、毎朝午前四時に起床して静座すること一時間、やがて静かに日蓮宗《にちれんしゅう》の経典の一部の読経《どきょう》を始める。隣室に起居を許された私も、同時刻、無言無音のまま中佐の低い読経に耳を傾けた。

朝食のとき改めて読経のわけを訊《き》くと、戦争で多くの部下を失ったので、毎朝その冥福《めいふく》を祈っているとの返事だった。

三日後、私は他の十名の出張将校と共にサバン飛行場を発《た》ち、コタラジャに帰った。ロンガ飛行場では私ひとりが降り、爆撃機はメダンに向けて飛び立って行った。

病院からの迎えの車に乗って帰途のロンガ街道でスコールに遭った。歩いている現地人がサロンをたくしあげて走り、サドがあわてて幌《ほろ》を客の頭上に拡《ひろ》げている風景は、常と何ら変わらなかった。

年が明けて昭和二十年の四月上旬、私が勤める軍政病院も、隣の野戦病院も、第百一施設部隊の診療所も普段の診療を続けていた。午後二時、一大轟音《ごうおん》とともに震動が大地とコタラジャ市街の家屋を揺さぶった。

私はちょうど昼休みで宿舎に戻っていた。裏長屋から飛び出して来たバブーが「アパカ、トアン（何でしょう、旦那様《だんな》）」と不安気に尋ねてくる。私にも分かるはずがない。

ようやく一時間後、この大音響と地揺れは、街から十二キロ離れたオレレ港の桟橋に、敵の魚雷が衝突爆発したためと判明した。敵が狙《ねら》った停泊中の日本船がおんぼろの木造船だったので、貫通して桟橋に当たったのだ。

さらに驚愕《きょうがく》させられたことに、もう一発の大型魚雷が、オレレ港から二キロ離れたラバ河の河口にある砂浜にのし上がっているという、特警隊長Kからの知らせだった。

そこから三キロ先には海軍のロンガ飛行場があり、海軍の重要施設も付設されている。ロンガ村にも村民が五百人近く住んでいる。

一年半前までは、ウェー島のサバン飛行場を基地として、戦闘機と爆撃機合わせて四十数機の編隊が、南海の碧空《へきくう》を圧して雄姿を誇っていた。ロンガ飛行場も賑《にぎ》わいを見せていたが、今は一機もない。ただメダンとシンガポール往復の定期便零式《れいしき》輸送機が、物資や人材を運んで離着陸するにとどまっていた。この定期便は私もメダン出張の際には世話になっていた。

前年十九年の後半から一時姿を消していた英印蘭連合軍が、この年の春頃から再びインド洋の基地に戻って来ていた。マーシャル諸島やサイパン、グアムのあるマリアナ諸島、パラオ諸島、カロリン諸島、ニューギニアなどの南洋で戦闘勝利をおさめ、連合軍に余裕ができたためだと思われた。

海岸に打ち上げられた魚雷がいつ爆発するか。付近住民の不安はつのり、誰も近づかない。打ち寄せる波に、魚雷は砂浜をゴロゴロと転がる。十二キロ離れた桟橋の衝突爆破でも、コタラジャ市民に恐怖を与えた魚雷である。陸海軍いずれの部隊も処理に手を出さないまま、一週間が過ぎた。

この時期、日本軍は陸海ともに守り一方の軍隊になっていたが、近づく潜水艦や敵機に対して手をこまねいていたわけではない。魚雷攻撃前に、サバンの海軍第九特別根拠地隊所属の駆潜艇は、浮上した潜水艦と交戦して敗退させていた。またロンガ飛行場では、B24の空襲に高角砲が応戦し、一機を撃墜していた。捕虜となった搭乗員の携帯品の中から、ペニシリンと書かれた白粉末の外傷薬が見つかった。これが抗生物質で、戦傷に使用されていることが判明した。

打ち上げられた魚雷は、特警隊員によって昼夜監視されていた。この特別警察隊は軍政下の警察組織で、軍政部設立と同時に各地に組織されたものだ。

もちろん砂浜は水泳禁止になっていた。しかし数日もたつと解禁を待ちあぐねた子供たちが出て来て、魚雷に馬乗りになったり、上に寝そべって甲羅干しをするようになった。外殻の付属品やプロペラを、しきりに手で動かそうとしている少年もいる。

それを双眼鏡で見ていた特警隊のK隊長は、子供たちが去ったあと魚雷に近づき、英海軍のものであることを確認した。

K隊長は拓大出身で、満州生活のあとスマトラにやってきて、軍政部とのコネでアチェ地区、特に山岳地帯を受け持つ特警隊の長になっていた。痩《や》せて背の高い顔色の悪い男で、酒がはいらなければ聡明《そうめい》で忠実な、一本気の男だった。しかし酒がはいると長酒になり豹変《ひようへん》する。禁酒生活のアチェ人に言わせると、ギラ（狂人）となる性格だった。

K特警隊長と私は、赴任早々気があい昵懇《じつこん》の仲になっていた。宿舎に現れた彼から、私は思いがけない依頼を受けた。

「魚雷の専門家である海軍の魚雷調整班に依頼して、魚雷を分解してもらえませんか。このままでは、住民の不安はおさまりません。子供たちだけは無邪気に遊んでいますが」

申し出はもっともだが、そういう海軍との交渉は軍政部長官の仕事で、軍政病院の医師の任務ではない。

「魚雷を分解すれば中の火薬が入手できます。成功すれば、住民の日本海軍への信頼度もぐっと上がります。軍政部と海軍双方にとって利益があり、住民も喜ぶ、一石三鳥ですよ」

ますますK隊長の言うとおりで、反論しようがない。実を言えば、Kは私と魚雷調整班長M海軍大尉が顔見知りであることを知って依頼したのだ。M大尉と私が知り合うきっかけになったのは慰安所だった。

私の宿舎は旧蘭軍軍医少佐の家で、宿舎の裏口から出ると、広い芝生を横切って病院に続く舗道に出る。芝生には大樹が所々に繁《しげ》って日陰をつくり、夜間にはトッケーが出て野ネズミや蛇を捕食する。芝生は広い馬場にもなり、私は軍馬不適とされた白馬を貰《もら》い受けて飼っていた。馬の世話人には、開戦で失業した元ジョッキーのインド人を雇った。

舗道を百メートル行った所に旧蘭軍兵舎が並び、そこが慰安所になっていた。広東《カントン》生まれの朝鮮人が軍の委託経営者で、週末の午後から夕晩にかけて、嬌声《きょうせい》が私の宿舎まで聞こえたりもした。慰安婦はジャワまたはミナンカバウ出身か、華僑あるいは朝鮮人であり、三十名近くいた。華僑の女性はペナン生まれ、朝鮮人女性も広東生まれで、祖国を知らない。

毎週金曜日が検黴日《けんばいび》で、軍政病院の担当になっている関係上、私の署名がなければ営業できない。風紀取り締まりには、憲兵隊があたっていた。

ある日、宿舎近くで四、五名の日本兵たちの言い争う声がし、程なくひとりの水兵が裏口から飛び込んで来た。驚いたジョンゴースが、大声で中庭から叫ぶ。

「トアン、スルダドゥ、ニッポン、ダタン（旦那様、日本兵がはいって来ました）」

出てみると海軍兵曹だ。言い分を聞くと、慰安所の入口で陸軍兵五名と行き交ったという。「海軍、敬礼せよ」と胸ぐらを摑《つか》まれ、言い合いのうち、陸軍式の横ビンタが水兵に飛んできた。

喧嘩《けんか》は一瞬で、五名の陸軍兵は水兵ひとりに殴られ、芝生の上に大の字に伸びてしまった。相手は一軍曹と四名の一等兵だった。

海軍兵曹のほうは、陸戦隊出身でウェルター級の元プロボクサーだった。戦前はサイゴン、バンコク、シンガポール、マニラに遠征興行もしたくらいだから、素人《しろうと》なら一発で倒せる。

「申し訳ないですが、憲兵が来てのごたごたは嫌ですから、ほとぼりが冷めるまで休ませて下さい」

懇願されてかくまってやった彼が、魚雷調整班の隊員だったのだ。その件で部下を引き受けに来た隊長のM大尉とも知り合い、以来、調整班の隊員がコタラジャに出てくるたび、私の宿舎でひと休みするようになった。M大尉は私よりも二歳若かったが、礼儀正しく冷静で、どこか大人びた風格を備えていた。

ある日曜日、私は調整班に招かれてロンガ海岸の岩場に漁に出かけた。隊員はお手のものの手榴弾《しゅりゅうだん》を岩と岩の間に投げ込んで、魚が浮いたところを手捕りにする。二メートル近い大なまずが苦しまぎれに空中に飛び上がったりして、豪快な漁だった。このときも隊員たちの達者な泳ぎに感心した。さすが海軍である。

この日の帰りがけ、浜に立って双眼鏡で監視をしていたM隊長が、沖で遊泳中の三名の隊員の様子がただ事ではないと気がついた。砂浜にいた兵三名と私は海に向かう。幸い近くに電信隊が来ていて、竹梯子《たけばしご》を借りて沖に泳ぎ出た。このとき梯子を運ぶ隊員たちの泳ぎは日本泳法で、実戦向きだとまた感心させられた。

現場では、兵曹ひとりがこむら返りを起こしており、水兵二人に助けられていた。さっそく竹梯子に乗せて岸辺に泳ぎつく。熱砂の浜に寝かせて、私が人工呼吸と筋肉マッサージを加えると、兵曹は息を吹き返した。海水にはいる一時間前、彼らはボール遊びをしていたという。陸上運動直後の水泳は厳禁である。

こうしたことから、私と魚雷調整班とは益々《ますます》親密になった。

隊長のM大尉は海軍兵学校出身で、もとは霞ヶ浦《かすみうら》航空隊で鍛えられた航空士官である。魚雷調整班は連合艦隊司令長官の直属部隊だったが、昭和十九年五月横須賀《よこすか》航空隊内に編成された。その第三十二班が七月北スマトラの北端ロンガに駐留したのだ。

ロンガ村の村長の屋敷をそっくり接収して、納屋《なや》は魚雷格納庫に、家畜小屋は修理工場にして、三十名の隊員用の宿舎が新設された。そして裏山の自然洞穴が火薬庫として使用された。至便な場所で、ロンガ飛行場までわずか二キロ、コタラジャ市街まで十五キロの距離にある。

飛行場に飛来する爆撃機もなく、海軍艦船もスマトラに姿を見せなくなった十九年十月以降も、隊員の訓練は続けられた。一部の火薬は臨戦用のための手榴弾や、飛行機搭載をはずされた七・七ミリ機銃の弾の製造にまわされた。

魚雷発射訓練も、M隊長の厚意で見学させてもらった。起爆信管を抜いた全長五メートルの大型魚雷が、標的舟の下を潜航する。M隊長と私はその標的舟に乗って潜航跡を観測する。通常の圧搾《あっさく》空気魚雷は白泡の一条の航跡を残すが、海軍が開発した圧搾酸素魚雷は航跡を全く残さない。航空廠《こうくうしょう》工場で酸素を製造している理由がこれで理解できた。

このロンガの工場では、九三式魚雷が数本、いつでも使用できるようにピカピカに磨かれて運搬台に準備されていた。雷径六十一センチ、重量二千七百キロの大型魚雷は艦艇用として用いられているという。水中に投下されたあとは四十八ノットで推進する。射程距離は二万メートルで、炸薬量《さくやくりょう》は四百九十キロである。

調整班の兵士食堂で食事をすませたあと、下士官たちから魚雷の発射後の作動について説明を受けた。

水中に投下された魚雷は、体外側のくぼみに装置された弁が、水圧で逆方向に向きを変える。弁に接続して内側を走る電線をスイッチして圧搾酸素室の弁が開き、後尾の推進プロペラを回転させる。同時に、側溝に設置された方向調整弁が、内蔵のジャイロスコープを作動させる。プロペラを圧《お》し回す原動力が酸素ガスなので、海水に溶解吸収されるため航跡を残さない。

他方、魚雷頭部が水中に投下された際、水圧衝撃で外側の小窓に付着した弁が逆転する。これに連なる内側電線がスイッチされて、後部の電源が作動する。電源の蓄電池からの電線は、ひとつは自動起爆用自動時計に、もうひとつは起爆信管に通じている。時計の針は投下と同時に作動し、魚雷の潜航距離が最大限に達したとき、三百六十度回転して起爆点に達する。この点から信管への電流が流れ、自動的に爆発する。

この信管への本道の電線は、途中の中間スイッチでひとまずオフになっている。魚雷が目的物と衝突する衝撃で、頭部内部の電気装置を作動させ、中間スイッチがオンになる。この瞬間、電流が信管に流れるというわけである。

まさに精密器械の魚雷が、日本軍の飛行機も艦船も潜水艦もない現在のインド洋では、飾り物に化そうとしていた。

魚雷調整班は三十名の小部隊である。隊員中の現役はM隊長ほか少数で、大半は再召集兵だ。従って年齢は二十代、三十代とまちまちだった。交友を深めるにつれ、同じ日本兵でありながら、海軍が陸軍とは異質である印象を受けた。個々人がやわらかい礼儀で所作行動しているのは、船という狭い環境の中で訓育されたためだろう。冗談をとばし合いながらも、各自の人格に一線を保ちつつ日常生活を営む。全員が長髪に整髪し、よく手入れしていて清潔感を与える。魚雷や火薬庫という危険物を身辺にして、日夜整備に努める男の集団が、予想外に温和なのに私は感銘を受けた。

隊員中ただひとり、波間でこむら返りを起こした兵曹だけが頭髪を剃《そ》り、数十本の頭髪を長くして撚《よ》り、お下げにしていた。しかも伸ばした口髭《くちひげ》の右半分がきれいに剃られている。理由を訊《き》くと「自己反省のためです」と答える。隊長も元プロボクサーの兵曹も、他の者もにやにや笑っている。こういうおどけ者を中心に、血気盛んな男世帯が上下の確執もなく暮らすコツは、海軍のほうが何枚も上手のようだった。

特警隊長Kから魚雷処理を依頼された私は、熟考した。軍政病院の医師である私が、敵の魚雷の処理について、口も手も出す筋合いなどない。またその権限もない。しかし、魚雷が地上で爆発したときの人的被害を予防するのは、やはり医師の責務ではある。

熟慮の挙句、私は十五キロ離れたロンガに出向いた。こちらの依頼を黙って聞いていたM大尉は、私が遠慮がちに言い終えると深く頷《うなず》いた。

「分かりました。専門士官一名、下士官五名を明日午後二時出発させます」

ほとんど即決だった。これも魚雷調整班の所属が横須賀航空隊であり、面倒臭い上層部の判断を仰ぐ必要がないからだろう。この決断に、一線の指揮官とはかくありたいものだと、私は感激とともに全幅の敬意を表した。

コタラジャに戻って、特警隊長のKを呼び出して打ち合わせをした。Kも大喜びで、その夜から直ちに、魚雷の周辺五百メートルを囲んで特警隊の歩哨《ほしょう》が立った。分解作業に失敗すれば、魚雷専門家六名の命を犠牲にし、ロンガ村にも、魚雷調整班やロンガ海軍飛行場守備隊、オレレ港湾村落民、遠くはコタラジャ市街にも被害が出るのは必至だ。

私とKは、せめてもの誠意として、この危険な分解に立ち会うことにした。二人がいわば軍政側の魚雷分解立会人になった。

午後二時は、酷暑である。商店など正午から四時まで閉店するくらいだ。

海岸の魚雷はかんかん照りの中に放置されていた。分解作業班長に任命されたI少尉はこの道の専門家であり、従う五名の下士官の中には、例の元プロボクサーや溺《おぼ》れかけた兵曹も混じっていた。いずれも海軍式訓練で、体力と技術と精神力を身につけた者ばかりに違いない。

六名は分解用具や微量電流測定器を車からおろして、魚雷に近づく。遮蔽《しゃへい》物は何ひとつない海岸は、砂地からの陽光の反射で目がくらむ。

「日本の魚雷と外形が同じだから、機内の電気配線や作動方式のつくりも同じのはずだ」

I少尉が静かな声で部下に伝えたあと、分解作業が開始された。誰もが無言であり、ほどなく汗がにじみ出し、胸板を流れる。潮波が岸辺に砕けては去る音だけが耳を打つ。I少尉がドライバーを手にしたとき、私の耳にはその波の音も聞こえなくなった。

無人、無音の境地だ。

二十ミリくらいの大型四つ目ネジは、日本製ドライバーでは溝が浅くて力を発揮できず、錆《さび》ついたネジを回せない。少尉は全身の力をこめて最大有効に試みる。起爆信管と電気装置との連結は微妙であるはずで、発火装置にはいささかの衝撃も許されない。ハンマーで叩《たた》きたい衝動にかられるが、それは不可能だ。

ジリジリと日照りは厳しい。無言のまま一時間が経過する。それでもまだ一本のネジも動かない。起爆信管と電流源である蓄電池とはどのような連結になっているのか、素人の私は頭の中で夢想するだけだ。

少尉も五名の下士官も、恐るべき忍耐力の持ち主だった。さらに半時間経《た》ったが、誰ひとり声を出す者はいない。日照りの中、汗も乾ききって皮膚は塩を吹いている。ただ額だけに汗がにじみ出る。

ついに回った。一回のハンマーの衝撃を与えることなしに、ただ無言の腕力だけで錆ついたネジが回った。これで分解を進めるめどがつく。期せずして小休止となった。

それまで固唾《かたず》をのんで凝視していたK特警隊長が、無言のまま近くの椰子《やし》林に去った。隊員に経過を告げに行ったのだが、戻っての報告では、村民数名が椰子の木かげにひそんで見守っているという。

午後四時、再び分解作業にはいる。一枚の円蓋《えんがい》が外殻から見事にはずされる。雷径七十センチ、全長五メートルの大型魚雷は、英国リバプール製と刻まれていた。一九三九年製造である。はずした厚さ三十ミリの円蓋はステンレス製と思われ、内側に銅板が張りつけられていた。

真鍮《しんちゆう》らしい第二の円蓋は比較的容易にはずれた。すると眼前に、恐るべき起爆信管と、それに並んで電流源の蓄電池が現れる。同時に、自動起爆用自動時計も見えた。針は三百六十度回って、起爆点にぴったり重なっている。本来なら爆発しているのが当然である。それが爆発しなかったということは、電流が起爆点で切断されているということを意味する。そう判断したI少尉と隊員は、ますます電流源と信管の間の電線の取り扱いに慎重に、そして真剣になっていく。

私もKも、六人の一挙手一投足をじっと見守るだけだ。針一本の落下する音も、線香の燃える音も、心眼を開くと聴こえると説いた禅僧の話を思い出す。

少尉以下隊員たちは、信管と電流源との間の電線を静かにゆっくり、そして正確に辿《たど》っていく。やがて信管の十一の締めネジのひとつに緑青《ろくしよう》を見出《みいだ》した。I少尉の額に、またも汗がにじみ出す。下士官のひとりが少尉の汗をぬぐう。汗が電線の上に落ちて電流を誘導しないとも限らない。正に真剣勝負の正念場だ。ボルトがゆるめられた一瞬、さっと連結電線が引き抜かれた。成功だった。

最初に蓄電池がはずされて、外に引き出される。二番目に信管が、そっといたわるように引き抜かれ、Ｉ少尉の両腕に抱えられる。径十五センチ、長さ五十センチの銅管に起爆薬が詰まっていた。

「先生、分解は終わりました」

Ｉ少尉の口から初めて声が発せられた。作業開始から四時間半が経過していた。焼けつく日照りの砂浜で、立ちづめで一分一厘《りん》の誤差も許されない作業を終えた六名は、心身の疲労も見せず、成功の誇りを口にするでもない。黙々と道具を収納箱に整理し、宿舎への帰路の準備をする。

特警隊長Ｋは急ぎ監視兵を集め、今は全くの亡骸《なきがら》となった魚雷をトラックに積み上げさせる。魚雷調整班に運搬する間も、信管はＩ少尉の手から離されなかった。

調整班でのＭ隊長への復命も簡単で、日常作業の報告に似たものだった。これが命を賭《と》した作業の終了後の応対かと思う反面、Ｉ少尉の謙虚にして功を誇らない態度に、私は心中で深く頭を下げた。

火薬は一部を調整班に残し、外殻とともに特警隊が貰《もら》い受けた。内部に詰められた火薬はカチカチに充満していた。Ｋはこれを少しずつ取り出し、迫撃砲に使う心づもりらしかった。

それから一週間後、英印蘭連合軍の機動部隊は、コタラジャに向けて空襲と艦砲射撃を浴びせて来た。コタラジャ地区防衛隊は、敵の上陸企図を想定して出動した。

情報では、十キロ先のオレレ海岸に集中射撃を加えたあと、ロンガ海軍飛行場とオレレ港の中間海岸に、上陸する公算が強いと伝えられた。そこで防衛隊の第一線は、オレレ港とコタラジャの街の中間に進出して、重機関銃部隊がオレレ街道を封鎖した。その後方一キロの地点には、軽機装備の歩兵部隊が掩蔽壕《えんぺいごう》に散開して防禦陣《ぼうぎょじん》を敷く。数門の山砲も配置を終え、敵の上陸を待つばかりになった。

軍政部に入った情報によって、オレレ港および海岸村落に、砲弾炸裂《さくれつ》による負傷者が多数発生したと分かった。放置すれば民心の不安を招く。速やかに負傷者の救護収容を要することになり、軍政病院の私に出動命令が出た。コタラジャ病院に配備されている救急用バスに、一切の緊急用具を積み、外科マントリーを帯同して出発した。病院の周辺は平穏で、患者待ちのサドが数台とめられ、馬も馭者《ぎょしゃ》も昼寝をしている。

オレレ街道に出たとたん、敵機動部隊からの砲弾が左右の田畑や椰子林に落下して炸裂した。バスの頭上遥《はる》かに高く、金属音を響かせて飛んで行く。しかしなぜか街道や村中には一発も落下しない。街道には人ひとり通っていない。十キロにわたって続く熱帯樹の並木が天を衝《つ》き、日光を静かに遮っている。

バスを停止させた第一線の重機関銃隊の指揮官が、緊張した面持ちで近づく。私は出動の目的を説明した。

「これから先は危険だ。引き返してはどうか」

しきりと止めにかかったが、現地人の救助は軍隊には関係がない。指揮官は、半袖《はんそで》半ズボン、腰にコルト銃だけの私の服装にもあきれ顔だった。

港の入口三キロの所に入江があり、橋を渡るとオレレ港になる。港の岸壁に立って、左の岬の先のブルエー島とブナス島の裾《すそ》を洗う白波を眺める。二十キロ先のウェー島も見える。平時はオレレ港とウェー島のバロハン湾の間、あるいは島を回って反対側のサバン港との間に一日二回の定期便が出る。バロハン湾までは二時間半、サバン港までは八時間かかる。

海岸防波堤の内側に村落の礼拝堂があり、村民が皆パランを握って集まっていた。負傷者が礼拝堂の日陰に寝かされている。

「トアン・ドクトル、ダタン（お医者さんが来てくれた）」

赤十字マークを見て村民が喜ぶ。三人の外科マントリーの迅速な手当で、負傷者は頭部を繃帯《ほうたい》巻きにされたり、腕を三角巾《さんかくきん》で吊《つ》られたりした。死者はいない。艦砲弾は依然として頭上を越し、街の方角に飛んで行く。

しかしなぜか街の被弾報告も皆無である。砲弾は五発に一発、赤光《しゃっこう》を空中に残して背後の山に落下する。どうやら夜間の命中を観測するための射撃のようだ。これが威《い》嚇《かく》射撃であったことは、病院に帰ってのち、夕方になって軍政部から知らされた。同日以降、現地人は複雑な感情で日本軍を見るようになった。

この頃、私たちにとって短波の受信は必須《ひっす》の仕事になっていた。特にニューデリー放送を正確にキャッチすることで、心構えなり行動の指針がついた。もともと短波の受信は、海軍では日常の重要な任務であるのに対し、陸軍では特殊通信隊のみが扱い、局地軍隊や軍政要員には禁止されていた。

スマトラを含む南洋一帯は、戦前は海外各国の流す短波をキャッチすべく、一般家庭のラジオはすべて短波つきだった。しかし日本軍が進駐して以来、日本の憲兵隊の監視下、一切の市場ラジオは短波用コンデンサーやコイルの切断除去を強制された。家庭用のラジオも検査され、同様の処置がとられた。その代わり、パダンとメダン、コタラジャに局地放送局を軍命で開設し、民衆の娯楽の保持に努めた。

私の宿舎には、私が治療した華僑《かきょう》の米穀商から貰ったフィリップス製の電気蓄音機があった。付属の短波装置は既に破壊されていた。その後偶然にも病院にコタラジャ発電所の技師が胸部疾患で入院して来て、治療の返礼に電蓄を修理してくれると言う。

欠損コイルやコンデンサーが補修され、電蓄は元の短波受信の性能を回復した。

この電気技師は、私とは英語とドイツ語交じりで会話をし、ドクトル・マヨージンとはオランダ語で話していた。彼は轟々《ごうごう》と唸《うな》る発電ダイナモの陰で、イアホンで短波を聴取していた。特にニューデリーの英語放送の内容を逐一知っていたのには驚嘆した。一般家庭の知識人の家ではみなこうで、この種の短波傍受盗聴は常識だと言う。全く知らないのは日本陸軍と軍政部だけだったのだ。

ニューデリー放送を正確に理解するには、私の英語能力では不充分なので、英語の達者な軍政要員を捜し、二人見つけた。ひとりは鉄道学校出身だが独学で英語通訳の資格をとった五十歳前後の報道部長、もうひとりは米国生まれの二世で三十代半ばの報道課長だ。こうやって私たちは昭和二十年五月八日のドイツ軍無条件降伏、六月二十三日の沖縄での日本軍全滅を知った。

最初私の短波受信に不快を示していたコタラジャ憲兵分隊長のH憲兵大尉《たいい》も、戦況の重大変化に無知でいる愚を覚《さと》り、憲兵軍曹に命じてニュースの内容を聴取に来るようになった。

七月二十六日、連合軍のポツダム宣言のニュースがはいった。この日、東アチェ州の農園都市ランサで、突然美しく着飾った華僑の娘たちの市中デモが始まり、駐屯している日本兵を驚かせた。華僑たちはニューデリー放送をいち早く盗聴して、三年来の鬱憤《うっぷん》を晴らしたものと考えられた。

日本が敗《ま》けるというニュースは、驚くほど早くコタラジャ市民に伝わった。病院のドクトル・マヨージンやパダン人の薬剤部長など、かねてよりアチェ人に恐れをいだいている親蘭派は顔をくもらせ、敗戦後の身の振り方の不安を私に訴えてきた。こちらにも名案があるわけでもない。日本軍はアチェ人の反乱だけは許さないだろうから、安心してよいと答えるしかなかった。

他方でスマトラ方面軍は、七月中旬になって軍政総動員令を発令した。軍政要員と現地駐在一般邦人の軍事教練が開始された。アチェでは邦人四十名、軍政要員百五十名が順次召集を受けた。駐屯部隊の教育部隊に入隊させ、匍匐《ほふく》前進や潜入攻撃訓練を毎日繰り返させる。竹や棒の先に火薬の固まりを巻きつけ、戦車に体当たりし、キャタピラにそれを突き込んで爆破を試みる戦術が主だ。当人の身体も四散する捨て身の戦術であり、補充で現地入隊した新兵には、鉄のごぼう剣も鉄砲も配給されない。木剣を腰に吊るし、木銃をかついで市中を行進する姿が見られた。

もはや陸海軍は、敗戦時の最後の一戦に備え、海岸や椰子林の中に塹壕《ざんごう》を掘る土木部隊と化していた。短波放送で聴くニュースは、日本近海における連合軍の勝利ばかりを報じている。この頃陸軍の通信隊でも放送を聴くようになっていた。それによると、七月末から放送内容が変わったという。マレー半島方面の潜伏諜報《ちょうほう》部員への指令が全くなくなり、「戦争は終わった」とか「酒の特配をせよ」の平文《ひらぶん》電報になったらしかった。

八月六日広島に原爆が投下され、八日にソ連が対日参戦を宣言、翌日長崎にも第二の原爆が投下された。ドクトル・マヨージンは和蘭辞書を持って来て、「アトームボム」という単語を私に見せ、顔を曇らせた。

これを境に、軍政病院の雰囲気が変わり、華僑の患者から御世辞柔和の眼光が消えた。憐《あわ》れむような、時に蔑《さげす》むような、目つきになった。

特警隊長のKが私の宿舎の鎧戸《よろいど》を叩《たた》いたのは、その十日前の七月末の深夜だった。

「もう日本の敗戦は確実です。間もなく英蘭軍の上陸があり、アチェ人の暴動と独立戦が始まり、我々日本人もそれに巻き込まれます。我々の拠点となるのはグンパンの密林峡谷しかありません。実を言うと、特警隊では半年前に密林の中に兵舎を造っていました。今回、診療所を設営するので、先生に協力をお願いしたいのです」

「診療所って、何のための診療所だ」

「インドネシア独立軍のいわば兵站《へいたん》病院です」

Kの表情はあくまで真剣だ。何のことはない、私はいつの間にか、インドネシア独立軍のアチェ部隊の医療班長に予定されていた。私は迷った。しかし日本の敗戦が半ば確実になりつつある今、この国の独立に加担するのも悪くないと思った。軍医になったのも世の中の流れに沿ったものであり、軍政要員になったのも、半ば命令を受け入れただけのことだ。今度こそ、誰にも強要されない、私自身の選択になりそうだった。

まずは、そのグンパンの基地を検分してみたい気がした。私の返事にKは喜び、翌日の未明、フォードで迎えに来た。

コタラジャから二百キロのシグリを過ぎ、さらに二十キロ進んでラムロ村に着く。そこから山側に向けて二十キロ、タンセイ村に向かう。椰子林の間に、北スマトラ防衛隊の糧秣廠《りょうまつしょう》の倉庫が点々と見える。タンセイ村のはずれでシグリ河に別れを告げ、支流のグンパン川に沿い、峡谷にはいった。

道はここから山道となり、周囲には断崖《だんがい》絶壁が密林の中にそびえ、凸凹を見せている。壮大な眺望だ。山道を二十キロ辿《たど》ると最後の鉄橋にさしかかった。数年前、伐採木材の運搬用に建造されたものだとKが説明する。

「戦乱がこの地に波及すれば、爆破するつもりです。そうすればもう基地には容易に近づけません」

Kが言う。

橋を渡った所に、特警隊のトラックや車が停められていた。私たちもフォードをここで降り、急峻《きゆうしゆん》な山道を登る。私の息が上がり足が棒になる頃、砦《とりで》に着いた。

兵舎四棟が密林の中に点在し、斜面にはキャッサバの芋畑も、パパイアの林も植えられていた。五棟目も完成間近で、前に広場を有している。

「ここが診療所になります。既に、必需品の塩、砂糖、塩漬野菜、乾魚など、隊員の食料品を運び込んでいます」

Kは得意気に言った。

隊員の半数はインドネシア人である。言うなればインドネシア独立軍に、特警隊を幹部として招き、共に英印蘭連合軍と一戦を交え、独立を勝ち取ろうという計画なのだ。

隊員たちは、旧蘭軍のコタラジャ基地から、押収《おうしゆう》武器や弾薬を運び入れていた。海岸に放置された魚雷の火薬を迫撃砲に使いたいと言っていたKの意図を、私は思い出す。幹部隊員のアチェ人のひとりは、五十キロ弾丸を私の前で軽々と担《かつ》ぎ、斜面を登る。戦前サーカスで重量挙げの見世物に出ていたという。こうして私の〈グンパン砦〉視察の第一回は終わった。

八月十日、再びKが病院にやって来た。グンパンの診療所に、病院の外科マントリー二名を徴発したいと言う。病院職員の大部分は旧オランダ衛生隊出身であり、もともと本心から日本軍へ忠誠心を抱いているはずがなかった。しかしグンパン砦行きとなると、話は別である。

軍政部では昭和十八年の末以降、医療補助者養成所を開設していた。マラリア・マントリーとクリニック・マントリーの二種であり、修業年限は二年、資格はインドネシア人で中学卒業以上の十八歳から二十一歳とした。それぞれ定員の十名に対し、応募した生徒はすべてアチェ人だった。研修先はコタラジャ病院が選ばれていた。生徒たちは〈インドネシア・ムルデカ（インドネシア独立）〉を合言葉に勉強していた。

まだ修業年限の二年は終えていなかったが、私はその中から二名を抜擢《ばつてき》して特警隊に差し向けることを約束した。

「俺もあとから入山する」

私は言った。もう気持は定まっていた。インドネシアの独立に少しでも寄与できれば、私のスマトラ生活も多少は価値あるものになるような気がした。教え子のマントリー二人を送り出して、自分は知らん顔できるはずもない。

「本当ですか。ありがとうございます」

Kは小踊りして喜んだ。

コタラジャの内外は、不思議と不気味な静けさに沈んでいた。原住民も華僑も、そして日本の軍政部までが、何かを待ち受けるかのように穏やかだった。

八月十五日、日本は天皇の名において、終戦を宣言した。私はその宣言をコタラジャ病院で聞いた。覚悟していたことで、格別の感情も起こらなかった。隣の東海岸州では、第二十五軍や宮兵団があるメダン市で、翌十六日、終戦を告示した。そして同日、メダン市郊外のベラワン港に、蔣介石《しょうかいせき》の国府軍軍艦二隻《せき》が入港して錨《いかり》を投じた。メダン市中の華僑は、各戸口に青天白日旗を掲げて、祖国の軍艦の入港を祝った。

海軍基地として島全体が要塞《ようさい》化されていたウェー島では、十八日に司令官が全島の将兵に対して日本の無条件降伏を告示した。セイロン島のトリンコマリ基地を出航した英巡洋艦ロンドン号を旗艦とする三隻の英軍艦によって、三千五百名は十九日、サバン港を離れた。三十名の将兵のみがウェー島の明け渡しのため、折衝員として残った。

アチェ州では、軍政要員と邦人に終戦の詔勅が告げられたのは二十二日だった。翌二十三日に、現地人軍政職員と一般市民に発表した。軍政の停止とともに、各部署で一切の書類の焼却が始まった。

この時期、終戦宣言の直後から開始された連合軍による戦犯容疑者の逮捕が、いよいよ熱を帯びてきた。私がかつて視察した東海岸州のランタウパラパ捕虜収容所所長だった陸軍中佐は自決して果て、その衛生管理を任されていた軍医は、赤痢発生での死亡の責任をとらされて、メダン刑務所にて処刑されたとの報が届いた。

アチェ州軍政庁にも、何らかの容疑で邦人の逮捕者が出るのは必至だった。

戦犯狩りに同調するように、八月末から北スマトラ各地で暴動が起きはじめた。アチェ人と日本軍の間に、武器をめぐる戦闘が頻発した。ロンガ飛行場守備隊も暴徒と戦い、彼我に負傷者を出した。それではすまず、ロンガ村民に他の地区からの暴徒も加わり、その数は千名を超えたとの報がはいった。

村民の言い分はもっともだった。日本軍が強制収用した田畑、土地、椰子《やし》林の伐採に代償として与えた軍票が、今では三文の価値さえなくなっていた。その不平不満が日本軍の局地部隊に向かうのも道理だ。

ロンガ村近くにあったM大尉率いる魚雷調整班も、暴徒に取り囲まれた。それを知った特警隊長のKは、隊員を伴ってロンガ村長と対談した。魚雷調整班にはロンガ全体を吹き飛ばす威力のある地雷と魚雷が備蓄されているので、襲撃すれば村は壊滅し、女子供まで犠牲になると説明した。この威《おど》しで、住民は魚雷調整班への攻撃を断念した。

混乱のなか、私はひとまずグンパン砦《とりで》に居を移すことに決めた。ここで再び英印蘭軍の軍門に降《くだ》ってしまえば、スマトラは以前のオランダ統治に戻り、元の木阿弥《もくあみ》になってしまう。それよりは、残った余力でインドネシア独立軍に加担したかった。

グンパン入山の日を私は二十五日と決め、Kに連絡した。もちろん私が選んだクリニック・マントリー二名の同行も伝える。アチェ人のマントリー二人は私からグンパン行きの目的を聞かされ、二つ返事だった。

もうひとり軍政部のS獣医が賛同してくれた。SはK特警隊長と同年輩で、関東軍所属の満州軍用犬訓練所勤務を皮切りに、南方戦線進展とともに第二十五軍軍政部に転じ、産業部、タケンゴン駐在、ウェー島のサバン駐在と勤務地を変わり、八月にコタラジャに戻って来ていた。猛犬のシェパードが彼のひと声で起坐《きざ》、前進後退する様子や、巧みな乗馬姿を見て、さすがに満州出だと私は感心していた。

私たち四人とKは二十五日の夜、特警の幌《ほろ》をかぶせた大型トラックでコタラジャを発《た》った。猛烈な驟雨《しゅうう》と風で、街路樹が激しく揺れ動く。ヘッドライトに浮かび出る雨足だけが美しい。

サレー高原にさしかかる頃には雨風とも止《や》み、南洋特有の月光が冴《さ》えわたり、深夜にも草を食《は》む放牧の水牛の群が見えた。

シグリ河を渡る。シグリ市街も真夜中で眠っており、犬の遠吠《とおぼ》えも聞こえない。タンセイに向かう途中の軍の糧秣倉庫には歩哨《ほしょう》が立っていた。タンセイの村落を過ぎて、私たちは行く手をはばまれた。一週間ほど前、この山岳地帯を襲った地震のため、一キロにわたって山道が崩壊している。トラックを村落はずれの密林の中に乗り捨て、歩くことになった。

「離れずについてきて下さい」

頼りは全くK隊長のみだった。

崩れた斜面から地下水が吹き出し、あちこちで滝になっている。二抱えもある大木が至る所に倒れ、私たちは枝をつたって乗り越える。リュックが次第に重く肩に食い込む。涼しい夜の密林の道でも、汗がにじむ。大木の所々に特警の歩哨が銃を構えていた。

「近づく人間は、身分が判《わか》っても銃を向けて立つように訓練を徹底させています」

Kが言った。

急な山肌を登ってようやく兵舎に着く。私には二度目の登山だが、S獣医や二人のマントリーにとっては初めての砦入りであり、三人とも山城にふさわしい地形に驚いている。三百名の特警隊員は既に入山し、部署部署の仕事に従事していた。

翌日から、隊幹部とともに私たちは密林中の調査と演習に入った。千古不抜の密林は、深く入れば入るほど涼しく、青葉という青葉は湿っている。数百年来積もった落葉は人間の背丈以上に深く、低部は既に堆肥《たいひ》化していた。一度落葉の中に滑り込んだら、人間のひとりや二人は見失ってしまうに違いない。鹿《しか》が一頭飛び出て、落葉の堆積の中に消え去った。

所々の大樹に切り傷を作って目印にし、その根元に、余分の塩や砂糖を詰めた石油缶を埋める。

ようやく兵舎に戻ってみると、首や肩、ズボンの中、ゲートルの下の脛《すね》や股間《こかん》まで、数十匹の山蛭《やまびる》が食らいついていた。山蛭は血を吸って膨らんでいるが、これが容易にはがれない。

その後の密林入山でも、いかに厳重に身づくろいしても、山蛭の潜入を防げないことを思い知らされた。野獣も、山蛭と山蟻《やまあり》は嫌うという話は本当だったのだ。

この入山から四日後、私は突然発熱した。

全身の気怠《けだる》さとともに食欲不振がおこり、私は自分のポケット鏡で眼球結膜の黄染《おうせん》を発見した。密林での行軍中に受けた虫刺されから、伝染性肝炎になったのに違いない。治療薬はなく、マントリー二人もどうすることもできない。この日から私は密林の行軍に参加せず、一日中兵舎に横たわり、マントリー二人の世話を受ける身になった。退屈すると、大樹に吊るした人型板に拳銃《けんじゆう》を発射して憂《う》さをしのいだ。黄疸《おうだん》は進行するばかりだが、ここでは肝臓食も期待できない。南洋梅干しと乾魚、焼飯だけが私の食事になり、次第に痩《や》せてきた。

砦に来て二週間近くが経《た》ったある日、アチェ人隊員の歩哨が兵舎に駆け込み、日本人幹部に指示を仰いでいる。

「日本人が二人登山して来る。ボレ・パサンカ（撃ってもよいか）」

幹部隊員はK隊長に報告し、直ちに全山の隊員に緊急指示が飛んだ。KとS獣医、私の三人で合議し、私が麓《ふもと》の街道に下山して日本人二人を迎えることになった。場合によっては射殺するという決定を胸に、アチェ人幹部を二名伴って兵舎を出た。

幹部二人を後ろに従えて、私は道におり立った。

「いよう、先生、ぼくです」

私の姿を見て、遠くから大声で近づいて来るのは、軍政部員のMだった。東大法科出の新聞記者上がりで、軍政部員になってからパダン女性と結婚し、二人の子供をもうけていた。もうひとりも、顔は知っている軍政部員だ。

「タッ・ボレ・パサン（撃ってはならぬ）」

私は背後に控える隊員を制した。

「十五日の詔勅によって終戦が確定しました。スマトラにはもはや戦闘はありません。下山して軍政要員と共に内地帰還をして欲しい。これが軍政部長官からの伝言です」

二人を砦に案内し、その日は兵舎に泊まらせ、翌朝、隊員をつけてラムロまで見送らせた。二人には、数日中に下山するかどうかを決めると言い渡していた。

翌日、シグリに放っていた諜報《ちょうほう》部員からの報告を叩《たた》き台にして、特警隊員三百名の今後の去就を論議した。アチェ人幹部も議論に加わる。

「戦闘のない砦に閉じこもるより、下山して新たにインドネシア独立軍を編成し、その中心になるべきではないか」

このK隊長の意見が最後には大勢を占め、砦の閉鎖とともに下山が決定された。下山は九月十日と決まった。

塩や砂糖、衣類、弾薬、銃器は隊員が分担して運び、重い火器と砲弾は砦に保管し、今後の使用に備えた。地震で崩壊した斜面の道は、あっても無いに等しく、黄疸の癒《い》えない私は、ますます疲労に襲われる。隊員たちがリュックを交代で担いでくれた。山路の難所を乗り越し、一軒の農家の前で小休止する。密林に乗り捨てたトラックまではまだ遠い。喉《のど》が渇き、食事もしていないので、私の疲労はもう極限に近かった。

マントリーのひとりが家の中にはいり、何か話をしていたが、三十代の主婦らしいアチェ女性がパランを手にして現れた。無言で裏の砂糖きび畑に消え、しばらくして十数本の砂糖きびを抱えて戻って来た。それを全く無言のまま私たちの前に置き、家の中に戻った。裸足《はだし》で、洗いざらしのサロンが、人里離れた山中の農家の貧しさを表わしている。どこか輝いた眼差《まなざ》しの中に、彼女が日本軍の敗戦を知っているのが察知された。敗残兵を憐《あわ》れんで砂糖きびを恵んでくれたのだ。

「テレマカシ」と私たちは言うなり、口々にきびの茎を折って食らいつく。薄い甘味の汁が臓腑《ぞうふ》に沁《し》みる。

シグリの市街を通るときは、もう昼過ぎになっていた。道はまるでお祭り騒ぎのように、アチェ人と華僑《かきょう》が入り乱れて歩いている。誰もが柔和な顔をしていたが、トラックの上の私たちに怪訝《けげん》な、あるいは憐憫《れんびん》の眼を向けた。

サレーの高原に差しかかる。高原の頂上近くに山荘があり、かつては現地人の番人もいたが、今は無人だ。ここで昼食にした。わびしい食事だ。食欲が全くない。疲労だけが身体《からだ》に重くのしかかる。コタラジャまでまだ百キロの道のりがあった。

頂上を下り、谷間の道を辿《たど》る。両側から密林が迫っている。進んで行くと、バリバリという激しい音が中空を飛ぶ。山火事だった。前方に火の玉が飛ぶ。密林の大火事では、大樹の梢《こずえ》から梢へと弾丸のように火が飛ぶ。まず梢が焼け、根元の雑草に火が移るのはずっと遅れてからだ。

隊員の話では、このあたりの放牧地は毎年半分ずつ焼き、乾期に整理し、雨期に新芽の牧草を育てるという。飼われているのは水牛や乳牛、山羊《やぎ》である。しかし日本軍が進駐してから、野火は一切厳禁された。三年の間に家畜は次第に痩せて、農民の不平不満は爆発寸前になっていた。日本軍の敗戦で、牧草地への野火を一斉に放った結果の大火らしかった。

大火事の通過を二時間眺めたあと、ようやく道を進み抜けることができた。二週間不在にしたコタラジャの街は、予想に反して静かだった。軍政要員二百名と商社員五十名は、八月末に東海岸州のキサラン農園に出発していた。残務整理員と戦犯容疑者に指名された者、三十名ばかりが居残っていた。

私の黄疸は悪化の一途をたどっている。野戦病院は既になく、かといってかつての軍政病院に入院するのも二の足を踏む。私はひとり、旧兵站《へいたん》宿舎であったアチェホテルに行くことに決めた。

アチェホテルは、従業員が全員逃亡して無人と化していた。食器、蚊帳《かや》、マットに至るまで略奪にあっていた。もぬけの殻となった建物の北側の涼しい部屋に私は陣取った。ひょっとするとここが終《つい》の居場所になる気がした。

翌日、驚いたことに、私の滞在を聞きつけた華僑長の好意で、すべての必要品が石鹸《せっけん》に至るまで整えられた。その日の夕食から、華僑の女性が食事を交代で運んで来るようになった。三段の重箱に広東料理を詰め、肝臓食の貝類のスープが添えられている。果物も、私が到底食べきれないほど持参する。一日三食遅滞なくやって来て、私が食べ終わるまで付き添って世話をしてくれる。

病院からは、砦まで連れて行ったマントリーが、これも代わる代わる毎日顔を出す。加えて、今ではコタラジャ病院長になったドクトル・マヨージンが、多忙の合間をぬって毎夜やって来て、ドイツ語で情報を伝えてくれた。インドネシア独立軍にも派閥があり、主導権を争い出したから、アチェ動乱は避けられないだろうと暗い顔をする。

ホテル滞在のようやく五日目から体力が回復し、食欲が出て来た。助かったのだ。

ひと月後の十月中旬、私は健康体に戻り、アチェホテルを出て、ドクトル・マヨージンが口を利《き》いてくれた宿舎にはいった。そこで華僑が組織をあげて私を救ってくれた理由も知った。私が、華僑の第三敵性国家民扱いを、病院関係に限ってインドネシア人と平等にし、外来と入院も華僑組合の身分証明書でこと足りるようにしていたからだ。華僑長は瑞《ずい》氏から張《ちょう》氏に交代していたが、その事実が申し送られ、いわば私への恩返しだったのだ。

現地人の軍政部長官代理と、ドクトル・マヨージンの要請で、私は再びコタラジャ病院で外来患者を診るようになった。

この間にインドネシアは、独立に向けて大きく舵《かじ》を切っていた。独立宣言は八月十七日に出され、日本軍の武装解除は九月五日とされていた。ところがスマトラにおいては、英蘭軍は故意に武装解除を遅らせた。アチェ州でも東海岸州でも、独立を求める現地軍を、日本兵で鎮圧させる作戦に出たのだ。そのため対英蘭戦で流すべき血が、対インドネシア人戦で流される不幸事が続くことになる。スマトラではインドネシア軍は五千名に達した。東アチェ地区では、近衛《このえ》歩兵第三連隊のうち二個大隊が武器を略奪された。

アチェに連合軍が初めて降伏折衝要員を送り込んで来たのは、十月三日である。要員は、クノッテンベルトという蘭軍少佐で、サバン港からの帰路、オレレ港でアチェ人に取り囲まれた。護衛のオランダ兵とともに、コタラジャに戻るまで十二キロの道程で睨《にら》み合いが続いた。市内に着くなり宿舎に逃げ込んだ。オランダ人がコタラジャにはいったことは全アチェに知れ渡り、独立軍本部の兵士たちは「パサン、ムルデカ！（殺せ、独立だ！）」と口々に叫んだ。

十一月になると、アチェ人暴徒によるオレレ飛行場襲撃、ついでブランビンタン飛行場周辺における暴徒の集結が起こった。コタラジャは、一日として安閑とした生活が約束されることがなくなった。

これと前後して、連合軍の戦争犯罪者摘発がいよいよ厳しさを増し、メダンに蘭軍による軍事法廷が設置された。アチェで戦犯容疑の筆頭に指名されたのは、諜報機関Fの機関員M氏だ。最初にアチェに進駐し、軍政を助けた最大の功労者だった。

十一月二十日の夜十時過ぎ、突然銃声が四発響き、宿舎街の静寂を破った。毎晩何事が起こるかと、私自身焦慮しながら日々を過ごしていた頃だったので、思わず飛び起きた。銃声の数分後、宿舎の電話がけたたましく鳴った。

「すぐM氏の宿舎に行って下さい。至急の往診です」

相手はよほど慌《あわ》てているのか、自分の名前も告げない。

急ぎ服を着て、グンパン砦《とりで》以来身辺近くに持って歩いていた外科用具、消毒剤、麻酔薬入りの箱を担《かつ》いで宿舎を出た。

Ｍ氏は白布を血に染めて倒れていた。半袖《はんそで》の防暑服のままであり、したたかに酒を飲んでいた。床に南部式ブローニング拳銃が落ちている。

弾丸一発は前額部からはいって頭部を貫通し、第二弾は胸部の左前方からはいった盲管銃創《もうかんじゅうそう》で、心臓ははずれている。第三発は右側腹部、第四発は肝臓部に命中し、これらも盲管になっていた。

外出血を止めにかかったが、内臓出血はどうすることもできない。顔面は急速に蒼《そう》白《はく》になり、口唇《こうしん》にチアノーゼも起こり始める。脈拍も微弱だ。

「死なせてくれ、手当はいらん。頼む」

私の名を呼びつつＭ氏は懇願する。

その場での手術など不可能であり、病院への搬送も無理だ。外部への出血の手当に専念するしかない。脈はさらに微弱になり、不整脈も混じるようになった。

その瞬間、背後で荒々しく入口のドアが開けられた。見ると軍政部長官Ｉ少将が軍服のまま入室している。

「おい、Ｍ。貴様卑怯《ひきょう》だぞ。わしに全責任を負わすつもりか」

そう叫び、今度は私に怒号が向かう。「おい、絶対に死なせてはならん。助けろ」

怒鳴ると、また荒々しく部屋から出て行った。

長官の怒声が耳に届いたかどうか、Ｍ氏は間もなく息を引き取った。頭部を貫通した弾丸は洋服ダンスの扉に当たり、前の床に落ちていた。

一切の処置を終え、翌日、死亡診断書を連合軍に提出した。結局、これが私のスマトラにおける三年間にわたる医療行為の最後になった。

インドネシア独立軍の派閥争いは、いよいよ露骨さを増した。アチェでは、インドネシア独立軍の一方の旗頭である、トゥク・ニャッ・アリフが率いるウルバラン派が勢力を拡《ひろ》げつつあった。彼らは二つの要望を日本側につきつけ、軍政部長官邸を包囲攻撃すると脅してきた。二つの要求とは、アチェの軍政権を直ちにアチェ人に移譲すること、そして武器をインドネシア独立軍に譲渡することである。

要望をつきつけられた軍政部長官は、長官室に総務部長と憲兵隊長と私を呼んだ。海軍側からはブランビンタンから中将と参謀が出席した。三十名の残留軍政要員の身辺の安全を確保するための謀議だ。

その結果、軍政側は一切の任務を放棄して、海軍に合流することになった。問題は、移動する道中の安全確保だった。私が会議に呼ばれたのもそのためで、独立軍の動向に多少なりとも通じているからだ。暴徒が独立軍と合流すれば、大変な勢力になる。

「独立軍の指導者のひとりになっている特警隊長のＫの力を借りて、独立軍は動かないようにさせます」

私は答えた。

十二月四日の未明、残務整理の名目で残されていた軍政要員と十名ほどの商社員は、コタラジャを出発した。同行したのは、コタラジャ地区警備隊の近衛歩兵第四連隊第一大隊の一部と、コタラジャ憲兵隊員で、合計五百名だ。目ざすのは、二十キロ先の東北端にあるブランビンタン海軍飛行場である。

飛行場周辺には海軍部隊が三千五百名駐屯しており、総勢は四千名に達していた。しかし私だけは別行動をとった。旧蘭軍兵舎でその後日本軍の兵舎となり、今は独立軍本部となっている一室に、身を置いた。翌日から、Kや旧特警隊幹部たちとの合議に参加した。

Kは毎夜、部下の現地人の伝令を放って、ブランビンタンの海軍側に情報を提供していた。

コタラジャ病院のドクトル・マヨージンも私が本部にいることを知り、毎夕訪ねて来ては市内の模様を話していく。それによると、市街や周辺に日本兵が徘徊《はいかい》しており、暴徒に危害を加えられる恐れがあるらしい。私はKを呼んだ。

「独立軍の現地兵を動員し、日本兵を捜し出してくれんか。彼らも途方にくれているはずだ。見つけたら、独立軍本部に連れて来い」

旬日の間に私の独立軍本部の事務所は、日本軍敗残兵収容連絡所の観を呈し、ドクトル・マヨージンを苦笑させた。

事情を訊《き》くと、案の定そのほとんどが、本隊からの出張中か、あるいは伝令として本隊から離れている間に、本隊が移動してどこにいるか判《わか》らなくなっている兵隊だった。中には、インドネシアに残留したい意志を持っている者もいた。私は説得を行い、独立軍の現地兵に案内させ、ブランビンタンにいる日本軍に合流させた。

実を言えば、このとき独立軍は、ひとりでも多くの日本兵の参加を望んでいた。私自身も独立軍上層部から正式に独立軍軍医長の待遇を受け、長く現地に留まるよう懇願されていた。しかしもう首を縦に振る気はなかった。

「私の仕事はグンパン砦で終わった。あとは独立軍が育っていくのを、帰国の日まで見守るだけだ。私のあとはドクトル・マヨージンがやってくれる」

私はKや独立軍幹部たちに繰り返した。

独立軍の指導者たちは、ブランビンタンにいる日本海軍側と、武器譲渡の交渉を何度も続けていた。しかしついにその交渉が決裂した旨《むね》の報が本部に届いた。日本海軍は、早晩何らかの行動に出ることが推測された。

この直後、ドクトル・マヨージンから、アチェ人の暴徒二千名がブランビンタン飛行場を取り囲んだとの情報がもたらされた。

独立軍の一方の指導者である特警隊長Kへは、日本海軍への襲撃に独立軍が参加しないように工作していた。無駄な消耗を避けるためだ。そのため指導者たちが謀議した内容を毎夜諜報員に持たせて、駐屯地内の航空廠長《こうくうしょうちょう》に連絡していた。

Kたちの旧特警隊は、水道管の切断部品や土木部品を組み合わせて、迫撃砲数門の製造にこぎつけていた。前に入手した魚雷の火薬で、弾丸の製造にも成功した。この試射を行うとの名目で、独立軍の幹部たちをサレー高原に連れて行った。

その間隙《かんげき》をぬった十二月十七日の未明、ブランビンタン飛行場に突然激しい砲撃音が響き渡った。付近の住民も、飛行場を遠まきにしていた暴徒たちも、何事かと戦々《せんせん》兢々《きょうきょう》となった。旧特警隊の諜報員から次々と情報がもたらされる。砲撃は日本海軍がインド洋に向けて行ったもので、四千名の日本部隊がコタラジャに向かって行進を開始したという。先頭には小型戦車があり、その後にトラックや武器を持った四千名が続いている。独立軍本部にいるのは私のみで、アチェ人幹部もKもいない。

暴徒たちも独立軍の指導者たちが不在なので、移動する日本軍を襲撃することができない。日本軍は無事にオレレ街道に出、オレレ海岸までの三十キロを走破した。

この大移動の報はすぐさまコタラジャに伝わり、ドクトル・マヨージンが私のところに駆けつけた。私の去就を確かめに来たのだ。私たちの会話はドイツ語だったので、周囲の者に内容が漏れることはない。

「私は日本に帰る。長い間、本当にありがとう」

涙を見せるわけにもいかず、お互いしっかりと手を握り合う。

「帰国の前に、新体制になった病院を見て下さい」

ドクトル・マヨージンは私をコタラジャ病院に誘った。せめて最後に病院を見せたかったのだ。かつて私がいた院長室で、学生時代から使用していた鬼塚式の象牙《ぞうげ》製姓刻入りの聴診器を、彼に差し出した。彼も私の意図をすぐさま汲《く》みとり、オランダ製金属の雲母《うんも》共鳴板つきの聴診器を取り出し、私に手渡す。これが医師同士の別れの儀式になった。

砦行き前後からずっと私に付き添っていたマントリー二名も、宿舎で私が持物をリュックに詰めるのを見て、心中を察したようだった。

十九日の朝、マントリーのひとりが顔色を変えて部屋に飛び込んで来た。

「スルダドゥ、ニッポン、ダタン」

窓から見ると、兵舎の前庭を日本兵が数名、こちらに向かって来る。日本兵にとっては三年間住み慣れた旧兵舎の庭だ。私は回廊に出て、彼らの進撃の前に立った。撃たれるかもしれないという危惧《きぐ》が一瞬頭をよぎる。

近づいてきた兵の先頭に顔見知りの曹長がいる。その三メートル横にも、懇意にしていた軍医大尉《たいい》がピストルを構えて進んでいる。

私は手を挙げて合図をする。これで進撃隊との間で意思が疎通《そつう》し、無言のうちに再会の挨拶《あいさつ》を交わす。急いでリュックを担《かつ》ぎ、兵舎を出る。待機していた無蓋《むがい》軍用トラックに飛び乗り、曹長と軍医大尉の間に挟まれて立った。海軍の戦車を先頭にしてアチエホテルの前に出た。

戦車とトラックはコタラジャを抜け、オレレ街道に向かう。偶然沿道に、コタラジャ病院勤務のアチェ人看護婦がいて、私を見つけた。その驚いた顔に、私は小さく頷《うなず》く。

戦車の円蓋の上に、白鉢巻きをして胡座《あぐら》をかき、四方を睨《にら》んでいるのは、元プロボクサーで魚雷調整班の兵曹だった。オレレ街道の入口で、独立軍が張ったバリケードが戦車のキャタピラに引っかかって停止した。兵曹は悠然と戦車を降り、有刺鉄線を鋏《はさみ》で切り離す。私たちはオレレ街道を進み続け、無事に海岸に着いた。

オレレ港の椰子《やし》の木に、高く掲揚された日の丸が潮風に翻《ひるがえ》っている。部隊は既に天幕をたたみ、出港準備も間近になっていた。私はそこで、私の独立軍本部からの〈救出〉が、早暁《そうぎょう》に決定されたことを知らされた。私が意に反して独立軍に引き留められていると判断したらしかった。誤解ではあったが、この救出隊が組まれていなければ、コタラジャに残るしかなかったろう。私は、旧知の軍医大尉や魚雷調整班のM大尉たちに感謝した。

正午頃、インドネシア独立軍の最高指導者のひとりになったKが、オレレ港に姿を見せた。Kは平服でサングラスをかけ、旧特警隊員の一個分隊を伴っていた。予定どおり、海軍側から不要となったトラック五台を譲り受け、コタラジャ方面に消えて行った。

十二月二十二日、ⓗのマークをつけた第十六播州丸《ばんしゅうまる》に乗り、沖に仮投錨《とうびょう》中の大永丸に向かう。大永丸は三千トン級の貨物船であり、もう一隻、二千トン級の船が迎えに来ていた。

舷側《げんそく》に垂れ下がった網梯子《あみばしご》をよじ登って甲板に上がる。そこには既に乗り込んだ赤十字の腕章をつけた看護婦が二十人ばかり、胡座をかいて坐《すわ》っていた。よく見ると、慰安所にいた女性たちである。インドネシア人の女性たちはコタラジャで解放され、華僑《かきょう》の女性たちは、コタラジャの華僑長が引き受けて出身地のペナンに送り返されていた。残った広東出身の朝鮮人女性たちが、この船に乗り、シンガポールの朝鮮独立義勇隊に引き取られるのだという。

英兵に強姦《ごうかん》される危惧から、臨時看護婦に仕立てられ、私も赤十字の腕章をつけ、彼女たちにわか看護婦の班長になった。

船上で武装解除が行われた。軍刀、ごぼう剣、小銃、機関銃が集められる。日本刀は国広《くにひろ》や虎徹《こてつ》といった銘刀の他、新刀、新々刀、昭和刀など粗末なものを含め、二千本近くあった。英兵はこれらを大まかに点検したあと、無雑作に海中に投げ込む。日本兵にとってすべての武器は天皇陛下からのあずかり物であり、命の次に大切にしていたのだが、彼らにとっては単なる消耗品だったのだ。陛下からのあずかり物が敵の手に渡っては恐れ多いと考えた某部隊は、小銃や機関銃に入った菊の紋章を徹夜ですりつぶしていた。

出港して間もなく、護衛のためにパダン港から来航していた英駆逐艦が、数発の砲弾を陸地に向けて発砲した。現地人を威嚇《いかく》するのが目的のようで、海岸の少し手前で炸裂《さくれつ》するのが見えた。

私たちを乗せた船はマレー半島、マラッカ海峡のバトパハに入港した。それからさらに奥にはいったラヤンラヤンのゴム林の中にある捕虜収容所に移動させられ、そこで二ヵ月近くを過ごした。

年が明けた昭和二十一年の二月中旬、南方よりの第一回復員船乗船を通達された。内地に復員する者は、すべて英軍の管理するクルアンの検問所を通過しなければならない。そこで戦犯が振り分けられ、容疑濃厚な者は二キロ離れたブラックキャンプに、疑わしい者はグレーキャンプに移される。

規定された日本兵の所持品は、毛布一枚、軍帽と略帽が一個ずつ、軍服一着、襦袢《じゆばん》二枚、シャツ一枚、靴一足、手ぬぐい二枚、褌《ふんどし》三枚、石鹼《せつけん》二個だった。私はここでモンブランの万年筆とロンジンの時計を没収された。長靴に隠していても、長靴を脱がされ、逆さに振られて点検される。靴の爪先《つまさき》に腕時計を固く詰める小細工をした者だけが没収を免れた。

検問通過には下級順に並ぶ。私たちの列では財務部長と警務部長、私が佐官級扱いを受けた。財務部長は無事通過して、前方の白テントに走らされ、次の警務部長は一、二の質問のあと、英軍憲兵に督促され駆け足で灰色テントに向かった。

三番目の私は、ここでチャランのスパイ自殺事件を想起させられる破目になった。尋問する英軍憲兵大佐は日本語で、それも正確な標準日本語で私に「陸軍軍医大尉Yを知っているか」と訊《き》く。

昭和十八年の夏、運転手のアリフィンと共に向かったのがチャランであり、二度もパンクに見舞われ、一時間半遅れて憲兵分隊に到着した。自殺を図ったスパイは既に死亡しており、近くの駐屯部隊から招かれた軍医の検死を受けた。その死体検案書の署名から、Y軍医大尉の名が上げられたのだろう。

英軍憲兵大佐によると、自決したスパイは蘭軍将校の中佐で、オランダ軍人とパダン女性との混血児であったらしい。蘭軍はこのスパイ中佐の死亡に関して、厳重な調査をし、関与した日本軍人の逮捕にやっきになっているのが分かった。

「貴官の質問の軍医は本官の軍医であり、私は軍政要員なので、使命は全く異なる。その軍医大尉とは面識もなく、所在も私には不明である」

そうした返答のみを繰り返し、押し問答の末、白テント行きになった。

やっと尋問から解放されて白テントに落ち着いても、その夜は眠れなかった。Y軍医大尉は、私の車がパンクしたせいでとばっちりを受けたようなものだ。私が予定時刻に到着していれば、その場で検死と署名をしていたはずだ。そして検問で上げられ、シンガポールに設置されたチャンギー戦犯刑務所行きになっていたに違いない。

この地で黒テント送りになった元陸軍少将である軍政部長官は、刑務所に収監されること十三年に及んだ。それ以前、アチェ州軍政庁員の中にも捕虜虐待《ぎゃくたい》の罪で、六名が指名されていた。ひとりは逃亡、三名の警察官は一ヵ年の重労働、ひとりはメダン刑務所で処刑され、残るひとりが逮捕前夜に自決した。私が最後に介抱した元諜報《ちようほう》機関員M氏だ。

私が復員船で佐世保に上陸したのは、検問から十日後の二月下旬だった。

蛍

野波中尉《のなみちゆうい》と再会したのは、サイゴンの第一七〇〇三部隊独立歩兵大隊に、私が復帰して十日目の夜、薄暗い電燈《でんとう》の自室においてだった。

もともと私は、サイゴン警備のこの部隊に充当されるべく召集されたのではない。

本当は、〈桂《かつら》〉一六九〇〇部隊要員として召集され、昭和十九年の十一月門司《もじ》港を出発していた。目指すのは遥《はる》か南方ボルネオ島の東、ハルマヘラだった。しかし途中、仏印《ふついん》カムラン湾沖で、乗っていた日永丸《ひながまる》が潜水艦の攻撃を受けて沈没した。私は九死に一生を得て海防艦に救助され、サイゴンに上陸した。同時に南海派遣の部隊は仏印で分散されることになった。

ハルマヘラ島行きが、サイゴン止まりになる。一瞬、地獄から極楽に引き上げられたように感じた。〈ここは西貢《サイゴン》、小巴里《パリ》〉、という歌でも知られていた場所だからだ。しかしそれも束《つか》の間《ま》、上陸してからはそれどころではなくなった。炎天下の上陸だったので、喉《のど》がいやに渇く。幸い埠頭《ふとう》に水道管の蛇口があった。私は口をつけてがぶ飲みした。医師でありながら、この不注意が後の運命を決めたのだ。宿舎に向かう途中で激しい雨に見舞われて、全身濡《ぬ》れネズミになった。

　雨は夜中まで続いた。枯れた椰子《やし》の葉で屋根を葺《ふ》いただけの宿舎は、雨漏りがひどかった。アンペラ張りの板敷きに滴《したた》り落ちて、寝具の毛布を濡らす。雨が小降りになると、今度は一斉に蛙《かえる》の大合唱が始まった。身体《からだ》は極限まで疲労しているはずなのに、寝苦しかった。

　まんじりともしないまま目を閉じていたが、夜明け頃から熱が出始めた。熱だけでなく下痢も始まった。高熱にふうふう言いながら起きて歩き、便所の竹柱につかまる。粘液混じりの血便が、とめどなく出る。一時間近くしゃがんだきり、立つこともできない。これはまさしく赤痢《せきり》だった。埠頭の水道が汚染されていたのだ。赤痢は隔離入院を要する。

　見習士官とはいえ、軍医の私が部隊での赤痢患者第一号であるのは、全くもって情けなかった。しかし放っておけば、赤痢は部隊中に伝染してしまう。戦死ならまだしも、病死では犬死に等しい。

　私は部隊長に申告した。本官は部隊から逃げようとしているのではなく、今はまず入院させてもらって赤痢を治し、それから部隊に追及したいのです。申告はどこか回りくどい言い方になった。

これも私が部隊の中で唯一《ゆいいつ》の軍医で、しかも自分で自分を診断した結果だったからだ。仮病とだけは思われたくなかった。

「赤痢患者を隔離もせずに放置するのは、重大な軍律違反だ。心配するな。徹底的に治して来い」

部隊長のひと言で、私は担架に乗せられ、サイゴン陸軍病院の伝染病棟に運び込まれた。早速にリンゲル注射を受けた。
三、四日して、半死半生の身体が少しずつ持ち直してきた。同時にリンゲル注射の痛さがこたえるようになった。大学病院にいた頃、私自身患者にリンゲル注射はよくしていた。痛がる患者には、「痛いと思うと三倍は痛くなるもんです」と、妙な理屈を押しつけて黙らせていた。逆の立場になると、これはそもそも痛くないと思えるような代物《しろもの》ではないと分かった。
もうひとつの苦痛は、定期検査時の採便だった。三日もたたないのに、肛門《こうもん》にガラス棒をズブッと突っ込まれる。痛いのも痛いが、その恰好《かっこう》が情けなかった。仰臥位《ぎょうがい》で両膝《りょうひざ》を両手でかかえ上げる。口を鯉《こい》のように開けて、全身の筋肉を緩めなければならない。

「息を気張ってはいけません。楽にして」

若い看護婦に言われると、余計緊張してくる。気張るとガラス棒が尻《しり》にはいらず、やり直しの連続になる。おまけに、前の方の大切な器官まで気張り出して、硬くなる。同じ部屋の斜め前のベッドにいたのが、野波通《とおる》中尉だった。アメーバ赤痢とマラリアの併発で、私より先に入院していた。幹部候補生上がりで古武士のような風格があった。それでいて風流な面も持ちあわせていた。慰問袋にはいっていたという石川《いしかわ》啄木《たくぼく》の短歌集を大切にしていて、手帳に歌も書きつけていた。

看護婦が野波中尉のところでも採便を始める。間もなく、キャーッと黄色い声が上がった。

「ま、中尉殿ったら、いやらしッ」

その津本《つもと》看護婦は関西出身で、看護婦のなかでもとびきりの美人だった。とはいえ陸軍病院に志願するだけあって厳格そのもの、愛想《あいそ》笑いなどむしろ少ないほうだった。

「すんまっせん。これぱっかりはどうにもならんもんで」

野波中尉はしきりと謝っている。中尉が口にする「せ」は「シェ」に近く、いかにも九州出身らしかった。

やっと採便が終わり、津本看護婦がツンとした感じで出て行くと、野波中尉は上半身を起こして頭をかいた。

「わしはひょっとしたら津本さんに惚《ほ》れとるとじゃろか。他の看護婦のときは、何とかせがれも言うことを聞くが、あん人のときはさっぱり聞かん。小人閑居《しょうじんかんきょ》して不善ば為《な》すち言うが、ほんなこつのごとある」

その後も、津本看護婦の番で採便のたび、野波中尉は勇み出すおのれの駒《こま》を鎮《しず》めようとして、瞑想《めいそう》したり、深呼吸を繰り返した。

そんな奮闘のなかでできた短歌を、さっそく同室の患者に披露してくれた。

　サイゴンの陸軍病院勇み立つ
　　猛《たけ》き我が駒鎮めんとす

なるほどなるほどと私は、内心で大笑いする思いがした。

私が短歌に興味を持っていると判断したのか、中尉は手帳を開いて、その他の自信作も私に読んできかせた。

　船腹は黒々高く銀河冴《さ》え
　　遠ざかりゆく祖国の灯見ゆ

草いきれ耐へ難くして生きんとす
　道真直《まつす》ぐにマラリアの兵

人型に敷布を濡らす汗のあと
　赤痢患者を見送りし夜

すさまじきコレラ顔貌《がんぼう》秋寒し
　我は甲斐《かい》なき蟷螂《かまきり》の怒り

石川啄木にはほど遠いとはいえ、真情はよく伝わってくる歌に私は好感をもった。「啄木ちいうと、小学校で〈ふるさとの山に〉というのを覚えさせられたが、まさか自分が歌をつくるようになるとは思わんかった。しかしあの歌はよかな。〈ふるさとの山に向ひて言ふことなし　ふるさとの山はありがたきかな〉」

〈ふるさとの山はありがたきかな〉。私も胸の内で復唱する。実を言えば、中学時に私が最も好きだったのが石川啄木だった。もちろんそんなことは口に出せない。出さない代わりに野波中尉の人となりに魅《ひ》かれていった。

野波中尉は私の隣のベッドがあくと、婦長に頼んでさっそく移って来た。

「軍医さんは、カムラン湾沖でやられたとですか。あそこは潜水艦がウヨウヨしとるけ、輸送船がようやられる。わしがあの辺の守備隊にいた頃も、南方燃料廠《ねんりょうしょう》行きの船がやられた。まだ若か少年兵の屍体《したい》が、ゴロゴロ砂浜に打ち上げられとった」

中尉は、病室の隅に置いてある私の救命胴衣に眼をやった。重油で真黒になった救命胴衣を、私はまだ捨てる気にはなれないでいた。

その胴衣がなく、当番兵の助けがなければ、私は間違いなく死んでいたろう。

「おや軍医さん、耳のまわりに重油がついとるばい」

野波中尉が目ざとく見つけて言う。

「はっ、中尉殿、これは海没以来、まだ風呂《ふろ》に入っていないからであります。水浴では、いくら石鹼《せっけん》を塗り込んでも、沁《し》み込んだ重油はとれません」

「泳いでいて死んだ兵隊もいたろうね」

「救命胴衣もつけないで、筏《いかだ》につかまっていただけの兵隊たちは死にました。疲れて筏から手を離し、沈んでいきました」

「何て言って沈んだとな」

野波中尉が暗い眼を向けた。

「おっかさん、母ちゃんに会いたい、です」

「そげんじゃろな」

中尉は頷《うなず》いて天井に向き直る。

「こげな歌がある。〈母そはの母の優しきふところに、あるがごと言ふ兵の死ぬとき〉」

私はもう一度中尉に言ってもらい、胸の内で繰り返した。

私が東京医専をようやく卒業したのが昭和十九年で、徴兵検査は既に終えていた。運悪くか、いや運良く丙種《へいしゅ》だったため、県知事から「野《や》に在って各自の職に尽瘁《じんすい》せよ」と申し渡された。つまり、軍隊にはとられず、内地で診療に従事すればいいという達示だ。その気になり、大学の医局で内科の修業をしていたその年の九月、真夜中に玄関を叩《たた》く音がした。こともあろうに赤紙だった。時局柄、丙種の、それも新米の医師にも、召集がかかったのだ。しかも明日出頭しなければならないのは、富山の連隊だった。時間もない。一睡もせずに出発の準備をし、明け方近くになってやっとうとうとした。

しかし腹痛ですぐに目が覚めた。右下腹部の激痛は耐え難く、私は勤務していた大学病院の外科に運び込まれた。診断は紛れもない急性虫垂炎《ちゅうすいえん》だった。すぐに召集延期の診断書を書いてもらい、手術になった。

退院後、私は覚悟を決めて軍医予備員を志願した。今度は甲府の連隊に召集され、陸軍病院での研修と合わせて二週間の訓練を受けた。この間私たち医師はトントン拍子で〈出世〉した。入隊当初は衛生部上等兵、教育が終わった二週間後には予備役衛生軍曹になっていた。このあと新たに召集令状が来て入隊すれば、将校勤務の衛生部見習士官となるわけである。

覚悟していた二度目の赤紙は十一月二日に届いた。一回目の赤紙で私が行く手はずになっていた富山連隊は、南方に向けて出征途上、東支那海で敵潜水艦の魚雷を受け、部隊長以下全滅したとのことだった。

しかしこの甲府の連隊もボルネオ方面行きだったので、同じ運命を辿《たど》る可能性が大いにあった。私は泳げない。身体も小さく、子供の頃から病弱の身だ。乗っている船が沈没すれば、体力のない私が真先に海の底に沈むのは必至だった。あとはもう敵潜の攻撃から免れるよう祈るしかない。

そんな私を日頃から勇気づけてくれる兵長がいた。

「軍医殿、ボルネオに着いたら、自分らは軍医殿のお世話になります。ですから、仮に魚雷にやられても、任せて下さい。自分が軍医殿を抱えて泳いで海を渡ります」

抱えて海を泳ぎ渡るとは、いくらなんでも誇張だとは思いながらも好意が嬉《うれ》しかった。

日永丸が敵潜の魚雷二発を受けたとき、私はサロンで眠っていた。私の命綱である救命胴衣をイの一番に装着したとたん、船が傾き出した。甲板に出た瞬間、その傾きで海にころげ落ちた。海に浮いた私がやるべきことは、船からなるべく遠くに離れることだった。五千四百トンの輸送船が沈む際につくる渦に、いくらもがいても引き込まれる。無我夢中に泳いで、やっと渦の外に出た。ほとんど体力を使い果たしていた。しかも周囲は何も見えない。重油の臭《にお》いだけが鼻をついた。なるほど、全身が重いのは、重油まみれになっているせいだった。

真暗闇《まつくらやみ》の重油のなかでは、どの方向に泳いでよいか全く分からない。直感に頼るしかなかった。私は残った体力を温存しながら、ゆっくりと手足を動かした。じっとしているより、そのほうが気が休まった。

ようやく夜が白み始めて、あたりの状況がつかめるようになった。あちこちに筏が浮き、それぞれ何人もの兵隊が取りついている。筏から離れたところにポツンポツンと人の頭が見えるのは、私のように胴衣をつけている将兵だ。筏の上に人が乗っていない理由はすぐにつかめた。人が乗ればそれだけ筏は沈みやすくなる。十数人が取りつくためには、ひとり分でも軽くしなければならない。

「おい頑張るぞ。すぐ救助艦が来る」

将兵たちは声をかけ合っていた。私はそんな気力もなく、ただ単に海に浮かんでいるだけだ。そのうち、周囲に漂っている筏にすがる兵の数が、少なくなっているのに気がついた。

「おい手を放すな。おい、沈むな」

そんな励ましの声も当初は聞こえたが、数時間もたつとたち消えになった。全員が必死で筏にしがみつくか、喉の渇きや空腹と戦いながら神仏に祈っているだけだった。そんななかで時折響いたのが、「おっかさーん」だったのだ。

漂流十六時間後、救助の海防艦が姿を現した。筏に取りすがっていた兵の数は三分の一以下になっていた。接近した海防艦のロープにすがり、私は最後の力をふりしぼって甲板に這《は》い上がった。

救助された将兵はわずか百五十人程度で、連隊の一割にも及ばなかった。私を抱えてでも泳いでやると言っていた兵長も、生き残りの中にはいなかった。

病舎の外では相変わらず蛙の大合唱がかまびすしい。蛙は何十匹かずつ、いくつかの集団に分かれているようだ。某集団の長が一匹鳴き始めると、待ってましたとばかり他の連中が大合唱を始める。鳴き疲れて休んだところで、今度は別の集団の群長が一匹、高らかに音頭《おんど》をとる。そしてこの集団の大合唱になるというわけだ。

サイゴン陸軍病院の伝染病棟は、分院の形をとってショロン地区にあった。桃色のレンガ造りの二階建で、フランス女子大学を接収して病院に転用していた。野波中尉《ちゅうい》や私のいる将校病棟は、元来女子学生用の寄宿舎だった。

便所も女性用というか、大便用が圧倒的に多い。もちろん水洗式で、シャワー室もふんだんに設けられている。この浴室には、私が初めて目にする妙な形の便器があった。舟形の底の真中から、十センチほどの突起物があり、先端のネジをひねると小さな噴水が出た。俯《うつむ》いて水を飲んだり、うがいをするのには便利この上なく、私はよく利用した。同時に、どうしてもう少し高くしなかったのか首をかしげた。あとになって、野波中尉から女性用の洗滌器《せんじょうき》だと教えられ、軍医でありながら想像の及ばなかったことに、赤面した。

病室の大部屋の窓には、蚊の侵入を防ぐため細かいレース張りの網戸がはめられている。夜になると、この網戸に二十匹近くのヤモリが取りつく。外側だけでなく、どこから這い上がったのか、内側にも何匹かいた。実害はないものの、いつ顔の上に落ちてくるか、寝ていて気が気でなかった。

急性期の症状がおさまると、私にも幾分か余裕が出てきた。食欲も戻ってきて、食い物の夢をみるようになった。とはいえ、例の検便の結果では、赤痢菌がうようよしているらしく、粥《かゆ》食が続いた。粥は腹にたまらない。食事をしても、すぐに腹が空《す》いてくる。時間も持て余し気味になり、退屈極まりない。

そんなある日、野波中尉からこうもちかけられた。

「軍医さん。軍医さんだけにちょっと頼みがあるとじゃが」

要は、この伝染病棟に入院している患者のうち、回復期にあって独歩が可能な者に、サイゴンの市内見物を許可してもらえないかということだった。

「こんな申し出をわしらがしても、一蹴《いっしゅう》されるとは明らか。そこを軍医さんのあんたが、按配《あんばい》よう院長に頼んでもらえんじゃろか」

いくら軍医でも、見習士官に過ぎない私が、そんなことを院長に直訴できるはずがない。しかも体力はついているとはいえ、便には菌が混じっているのだ。

とはいえ、病院の外には出てみたかった。今は兵隊としての任務も解かれて、民間人に近い。こんな立場で市内を物見《ものみ》遊山《ゆさん》する機会は、もう一生ないという気がした。

私の運命など、輸送中全滅した富山連隊や、九割以上を失った甲府連隊の将兵と同じなのだ。死が訪れるのが、早いか遅いかの差しかなかった。

「軍医さん、患者の士気を高めるというのも治療のうちじゃなかろうか。市街見物をして、よし俺も元気にならにゃいかんち、たいていの患者は思うと、わしは思うがのう」

野波中尉のこのひと言で私の気持はひっくり返り、私は恐る恐る、伝染病棟の主任である軍医大尉にかけあった。

もともとこの主任は、私が召集ほやほやの軍医であるのを気にかけてくれていた。とはいっても私の唐突な申し出には、さすがに驚いたようだった。

「まだ便には菌がいるから、伝染する可能性は大いにある」

「よそで排便をするわけではありません。街の様子をちょっと見るだけです」

主任の表情が少し柔らいだのに気づいて、私はもうひと押しだと思った。「病棟にずっと閉じ込められている兵隊たちにとっては、街の賑《にぎ》わいは天国のように思えるのではないでしょうか。回復に向けての士気も高まりますし、一生の思い出にもなるはずです。この戦いに勝って祖国に凱旋《がいせん》した際、最高の土産話になります」

最後のほうの科白《せりふ》は咄嗟《とっさ》に思いついたものだったが、主任の顔色は明らかに変わった。

「それもそうだな。軍隊の思い出が、戦場と伝染病棟だけとは、味気なさ過ぎる――」

主任は一瞬思案顔になった。一生の思い出と、私は口にしたが、祖国に凱旋するというのは建前だった。南方赴任の連隊が潰滅《かいめつ》して消えた今、この戦いに日本が勝つなどとうてい思えなかった。

主任のほうでも、考えはほぼ私と同じだったに違いない。一生の思い出というよりは、冥土《めいど》の土産話になると言ったほうが正確だった。

「よし、何とかしよう。しかし、手配するトラックからは降りずに、ぐるっと二、三時間市内を見物するだけだぞ。それなら実害も出ないだろう」

「ありがとうございます」

私は驚きと感謝で、深々と頭を下げていた。その旨《むね》、病室に戻って野波中尉に告げると、彼は私以上に驚き、喜んだ。

「軍医さん、でかしたばい。これでわしはもう死んでもよか」

「死んでもらっては困ります。回復への士気向上のための外出、ということになっております」

私は答え、大笑いになった。

外出許可が出たのは二十人足らずの患者だった。そのうち将校病棟からは私たち二人だけで、あとは兵ばかりになった。

「軍医さん、あんたの手柄じゃけ、あんたが助手席に乗りなさい。わしたちは荷台でよか」

野波中尉から言われて、私は当惑しながら助手席に坐《すわ》った。

見習士官とはいえ私は将校待遇であり、陸軍礼式で車の先に青い小旗が立てられていた。

通常なら、街中で兵隊の一行が将校に出会った場合、そのたびに「歩調とれ、敬礼！」を繰り返さなければならない。ところがこの青旗一本のおかげで、歩行中の将校や、赤旗を立てた佐官用乗用車や、将官が乗っている黄旗の乗用車に会っても、助手席の私だけが敬礼すればよかった。南方軍の基地として滞在中の将校の多いサイゴンでは、便利極まりない。

ショロンからサイゴンの街中までは小一時間かかった。

途中眼にはいった街は、全くの別天地だった。道は清潔で、小ぎれいな建物も小巴里にふさわしい。なかでも、田植笠《たうえがさ》のような円錐《えんすい》の笠をかぶり、白や空色、桃色の鮮やかなアオザイを着た女性は、目にも眩《まぶ》しかった。細い腰は文字どおりの柳腰で、アオザイの裾《すそ》さばきも軽快だ。荷台の患者たちも見とれている。追い越すたびに手を叩いた。

「いよっ、べっぴんさん」などと冷やかす声も聞こえる。

私は気をよくして、運転手席の兵長に思いつくまま指示を出し、面白そうな街路の方向にハンドルを切らせる。

商店街の店先には、鰐革《わにがわ》の細工物や竹細工、木彫りの人形などが飾られていた。果物屋には、初めて目にする果物が山と積まれている。ハンドルを握る兵長は、それらがマンゴーやパパイア、マンゴスチンやドリアンだと教えてくれた。

おはぎやすき焼料理など、日本語の看板をかけた店もあって、私はいやがうえにも食欲をそそられた。

しかし手元にお金などない。もともと市内見物が目的の外出だったので、買物をするなど思いもつかなかったのだ。仕方ない、私は腹ぺこの腹をなでて諦《あきら》めた。

そのとき荷台の方から野波中尉の声がした。少しばかりトラックを停止させてくれないかという要望だった。

「中尉殿、トラックから降りることは禁じられております」私は言った。

「軍医さん、ちょっとだけ。別段その辺で糞《くそ》を垂れるわけじゃなか。糞を垂れるとなら感染するじゃろが、二、三分立っとくだけ。マラリアもアメーバ赤痢も、息でうつるもんじゃなかろ」

「それはそうですが」

「そんならちょっと」

中尉が両手を合わせるので、私は仕方なく兵長に命じてトラックを路肩に停止させた。

素早くトラックから降りた中尉は、白衣の裾をひるがえして小走りし、おはぎの看板の出ている店に飛び込む。そして、ものの二分もしないうちに飛び出して来た。両手に竹製の笊《ざる》を抱えている。その中に、おはぎが山盛りになっていた。

「安かったばい。十円でこれだけきた」

荷台に引き上げられた野波中尉は、笊を私たちに見せた。全部で六、七十個はある。一個十五銭足らずだったのだ。

「おい、みんなで食べるぞ。一人二個まで。まずは今日の行軍の発案者の軍医さんから。その次は運転手さん」

中尉は満面に笑みを浮かべて、笊を私と兵長の前にさし出す。うまそうなおはぎに、私の両手は何のためらいもなく伸びて、素手で二個をつかむ。兵長も恐縮しながら私にならう。

久しぶりに口に入れるおはぎの味は、腹だけでなく、脳みそにも響いて、私はしばし陶然となった。甘くした小豆の味もかおりも、米の歯ごたえも、内地のそれと寸分変わらない。一個を食べ切ったあとも、おいしさの余韻が口の中に残った。

「こりゃうまか」荷台の方で中尉が言い、兵たちも「うまいですね」と感嘆する。

「まだ余っとる。三個目もよかぞ」

また笊が回ってくる。確かにまだ何個か食べられそうだ。この機会を逃せば、もう一生おはぎを食べられないかもしれない。私は瞬時に判断して三個目にも手を伸ばした。しっかりと味わい、両手についた小豆あんまで丁寧になめた。

「軍医さん、もうトラックを出してよか。みんながこっちば見よる」

野波中尉から言われて、私は我に返った。なるほどここは街のど真中で、人通りも多い。荷台の上で大の男が二十人近く、おはぎを頬張っているのだから、目立たないはずがない。本来なら街はずれまでトラックを走らせ、並木の木陰で停めるべきだったのかもしれない。あまりの空腹で、その余裕まで失っていたのだ。

トラックを発進させ、街をひと回りしたあとショロンに向かわせた。途中、赤旗や黄旗の乗用車と出会い、私は敬礼を繰り返した。商店街でおはぎをぱくついていたときに、そうした将官の乗用車に行き合えば、敬礼だけではすまない。私は運の良さに胸をなでおろした。

伝染病棟に帰ってトラックから降りる際、同行した患者の兵隊たちから口々に礼を言われた。運転してくれた兵長までも、恭《うやうや》しく敬礼をした。面映《おもはゆ》さに私は苦笑した。もとはといえば、すべて野波中尉の機転だったのだ。

病室に戻ると、中尉は白衣の胸をはだけて、紙包みを見せてくれた。余ったおはぎが七、八個包まれていた。

病室は六人部屋だったが、あとの四人はまだ回復期には至らず、下痢や発熱で苦しんでいる。固形物など食べられる状態ではない。

野波中尉はおはぎの包みの隠し場所を物色する。部屋の隅に放置してある私の救命胴衣の下に隠そうとしていたところに、検温にはいって来た津本看護婦と鉢合わせになった。

「士官殿、それは何ですか」

津本看護婦はさっと近づいて紙包みを開けた。ベッドの上で横になっていた私は、彼女のキャッという悲鳴を聞いたような気がした。

「おはぎやないですか。それもぎょうさん」

驚いている津本看護婦に、野波中尉が頭を低くし平謝りする。

「これはその、今日街中に出たとき、なけなしの金で買ったとよ。一度に食べると腹によくなかけ、残しとると」

「こんななま物、すぐ悪うなります。食べたら大変です、士官殿」

「そこで、ものは相談、ちょっと頼まれてもらえんじゃろか。冷蔵庫に入れといてもらえれば、何日でんもつ。一日一個ずつ、そこの軍医さんと一緒に食べたかと」

突然、中尉が私に言及したので、津本看護婦と眼が合ってしまった。私は言葉を思いつかず、手を合わせて頼む仕草をした。

「しゃあないです。預かっておきます」

しぶしぶ彼女は承知し、紙包みを持って出て行った。

「軍医さん、またもやお手柄、お手柄」

野波中尉が私の方を向いて片目をつぶった。

津本看護婦としては、軍医である私の手前、野波中尉の頼みをむげに断れなかったのだろう。

「明日から三、四日、ちびりちびりおはぎを食べられますばい」

中尉はしてやったりという顔をした。「ま、あの看護婦さんに二個ぐらい、おすそ分けばせにゃならんが」

　私はまた明日、明後日とおはぎが食べられる幸せを感じて、内心で舌なめずりをした。

　ところが、その夜から、腹具合が悪くなった。熱こそないが、腹痛と下痢に襲われ、何のことはない、病状の逆戻りだった。野波中尉も同じらしく、夜通し、入れかわり立ちかわり、便所に通うはめになった。おはぎそのものが傷《いた》んでいたわけではなく、病み上がりに三個も食べたのがよくなかったのだろう。

　翌朝になっても便所通いは続き、鏡に映った自分の顔は、一日でげっそりやつれていた。

　昼飯もぬいてベッドに横たわっていた午後、私は病棟主任の軍医に呼ばれた。津本看護婦がおはぎの件を主任に告げ口をしたのだと、私は直感した。行きたくなかったが、肚《はら》を決め、痛い腹をおさえながら、主任の部屋にはいった。

「崎田《さきた》軍医」

　主任は困ったという顔で私を迎え入れた。

「今朝、憲兵隊に呼びつけられて、こっぴどく灸《きゅう》をすえられた」

「憲兵隊ですか」

私は何のことか分からず、緊張したままだ。

「昨日の昼間、トラックの上に白衣の患者がうじゃうじゃ乗って、何か食べていたという通報が、憲兵隊にあったらしい。白衣といえば、伝染病棟の患者だろうということになって、私が呼びつけられたわけだ。ぴんときたので、平身低頭、謝っておいたが」

「申し訳ありません」

「いったい、何を食べたのですか」

「おはぎです」

隠しだてては事態をややこしくするだけだと思い、私は正直に答えた。

「それは目立つでしょう」

「あまりうまそうだったので、つい買ってしまいました。しかしトラックから降りたのは私ひとりです」

野波中尉《ちゅうい》よりも私が責めを負うべきだという気がした。とはいえ、何個も食べたせいで、私たち二人が下痢をし、あまつさえ、余ったおはぎを看護婦に頼んで、冷蔵庫に入れてもらっていることは、秘密にしておきたかった。

病室に戻っても、この件については野波中尉には話さなかった。

再度の下痢に苦しんだ中尉は、津本看護婦が姿を見せたとき、おはぎの始末をもちかけた。

「看護婦さん、冷蔵庫の中の例のもの、そっちで按配よう片づけてもらえんじゃろか。日頃からえらく世話になっとるのに、あれくらいしかお礼はできん」

「ほんまですか。士官殿、それならそうと早くおっしゃってくだされればよかったのに。ええ、ありがとうございます。みんなで分けます」

津本看護婦は喜色満面だった。

無事に下痢がおさまって、二週間後私は退院した。下痢の回復が遅れた野波中尉は居残るしかなく、手を握りあった。

「軍医さん、戦友を送るの歌ができたけん、ちょっとお別れに」

中尉は私に手帳を開いてみせた。

西貢《サイゴン》の紅《あか》き花咲く街路樹の
　下で食らひしおはぎぞ旨《うま》し

この歌も啄木の境地には程遠いとは思ったものの、野波中尉の潤《うる》んだ目を眺めて私は胸を衝《つ》かれた。

独立歩兵大隊に転属になった早々に発病していた私は、そこに戻っても右も左も分からない。副官に連れられて、各中隊を訪ね、着任の挨拶《あいさつ》をしたが、とても一度では各将校の名前と顔は覚えられるものではない。しかも病み上がりだ。あてがわれた自室に戻ると、どっと疲れが出た。夕方、当番兵が運んでくれた夕食を食べていると、営庭のそこかしこから蛙の大合唱が湧《わ》き上がってきた。この合唱だけは、伝染病棟で聞いたものと同じで、私は暢気《のんき》で陽気な彼らを羨《うらや》ましく思う気持を、苦々しくかみしめた。いわば半病人の私を、今後待ち受けているのは戦場だ。トラックの上で食べたおはぎが、この世で口にした最後のおはぎになるのは間違いなかった。

考えれば考えるほど気がめいってきた私を慰めてくれたのは、当番兵だった。食事を運び、洗濯をし、床上げや靴磨きまでもしてくれる。

「軍医殿の私物といえば、重油まみれの救命胴衣だけです。どうも物足りません」

当番兵はそう言いながら、机の上の瓶に珍しい草花を折ってきてはさしてくれた。ブーゲンビリアの花を知ったのも、そんなときだ。どこか月見草の南国版といった風《ふ》情《ぜい》があった。

窓からは、玄関近くにそびえる大樹が眺められる。梢《こずえ》には溢《あふ》れんばかりに紅い花が咲き誇っていた。火焔樹《かえんじゅ》だと当番兵は教えてくれたが、英語で言うフレイムツリーだと分かって、なるほどと思った。その樹《き》の枝から枝に飛び移っている鳥がいた。百舌《もず》よりは大きくカラスよりは小さい。安南鴉《あんなんがらす》だと当番兵は言ったが、これはカサギに違いなかった。

そんな宿舎の周囲の植物や生き物が、ふさぎこみがちの私を慰めてくれた。

そうやって十日ほど経《た》った頃だろうか、夕刻、宿舎の私の部屋のドアを叩《たた》いたのが、何と野波中尉だったのだ。

「中尉殿」私は驚いて腰を浮かした。

「やっぱり軍医さんでしたか」

白衣の彼ばかり見慣れていた私の眼に、軍服姿は別人に見えた。

「いやわしも本部隊がもう南方に移動しとって、ここに転属になってしもうた。もしやと思って、ここの軍医に誰がいるか調べてみると、軍医さんの名があったんで飛んで来た。こりゃ奇遇ですばい。わしの命は軍医さんに預けますけん、よろしく頼みます」

私は恐縮するやら嬉《うれ》しいやらで、それまでのふさぎの虫がいっぺんに吹き飛ぶ思いがした。

「軍医さん、まだ救命胴衣ば持っとらっしゃると。いかん、もうこんなもん、引きずらんほうがよか。わしが処分しとこう」

がらんとした部屋を見回して、中尉は救命胴衣を手に取った。

「ほう、花壇ですな」

野波中尉は目ざとく窓の外に眼をやり、顔をほころばせた。窓下に花壇を作ってくれたのは当番兵で、私は朝と夕に水を注ぐだけだ。グラジオラスが茎を伸ばし、カンナは深紅の花を咲かせたばかりだった。

「カンナといえば、内地では夏です。わしの田舎は、家と家の境がカンナになっておって、垣根代わりでしたばい。赤の他に黄色もあって、陽に負けんくらい咲き誇っとった」

中尉は一瞬遠い目つきをすると、私の救命胴衣をかついで出て行った。

思いがけず内地の話が出て、私はしばし呆然《ぼうぜん》としていた。国のことは故意に思い出さないようにしていたのだ。生きて内地に帰りたいのは山々だが、九割九分それはできない相談だった。私は野波中尉の去った窓際《まどぎわ》に立ち、赤いカンナを睨《にら》みつけた。

この頃、軍酒保《しゆほ》の壁新聞はレイテ島の敗戦を伝えていた。特攻隊の出撃も悲壮な文面で報じられた。神風《かみかぜ》隊、高千穂《たかちほ》隊、共に玉砕、悠久に生きる。必勝の信念に徹せよ、と文末は結ばれていたが、誰も必勝など信じてはいなかった。

比島の我が軍は潰滅《かいめつ》状態なのだ。だとすれば、この仏印にも遠からず、敗戦は訪れる。私は陽に輝くフレイムツリーの梢を見上げた。空には雄大な積乱雲が立ち並んでいた。

それから五、六日経った深夜、私は酔漢の大声で目が覚めた。

「軍医さん、軍医さん、起きらっせ、起きらっせ」

叫んでいるのは野波中尉だった。

「中尉殿、どうされたのですか」

「どうもへちまも、ショロンで飲んで、シクロで帰って来たばい」

青い顔をして、二本足でやっと立つくらいの酔い方だ。自転車の前に座席をつけた人力車に乗ったからこそ、帰り着けたのだ。

「敵さん、次はここ仏印か、それとも沖縄か。仏印なら、上陸地点はカムラン湾か。敵に優《まさ》る飛行機ば作れ。軍医さん、最早《もはや》、瀬戸際《せとぎわ》ですけん、我々も覚悟しとかにゃならんです。エイッ」

野波中尉が気合いを入れて外に飛び出す。私は心配になってあとを追った。

「エーイ」

腰を低くした中尉は、気合いもろとも抜刀し、目の前の芭蕉《ばしょう》の幹に切りつけた。幹が見事に両断されて倒れた。

中尉はこちらを一瞥《いちべつ》すると刀を納め、千鳥足で自分の宿舎に帰って行った。

「軍医殿、書簡が参りました」

当番兵が葉書を持って来たのは翌日だった。

葉書いっぱいに、内地で勤務していた大学病院の看護婦たちの寄せ書きがあった。

――先生が出征されたあとの病院は、もぬけの殻になったようです。ご無事で、お帰りを待っています。

中央に細かい字でそう綴《つづ》られている。私は若い看護婦たちの顔をひとりひとり思い出した。病院の医師は次々と兵隊にとられていたので、私が最も若く、しかも最後の出征だったはずだ。残ったのは老医の院長と副院長くらいなので、もぬけの殻というのも、あながち誇張ではなかった。

この時期、私たち将兵に密《ひそ》かに周知させられたのが、明号作戦だった。敗色濃い日本に対して、仏印はいつ寝返りをうつやもしれない。その前に武力処理をしておこうとするのが明号作戦だ。

日本軍進駐後、仏印の統治権はまだフランスに残されていた。フランス軍と日本軍が仏印を共同警備するという特殊な形態がとられ、飛行場もフランス側が日本軍に提供するという軍事協定が結ばれていた。日本軍四万に対し、仏印軍の兵員は九万といわれていた。この不利をひっくり返すには奇襲しかない。

作戦完遂のために、部隊はにわかに活発化した。将兵は各中隊毎《ごと》に夜明けとともに起床する。銃剣術に打ち込む気合いが、朝の空気を揺るがした。

Ｂ29によるサイゴン空襲も頻繁になってきて、私も救護隊を率いて出動した。トラックに乗って空襲下の市内に出て行くのだが、結局は現地の難民でごった返す被災地を右往左往するだけに終始した。

空襲下、明号作戦周知徹底のために幾度も将校が集められた。部隊ごとの攻撃目標と戦闘方法が細かく決められた。

私の大隊の攻撃目標は、仏印軍の精鋭が常駐するマルタン兵営だった。最初に機動部隊による砲撃、ついで歩兵による白兵戦で短期間に占領というのが作戦の骨子だ。三月初めの作戦開始を控えて、突撃の訓練が営庭で毎日繰り広げられた。

そんなある日の夕刻、野波中尉が私の部屋にはいってきた。

「軍医さん、あんた軍刀がなかったろ。わしのを一本買わんかね。安くしとくよ」

五日前、私は見習士官から少尉任官を終えたばかりだった。出征前、両親が用意してくれた軍刀は、カムラン湾で船が沈んだとき流出させていた。救助された後は、昔の騎兵が着用していた官給の長いサーベルを調達して腰につけている。歩くのにも不自由で、何度かつまずきかけた。

「ありがたいです。いくらで譲ってもらえますか」

「十ピアストルでどげんじゃろか」

「結構です」

「その代わり、重か軍刀じゃけんな。わしはこの頃、軍刀も重く感じるようになっていかん」

中尉はいかにも気だるそうに椅子《いす》に腰をおろした。商談は無事成立した。

二日後、また野波中尉がやって来て、街への外出を誘われた。私はさっそく例の軍刀を腰に吊《つ》り、夕闇《ゆうやみ》に紛れて二人で宿舎を出た。軍刀は確かに重たいが、やたら長いサーベルよりは数段ましだった。

シャスロバ通りは夕闇のなかで賑《にぎ》わっていた。椰子《やし》油のランプを灯した氷屋風の店が、ずらりと並んでいる。店先にはベンチが置かれ、奥からは焚《た》かれた香の匂《にお》いが漂ってくる。白や桃色のアオザイに身を包んだ娘たちが三、四人、客待ち顔で立ち、紅い唇がランプの火影《ほかげ》にくっきりと浮かび上がっていた。

野波中尉が足をとめ、つかつかと中にはいって行く。二、三人の娘が彼にすがりついた。商談はそのうちの白いアオザイの娘とまとまったようで、二人は暗い奥に消えた。

入口に残された私に、桃色のアオザイ娘がまとわりついた。私は腕をふりほどいて表に出た。近くのネムの木陰で中尉が出て来るのを待った。私のふところに金はなかった。

野波中尉が姿を見せたのは小一時間たってからだ。

「さらばサイゴンよ、また来る日までは。しばし別れと、あの娘《こ》が言うた――」

中尉は鼻唄《はなうた》を口にし、私の肩に手を置く。

「軍医さん、もう帰ろ。あんたがくれた軍刀の金、今夜ですっかりなくなったばい。これでもう死んでもよか。わしはやるばい」

帰路は何か考え込むように黙り、私たちはどこか悄然《しょうぜん》と夜道を宿舎に戻った。

明号作戦の決行日は三月九日だった。将兵は新しい手拭《てぬぐ》いで鉢巻をし、鉄帽をかぶる。私も新品のシャツと褌《ふんどし》に代えた。夕刻、武装を整えた部隊はトラックで移動し、荷台の上で待機した。

目の前のマルタン兵営は完全に消灯しており、空では南十字星の光芒《こうぼう》が一段と明るさを増している。

トラックの隣に坐《すわ》っていた下士官が、火をつけた煙草《たばこ》を私にさし出す。

「軍医殿、恩賜《おんし》の煙草です。ひと口どうぞ」

煙草を吸わない私も、菊の御紋つきの煙草をひと口だけ吸い、隣の兵に渡した。

十時数分過ぎ、赤い狼煙《のろし》信号が上がった。兵を満載した二十台のトラックは、ヘッドライトを消したまま発進した。

友軍の山砲部隊が砲撃を開始していた。弾丸は闇の中で光り、前の方で大音響を上げて炸裂《さくれつ》する。

マルタン兵営の塀の前で、私たちはトラックから飛び下りた。作戦に従い、各分隊毎に暗がりに消える。私の指揮する担架隊は、近くにある壕《ごう》の中に身を潜めた。

兵営のあちこちで銃撃戦が始まっていた。機銃音が激しく響き、小銃弾が頭上をかすめる。味方の山砲の砲弾がすぐ目の前に落下して、私たちは頭を低くした。

ほどなく闇の奥から「軍医！　軍医！」と呼ぶ声が聞こえ、最初の負傷兵が運ばれてきた。

担架から血がぽとぽと滴《したた》り落ちる。懐中電燈《でんとう》の光を頼りに、圧迫繃帯《ほうたい》をする。

「しっかりせよ。傷は浅い」

自らを鼓舞するように声をかける。

「軍医殿、腰を手榴弾《しゆりゆうだん》でやられました。もう自分は駄目であります」

圧迫しても血は噴き上げ、とめようもない。私は慌《あわ》てて輸送トラックに押し上げる。

「急げ、陸軍病院に運べ」と怒鳴った。

その後も負傷者は続いた。出血もなく、笑うような穏やかな顔をした兵が運ばれてくる。どこにも創《きず》は見当たらない。鉄帽を脱がせる。銃弾が頭を貫通していた。額に巻かれた真新しい手拭いが眼にしみた。

戦闘は真夜中を過ぎたところで下火になった。ようやく闇が明ける頃、敵は白旗を挙げ降伏してきた。日本軍による占拠はあっけなく終わった。

私たちの担架隊はそのあとが大忙しだった。倒れている敵味方の将兵から生存者だけを選んだ。応急処置を施して、陸軍病院にピストン輸送させた。死体の運搬はそのあとになった。

すべての処置をその日の午前中で終えたときには、立つのもやっとというくらい疲労困憊《こんぱい》していた。

「軍医さん、大変じゃったろ」

そんななか、野波中尉《ちゅうい》が顔を見せてくれた。傷ひとつ負っていなかった。

「中尉殿、ご無事で何よりです」

私は自分のことのように嬉しかった。

「部下を二人失ってしもうて、どうにも無念でならん」

暗い顔をくずさない中尉には、慰めの言葉もかけようがなかった。


ひと月後、私たちの兵団にマレー半島への転進命令が下った。仏印処理という目的を果たした今、連合軍のマレー半島侵攻に備える必要があったからだ。行き先は中部マレーおよびクアラカンサールと聞かされた。サイゴンの守備は、ビルマ方面で苦難の戦いをした兵団に任された。

兵営の中は再び忙しくなり、各隊は梱包《こんぽう》作業に追われた。

大隊は二分され、私と野波中尉は後発組にはいり、一緒に出発することになった。野波中尉は輸送指揮官の大尉の副官になっていた。

出発の日、私たちはサイゴン埠頭《ふとう》の長い橋を渡った。橋の先にあった氷屋で冷えたパパイアを分け合って食べた。私はトラックの荷台で頬ばったおはぎを思い出した。こうやってまだ命永らえているのが不思議に思えた。しかしこの先、幸運が続くかどうかは全く不明だ。私は祈るような気持で河の先を見やった。

待ち受けていた大発《だいはつ》に荷を積み込む。何といっても目立つのが筏《いかだ》で、上空から見れば日本軍だとすぐ分かる。敵機に遭遇したときが、命の分かれ目だった。

メコン河は黄色に濁っていた。湖のように広い河を大発の群はゆっくり航行した。時折、布袋葵《ほていあおい》の浮島と出会った。ヒヤシンスに似た薄紫の花を一面につけていて、舟の脇《わき》を下って行く。兵のひとりが竹棹《たけざお》をのばして浮島の一部を引き寄せ、花を摘み取った。いくつかの花が兵たちの軍服の胸を飾った。

河を遡《さかのぼ》るにつれて河幅がせばまり、大発は崖《がけ》に沿って進む。強い陽射《ひざ》しのもと、岩の割れ目から、翡翠色《ひすいいろ》の羽を光らせて小鳥が飛び立つ。私は、これが戦時ではなく平時の旅であれば、どんなにかよかったろうと心底思った。

翌日、目を覚ますと、南国らしい強い陽が照りつけていた。

「カボチャだ、カボチャだ」

兵隊が口々に叫んでいる。小高い丘の上に、黄金色《こがねいろ》のパゴダが神々《こうごう》しく輝いている。私たちはカンボジア国内にはいっていた。

夕刻、大発船団はようやくプノンペンに着いた。最も恐れていたB29の空襲がなかったのは、パゴダの恩恵だったのかもしれない。

埠頭到着とともに、野波中尉は急に多忙になった。積載物資の揚陸、貨車への積み換えなどに、的確に命令を下している。終われば、各司令部に連絡周知しなければならない。中尉はそれも遅滞なくこなした。私はその奮闘ぶりを眺めながら、中尉は平時であっても有能な人材に違いないと、心中納得する思いがした。

このときカンボジアでは、シアヌーク国王が独立を宣言したばかりだった。にもかかわらずプノンペン市内は平穏そのものだった。

私は緑の多いこの町が好きになった。暇を見つけては外出し、王宮や市場を歩いた。現地人の雑踏にもまれながら、店先の珍しい果実を眺め、見たこともない食い物を煮たり焼いたりしている店内を覗《のぞ》き込んだ。

夕暮れになると青白い街灯がつき、涼風が吹き始める。街中というのに蛍《ほたる》が暗がりで舞い、金色の軌跡を描いた。戦争がこのまま終わるはずはない。敗戦の前に苛烈《かれつ》な戦闘が待っているのは疑いがない。そう思うと、一刻一刻がかけがえのないものに感じられた。

出発の日は迫っていた。その前日の夜、私は野波中尉とばったり行き合った。古い仏塔の向こうから、中尉がふいに姿を見せたのだ。長身で痩《や》せ型の体軀《たいく》がさらに細くなっているような印象を受けた。ぎょろっとした目だけは変わらない。酔いが回っているのか、足元がおぼつかなく、腰の軍刀が左右に揺れている。

「軍医さん、よか所で会うた。もう一軒、一緒に行こう」息も酒臭い。

「いえ、遅くなります。これで失礼いたします。明日の出発は早いですし」私は固辞した。

「よかよか。今夜ひと晩で、プノンペンともお別れじゃけ」

中尉は睨《にら》みつけるように言い、強引に私の手を握って、歩き出す。こうなると、しばらくつき合うしかない。中尉はもう市内を何度も訪れているようで、いくつもの角を自信あり気に曲がった。公園の裏手に出ると、長屋のような建物が立ち並ぶ一画になった。青い門灯のある家の前に、着物を着た中年の日本人女性が立っていた。

「ようおばさん。また来たよ」

野波中尉はその女性の肩に手を置く。彼女の足元で寝そべっていた犬が立ち上がり、震え出した。中尉を恐れているところからすると、前回ひどい仕打ちを受けたのだろう。

「どけ」と言って中尉は犬をひと蹴《け》りした。

悲鳴をあげた犬は、隅の方に移動し、這《は》いつくばった。

「ハルミはいるかぁ」

中尉はふらつく両足を踏んばって叫ぶ。
「中尉殿、今夜は帰りましょう。明日は早いですよ」私は中尉を抱きとめた。
「よかよか。そんなら軍医さんは帰ってよか。わしはここに泊まるけん」
中尉はその場に坐り込む。私は畳敷の小部屋に中尉の身体《からだ》を押し上げ、ハルミとい
う源氏名の現地人の女性に目配せをした。
「ちょっと将校さん。あの人、お金持っていないよ」
帰りかけた私を、着物の中年女性が呼びとめた。
「いや、金は胸のポケットにあるらしい。念のため、これを渡しておく」
私は三ピアストルを女性に握らせた。
急いで兵站《へいたん》宿舎に戻った私は、軍服を脱ぐなり蚊帳《かや》にもぐり込んだ。翌朝、野波中
尉が遅刻するのではないかと心配しているうちに、いつの間にか寝入っていた。
翌朝は早目に起きた。野波中尉の部屋を覗くと、カラだった。宿舎には戻らなかっ
たのだ。案じながら、私は部下たちと連れ立って駅に急いだ。
駅に着き、ホームに上がった私は仰天した。野波中尉が立ち働いていたからだ。顔
はげっそりやつれてはいるものの、軍刀を杖《つえ》代わりにして、資材の積載をてきぱきと
采配《さいはい》している。その声はよく徹《とお》り、輸送指揮副官の面目躍如だった。

列車は昼頃発車した。メコン河を離れて西に向かう。左前方に、遠くカルダモーム山脈が望めた。

昼間の疲れでうとうとしていた私は、野波中尉から肩を揺さぶられて目を開けた。中尉は笑いながら顎《あご》をしゃくり上げ、窓の外を示した。私は腰を浮かしそうになった。

一体何万匹の蛍だろうか。樹木にびっしり張りついて、視野いっぱいに明滅運動を繰り返している。まるで立ち並ぶ樹木が、沈黙の合図で一斉に膨らみ、収縮するようだ。

汽車はまさしく、青白い光のトンネルをくぐっていた。全くの別世界が車外にひらけている。私がこの先、何年、もしかしたら何十年生き永らえようと、もうこれほどの蛍を見る機会は、二度と訪れないはずだ。

私は言葉を失い、この世のものとは思えない景観に見入った。

「軍医さん、こげな歌はどげんじゃろか」

野波中尉は私に笑いかけ、窓外に眼をやる。詩吟を詠じるように口を開けた。

　我が汽車は光の海を進むなり
　　億万匹の蛍呼吸す

野波中尉が二度繰り返したあと、私も復唱する。

出来はやはり啄木には及ばないものの、この情景にはぴったりだった。

「実にいい歌です」

私は言い、中尉と目を合わせる。なるほど、中尉の歌を詠じたあと、点滅する蛍の荘厳《そうごん》さが倍加したように感じられた。

蛍の海の中を三十分ほど進むと、周囲はまた漆黒の闇になる。そしてちょうど真夜中頃、汽車は停止した。野波中尉はさっそく持ち場に戻った。前方の鉄橋が破壊されているため、物資を再び舟に積み込まなければならなかった。最小限の明かりの下で対岸に渡り、また別の貨車に荷を積み直す。

二、三時間行ったところで、またもや鉄橋破壊のため、貨車は引込線にはいった。再び積荷を換え、渡河点《とか》で舟に転載する。そして貨車に積載物を移す。

この間、作業指揮はほとんど野波中尉に任された。痩せた身体を軍刀で支えるようにして立ち、的確に指示を出し、まごまごしている兵には怒号を飛ばす。その鬼気せまる姿からは、和歌を詠《よ》む軍人は想像しにくかった。

夜が明けて鉄路の周囲が見通せるようになった頃、B24の編隊による空襲に見舞われた。積荷はそのままに、将兵全員が周辺の草原に散開する。私はすすきの群落に分け入って身体を伏せた。何回も爆発音と地揺れがしたが、すすきの中に入ると、奇妙に気持が落ちついた。壕の中より安全に思えるのが不思議だった。空襲は二十分ほどで止《や》んだ。

貨車や線路が直撃されていないのが幸いだった。私は爆弾の破片で負傷した兵を十数人手当てした。幸い全員が軽傷で自力歩行が可能だった。貨車に乗り直し、積荷の米俵の間に身体を横たえる。レールの音を聞いているうちにまた睡魔に襲われた。

カンボジアとタイの国境を越え、バンコクに着いたのはひと月後、さらにそこからマレー半島を南下して、半島中部のマレータイピンヒルに到着したのは、さらに二ヵ月あとだった。

連合軍の上陸地点は、三ヵ所想定されていた。ひとつは、インド洋側から、マレー半島基部のクラ地峡を遮断して南下する場合、第二は、シンガポールを陥落させて、上陸北上する場合、第三は、百キロほど北にあるペナン島に艦隊が集結し、急襲する場合だった。既に、半島の西側に位置するアンダマン諸島やニコバル諸島では、連合軍の先遣船舶が蠢動《しゅんどう》しているという報告ももたらされていた。まさしく、タイピンこそは要衝といえた。

各中隊が、道を見おろす丘にちらばって布陣し、陣地構築を急いだ。陣地は造ったものの、武器は旧式の機銃と小銃のみしかない。度重なる渡河や貨車への積み換えの際、大砲の類《たぐい》は泣く泣く遺棄してきていた。近日中に現地製の火砲が到着するはずだったが、これとて近距離用で、しかも二、三発射《う》てば砲身が裂けるという噂《うわさ》がたっていた。

ひとり、部隊長だけが意気軒昂《けんこう》だった。布団《ふとん》爆弾を抱いて蛸壺《たこつぼ》に潜み、戦車が来たら体当たりせよと息巻いていた。私に向かって、お前も同じだ、同様に突進せよと目をむいた。

軍医としての仕事も忙しくなった。兵たちは砲座をつくるために裏山の密林に分け入る。何匹もの山蛭《やまびる》が這い上がってきて身体に吸いつく。血を吸った蛭は風船のようにふくれても離れない。山にこもる兵たちは貧血に陥り、顔面蒼白《そうはく》になった。

この地はまた悪性マラリアの猖獗《しょうけつ》の地でもあった。将兵は次々と倒れ、深夜の歩哨《ほしょう》に立った兵はそのまま急死する。重労働を強いられるうえに、食事といえば来る日も来る日も、塩干魚と菜っ葉汁のみだ。米も少ない。栄養失調に陥った身体は、火をつけられた枯木と同じで、発症も消耗も速い。部隊の七割はマラリア患者になり、昏睡《こんすい》者や高熱者が続出した。即戦出動人員は二割という有様だ。

私は街道の中間地点にあった民家を接収して、医療室を開設した。錆《さ》びた自転車に乗って街道を上下する。倒れた兵を診察して、医療室に運ばせた。またたく間にそこは超満員になった。病人だからといって、食事量が増えるわけではない。青白い幽霊のような病兵たちは、一日茫然《ぼうぜん》と窓から外を眺め暮らした。

庭には拳《こぶし》大のカタツムリが這いまわり、二階まで伸びたパパイアの木にまとわりつく。音をたてて若芽を食い荒らす。兵たちはひもじさをこらえて、それを見ていた。

ひと月くらいして、若い兵士が私に報告に来た。野波中尉の当番兵だった。

「中尉殿が発熱されました。診察をお願いします」

私は当番兵を残して単身自転車に跨《また》がる。野波中尉の属する鉄砲隊は、街道を南下した一番遠い所にあった。でこぼこ道を、今度は山手の方に自転車を押しながら登った。

野波中尉は、椰子《やし》の葉で葺《ふ》いた小屋に横たわっていた。その衰弱した様子に私は息をのんだ。顔は痩せ、骸骨《がいこつ》に皮膚が張りついているだけだ。青白く、肩で息をしている。

「軍医さん、わしはもう駄目のごたる」

中尉は暗い眼を私に向けた。

私は返す言葉も見つからず、中尉の胸をはだけた。平生から薄い胸は、さらに薄くなっていた。浮き出た肋骨《ろっこつ》の間に当てた聴診器から、細かなラッセル音が伝わってくる。濁音はない。聞くと高熱は十日続いており、食物もほとんど喉《のど》を通らないらしい。マラリアではなく、粟粒結核《ぞくりゅうけっかく》に違いなかった。

「中尉殿、これ以上の無理はいけません。治療すれば、すぐ元気になります」

診断とは裏腹に私はそう言い、励ました。その足で部隊長に面会し、緊急入院を勧めた。翌日、中尉は部隊長の自動車で、五十キロ離れた野戦病院に入院した。

二週ばかりあと、私は下士官を連れ、トラックに便乗して見舞いに行った。

野波中尉は病院の個室に横になり、閉眼していた。顔色が悪いのは、窓際《まどぎわ》にある緑の濃い植物の反射かと見まごうほどだった。

「中尉殿、隊のみんなが、くれぐれもお大事にと言っています」

私は当たり障《さわ》りのない言葉で言いかけた。

「軍医さん、ありがとう。よろしく伝えて下さい。内地ではもう夏の真盛りでしょうな」

中尉は夢見るような目つきで、枕元《まくらもと》の手帳に手を伸ばす。頁《ページ》を開けて、私にさし出した。

そこには、頁いっぱいに、一首だけ短歌が書きつけられていた。

ここに来て古里遠く病床の
　まぶたに浮かぶ朱のカンナ垣

私は夏の日の照りつける中尉の故郷の家を想起し、胸塞《ふさ》がれた。そこには両親や同胞が健在なはずだ。中尉が重病の床にあるなど、知るよしもなかろう。

「それでは野波中尉殿、また原隊でお会いしましょう。失礼します」

私は深く頭《こうべ》を垂れ、後ろ髪ひかれる思いで病室を出た。

その頃、日本軍の形勢不利を察した現地住民は、滅多なことでは軍の命令にも従わなくなっていた。夜になれば土匪《どひ》も出没した。

部隊のほうでも見切りをつけて、逃亡兵がひとりふたりと出るようになった。外出した兵隊が現地人に虐殺《ぎやくさつ》されたという報ももたらされた。それが八月上旬で、十七日私たちは敗戦を知った。

もう戦闘はないのだ。撃たれて死ぬことも、帰国の輸送船が撃沈されることもない。私の頬を冷ややかな涙がつたった。決して嬉《うれ》しさばかりの涙ではなかった。

戦争に負けても、それで病気が止むわけではない。私は病床にある兵を診察し、自転車で往診を続けた。

診察から戻った私に、当番兵が申し訳なさそうに告げた。野波中尉から譲り受けた軍刀を、武装解除の目的で兵器係下士官が持って行ったという。

ゴム林にそれらの軍刀は山と積まれていた。ゴム林の中には軍馬が十数頭つながれていたが、それも不用の代物《しろもの》になった。林の端には、弾薬と被服がうずたかく積み上げられている。

程なく英軍の移動命令が出た。ここから食糧や鍋釜《なべかま》を荷車に積んでの徒歩の移動が始まる。将兵は着のみ着のままだった。目的地はシンガポールということだったが、途中あちこちのキャンプに入った。その間にもマラリアは将兵の体力を奪い続け、重病の兵は次々と命を落とした。飢えが病気の進行を加速させ、私にはもはやなすすべもない。死亡を確認し、記録するだけの、書記に成り下がっていた。

十一月はじめ、私たちはリオ諸島のレンパン島に移された。そこで開墾しての自活が始まった。もう戦闘で死ぬことはない。食糧さえ確保すれば、復員の日をいつか必ず迎えられる。病兵の体力を回復させれば、もはや病勢が進むこともない。生きのびる――。これが一条の光になった。

将兵はひとつになり、ジャングルを切り拓《ひら》いて、タピオカやサツマイモを植えた。私も診療のあい間に畑に出た。

タピオカの芽が伸びてきた頃、司令部の衛生兵が畑の小道を駆けて来た。

「軍医殿、ここにおられましたか」

私は何事かと思い、鍬《くわ》を置いて顔を上げる。不吉な予感がした。

「野波中尉殿が死なれました」

私は衛生兵の悲痛な顔をじっと眺めた。「何でも、もうちょっとで病院船に乗るところだったそうです。お気の毒であります」

「本当か」

呟《つぶや》いて天を仰いだ私の目に、陽光が白々と沁《し》み入った。

眩暈《めまい》を覚え、私はジャングルの中に駆け込んだ。そこはシダや蘭《らん》、ラタンが密集していてほの暗い。

「野波中尉ドノー、野波さーん」

私は山に向かい、声を限りに叫ぶ。声はこだませず、空《むな》しく山に吸い込まれる。

声に驚いたのか、蘭の葉裏から赤黒い蜘蛛《くも》が姿を現し、すっと糸を引いて地上に落ちた。

足元にはぶ厚い落葉の重なりがあった。その上を黒蟻《くろあり》の大群が蠢《うごめ》いている。幅一メートルにわたり、落葉の起伏を乗り越えて一方向に移動していた。何百万匹かはいるだろう。生き生きとした力強い動きが、ひとつの流れを成していた。

こんな蟻だって逞《たくま》しく生きている。野波中尉は、まるで流れ星のように死んでしまっていた。

戦場に蛍を詠《よ》みしもののふは
　蛍のごとくみまかりにけり
いくさ終へまなこ閉ぢればみまかりし
　野波中尉の蛍の航跡

ふとそんな短歌が頭に浮かんだ。かつて啄木に親しみながら、野波中尉の歌を啄木にはほど遠いと嗤《わら》った私の拙《つたな》い歌だった。

私は口に手をあて、涙声でもう一度、山に向かって野波中尉の名を呼んだ。

あとがき

恩師中尾弘之《ひろゆき》先生は、公務引退後、所長を務めていた福岡・行動医学研究所を辞する際、大きなダンボール箱一杯の資料を私に恵与された。

先生の資料の集め方は、雑誌の論文記事をそこだけひき破って封筒に入れ、関連項目毎《ごと》に表書きをしておくというものだった。〈近代史〉〈大東亜戦争〉〈敗戦〉〈アメリカの戦争責任〉〈昭和天皇〉〈国家〉〈教育〉〈中国問題〉〈韓国・北朝鮮関係〉〈学問〉〈芭蕉《ばしよう》と子規《しき》〉〈古代史〉〈宗教〉〈憲法〉〈文学〉など、資料は多岐にわたっていた。

当時『逃亡』（一九九七年刊）を書き終えたばかりだったが、何か重い宿題を与えられたような気持になった。

軍医もの二巻を書き上げた今、宿題の一端をやりおおせた心境で、肩の荷をおろしている。

思えば、文字の力に打ち震えたのは、『きけわだつみのこえ』が最初だった。一九九七年、『空《くう》の色紙』文庫本のあとがきに、次のように書いた。

「空の色紙」には知覧を登場させている。「きけわだつみのこえ」に胸打たれ、大岡昇平「俘虜記《ふりよき》」、梅崎春生《はるお》「桜島」、島尾敏雄《としお》「出発は遂《つい》に訪れず」に感激した少年の日々が、小説の筆を知らず知らず、体験もしていない戦争の方に引き寄せたのだろう。その性向は今もって薄れていない。

全く、その性向は老境にはいった現在でも変わらないようだ。とはいえ、いわゆる戦記ものや戦争文学に関して、私はずっと不満をもっていた。それらはどうしても、個人的な視点、あるいは局地的な体験の域内にとどまってしまいがちである。

早い話が、戦争の実相は、島ひとつの差で月とスッポンの差が出る。例えば、硫黄《いおう》島には米軍海兵隊が六万人上陸し、栗林《くりばやし》中将以下の守備隊二万人との間で死闘が繰りひろげられた。ところが、硫黄島の本島でもあり、陸軍病院もあった隣の父島は、米軍に素通りされ、飢えと病魔以外、直接の被害は受けなかった。

私的な体験や局地戦を描くだけでは、戦争の全容は見えてこない。『蠅《はえ》の帝国』と本書で、三十人の軍医の物語を描き終えた今、私は旧日本軍が拡《ひろ》げた版図の大きさに改めて圧倒されている。北は満州・樺太《からふと》・アリューシャン列島、南はインドネシア、東はマーシャル諸島・ギルバート諸島・ソロモン諸島、西は中国・ビルマまで、まさしく先の大戦は大東亜戦争に他ならなかった。

日本軍の将兵は、風呂敷《ふろしき》のように拡げられた身不相応の版図に、点々とばらまかれた。

そして将兵の赴く所、必ず軍医もいた。地を這《は》う軍隊、海に浮かぶ艦隊と潜水艦を持ち場として、軍医たちもまた、死力を尽くして戦わなければならなかった。戦う相手は、戦傷というよりも、病魔と飢餓だった。医療器具も医薬品も、そして食い物もない。ないない尽くしのなかで、軍医たちは、武器弾薬の尽きた将兵同様、音をあげることはできなかったのだ。

軍医たちの眼には、戦争の大局は見えない。見えるのは、傷つき、病いに倒れ、飢え死にしていく将兵、あるいは住民たちの姿だった。

戦争の実相とは、つまるところ、傷つきながら地を這う将兵と逃げまどう住民、そして累々《るいるい》と横たわる屍《しかばね》ではないのだろうか。軍医はその前で立ちすくみ、そして医療に死力をふりしぼりながら、ついには将兵や住民と運命を共にしたのだ。

主要参考資料

『日本陸軍総覧』新人物往来社　一九九五
『地域別　日本陸軍連隊総覧』新人物往来社　一九九〇
『陸軍師団総覧』近現代史編纂会編　新人物往来社　二〇〇〇
『兵隊たちの陸軍史』伊藤桂一　新潮文庫　二〇〇八
『日本陸海軍爆撃機・攻撃機１９３０―１９４５』文林堂　二〇〇七
『日本陸海軍偵察機・輸送機・練習機・飛行艇１９３０―１９４５』文林堂　二〇〇九
『写真集　日本の戦闘機』光人社　二〇〇〇
『大日本帝国海軍全艦艇』世界文化社　二〇〇八
『日本の軍装１９３０～１９４５』中西立太　大日本絵画　一九九一
『図説　太平洋戦争』太平洋戦争研究会　河出書房新社　一九九五
『悲傷　少年兵の戦歴』毎日新聞社　一九七〇
『第二次世界大戦（太平洋戦編）』毎日新聞社　一九七〇
『昭和　二万日の全記録５　一億の「新体制」』講談社　一九八九
『昭和　二万日の全記録６　太平洋戦争』講談社　一九九〇
『日本憲兵正史』全国憲友会連合会　一九七六

『日本憲兵外史』全国憲友会連合会　一九八三
『戦塵風塵抄』伊藤篤　私家版　一九八一
『おじいちゃんの雑記帖』伊藤篤　西日本新聞社　一九九一
『博多港引揚者入院記録—国立筑紫病院患者名簿から—』安陪光正　私家版　二〇〇九
『歌集「弾痕」と軍医陣内朽索の生涯』陣内智一郎編著　日本文学館　二〇〇四
『国に問われる責任』軍医学校跡地で発見された人骨問題を究明する会編　樹花舎　二〇〇九
『上海より上海へ』麻生徹男　石風社　一九九三
『慰安婦と医療の係わりについて』天児都、麻生徹男　梓書院　二〇一〇
『ルソン戦—死の谷』阿利莫二　岩波新書　一九八七

※

山下實六：インパール作戦における烈兵団長の精神鑑定　九州神経精神医学二四：一五一—一五七　一九七八
森田丈夫：ビルマ・インパール戦史について惟う　日本医事新報三四五六：五七—六〇　一九九〇
川堀耕平：ワット・ブラ・ノーン　日本医事新報三七一九：一六　一九九五
川口良平：四十三年振りのめぐり合い　日本医事新報三四〇六：七—八　一九八九
山口東吾：英才ビルマに死す　日本医事新報二九九〇：六二—六三　一九八一
大西基四夫：悼・小野明道先生　日本医事新報三八二三：四　一九九七
加藤篤二：回想のベトナム　日本医事新報二一五四：五六　一九六五

加藤篤二：インパール戦の終結　日本医事新報二二二八：一一三　一九六七
野北九州男：美しき死　日本医事新報二一八七：五三　一九六六
野北九州男：戦友の墓参　日本医事新報二七二三：六八―六九　一九七六
野北九州男：泰緬鉄道の想い出　日本医事新報二七四〇：六七―六九　一九七六
野北九州男：阿片の話　日本医事新報二七七五：六一―六二　一九七七
野北九州男：偶感　日本医事新報二七八三：六八―六九　一九七七
野北九州男：徐州　日本医事新報二八六八：七一　一九七九
野北九州男：ビルマの覆面部隊（遺稿）　日本医事新報三三九九：六三―六四　一九八九
久津見専：インド・インパール悔過の旅　日本医事新報三五五四：五九―六二　一九九二
星野日出男：『プロパガンダ戦史』補遺　日本医事新報二九九五：六三―六五　一九八一
田村久弥：回想のチンドウィン　日本医事新報二七五三：六八―六九　一九七七
田村久弥：回想のチンドウィン（続）―インパール作戦夜話―　日本医事新報三七二一：五七―五八　一九九五
岸田壮一：広東の早慶戦　日本医事新報二一二三：一二三　一九六五
岸田壮一：コタバル上陸（上）（中）（下）　日本医事新報二六〇一：七一―七四　二六〇二：七二―七四　二六〇三：七一―七四　一九七四
岸田壮一：パレンバンからビルマへ（上）（中）（下）　日本医事新報二七七四：六一―六四　二七七五：六三―六五　二七七六：六七―六九　一九七七

岸田壮一：広州見聞記　日本医事新報二九一四：七一―七四　一九八〇
岸田壮一：戦争の時代　日本医事新報三四八〇：二七―二八　一九九一
岸田壮一：従軍慰安婦　日本医事新報三五八四：三〇―三一　一九九三
中沢幹雄：ブキテマ高地　日本医事新報二六二四：八九　一九七四
竹崎善吉：ソ連軍収容北鮮興南病院（一）（二）（三）（四・完）　日本医事新報二六六一：四六―四八　二六六二：六八―七〇　二六六三：六八―七〇　二六六四：六四―六六　一九七五
谷彰：軍医としての体験から　日本医事新報二八一六：五九―六二　一九七八
小林伝三郎：痛恨、平壌の暗い一年（上）（下）　日本医事新報三四八四：七二―七四　三四八五：六七―七〇　一九九一
藤田貞彦：戦闘下の心理　日本医事新報二六一一：六七―六九　一九七四
藤田貞彦：野戦悲話　日本医事新報二六七三：六七―六九　一九七五
藤田貞彦：野戦病院閑話（下）　日本医事新報二七〇八：六九―七二　一九七六
金田光雄：洋車と兵隊　日本医事新報二七五八：六六　一九七七
金田光雄：戦争と人間性　日本医事新報三五八一：五二　一九九二
草間昇：破傷風の思い出　日本医事新報二七六三：七四　一九七七
金子仁郎：地雷の想い出　日本医事新報三七七〇：二九　一九九六
三井春也：揚子江の洪水　日本医事新報二一八一：五七　一九六六
三井春也：岳口鎮患者収容所　日本医事新報二三三三：八八　一九六九

大藤眞：再会　日本医事新報二四一五：六九　一九七〇
大藤眞：軍医時代回想録余談　日本医事新報二六四六：四六　一九七五
大藤眞：コレラ騒ぎ　日本医事新報三五三二：九九―一〇〇　一九九二
吉田昌敏：一軍医の昭和回顧　日本医事新報三四一〇：六七―六八　一九八九
指宿英造：江山の月―植村茂軍医を偲ぶ　日本医事新報三四三一：六一―六三　一九九〇
岡谷市蔵：帰去来館始末記　日本医事新報二〇三三：五一―五二　一九六三
鷲見敦臣：桂林地区よりの撤退作戦・終戦　日本医事新報三三七四：六四―六六　一九八八
大口正道：病院列車の思い出　日本医事新報三四五八：二六―二九　一九九〇
大口正道：病院列車の思い出（続）　日本医事新報三五一〇：一七―一八　一九九一
大口正道：天津陸軍病院の思い出　日本医事新報三四八一：一〇三　一九九一
中村善紀：日中戦争で経験したマラリヤ（上）（下）　日本医事新報二九九四：六二―六六　二九九五：六七―七〇　一九八一
城山英太郎：忘れ得ぬ戦場の出会い（一）（二）（三）　日本医事新報三九〇〇：六一―六三　三九二二：六二―六三　三九二九：六六―六八　一九九九
河原剛：大陸縦断一万二千粁（上）（下）　日本医事新報三四四一：六二―六五　三四四二：六四―六七　一九九〇
福島庸逸：北京での歌声　日本医事新報三〇六九：六五　一九八三
鈴木辰四郎：私の戦記―あの一言が―　日本医事新報三四八〇：四三―四四　一九九一

渡辺行孝：悲劇の町　福州　日本医事新報二四〇一：七〇―七二　一九七〇
市川俊彦：杏花（シンホア）　日本医事新報三〇九五：五九―六二　一九八三
市川俊彦：中華民国湖南戦線（一）（二）（三）（四―完）　日本医事新報三三六六：六五―六八　三三六七：六七―七〇　三三六八：六八―七〇　三三六九：六八―七〇　一九八八
春間平太：さらばハルマヘラ　日本医事新報二四九〇：七二―七三　一九七二
春間平太：北京の〝洋車〟　日本医事新報二五一八：一一八　一九七二
川村正夫：蘇州　日本医事新報一五〇五：三八　一九五三
安倍弘毅：香山の思い出　日本医事新報二四一五：一六　一九七〇
清水文彦：北京の正月　日本医事新報一三九六：三〇　一九五一
伊藤齋尚：支那語は日本語と決して同文同種ではない　日本医事新報一六三七：七二　一九五五
稲田朝美：蘇州の童女　日本医事新報二六七六：七三―七四　一九七五
久村文生：勲六等瑞宝章　日本医事新報二九一九：六七―六八　一九八〇
菊地雷三：天長節の思い出　日本医事新報三八七二：六三―六五　一九九八
原隆一：私の誕生日　日本医事新報二八六二：七二―七三　一九七九
勝正敏：皇軍占領当時の海南島の現況と石禄鉄山について　日本医事新報二九七四：六七―六八　一九八一
船橋知也：員数外　日本医事新報三〇一〇：九九　一九八二
船橋知也：朝顔　日本医事新報三六一五：五一―五二　一九九三

山下喜明：海軍似島消毒所　日本医事新報二二二八：七二―七三　一九六七
山下喜明：金華　日本医事新報二九八七：九七―九八　一九八一
岩満愛：一発の弾丸もうたずに手をあげた話　日本医事新報二五五五：六五―六七　一九七三
梛野巌：北京雑感　日本医事新報二五三八：六五―六八　一九七二
内田雄三：北京陸軍病院の頃　日本医事新報二〇四八：六五―六六　一九六三
里見三男：支那在任中の見聞あれこれ　日本医事新報一八七五：三七―三九　一九六〇
関口好：済南の思い出より　日本医事新報二三二三：六九―七〇　一九六八
野平藤雄：あき女の扇　日本医事新報三〇九七：七一―七三　一九八三
内藤一男：カラアザール戦記　日本医事新報二九九六：六二―六三　一九八一
石橋修：南京　日本医事新報二一五六：五三―五四　一九六五
馬目一：訪中記　日本医事新報三三三二：六四―六八　一九八八
長門谷洋治：大同陸軍病院　日本医事新報三七九四：一二　一九九七
長門谷洋治：「大同陸軍病院」その後　日本医事新報三八一三：三一　一九九七
新海明彦：打針診―ターチャムチ―　日本医事新報三四八一：四五　一九九一
桑島治三郎：マラリアの兵に重たき　日本医事新報二三〇一：六三―六六　一九六八
桑島治三郎：殉国の軍医大尉　日本医事新報二三一三：四三―四七　一九六八
桑島治三郎：菩薩の舞い―南方軍おんな太平記―　日本医事新報二三二〇：五二―五四　一九六八
桑島治三郎：あァ！ふりまん女士のこと　日本医事新報二三四七：七〇―七二　一九六九

桑島治三郎：牛車部隊始末記　日本医事新報二三五五：四三―四五　一九六九
桑島治三郎：ふりちん軍医　日本医事新報二三九七：六三―六六　一九七〇
桑島治三郎：ここはサイゴン　小パリー　日本医事新報二四一八：六三―六六　一九七〇
桑島治三郎：バンコクの夜の巡察　日本医事新報二四三〇：六三―六七　一九七〇
桑島治三郎：マラッカ海の守り刀　日本医事新報二四四三：六三―六六　一九七一
桑島治三郎：優雅なペナンの日々　日本医事新報二四五九：六三―六六　一九七一
桑島治三郎：ラングーンの認識票　日本医事新報二四七四：六五―六八　一九七一
桑島治三郎：孤高の華の散ったあと―若草園の雑巾問答―　日本医事新報二四八二：四三―四六　一九七一
桑島治三郎：マニラは合歓の花ざかり　日本医事新報二四九一：六一―六四　一九七二
桑島治三郎：カレン高原の昼寝　日本医事新報二五〇一：六三―六六　一九七二
桑島治三郎：続・殉国の軍医大尉（上）（下）　日本医事新報二五七五：五九―六三　二五七九：五八―六二　一九七三
沼口満津男：地獄への道　日本医事新報三五六〇：六三　一九九二
片岡茂太郎：終戦のビラ―我が太平洋戦記より―　日本医事新報三七九〇：四八　一九九六
片岡茂太郎：戦後五二年―日本の失ったもの―　日本医事新報三八四四：四六―四七　一九九七
白井俊明：一軍医の比島戦線従軍記（一）（二）（三）（四）（五）（六・完）　日本医事新報二三三八：五一―五二　一九六九　二三九九：七二―七四　二四一九：七一―七四　二四二

三：七一―七四　二四二五：六八―七一　一九七〇
家田光二：糠と戦訓　日本医事新報三四四三：六五―六六　一九九〇
家田光二：いのちながらえて（上）―比島へ―　（下）―たたかい終わり―　日本医事新報三六五五：六七―六八　三六五六：七二―七四　一九九四
元文伊一郎：斜面台上の追想―フィリッピンで潰滅した兵団の軍医達―　日本医事新報一五八〇：八九―九三　一九五四
麻田栄：ジャングルでの体験　日本医事新報二五四二：一〇七―一〇八　一九七三
高橋仙蔵：死線を越えて　日本医事新報三三四四：五九―六二　一九八八
高橋仙蔵：戦車隊長のひと言　日本医事新報三四八六：六三　一九九一
高橋仙蔵：戦場での死生観　日本医事新報三五五三：七一―七二　一九九二
辰見健一：奇跡の生還と死の恐怖　日本医事新報三五八九：六四―六五　一九九三
辰見健一：芋畑からあの世へ直行　日本医事新報三六六六：三三―三四　一九九四
辰見健一：恐怖の轟沈　日本医事新報三八五六：六八　一九九八
辰見健一：ジャングル戦場での自殺　日本医事新報三八七〇：五二　一九九八
辰見健一：わが命の代償となった煙草　日本医事新報三八七四：七四　一九九八
中西謙三：一老兵の語り　日本医事新報二八五四：一一六―一一七　一九七九
守屋正：「愛」について　日本医事新報三一一九：六三―六五　一九八四
肥田余心：支那風呂幻想　日本医事新報三四二八：五四　一九九〇

肥田余生：人間山本五十六　日本医事新報二二五七：一二〇　一九六七
大竹久：在りし日の連合艦隊の雄姿　日本医事新報三六九〇：四三　一九九五
西本忠敏：ニイハウ島の勇士　日本医事新報二五九四：五〇　一九七四
落合時典：F司令　日本医事新報二一四七：七六―七八　一九六五
落合時典：海上に散る将星　日本医事新報二三二〇：四九―五一　一九六八
落合時典：海上における決断　日本医事新報二四〇二：六三―六五　一九七〇
落合時典：連合艦隊とイレウス　日本医事新報二五三四：六三―六五　一九七二
落合時典：山本長官を救った白波　日本医事新報三〇九二：六六　一九八三
松浦鉄也：マニラに亡き級友を憶う　日本医事新報二六七五：六九　一九七五
松浦鉄也：ラバウルの運命　日本医事新報三四五七：五五　一九九〇
渡邊太郎：ソ連の夏の思い出　日本医事新報一六三二：九三―九四　一九五五
渡辺太郎：ロシア語と私　日本医事新報二三八五：一〇九　一九七〇
渡辺太郎：南方の想い出　日本医事新報二四三八：四九　一九七一
伊藤喜明：四十四年ぶりの再会　日本医事新報三四二九：四五　一九九〇
肥田慶二郎：PW時代の想い出　日本医事新報三三二四：一六　一九八八
片岡紀明：ルソン従軍看護婦が見た地獄の戦線　正論10：二一八―二二九　一九九四
桜井図南男：田中保善ボルネオにたたかう　学士鍋二九：二一―三　一九七八
田中保善：その後の『泣き虫軍医物語』　学士鍋五三：一〇―一一　一九八四

田中保善：脇坂潔著『ルソンの山は尊し』を読んで　学士鍋六一：二六―二七　一九八六
松尾義幸：東部ニューギニア戦線より生還して　学士鍋一〇〇：一七―一九　一九九六
渡辺哲夫：海軍陸戦隊、ジャングルに消ゆ（一）（二）（三）（四・完）　日本医事新報二七二九：六四―六七　二七三〇：七〇―七三　二七三一：六九―七一　二七三二：六八―七一　一九七六
渡辺哲夫：私の八月十五日　日本医事新報二七八一：六三―六五　一九七七
渡辺哲夫：私のなかの帝国海軍（上）（下）　日本医事新報二八八六：六三―六六　二八八七：六八―七〇　一九七九
渡辺哲夫：『東部ニューギニア戦線』を読んで　日本医事新報三〇一八：七四　一九八二
渡辺哲夫：戦場に涙あり　日本医事新報三一四六：六七―六八　一九八四
渡辺哲夫：アドミラル・ヤマモトをアタックせよ（上）（下）　日本医事新報三五八一：五五―五六　三五八二：六五―六八　一九九二
大越進：二つの瀬戸際―あるニューギニア戦記―　日本医事新報三五〇八：六六―六八　一九九一
巴辰男：東部ニューギニア収骨慰霊巡拝の感激　日本医事新報二五二七：七二―七三　一九七二
西田重衛：陸軍軍医学校二十三期生と太平洋戦争　日本医事新報三〇二一：六一―六二　一九八二
池本稔：ニューギニア戦―最後の戦犯狩り　日本医事新報三七二二：七二―七三　一九九五
吉田泰郎：未知の風土病　日本医事新報三五九九：六六―六七　一九九三
藤田和雄：ペナン島　日本医事新報三一四四：五三―五四　一九八四

福山栄三：スマトラに奇病を診る　日本医事新報三六〇六：六七―六九　一九九三
石原俊夫：三十五年目の対面　日本医事新報二九六五：六九―七〇　一九八一
新井たかし：スマトラ島での日本の名医　日本医事新報二九六七：六七　一九八一
加藤謙：軍医時代の思い出（一）（二）（三）（四）（五）（六）（七）（八）（九）（一〇）（一一）（一二）（一三―完）　日本医事新報三〇二三：六五―六八　三〇二四：七二―七四　三〇二五：六五―六八　三〇二六：七一―七四　三〇二九：六四―六七　三〇三〇：七一―七四　三〇三一：七一―七四　三〇三二：七一―七三　三〇三五：六六―六八　三〇三六：六八―七〇　三〇三七：六七―六八　三〇三八：六八―七〇　三〇三九：六五―六七　一九八二

杉山熊男：メナド紀行（一）（二）（三）（四―完）　日本医事新報三四四三：五七―六〇　三四四四：六四―六七　三四四五：六五―六七　三四四六：六七―六八　一九九〇
杉山熊男：メナド慰霊紀行　日本医事新報三五七四：六五―六八　一九九二
山岡三郎：地獄の思い出　日本医事新報二六七五：八九―九〇　一九七五
山岡三郎：第二次大戦最後の戦闘地慰霊行　日本医事新報三五八五：二五　一九九三
折田良雄：捕虜回想　日本医事新報一九〇〇：六七―六八　一九六〇
吉村正：ひとときの恥　日本医事新報二四一四：一一四　一九七〇
緒方芳郎：バンダ海の恩人　日本医事新報二八四七：六三―六四　一九七八
山田剛之：続・敗戦記（その三）（その四）（その五）（その六）（その七）　日本医事新報三〇八

二：六五―六八　三一〇五：六四―六六　一九八三　三一三五：六九―七〇　三一四〇：六五―六七　三一五五：六六―六八　一九八四
山田剛之：敗戦のまとめ―五十余年前―　日本医事新報三八三五：六一―六五　一九九七
山内信：インドネシア独立の思い出　日本医事新報三九二七：七三―七四　一九九九
後藤昭：今村均元陸軍大将のこと　日本医事新報三〇〇六：六八―六九　一九八一
阿波根朝宏：シベリア抑留の体験　日本医事新報三四九一：六七―六八　一九九一
安達達五郎：シベリア奇談　日本医事新報一五五〇：三〇　一九五四
伊藤司：「鎮魂の碑」建立記　日本医事新報三七四一：九六―九七　一九九六
宮村利雄：抑留　日本医事新報三四八一：五五―五六　一九九一
松藤元：ソ連に連行された日本人俘虜の珪肺　日本医事新報三八三〇：六〇―六一　一九九七
中川他郎：モスクワを訪ねて　日本医事新報二八一二：六二―六五　一九七八
橋本敬三：ロスケ・ヤポンスケ（上）（下）　日本医事新報二七五四：九六―九九　二七五五：七二―七四　一九七七
安原美王麿：終戦後の捕虜　日本医事新報二七五〇：七一　一九七七
安武豊志男：コムソモルスク・ナ・アムール　日本医事新報一八八九：五二―五三　一九六〇
安武豊志男：シベリヤの奥地雪深くして―一召集軍医の手記―（上）（中）（下）　日本医事新報二八〇〇：五九―六一　一九七七　二八〇四：六二―六四　二八〇五：七二―七四　一九七八

安武豊志男：スコロ・ダモイ　日本医事新報三六三六：四六　一九九四
八田政秀：松永海軍主計大尉　日本医事新報三三五五：六七―六八　一九八八
川内拓郎：空母信濃の沈没　日本医事新報二八八七：六五―六七　一九七九
織田五二七：軍艦「常磐」の最期―日露戦争から第二次世界大戦の終了まで奮戦した軍艦の物語―
　日本医事新報二〇四四：五三―五四　一九六三
織田五二七：常磐二世　日本医事新報三五六一：八―九　一九九二
織田五二七：老医の望み　日本医事新報三五六八：五四　一九九二
和久井健三：タラワ島の思い出　日本医事新報二〇三一：五三―五五　一九六三
和久井健三：武器なき殺戮―終戦直後の悲惨な出来ごと―　日本医事新報二一〇二：四三―四六
　一九六四
佐野忠正：偶然の功名、敵潜水艦撃沈　日本医事新報三〇四〇：七〇　一九八二
佐野忠正：慰安婦問題について　日本医事新報三五六二：一六　一九九二
原三郎：矢数道明著『ブーゲンビル島兵站病院の記録』を読んで　日本医事新報二七五二：六六―
　六八　一九七七
杉原正造：ブーゲンビル島に遺骨をもとめて―三十二年ぶりに訪れた元軍医の手記―　日本医事新
　報二八六一：六七―七〇　一九七九
矢数道明：ブーゲンビル島慰霊平和の鐘　日本医事新報二五一八：一一二　一九七二
福田吉穂：敗戦前後　日本医事新報三〇九三：五〇　一九八三

福田吉穂：三人の将軍　日本医事新報三六六七：一二五　一九九四
二階堂昇：戦友会　日本医事新報二四八九：九五　一九七二
二階堂昇：戦争とマラリア　日本医事新報三六一四：六一　一九九三
阿部達夫：終戦五〇年クラス会　日本医事新報三七四一：六八　一九九六
国見寿彦：あ号作戦従軍記―駆逐艦秋月軍医長のマリアナ沖海戦記―　学士鍋四七：八五―九一　一九八三
国見寿彦：第二海軍燃料廠物語　日本医事新報三三四二：六三―六六　一九八八
国見寿彦：海軍軍医時代の珍しい乗馬体験　日本医事新報三四四四：六八　一九九〇
国見寿彦：駆逐艦「秋月」の軍医長を命ぜられる（上）（下）　日本医事新報三五〇一：六五―六七　三五〇二：六六―六八　一九九一
国見寿彦：駆逐艦「秋月」の中部太平洋方面作戦行動（上）（中）（下）　日本医事新報三五一七：六二―六四　三五一八：六五―六七　三五一九：六七―六八　一九九一
国見寿彦：リンガ泊地と駆逐艦「秋月」（上）（下）　日本医事新報三五三七：六七―六九　三五三八：六六―六九　一九九二
国見寿彦：あ号作戦（マリアナ沖海戦）（上）（中）（下）　日本医事新報三五四九：六六―六七　三五五〇：六九―七一　三五五一：七二―七三　一九九二
横田五郎：忘れられない思い出　学士鍋一四二：三五―三七　二〇〇七
網島宗一：ソロモンの海の狼　重巡第六戦隊の思い出―短期現役士官として体験した日本海軍惜愛

の記―（一）（二）（三・完）　日本医事新報二九九〇：五九―六一　二九九一：六六―六九　二九九二：六四―六九　一九八一
堀慶介：帝国海軍で一番駄目な男の話（一）（二）（三）（四）（五）（六）（七）（八）（九）（十・完）　日本医事新報二五三六：六五―六六　二五三八：七〇　一九七二　二五五一：五三　二五六一：六七　二五六四：六六　二五六五：七三　二五八〇：六九―七〇　二五八二：六六―六七　二五八三：六七―六八　二五八四：六三―六四　一九七三
伊藤貞男：氷海に眠る医師たち　日本医事新報三三七九：五九―六二　一九八九
伊藤貞男：日本海に眠る医師たち　日本医事新報三三九四：五九―六一　一九八九
伊藤貞男：黄海に眠る医師たち（上）（下）　日本医事新報三四一六：五九―六一　三四一七：六一―六三　一九八九
伊藤貞男：北緯一三度線　日本医事新報三五〇五：五九―六二　一九九一
伊藤貞男：島探し　日本医事新報三五六四：四九―五二　一九九二
伊藤貞男：病院船のない国　日本医事新報三七四六：六三―六六　一九九六
廣瀬貞雄：河原崎国太郎丈を偲んで　日本医事新報三四八一：四七―四八　一九九一
吉川眞磨：壮烈ルンガ沖夜戦　日本医事新報三七〇六：六九―七一　一九九五
中井久夫：「一夫さん」のこと　日本医事新報三六八九：一七―一八　一九九五
山中學：戦艦三笠のこと　日本医事新報三三二四：六四―六五　一九八八
蓬来信勇：『ガダルカナル島戦　或る軍医の手記』を読んで　日本医事新報二五五二：七三―七四

一九七三
王丸勇：ガダルカナル　日本医事新報三三三〇：六一―六二　一九八八
西本忠治：栄光の駆逐艦雪風の手紙　日本医事新報二四五二：七一　一九七一
西本忠治：謎の電報　日本医事新報二四八八：一一五―一一六　一九七二
西本忠治：われ着底す　日本医事新報三一一七：七一　一九八四
西本忠治：三机湾　日本医事新報三六〇二：七四　一九九三
近藤隆造：太平洋奇跡の作戦「キスカ」―その映画化と小林新一郎君―　日本医事新報二一四九：六一―六二　一九六五
加藤十一：想い出　日本医事新報二一五四：五二　一九六五
金子準二：靴の思い出　日本医事新報二〇四八：一一五―一一六　一九六三
上野恭一：兵二の死　日本医事新報三五一三：六二―六三　一九九一
岡田博：じゅうたん爆撃　日本医事新報三一一五：六五―六六　一九八四
岡田博：戦争記念館の建設運動　日本医事新報三六六七：九―一〇　一九九四
岡田博：撃沈よりの生還　日本医事新報三九三〇：五九―六〇　一九九九
小坂二度見：シドニー湾口に特殊潜航艇を偲ぶ　日本医事新報二四三七：一一七―一一八　一九七一
布施徳郎：真珠湾で遇った「回天」　日本医事新報三九二七：三八―三九　一九九九
とくだまさる：ミッドウェー沖の濃霧―天佑去って再び来らず―　日本医事新報二四五五：六三―

六六　一九七一
吉田昇平：嗚呼　ウルシー環礁―在りし日の連合艦隊―　日本医事新報二七六九：六六―六七　一九七七
丸山正典：竹友中尉のこと―吾が敗戦録より―（上）（下）　日本医事新報二三四一：六五―六七　二三四二：六七―六九　一九六九
丸山正典：成之坊中尉　日本医事新報二九八七：九一　一九八一
丸山正典：醬油樽の兵　日本医事新報三六六六：二七―二八　一九九四
丸山正典：寂しかった日　日本医事新報三八九七：二七　一九九九
丸山正典：不思議な夢　日本医事新報三九二七：一一　一九九九
和田明二：山本元帥に仕えた最後の軍医　日本医事新報二二九九：九四　一九六八
和田明二：賀茂海軍衛生学校　日本医事新報二五五九：六三―六五　一九七三
和田明二：爆撃された「臨床検査法提要」　日本医事新報二五八〇：六七―六八　一九七三
鈴木卓朗：揺れやまぬ旭日旗　日本医事新報三七一九：一〇六　一九九五
山田耕司：母の便り　日本医事新報三〇九四：六五　一九八三
中村保：一軍医のビルマ戦記―ある死産のこと―　日本医事新報三〇八四：七一―七三　一九八三
中村保：一軍医のビルマ戦記―プローム患者療養所と米人飛行士―（遺稿）　日本医事新報三一一七：六四―六七　一九八四
中島博太郎：ビルマ巡拝記　日本医事新報二六一〇：七三―七四　一九七四

中島博太郎：ビルマの慰安婦　日本医事新報二七九七：六二—六四　一九七七
中島博太郎：北ビルマの思い出—S軍医少佐に捧ぐ—　日本医事新報二九二五：六三—六四　一九八〇
中島博太郎：インパール作戦夜話　日本医事新報三三八七：六五—六七　一九八九
小澤正：ビルマ敗走記　日本医事新報二八四〇：六二—六五　一九七八
塩川優一：軍医のビルマ戦線日記抄（一）（二）（三）（四）（五）（六—完）日本医事新報三五五八：五九—六一　三五五九：五三—五五　三五六〇：六六—六八　三五六三：五一—五三　三五六四：五四—五六　三五六五：六八—七〇　一九九二
塩川優一：元軍医、年老いて再びビルマの古戦場に行く　日本医事新報三七八一：六二—六三　一九九六
萩尾正孝：ビルマ日記抄（1）（2）（3）（4）　日本医事新報二一九五：八三—八四　二一九六：五一—五二　二一九七：五九—六〇　二一九八：五三—五四　一九六六
萩尾正孝：レーションの味　日本医事新報二二五八：四八　一九六七
萩尾正孝：ビルマ派遣日赤救護班　日本医事新報二三八一：五一—五四　一九六九
萩尾正孝：モールメン・ライター　日本医事新報二四一五：一八　一九七〇
萩尾正孝：ビルマのコレラ　日本医事新報二五九四：八七　一九七四
萩尾正孝：ビルマの天然痘　日本医事新報二六二三：四八—四九　一九七四
萩尾正孝：泰緬鉄道　日本医事新報二六四六：三一—三二　一九七五

萩尾正孝：軍医の卵さん　日本医事新報二八一七：六五　一九七八
萩尾正孝：南十字星　日本医事新報二八八三：七二―七三　一九七九
萩尾正孝：濡れ手で粟　日本医事新報三〇六三：五二―五三　一九八三
萩尾正孝：ゴム林の中で　日本医事新報三一一五：六八　一九八四
萩尾正孝：ビルマの兵站病院　日本医事新報三三二三：七二　一九八八
天羽清孝：ビルマの野みちにひばりが啼いた　日本医事新報二六五六：六五―六六　一九七五
花田二徳：「あ、ビルマ第二十六野戦防疫給水部記録」に寄せて　日本医事新報二五三八：七二　一九七二
村田豊次：ビルマの南十字星　日本医事新報二四六一：七四　一九七一
山口一博：ラバウルの史―ニューブリテン島を訪う―　日本医事新報二五〇二：七一―七二　一九七二
渡辺誠：関東軍軍医補充教育について　日本医事新報三〇八八：六三―六四　一九八三
島田武：軍医の見たラバウル戦線―「南雲詩」をめぐって―　日本医事新報二一一九：八三―八五　一九六四
山岸一隆：従軍の思い出（一）（二）（三）（四）　日本医事新報二〇一五：六八―七〇　二〇一六：六三―六四　二〇一七：七三―七四　二〇一八：四四―四五　一九六二
坂本敏：思い出のラバウル　日本医事新報二六〇四：七三―七四　一九七四
水平敏知：ラバウルの友人　日本医事新報二一〇一：二七　一九六四

榊原聡彦：「さらばラバウル」　日本医事新報二二五八：七一　一九六七
黒羽武：安南国回想記　日本医事新報二八八六：五九―六一　一九七九
森久保茂：戦記編纂　日本医事新報二四三七：四八―四九　一九七一
森本一善：硫黄島玉砕に祈る（一）（二）（三）（四）（五）（六）（七）（八）（九）（一〇）（一一）日本医事新報二一七三：四三―四五　二一七四：四六―四七　一九六五　二一七九：五二―五三　二一八〇：九二―九四　二一八一：五八―五九　二一八二：七八―八〇　二一八五：三九―四一　二一八六：四五―四七　二一八七：五四―五六　二一九〇：七四―七六　二一九一：五三―五四　一九六六
小篠速雄：父島陸軍病院回顧録（一）（二）（三）（四）（五―完）　日本医事新報三四五〇：五七―五九　三四五一：六六―六八　三四五二：六五―六七　三四五四：六六―六八　三四五五：六六―六八　一九九〇
寺木忠：私の軍歴（一）（二）（三）（四）（五）（六―完）　日本医事新報二四八六：四九―五〇　一九七一　二四九一：六八―七〇　一九七二　二六三四：六六―六八　一九七四　二六四八：六八―七〇　二六四九：六八―七一　二六五一：六九―七二　一九七五
村上光：海軍軍医の「勤務録」より―第二次世界大戦前後における内科系疾患、特に伝染病の動向について―（一）（三）（四）（五・完）　日本医事新報三八八〇：五五―五八　三八八二：六四―六六　三八八三：六四―六八　三八八四：六一―六六　一九九八

解説

村上陽一郎

本書は、すでに先んじて文庫化されている『蠅《はえ》の帝国』の姉妹編であり、続編ということになる。日中戦争（シナ事変）と太平洋戦争に従軍した三十人の軍医の視線に立って、それぞれの体験を小説の形にし、集めたのが、この二つの著作である。著者である帚木蓬生氏は、文科系のキャリアから、あらためて医師を志し、今は精神科の医療に携わりながら、作家として目覚ましい活動を続けておられる。ただし、戦後のお生まれだから、戦争の実体験はない。『蠅の帝国』の「あとがき」で、氏は、有名になって三国連太郎の主演で映画化もされた『三たびの海峡』（吉川英治文学新人賞受賞作）のなかの文章について、医学における師であった中尾弘之《ひろゆき》氏から、厳しい注意の葉書を送られたことを、率直に語っておられる。それは「絨毯《じゆうたん》爆撃」あるいは「急降下爆撃」などという言葉の遣い方に関することだった。戦時体験のない人間が、戦時下の軍隊内部、それも参謀本部など上層部の話ならばともかく、実戦のぎりぎり最前線での有様を、小説の形で再現することの難しさを伝えるエピソードであり、それとともに、本書の創作に当たられた著者のご苦労を偲《しの》ばせるものでもあった。

ところで、文学の世界には素人《しろうと》で、その上帚木氏のものなら断簡零墨《だんかんれいぼく》に至るまで集めて読むという良き読者でもない私が、この解説を書かせて戴《いただ》くことの理由を述べておきたい。直接の機縁は、本書が新刊として刊行された際に、毎日新聞の書評欄で取り上げた拙文が、編集部や著者自身のお目にとまったことだろうが、そもそも紙上で取り上げようとした私自身にも、それなりの思い入れがあってのことだった。そのことは紙上でも触れたのだが、多少の重複をお許し戴いて、ここにも書かせて戴く。私の父親は、大学で病理を専攻し、学究の途を志したが、経済的な理由でそれが難しかったために、海軍の軍医となり、依託学生として、古巣の教室に戻って、糖尿腎《とうにょうじん》の解析の論文で学位を得た。軍医中尉《ちゅうい》任官後、本書でも一部で扱われている日中戦争の極初期に従軍した後は、主として築地《つきじ》にあった海軍軍医学校で、教育と研究を続けた。太平洋戦争が始まって間もなく、北方方面艦隊軍医長として、千島での陸上勤務を経た後、再び軍医学校に戻って、その疎開《そかい》（疎開先は松本医専であった）の指揮をとったが、少将に昇任の内示直後に敗戦を迎えた経歴を持つ。本書でも「海軍が誇る高速戦艦」として触れられている（本書三五九ページ）「比叡《ひえい》」は、二千六百年記念の観艦式の際は、お召し艦（天皇が座乗される船）であり、このとき艦隊軍医長に任じられた父親のお蔭《かげ》で、四歳だった私も（予行演習の日だったが）一度乗船したことがある。内火艇で舷側《げんそく》に着き、揺れるタラップを恐る恐る上がると、衛兵が登舷礼で迎えてくれる様子、あるいは目に痛いような白布に覆《おお》われた昼食のテーブルなど、幼な心に刻まれて、今でもありありと思い浮かべることができる。因《ちな》みに、比叡は、改装されて、最大三十ノットを超える高性能な船として諸方に活躍したが、一九四二年十一月半ば、第三次ソロモン沖海戦で、爆撃、雷撃、砲撃で満身創痍《そうい》、操舵《そうだ》不能、曳航《えいこう》不能の状態になったので、味方の雷撃で沈没させられた、と言われている。結局太平洋戦争で日本海軍が失った最初の戦艦（同じ海戦で、同型の戦艦「霧島《きりしま》」も沈没している）になった。なお比叡艦長の西田正雄は、このとき退艦を独り強く拒んで、上層部からの命令にも従わず、周囲の説得にも応じなかったために、部下がよってたかって腕力で救助の舟艇に乗せたという逸話が残っている。

そんなわけで、戦前から、リバノール液、セファランチン、タンナルビン、アドソルビンなどなど、今となっては医師でも知らないかもしれない薬品名や、医学用語が、私の耳に馴染《なじ》んでいるのも、特別の読後感を誘う要因であった。そして、戦後の繁栄は知らぬまま、昭和二十九年に死んだ父親は、ほんの僅《わず》かな時代の差で、本書に登場するような過酷な前線を経験することはなかったのであり、もし生きて今本書を読んだら、どんな感想を持っただろうか、と思う一方で、息子の私としても、父の幸運を喜ぶよりも、ともすれば、むしろ「申し訳ない」というような重い思いを抱くのである。

『蝿の帝国』に集められた十五篇は、主として、内地（例えば被爆後の広島、あるいは大刀洗《たちあらい》航空基地での空襲など）とシナ事変における中国大陸での話題を集めていたが、本書では、東南アジア、中国大陸での前線、そして火事場泥棒的に対日参戦した上で、日本軍の兵士たちを強制労働に駆り立てたソ連の収容所などが、軍医たちの舞台になる。もっとも軍医といっても、九州などの帝国大学医学部在学中もしくは卒業直後の医生、当時は多かった医学専門学校（いわゆる「医専」）出身の応召組、あるいは開業して実地医療の場に働いていた医師が徴兵された例など様々で、多くは僅かな兵（軍医の位は、基本的には任官時にすでに士官、つまり最低でも少尉であったが）としての訓練を受け、そのまま戦地に赴任させられ、時には直ちに極限的状況にも立たされるわけだから、中には士官の立場に相応《ふさわ》しくない行動をとる軍医もあったらしい。本書で扱われる一つ一つの話の主人公に、そういう人物はいないが、脇役《わきやく》の形では、ときにそういう軍医がいたことも語られる。最も悲劇的な例は「生物学的臨床診断学」と題された項で、海軍軍医の主人公の大学での同窓で、偶然戦地で出会い、表題の書物を主人公から借りたTという陸軍軍医の場合だろう。彼は過酷な環境のなかで、原隊離脱というか、現地での任務を命令なく放棄した行動をとり、最終的には自決を余儀なくされる。ただ、軍の違う主人公の許《もと》へと前線を離脱した彼の行動は、戦地で出会った旧友のいる空間が、オアシスのように感じられたことも一因であったかもしれない。その意味では、あからさまに書かれてはいないが、主人公の無念の思いは、重層的なものだったに違いない。

最初に置かれた「抗命」という項は、やや異色で、主人公の軍医が、著者と同じ精神医学の専門であることもあって、とりわけ熱の籠《こも》った作品である。そこで扱われるのは、私などもかねてから、幾つかの書物（例えば高木俊朗《としろう》の同じタイトルの書物、あるいは秋山修道《しゅうどう》の著作）で一応の知識のあった事件をもとにしている。因《ちな》みに高木の著作は昭和四十一年に刊行されたときには「インパール作戦　烈《れつ》師団長発狂す」という刺激的な副題がついていたが、昭和五十一年に再刊された際に、この副題は消えている。この事件は、広く知られているためか、登場人物はすべて実名になっている。主人公は精神科医。牟田口廉也《むたぐちれんや》第十五軍司令官は、いわゆるインパール作戦を立案・指揮したが、兵站《へいたん》問題を解決しないまま（彼は「ジンギスカン作戦」と称して、牛を帯同させる方策を示したが、これは全く現実的ではなかった）強行したため、多大の損害を出しただけで、この作戦は完全な失敗に終わった。このときこの作戦を分担する一つの兵団（「烈」と称された）の指揮官佐藤幸徳《こうとく》中将が、補給を繰り返し本部に要請して梨《なし》のつぶてであったことに憤激、激しい文言の電報を打ち、命令を待たずに作戦から撤退したことを咎《とが》として、牟田口司令官が、部下である佐藤中将を告発するという、前代未《み》聞《もん》のスキャンダルになった。軍法会議にかけるに当たって、佐藤中将の精神鑑定を依頼されたのが、この話の主人公である。その詳細と結末は、読んで戴くことにして、一貫して、佐藤中将の側に立って書かれているのは、当然と言えば当然だが、それを鑑定軍医の目で語っているのが印象的である。

ソ連ものは二つ、「名簿」と「二人挽《び》き鋸《のこ》」である。前者は昭和十九年に、中国の揚子江沿いの奥地に派遣された軍隊が、撤収のため、北上し、朝鮮半島を経て、釜山《ふざん》からの便で日本へ戻るというルートを選択し、長途漸《よう》く《や》元山《げんざん》（現北朝鮮中部の東海岸に面した都市）に留まる間に、敗戦を迎え、その医療部隊は逆に北上して、咸興《かんこう》に病院を設営、結局ソ連軍の管轄《かんかつ》下に入って、捕囚状態のなかで、医療活動を継続することになった。主人公は、その一員であった。医療部隊だから、シベリアのラーゲリのような強制労働はないが、私物の略奪や女性の暴行は日常茶飯であり、ソ連兵のなかには、略奪した腕時計を十個も腕に巻いているものもいる有様だった。結局、病院では様々な形で強制労働させられて病患に侵され、あるいは負傷して、シベリアなどから搬送されてくる日本兵の治療に奔走する毎日になる。

帚木氏の作品で、読者ははっきり知らされるわけだが、戦地での軍医の重要な仕事の一つは、当たり前のようだが死者の看取《みと》りであり、死因の確定と記録である。それによって、残された家族への公報が可能になるし、戦没者やその遺族のその後の扱いに、大きな差が出るからでもある。前述のような自決者も、場合によっては別の死因で記録せざるを得なくなることもある。内地にしてみれば、国のために戦って亡《な》くなった大切な国民の一人ひとりについて、情報管理が必要なことは自明で、そのために、軍医の死者確認は最重要課題となっている。この病院でも、治療の甲斐《かい》もなく病没する人々が多数に上る。彼らの記録はそうした意味で重要資料であり、日本に戻されなければならない。しかし、ソ連軍は、自分たちの管轄下で、続出する死者の記録を残されることを徹底的に嫌った。したがって、一切の記録書類を、自分たちの手で日本に送り返すからと偽って提出させ、実際は焼却処分にしたのである。犯すものは即銃殺と言われながら、主人公の軍医が、様々な工夫を凝らし、辛うじて二千名に及ぶ死者の記録を、帰国に際して持ち帰ったエピソードが、この篇の主たる話題になる。

もう一つのソ連もの「二人挽き鋸」は、満州にいた日本軍の将校たちだけが集められて、シベリアに送られ、劣悪な環境のなかで、森林の伐採作業に駆り立てられる話である。およそ貧しい食事や次々に上がるノルマ、そこで、醜い性情を晒《さら》す高官、そしてタイトルとなる、樹木の伐採に「二人挽き」の鋸《のこぎり》を使うパートナーとの遣《や》り取り、などが、やはり医官の目で眺めた結果なのであろう、独特の視点から語られる。

こうした勝者の暴虐《ぼうぎやく》は、「行軍」と題された項におけるオーストラリア軍にも顕著である。タラワ環礁《かんしよう》の西ナウール島守備隊にあった主人公の部隊は、補給のないままの飢餓状態のなかで敗戦を迎える。上陸したオーストラリア軍によって武装解除され、ニューギニア本島の東、ブーゲンビル島に収容されるが、収容所への移動も、すでに飢餓の極にある隊員たちにとっては、地獄のような状態であった。収容所の環境も劣悪極まりないもので、特に第二収容所に当てられた近辺の島はマラリア天国、抗マラリア薬品などない医療側にとっては、次々に斃《たお》れていく患者を看取ることしかない。豪軍に要求しても、ほとんど無視される。主人公の軍医の口を借りた次の言葉が、読む者の心を抉《えぐ》る。それは「武器を使わない殺戮《さつりく》」であり「私たちは、降伏したあと、眼に見えない攻撃を受けたのだ。それも徹底的に。」

日本軍にも、捕虜たちの扱いで、「バターン死の行進」のような非人道的な出来事はあったが、その件では（日本側に異論もあるにせよ）、戦後、責任者として本間雅晴《まさはる》中将や河根良賢《よしかた》少将らが処刑されているし、捕虜にアメリカ兵が多かったこともあって、駐米大使が政府を代表して謝罪したこともある。しかし、ソ連にしてもオーストラリアにしても、そうした態度は一切示してこなかったことは、やはり勝者の暴虐として記憶されるべきだろう。もっとも同時に忘れるべきでないのは、この作家の目が、日本の犯した非人道的な歴史的過去についても、決して逸《そ》らされていないことだ。帚木氏の出世作とも言える前述の『三たびの海峡』は、戦時中朝鮮半島から徴用され、炭鉱労働者としてあらゆる辛惨をなめた一人の人物の辿《たど》った運命を、正面から描き切った力作で、今へイト・スピーチに明け暮れる人々に、読んでもらえたら、という思いをあらためて抱く。

「軍靴《ぐんぐつ》」と「下痢」という表題を持つ項は、どちらも、険しい山地や危険な川を渡って、無意味な転進に次ぐ転進で、兵たちが次々に死んでいく状態、また医療者として、治療はおろか、看取るよりも見捨てるほかなかった有様が語られる。日本軍の太平洋地域への展開は、この地域の地図を思い浮かべて貰《もら》えば有難いが（本書の冒頭にある地図も参照のこと）ビルマ、タイ、仏領インドシナ（現ヴィエトナム）、フィリピン、マレー半島、それに連なるように南に延びるボルネオ、セレベス、スマトラ、ジャワなどの大きな島々、そして、さらに東南にオーストラリアに近い東ニューギニアのソロモン諸島（その中に、有名なラバウル基地を持つニューブリテン島、ブーゲンビル島や、餓島と言われたガダルカナル島などがある）まで、恐ろしく長大な戦線を維持することで成り立っていた（余計なことだが、戦時中小学生だった私は、こうした島々の名前も、場所も形も、よく記憶している）。その上に中国大陸からソ連までを視野に入れ、樺太《からふと》、千島、アリューシャン列島という北方方面から、さらに東にはアメリカと正対する。文字通り四《し》面皆敵《めんかいてき》という状況にあった。当然延びきった兵站はほとんど用をなさず、本書でもしばしば言及されるように、食糧も「現地調達」と言えば聞こえはよいが、要するに展開先の現地人からの略奪に任される状態であった。武器さえも、あるいは小銃さえも、兵士の数だけ行き渡らないこともあり、医薬品も当然逼迫《ひっぱく》、こうした中で、負け戦になった時の惨《みじ》めさは、筆舌の外にある。

「下痢」ではニューギニアにおけるその惨状が語られる。医療者の目から見れば、マラリア、アメーバ赤痢のような腸疾患、そして飢餓からくる栄養失調、この三つが主たる敵であったが、圧倒的な物量で攻撃する敵を避けて、ジャングルのなかに逃避した状態では、軍としての組織体は壊滅し、医療の立場でなくとも、敵はもはや武力ではなくて、上の三つであった。もちろん武力としての敵は、上陸前に、海からの艦砲射撃、空からの爆撃と銃撃を徹底的に浴びせかけ、味方の抵抗力を無力化させている。夜陰に紛れ、敵の目を盗んで、潜水艦が辛うじて補給を行ってくれるが、その潜水艦も忽《たちま》ち撃沈されてしまう。後は上陸した敵と、空からの銃撃を避けての逃避行が続く。原住民の村落でも、「現地調達」を徹底してきたお蔭で、一瞬でも気を許せば、敵意をもった現地人に襲撃される。途々いたるところに先行する味方の落伍《らくご》兵の死体が転がっている。ほとんど白骨化したものから、中にはまだ息があるのに、蠅や蛆《うじ》に覆われているのもある。もはや、手を差し伸べる余裕さえない。軍医といえども、なすすべがない。医療に携わる者として、病者を前にどうしようもないことほど辛《つら》いことはない。死者が例外なく靴を履いていないのは、誰かが奪った結果だろう。軍靴はそれほど貴重なものだった。

その点を描いたのが「軍靴」と題された項である。こちらはフィリピン南端のミンダナオ島での同様の体験である。やはりほとんど無意味な逃避行の間に、靴がすっかり傷《いた》んで、毎日歩行が終わると靴の繕いをしていた軍医に、道端に横たわっていた瀕《ひん》死《し》の兵士から「軍医殿。これをはいて無事祖国に帰って下さい」と、自分の軍靴を脱いで渡されたエピソードに胸が痛む。人の逃げ去った民家にあった動物の皮の敷物を、焼いて口に入れるほどの飢餓状態、多少の芋が掘りとれそうな畑に出会って、不用意に駆け寄った兵士たちが隠れていた地元民に銃撃されて斃れる、希望を失って自決する同僚の軍医、行き先も定かでないこの逃避行に、戦争終結を知らせる敵の伝単と、落としてくれた救援物資には缶詰の食糧のほか、ジャングルでは貴重品だった食塩、さらにスルファグアニジン（サルファ剤の一種で、ダイアジンなどと並んで、ペニシリンやクロロマイセチンが汎用《はんよう》されるようになるまでは、最も優れた抗菌性薬剤であった）まで包入されていたこと、などが生々しく語られる。

こうしてみると、遣り切れない話ばかりのようだが、すべてがそうなのではない。例えば「巡回慰安所」は、ビルマでの民間医療活動をも副主題にしているが、主題が主題だけに、ある種のユーモアが漂う。しかし文中にも出てくるが「妓楼主《ぎろう》」まがいのことも、軍隊における医師の役割の一つということになるのも、考えてみれば辛い話だ。

「死産」は、やはりビルマにおいて、民間の妊婦と出会った経験が主題の物語である。主人公の軍医は、医専を繰り上げ卒業して配属されたもので、産婦人科に関する実習は受けておらず、まして、軍の医療施設に産科用の準備などあるはずもない。運ばれてきた妊婦は、樹から落ちたか何かで、胎児は死亡している可能性が高いが、とにかく異様な腹部膨満状態で、取りあえずは導尿が必要の様子、たまたま導尿のための器具は持ち合わせたので、消毒していると、付き添った産婆《さんば》らしい女性がその器具を使って導尿してくれる。しかし、その後の処置については、有り合わせの知識ではどうにもならない。虎《とら》の巻の参考書で、キニーネに陣痛促進の機能があること、その上でリチネ（長く下剤として使用されていたひまし油製剤）を利用すると効果がある、という記事に出会って、早速それを試す。この即席の対応が功を奏して、死児は間もなく排出され、母体は救われる。これが機縁で患者の栄養補給に困難が続いていた病院に、土地の人々から豊かな食糧の提供があった、という話である。このケースでは、「現地調達」までの切迫した事態ではなかったと推測されるが、これも、気持ちの安らぐ内容となっている。

ユーモラスな雰囲気は「蛍」にもある。サイゴンの医療施設に派遣された主人公の軍医が、たまたま赤痢患者になって入院する仕儀になる。この医官、最初の徴兵のときには、直前に虫垂炎で入院して、延期となる過去を持つ。それだけでもやや喜劇的だが、そこで出会った九州出身の短歌を趣味とする野波中尉との遣り取りが微笑《ほほえ》ましい。隔離患者たちと、姦計《かんけい》を巡らして市中に気晴らしにでかけるエピソードでも、闊《かっ》達《たつ》な野波中尉が活躍する。何回かの転進の後、野波中尉は悪性の結核（粟粒結核《ぞくりゅう》）に侵され入院、敗戦後ついに息を引き取る。その彼が見せてくれた、高い樹木一杯に取り付いた蛍が光る、夢のような光景が、彼の思い出となる。

「香水」は、本書では数少ない中国大陸での話で、激戦に次ぐ激戦の有様が迫真的に描かれるが、捕虜になって敵陣内に認められる日本兵を犠牲に、砲撃の手引きを決断する中隊長の苦悩、最前戦に負傷して取り残された士官の救出の様子、苦戦の末に占領した街の民家に遺棄された敵の将校の持ち物のなかに見いだされた漢詩的に書かれた日誌の最後のページを、漢文の素養のある主人公の軍医が読み下す。最後の場面は、死亡した若い日本の兵士の懐《ふところ》にあった、母親からの手紙。母が使っていた香水を、風《ふ》呂《ろ》にも碌《ろく》に入れないであろう息子に、慰問袋に潜ませて届ける、という件《くだり》があって、主人公が、僅かに数滴残った香水の瓶を、亡骸《なきがら》に振りかけるところで、項は終わる。

「杏花《シンホア》」は中国大陸に赴任した軍医が、民間で発生した脳炎らしき疾患の対策に現地に派遣される物語である。通訳は、大阪で理髪店を手広くやっていたという夫婦で、主人公の散髪を喜んでやってくれたりする。包《バオ》という学校の校長先生とは最初は医師・患者の関係から、好誼《こうぎ》が深まって、お互いに言葉を教え合ったりする間柄になる。その校長先生は日本の事情にも通じていて、郭沫若《かくまつじゃく》や秋田雨雀《うじゃく》の名前を口にする。日参のように繁《しげ》く訪れるようになったあるとき、校長は他出していて夫人と、ひっそりと咲いた白い花を眺めて、名前を訊《き》いた。答えは「シンホア」であった。一枝をせがんで帰隊、やがて部隊の移動が決まり別れの時が来る。最後の招宴後、校長夫妻は帰り車（日本で言う人力車）を用意していた。自分の父親より年寄りの車夫に車を引かせるのを嫌った主人公は、車夫が止めるのも聞かず、兵営まで車夫を乗せ、自分が引いて駆けた。主人公の教養や人となりと、中国の民衆や知識人との交流を示す心温まる一篇である。

残された紙幅は少ないが、「アモック」は少し異質の話題である。これも著者が精神科医であることと関わりがあるだろうが、スマトラの軍政部付の医官（軍医からの言わば出向）となった主人公の物語である。オランダの捕虜たちも含め、現地の医師たち（当然ながらオランダ医学を学んでいる）とも協力しながら、医療行政を進める立場である。当然ながら、日本軍占領下の旧蘭領インドシナの有様が、民衆の生活レヴェルまで、医療に焦点を合わせながらではあるが、総合的に読みとれる内容にもなっている。阿片《あへん》吸引者、ハンセン氏病患者などの有様も赤裸々に語られる。本書で唯一《ゆいいつ》の例外だが、主人公の食料事情も悪くないどころか、冷蔵庫にはツバメの巣をはじめ、様々な珍物が収まっている。さて表題のアモックだが、これは著者の専門領域に関わるもので、一般に「文化依存症候群」（ＣＢＳ）と言われるものの一種である。引きこもりと怒りの激発とが特徴の症状で、この地では、イスラム教徒の断食《だんじき》明け後に特徴的な場合があるという。そうした事件（殺傷事件）などにも、主人公は呼ばれる。やがて戦局は傾き、敵の放った大型魚雷が不発のまま、海岸に乗り上げているのを、専門家が処分する緊迫の描写も印象深い。

最後になったが、「十二月八日」は、これもやや異質な話題で、文字通り太平洋戦争の開戦時マレー半島に上陸を開始する際の激戦の模様を、軍医の立場で描いたもので、当時東南アジア諸地域では、連戦連勝、犠牲など僅かで勝ち進んだような印象を与えられていたが、実際の現場の過酷さが浮き彫りになっている作品である。

こうした十五の作品は、当然のことながら、厖大《ぼうだい》な資料を綿密に読みこなした上での、著者の創作であり、毎日新聞の紙上での拙文の見出しに「事実を超えた真実」という文言が使われたが、まさしく「小説」の持つ力が、見事に発揮されたものと言えよう。戦争の罪悪性、あるいは人間の醜さと気高さなどを「大説」として声高に叫ぶのではなく、一つ一つの小さな出来事を通して、読者の心のなかに積み重ねられる感慨が、結局は大きな主張を暗黙に語ることになるという例を、私は本書のなかに見出《みいだ》した。

（平成二十六年五月、科学哲学者）

本書には、現代の観点からすると差別的と見られる表現がありますが、作品の時代性に鑑みそのままとしました。（編集部）

この作品は二〇一一年十一月新潮社より刊行された。
文庫化にあたり改訂を行った。

帚木蓬生著

蠅の帝国

―軍医たちの黙示録―
日本医療小説大賞受賞

東京、広島、満州。国家により総動員され、過酷な状況下で活動した医師たち。彼らの慟哭が聞こえる。帚木蓬生のライフ・ワーク。

帚木蓬生著

白い夏の墓標

アメリカ留学中の細菌学者の死の謎は真夏のパリから残雪のピレネーへ、そして二十数年前の仙台へ遡る……抒情と戦慄のサスペンス。

帚木蓬生著

カシスの舞い

南仏マルセイユの大学病院で発見された首なし死体。疑惑を抱いた日本人医師水野の調査が始まる……。戦慄の長編サスペンス。

帚木蓬生著

三たびの海峡

吉川英治文学新人賞受賞

三たびに亙って〝海峡〟を越えた男の生涯と、日韓近代史の深部に埋もれていた悲劇を誠実に重ねて描く。山本賞作家の長編小説。

帚木蓬生著

臓器農場

新任看護婦の規子がふと耳にした「無脳症児」のひと言。この病院で、一体何が起こっているのか――。医療の闇を描く傑作サスペンス。

帚木蓬生著

閉鎖病棟

山本周五郎賞受賞

精神科病棟で発生した殺人事件。隠されたその動機とは。優しさに溢れた感動の結末――。現役精神科医が描く、病院内部の人間模様。

帚木蓬生著

空《くう》の色紙

妻との仲を疑い、息子を殺した男。その精神鑑定をする医師自身も、妻への屈折した嫉妬に悩み続けてきた。初期の中編3編を収録。

帚木蓬生著

ヒトラーの防具（上・下）

日本からナチスドイツへ贈られていた剣道の防具。この意外な贈り物の陰には、戦争に運命を弄ばれた男の驚くべき人生があった！

帚木蓬生著

逃亡（上・下）
柴田錬三郎賞受賞

戦争中は憲兵として国に尽くし、敗戦後は戦犯として国に追われる。彼の戦争は終わっていなかった――。「国家と個人」を問う意欲作。

帚木蓬生著

安楽病棟

痴呆病棟で起きた相次ぐ患者の急死。新任看護婦が気づいた衝撃の実験とは？　終末期医療の問題点を鮮やかに描く介護ミステリー！

帚木蓬生著

国銅（上・下）

大仏の造営のために命をかけた男たち。歴史に名は残さず、しかし懸命に生きた人びとを、熱き想いで刻みつけた、天平ロマン。

帚木蓬生著

千日紅の恋人

二度の辛い別離を経験した時子さんに訪れた、最後の恋とは――。『閉鎖病棟』の著者が描く、暖かくてどこか懐かしい、恋愛小説。

帚木蓬生著　聖灰の暗号（上・下）

異端として滅ぼされたカタリ派の真実を追う男女。闇に葬られたキリスト教の罪とは？　構想三十年、渾身のヒューマン・ミステリ。

帚木蓬生著　風花病棟

乳癌と闘う泣き虫先生、父の死に対峙する勤務医、惜しまれつつも閉院を決めた老ドクター。『閉鎖病棟』著者が描く十人の良医たち。

帚木蓬生著　水神（上・下）
新田次郎文学賞受賞

筑後川に堰を作り稲田を潤したい。水涸れ村の五庄屋は、その大事業に命を懸けた。故郷の大地に捧げられた、熱涙溢れる時代長篇。

佐々木　譲著　ベルリン飛行指令

開戦前夜の一九四〇年、三国同盟を楯に取り、新戦闘機の機体移送を求めるドイツ。厳重な包囲網の下、飛べ、零戦。ベルリンを目指せ！

髙村　薫著　晴子情歌（上・下）

本郷の下宿屋から青森の旧家へ流されてゆく晴子。ここに昭和がある。あなたが体験すべき物語がある。『冷血』に繋がる圧倒的長篇。

吉村　昭著　戦艦武蔵
菊池寛賞受賞

帝国海軍の夢と野望を賭けた不沈の巨艦「武蔵」――その極秘の建造から壮絶な終焉まで、壮大なドラマの全貌を描いた記録文学の力作。

新潮文庫最新刊

塩野七生著
ローマ亡き後の地中海世界
―海賊、そして海軍―
（1・2）
ローマ帝国滅亡後の地中海は、北アフリカの海賊に支配される「パクス」なき世界だった！　大作『ローマ人の物語』の衝撃的続編。

角田光代著
今日もごちそうさまでした
苦手だった野菜が、きのこが、青魚が……こんなに美味しい！　読むほどに、次のごはんが待ち遠しくなる絶品食べものエッセイ。

西原理恵子
佐藤優著
とりあたまJAPAN
最凶コンビの本音が暴く世の中のホント。国際社会になめられっぱなしの日本に喝を入れる、明るく過激なマンガ&コラム全65本。

西尾幹二著
天皇と原爆
日米開戦はなぜ起きたか？　それはキリスト教国アメリカと天皇信仰日本の宗教戦争だった。大東亜戦争の「真実」に迫る衝撃の論考。

寺島実郎著
若き日本の肖像
―一九〇〇年、欧州への旅―
漱石、熊楠、秋山真之……。二十世紀の新しい息吹の中で格闘した若き日本人の足跡を辿り、近代日本の源流を鋭く見つめた好著。

関裕二著
古代史謎解き紀行Ⅲ
―九州邪馬台国編―
邪馬台国があったのは、九州なのか畿内なのか？　古代史最大の謎が明らかにされる！　大胆な推理と綿密な分析の知的紀行シリーズ。

蛍《ほたる》の航《こう》跡《せき》

軍医たちの黙示録

新潮文庫　は-7-25

平成二十六年八月一日発行

著者　帚《ははき》木《ぎ》蓬《ほう》生《せい》

発行者　佐藤隆信

発行所　株式会社　新潮社

郵便番号　一六二―八七一一
東京都新宿区矢来町七一
電話　編集部(〇三)三二六六―五四四〇
読者係(〇三)三二六六―五一一一
http://www.shinchosha.co.jp

価格はカバーに表示してあります。

乱丁・落丁本は、ご面倒ですが小社読者係宛ご送付ください。送料小社負担にてお取替えいたします。

印刷・二光印刷株式会社　製本・憲専堂製本株式会社

ISBN978-4-10-128825-3 C0193